KV-383-114

HÉRODOTE

INTRODUCTION

Il a été tiré de cet ouvrage .

200 exemplaires sur papier pur fil Lafuma
numérotés à la presse de 1 à 200.

COLLECTION DES UNIVERSITÉS DE FRANCE
publiée sous le patronage de l'ASSOCIATION GUILLAUME BUDÉ

HÉRODOTE

INTRODUCTION

NOTICE PRÉLIMINAIRE
SUR LA VIE ET LA PERSONNALITÉ D'HÉRODOTE
ET
SUR LA PRÉSENTE ÉDITION

PAR
PH.-E. LEGRAND
Correspondant de l'Institut
Professeur honoraire de l'Université de Lyon

PARIS
SOCIÉTÉ D'ÉDITION « *LES BELLES LETTRES* »
95, BOULEVARD RASPAIL
1932

Conformément aux statuts de l'Association Guillaume Budé, ce volume a été soumis à l'approbation de la commission technique, qui a chargé M. P. Chantraine d'en faire la revision et d'en surveiller la correction en collaboration avec M. Ph.-E. Legrand.

I

SUR LA VIE ET LA PERSONNALITÉ D'HÉRODOTE [1]

PATRIE D'HÉRODOTE

Hérodote était d'Halicarnasse. S'il était sûr que la phrase initiale de son ouvrage ait été rédigée par lui telle que les manuscrits la donnent : Ἡροδότου Ἁλικαρνησσέος ἱστορίης ἀπόδεξις ἥδε, il n'y aurait pas lieu de chercher d'autres témoignages ; mais on a, ainsi que nous verrons, de sérieuses raisons d'en douter ; il serait donc imprudent de se reposer sur ce texte. Le plus ancien document incontestable où l'ethnique Ἁλικαρνασσεύς apparaisse aujourd'hui accolé au nom d'Hérodote est l'inscription de la base d'une statue qui ornait la bibliothèque de Pergame, construite par Eumène II (197-159) dans la première moitié du IIe siècle avant l'ère chrétienne [2]. Une inscription rhodienne, en vers, où il est dit qu'Hérodote et Panyassis illustrèrent Halicarnasse [3], une épi-

1. A dessein, j'ai pris pour centre des observations qui vont suivre la personne de l'écrivain. De la genèse et de la structure de son œuvre, des sources de son information, si magistralement étudiées par M. Jacoby dans la *Real-Encyclopädie* de Pauly-Wissowa (Supplem. 2es Heft, article *Herodotos*), il ne sera parlé ici qu'incidemment ; j'y consacrerai plus de détail en tête des chapitres successifs. — Sur la biographie d'Hérodote, voir en particulier Hauvette, *Hérodote historien des guerres médiques*, p. 2 et suiv. ; Jacoby, *o. l.*, col. 205 et suiv.

2. *Altertümer von Pergamon*, inscription n° 199.

3. IG XII 1 145 : Ἁλικ]α[ρνα]σσοῦ κραναὸν πέδον ὧν διὰ μολπὰ[ς] [κλεινὸν ἐν] Ἑ[λλήν]ων ἄστεσι κῦδο[ς ἔ]χει. D'après les formes des

taphe fictive, où l'écrivain est appelé « fils d'une patrie dorienne »[1], — derechef, c'est d'Halicarnasse qu'il s'agit, — datent probablement l'une et l'autre de la période hellénistique ; on ne peut rien affirmer de précis. A l'époque romaine, l'origine halicarnassienne d'Hérodote est admise, explicitement ou implicitement, par presque tous ceux qui ont parlé de lui : par Denys d'Halicarnasse ; par Strabon ; par Plutarque ; par Ptolémée Chennos ; par Lucien ; par l'auteur du traité Περὶ ἑρμηνείας ; par Aelius Aristide[2]. Seul, l'empereur Julien[3], parlant du Θούριος λογοποιός, semble faire exception ; et encore n'est-ce qu'une apparence. Cette origine halicarnassienne est affirmée aussi par Suidas, dans les notices biographiques consacrées à l'historien lui-même et au poète épique Panyassis, où il est dit en outre que la famille d'Hérodote était une famille « en vue » (τῶν ἐπιφανῶν) ; que son père avait nom Lyxès ; sa mère, Dryo (ou Rhoio) ; son frère, Théodoros ; qu'il était proche parent (ἐξάδελφος) de Panyassis ; qu'il dut, à cause du tyran Lygdamis, émigrer à Samos ; que, plus tard, il revint et chassa le tyran[4]. A quelques détails près, cet ensemble de rensei-

lettres telles qu'elles sont reproduites dans le *Corpus*, M. Bourguet attribuerait volontiers cette inscription à la seconde moitié du IIIe siècle avant notre ère ; « mais », ajoute-t-il, « quelle confiance peut-on avoir dans des majuscules typographiques ! » M. Jacoby se demande si elle ne serait pas de l'époque d'Hadrien.

1. Δωριέων βλαστόντα πάτρης ἄπο. L'inscription (II 21 dans le supplément de l'*Anthologie* de Cougny) est citée, sans indication de provenance, par Étienne de Byzance s. v. Θούριοι. Dans les scholies de Tzétzès, *Chil.* I 19 (Cramer, *Anecd. Oxon.*, III 350), il est dit d'elle : οὗ Ζήνων ἐν τῇ τετάρτῃ τῶν Εὐθυνῶν ('Εθνικῶν Preger) μνημονεύει ; il doit s'agir du grammairien Zénon de Myndos, peut-être contemporain de Tibère.

2. Den. Halic., *De Thucydide,* 5 ; Strabon, XIV 2 16 ; Plut., *De Herodoti malignitate,* 35 ; *De exilio,* 13 ; Photius, *Bibl.,* 148 b 13 ; Lucien, *Herodotus vel Aetion*, 1 ; *De domo,* 20 ; Περὶ ἑρμηνείας, 17, 44 ; Ael. Arist. t. II, p. 513 Dindorf.

3. *Ep.* 52 (Bidez).

4. S. v. Ἡρόδοτος : Ἡρόδοτος Λύξου καὶ Δρυοῦς, Ἁλικαρνασσεύς, τῶν ἐπιφανῶν, καὶ ἀδελφὸν ἐσχηκὼς Θεόδωρον. Μετέστη δ' ἐν Σάμῳ διὰ Λύγδαμιν, τὸν ἀπ' Ἀρτεμισίας τρίτον τύραννον γενόμενον Ἁλικαρνασσοῦ ...Ἐλθὼν δ' εἰς Ἁλικαρνασσὸν καὶ τὸν τύραννον ἐξελάσας...

gnements semble puisé à bonne source et inspire confiance. Il se peut que le biographe de qui dépend Suidas ait cédé au désir d'établir entre deux compatriotes illustres, Hérodote et Panyassis, un lien de parenté qui n'existait pas ; — on voit effectivement, dans la notice consacrée à Panyassis, que ce lien n'était pas toujours présenté de la même façon, le père d'Hérodote passant tantôt pour le frère du père de Panyassis, tantôt pour le mari d'une sœur. Il est possible aussi, probable même, qu'en disant d'Hérodote qu'il chassa le tyran Lygdamis (ἐξελάσας), le biographe lui attribua un rôle de premier plan qui ne fut pas le sien. Le reste ne présente en soi rien de suspect. Rien n'empêche de penser qu'un érudit de la studieuse période hellénistique, — on a songé à Démodamas « d'Halicarnasse ou de Milet », auteur d'une monographie περὶ Ἁλικαρνασσοῦ[1], le même, peut-être, qui fut général des deux premiers Séleucides et qui composa des ouvrages de géographie[2], — l'ait tiré de documents officiels : d'un acte, par exemple, commémorant les discordes civiles dont Halicarnasse fut le théâtre au temps de Lygdamis et dont nous avons un écho dans l'inscription n° 45 du recueil de Dittenberger (3e éd.) ; du texte d'une sentence rendue contre des conjurés ; ou bien, au contraire, d'un décret récompensant ceux qui renversèrent le tyran. Aucun trait de l'œuvre d'Hérodote ne contredit l'idée que l'auteur soit d'Halicarnasse. Bien plutôt, l'abondance et la révérence avec lesquelles il parle d'Artémise[3], princesse d'Halicarnasse à l'époque de la grande guerre médique, la connaissance qu'il a d'incidents de l'histoire locale[4], d'autres détails encore que nous relèverons à l'occasion, paraissent le corroborer.

S. v. Πανύασσις : Πανύασσις Πολυάρχου Ἁλικαρνασσεύς... Ἱστόρηται δὲ Πανύασσις Ἡροδότου τοῦ ἱστορικοῦ ἐξάδελφος...

1. Athénée, 682 d. Ce Démodamas était probablement Milésien, et il pouvait avoir reçu le droit de cité à Halicarnasse en récompense de sa sollicitude pour l'histoire et les gloires de la ville.

2. *Fragm. hist. graec.* de Müller, II, 444.

3. VII 99 ; VIII 68-69, 87-88, 93, 101-103.

4. I 144.

SA FAMILLE

Que signifie au juste cette indication de la notice : qu'Hérodote était τῶν ἐπιφανῶν ? D'un passage du livre II chapitre 143, on a souvent déduit que sa famille appartenait à la noblesse. La déduction me semble contestable. Dans le passage en question, Hérodote raconte qu'à Thèbes d'Égypte l'historien Hécatée avait exposé sa généalogie, d'après laquelle son seizième ancêtre aurait été un dieu ; et qu'en réponse ses guides lui firent voir οἷόν τι καὶ ἐμοὶ οὐ γενεηλογήσαντι ἐμεωυτόν les statues de cent quarante-cinq prêtres de Zeus qui s'étaient succédé de père en fils sans s'attribuer une extraction divine. Certes, les mots οἷόν τι κτλ. peuvent signifier que l'auteur aurait eu lui aussi, comme Hécatée, une généalogie à exposer, et qu'il s'abstint de le faire. Mais le ton du passage, qui paraît ironique, autorise également une autre interprétation : si Hérodote n'exposa pas de généalogie orgueilleuse, ce put être parce qu'il n'en avait point à exposer et ne se souciait pas d'en avoir. Le nom de son père, Lyxès, n'est l'est pas, — comme celui du père d'Hécatée, Hégésandros, — de bonne marque hellénique ; il a, comme celui de Panyassis, quelque chose de barbare ; aucun nom de cette sorte ne figure dans la liste des prêtres de Poseidon Isthmios que nous a conservée — pour une période, à vrai dire, antérieure au temps d'Hérodote — une inscription d'Halicarnasse [1] et qui nous fait connaître l'onomastique d'une des familles illustres de la ville. Ce n'est pas faire injure à Hérodote de supposer qu'il ait eu dans les veines un mélange de sang grec et de sang carien. Lui-même, qui rappelle avec complaisance le glorieux passé des Cariens, qui excuse leur faiblesse devant Harpage en observant que les Grecs leurs voisins ne résistèrent pas mieux, qui raconte volontiers les beaux faits d'armes accomplis par eux lors de la révolte de l'Ionie, qui, dans

1. Dittenberger, *Sylloge*^{3}, 1020.

l'armée de Xerxès, leur assigne un rang très honorable, auprès des Grecs d'Asie et à part des autres Barbares [1], n'eût sans doute pas rougi de reconnaître ce mélange. Parlant quelque part d'Isagoras, le rival de Clisthène à Athènes après la chute des Pisistratides, il insinue que ses ancêtres avaient des accointances cariennes ; la famille d'Isagoras n'en était pas moins, affirme-t-il, une famille considérée (δόκιμος) [2]. Ainsi put-il en être de la propre famille d'Hérodote. Une famille « en vue » n'est pas nécessairement, n'était pas forcément au ve siècle, dans une ville commerçante telle qu'Halicarnasse, une famille noble.

SA JEUNESSE ; SON EXIL A SAMOS

Noble ou non, Hérodote dut grandir parmi les opposants au gouvernement de son pays natal, qui était alors un gouvernement tyrannique exercé par un vassal de la Perse, Lygdamis. L'influence de cette éducation est sensible dans son ouvrage. S'il prodigue l'éloge à l'aïeule de Lygdamis, la fameuse Artémise, dont on était fier à Halicarnasse à cause de sa vaillance, de sa sagesse, de la haute situation qu'elle avait eue dans les conseils du roi ; si, à quelques-uns des tyrans dont il parle, Pisistrate, Polycrate, il ne refuse pas son admiration ni même, dans des circonstances tragiques, sa sympathie, il a pour la tyrannie en général une hostilité systématique ; qu'il suffise de rappeler ici l'histoire des Kypsélides et le commentaire dont l'accompagne, au livre V chapitre 92, le Corinthien Sosiclès, porte-parole de l'auteur, ou les réflexions tendancieuses du livre V chapitre 78, réflexions qui s'accordent assez mal avec l'histoire d'Athènes sous Pisistrate.

On peut trouver aussi dans l'œuvre d'Hérodote la trace du séjour que, d'après la notice, il a fait à Samos comme réfugié politique. Il connaît la topographie de la ville et des envi-

1. I 171, 174 ; V 118-121 ; VIII 19, 22.
2. V 66.

rons, les curiosités du pays, notamment le temple d'Hèra, qu'il signale comme un des monuments élevés par les Grecs le plus dignes qu'on en parle ; il mentionne en termes précis un certain nombre d'offrandes conservées dans ce temple ; il nomme avec éloge des artistes samiens, sait dire l'origine d'une fête samienne, prend la coudée de Samos comme terme de comparaison [1] ; il fait au récit d'une période de l'histoire de Samos — règne de Polycrate, gouvernement de Maiandrios, installation de Syloson — une si large place, qu'il éprouve lui-même le besoin de s'en justifier [2] ; il relate, de cette histoire, plusieurs détails peu connus au dehors ; il fait ressortir à l'occasion la générosité des Samiens, l'estime qu'on a pour eux dans le monde, les défend contre de méchantes accusations ; il signale leur vaillance lors de la campagne des Ioniens en Cypre, excuse de son mieux, par avance et après coup, la défection du gros de leur escadre à la bataille de Ladè, les montre gens de cœur dans l'armée de Xerxès, et, sitôt qu'ils le peuvent, empressés à servir, contre un maître à qui ils avaient obéi par contrainte, la cause de la liberté des Grecs [3]. Tout cela semble révéler une familiarité intime avec les gens et les choses de Samos, de profondes sympathies samiennes qui résistèrent au choc des événements, sympathies et familiarité qui s'expliquent très bien par un séjour prolongé, des impressions de jeunesse, la reconnaissance d'un réfugié pour le pays qui lui donna asile. Un auteur samien du IIIe siècle, Douris, réclamait comme ses compatriotes un compagnon d'exil d'Hérodote, Panyassis [4], et peut-être Hérodote en personne [5]. Pareille idée ne lui fût

1. III 39, 54, 142 ; VI 14 ; IX 96 ; — III 60 ; — II 148 ; — I 170 ; II 182 ; III 47, 123 ; IV 88, 152 ; — I 51 ; III 41, 60 ; IV 87 ; — III 48 ; — II 118.

2. III 60.

3. III 26, 47 ; IV 152 ; VIII 85 ; — III 48, 55 ; IV 152 ; — III 55 ; — I 170 ; — V 112 ; VI 13, 14, 22 ; VIII 85 ; IX 90-92, 99, 103.

4. Suidas s. v. Πανύασσις : Δοῦρις δὲ Διοκλέους τε παῖδα ἀνέγραψε καὶ Σάμιον...

5. Si, à la suite des mots que nous venons de citer, on lit (au lieu

pas venue, si l'un et l'autre n'avaient vécu à Samos et si l'on n'y avait gardé la mémoire de leur présence. Le séjour à Samos n'a pas eu sans doute, dans la carrière d'Hérodote, autant d'importance que lui en attribue la notice[1] : ce n'est pas dans l'île de Polycrate que l'écrivain apprit à parler l'ionien, — qu'il devait parler de naissance ; ce n'est pas là non plus qu'il rédigea son histoire, — dont la rédaction l'occupa jusqu'à la fin de sa vie. Mais, non moins certainement, ce séjour fut tout autre chose, et beaucoup plus, qu'une ou plusieurs visites de touriste.

DATE APPROXIMATIVE DE SA NAISSANCE

Lorsqu'Hérodote, devenu à demi Samien par l'effet d'une longue résidence, retourna à Halicarnasse, il devait avoir atteint l'âge d'homme. J'ai dit qu'on aurait tort de le considérer, d'après une phrase de la notice, comme le chef des proscrits qui expulsèrent Lygdamis ; du moins, s'il y a dans cette phrase, comme je le crois, un fond de vérité historique, elle veut dire qu'Hérodote a pris une part active à l'expulsion. La chute de Lygdamis n'est pas datée avec exactitude. Elle fut évidemment antérieure à 454, puisque dès cette année Halicarnasse figure, sans indication de dynaste, au nombre des alliés d'Athènes[2] ; mais antérieure de combien ? Serait-ce de peu de temps, nous sommes en droit, semble-t-il, d'admettre qu'en 454 Hérodote avait bien vingt-cinq ans ; ce qui conduirait à placer la date de sa naissance au plus tard vers 480. Le fait qu'il ne paraît avoir, des guerres médiques, aucun souvenir personnel, empêche d'autre part de penser qu'il naquit beaucoup plus tôt ; 490 est un terme qu'il serait imprudent, je crois, de dépasser. Ce résultat

de : ὁμοίως δὲ καὶ Ἡρόδοτος Θούριον, qui ne signifie rien) : ὁμοίως δὲ καὶ Ἡρόδοτον τὸν Θούριον, comme il a été proposé.

1. Ἐν οὖν τῇ Σάμῳ καὶ τὴν Ἰάδα ἠσκήθη διάλεκτον καὶ ἔγραφεν ἱστορίαν ἐν βιϐλίοις θ′.

2. IG I 226.

s'accorde avec l'assertion, assez vague, de Denys d'Halicarnasse, — qu'Hérodote serait né peu de temps avant les Περσικά, c'est-à-dire avant Salamine et Platée, — et avec celle de la docte Pamphila, contemporaine de Néron, qui le fait naître en 484 [1]. Cette dernière date, d'une précision séduisante, ne doit pas nous donner le change ; Apollodore d'Athènes, que suit Pamphila et dont probablement Denys d'Halicarnasse s'inspire, l'avait atteinte au prix de conjectures : ayant fixé l'ἀκμή de l'historien, pour des raisons que nous discernerons plus loin, en 444, il reportait du même coup sa naissance à quarante ans en arrière. Des calculs de ce genre ne sauraient aboutir à plus de certitude que nos propres hypothèses modernes ; je ne sais si, dans la circonstance, il faut trouver rassurant que les uns et les autres coïncident [2].

L'ÉMIGRATION A THOURIOI

Après avoir relaté le retour d'Hérodote à Halicarnasse, la notice dit que, par la suite, il se transporta à Thourioi, où

1. Denys Halic., *De Thuc.*, 5 ; Aulu-Gelle, XV 23 : Hellanicus initio belli Peloponnesiaci (431) fuisse quinque et sexaginta annos natus videtur, Herodotus tres et quinquaginta, Thucydides quadraginta. Scriptum est hoc in libro undecimo Pamphilae. — Le grossier synchronisme énoncé par Diodore de Sicile (II 32) : Ἡρόδοτος κατὰ τὸν Ξέρξην γεγονὼς τοῖς χρόνοις ne donne pas une raison de placer la naissance de l'historien, non plus que sa mort, sous le règne de Xerxès, qui commença en 485.

2. Dans la chronique d'Eusèbe, il est dit à la date Ol. 78 1 = 468/7 (Ol. 78 2 = 467/6 dans la version arménienne) : Ἡρόδοτος Ἁλικαρνασσεὺς ἱστοριογράφος ἐγνωρίζετο. S'il fallait conclure de ces mots qu'à la date indiquée Hérodote commençait à être connu comme littérateur, on devrait sans doute reculer l'époque de sa naissance sensiblement au delà de 484 et même de 490, ce qui, pour la raison donnée ci-dessus, semble impossible. L'indication d'Eusèbe peut concerner un fait, — le premier connu, — de la vie d'Hérodote qui n'avait rien à voir avec sa carrière d'écrivain. Ou bien elle repose sur une confusion ; la date de 468/7 paraît avoir eu de l'importance dans la vie de Panyassis. Cf. Hauvette, p. 13 ; Jacoby, col. 229.

les Athéniens envoyaient des colons[1]. Cette émigration est attestée aussi, expressément, par Strabon, par l'auteur de la pseudo-funéraire, par Plutarque[2] ; peut-être l'était-elle par Cornelius Nepos[3] ; elle l'est, de façon implicite, par l'attribution à Hérodote de l'ethnique Θούριος, correspondant à sa nouvelle patrie[4]. Plutarque dit méchamment que, bien qu'il se vantât d'être Halicarnassien, Hérodote, aux yeux du public, n'était qu'un citoyen de Thourioi[5] ; sans méchanceté, Strabon en dit autant[6] ; c'est comme citoyen de Thourioi que le connaît la chronique de Lindos, rédigée dans la première partie du Iᵉʳ siècle avant notre ère d'après des documents plus anciens[7] ; c'est comme citoyen de Thourioi qu'il était, semble-t-il, présenté couramment au IIIᵉ siècle, lorsque Douris le réclamait pour Samos[8] ; et c'est, croit-on, d'après un périple rédigé au plus tard vers 350 qu'un poète latin de basse époque, Avienus, l'appelle *Thurius*[9]. Lui-même, contrairement à ce que Plutarque lui reproche, se donnait, selon toute vraisemblance, en tête de son ouvrage, pour un Θούριος. Tel est l'ethnique qui figure

1. Ὕστερον... εἰς τὸ Θούριον ἀποικιζόμενον ὑπ' Ἀθηναίων ἐθελοντὴς ἦλθε.

2. Strab., XIV 2 16 : ὃν ὕστερον Θούριον ἐκάλεσαν διὰ τὸ κοινωνῆσαι τῆς εἰς Θουρίους ἀποικίας ; — épigr. : Θούριον ἔσχε πάτρην ; — Plut., *De ex.*, 13 : μετῴκησε γὰρ εἰς Θ. καὶ τῆς ἀποικίας ἐκείνης μετέσχε.

3. Si Pline l'Ancien, qui dépend de lui, a écrit (*Nat. Hist.*, XII 18) : Tunc enim (en 444) auctor ille *historiarum* (et non pas : historiam eam) condidit Thurios in Italia. Avec *historiarum*, il est malaisé de conserver Thuri*is* qu'on lisait avant Fleckeisen.

4. On ne saurait, dans la circonstance, songer à un titre de citoyen d'honneur, tel que les cités grecques le prodiguèrent par la suite ; au vᵉ siècle, pour être appelé Θούριος, Hérodote devait être citoyen actif de Thourioi.

5. *De Herod. malign.*, 35 : Θούριον μὲν ὑπὸ τῶν ἄλλων νομιζόμενον, αὐτὸν δὲ Ἁλικαρνασέων περιεχόμενον.

6. *L. l.* : Θούριον ἐκάλεσαν.

7. Blinkenberg, *La chronique du temple Lindien*, 29 : Ἡρόδοτος [ὁ Θ]ούριος ἐν τῷ Β τῶν Ἱστοριῶν.

8. Voir ci-dessus p. 10, n. 5.

9. *Or. Mar.*, 49.

dans une citation de cet intitulé faite par Aristote au livre III de la *Rhétorique* chapitre 9. Plutarque nous apprend que, de son temps, beaucoup de manuscrits donnaient également Θουρίου[1]. C'était, à son avis, par l'effet d'une substitution, le texte primitif ayant été Ἁλικαρνησέος ; mais cette substitution, qui l'aurait entreprise, et pourquoi ? Il est peu vraisemblable que personne ait eu alors l'idée de se faire rétrospectivement le champion des droits de Thourioi, devenue après le ve siècle possession des Lucaniens, puis des Tarentins, puis colonie romaine ; tandis qu'à Halicarnasse la fierté nationale persistait en dépit des siècles. Rien d'étonnant, si cet amour-propre, lorsque l'origine halicarnassienne d'Hérodote fut dûment établie, se fit gloire d'un aussi illustre personnage. A l'époque hellénistique, on érigea à Halicarnasse une statue de l'écrivain dans le gymnase des éphèbes[2] ; beaucoup plus tard, à l'époque antonine, on reproduisit sur les monnaies locales la tête de cette statue[3]. Remplacer, au fronton des *Histoires*, l'ethnique acquis de l'auteur — Θούριος — par son ethnique de naissance — Ἁλικαρνησσεύς — était une pieuse fraude patriotique qui devait tenter copistes et éditeurs. Le remplacement, beaucoup plus vraisemblable que la substitution inverse, était en cours lorsqu'écrivait Plutarque[4] ; il se généralisa peu à peu[5] ; mais la

1. *De ex.*, 13 : τὸ δὲ « Ἡροδότου Ἁλικαρνησέος ἱστορίας ἀπόδεξις ἥδε » πολλοὶ μεταγράφουσιν « Ἡροδότου Θουρίου ».

2. Un décret de l'époque d'Hadrien en l'honneur du poète C. Julius Longianus (Lebas-Waddington, 1618) ordonne qu'on placera une statue de lui dans le gymnase παρὰ τὸν παλαιὸν Ἡρόδοτον. Sur la date probable de ce παλαιὸς Ἡρόδοτος, voir l'article de Kekule von Stradonitz consacré aux portraits d'Hérodote, dans le Γενεθλιακὸν *zum Buttmannstage*, page 42.

3. Kekule von Stradonitz, *o. l.*, p. 40-42.

4. Si Cornelius Nepos (Pline, *Nat. Hist.*, XII 18) a dit qu'Hérodote composa son histoire à Thourioi, il déduisait probablement cette affirmation de l'ethnique Θούριος qu'il lisait en tête de son exemplaire ; mais, dans le texte de Pline, la lecture *Thuriis* n'est pas à l'abri de toute contestation ; voir ci-dessus p. 13, n. 3.

5. Au IIe siècle, Aristide et l'auteur du traité Περὶ ἑρμηνείας, citant le début du prooimion, donnent l'un et l'autre Ἁλικαρνησσέος.

lecture Θουρίου se maintint, semble-t-il, longtemps dans quelques exemplaires ; Julien peut l'avoir rencontrée dans l'un d'eux.

DATE ET CIRCONSTANCES DE CETTE ÉMIGRATION

Quand Hérodote émigra-t-il à Thourioi ? Et dans quelles conditions ? Il n'est guère douteux que, pour nos informateurs anciens, son émigration ait été contemporaine de la fondation de la ville ; qu'il soit parti, non pas à destination d'une colonie déjà fondée (remarquons, dans le texte de la notice, le présent ἀποικιζόμενον), mais avec les colons qui allaient la fonder, avec les colons appelés par Périclès d'Athènes et du reste de la Grèce, qui avaient à leur tête Xénocritos et Lampon ; c'est-à-dire au printemps de 443. D'autre part, d'après la notice et la pseudo-funéraire, il se serait décidé à partir en raison de l'hostilité que lui manifestaient ses concitoyens d'Halicarnasse[1]. Ni sur l'un ni sur l'autre point les biographes antiques ne durent avoir à leur disposition des témoignages officiels. On ne nous dit pas qu'Hérodote ait été de nouveau proscrit d'Halicarnasse ; tout au contraire : ἐθελοντὴς ἦλθε, affirme la notice. On ne nous dit pas davantage qu'il était investi, parmi les colons qui fondèrent Thourioi, d'un commandement, d'une dignité quelconque. Il n'y avait donc nulle raison pour que son nom se trouvât consigné dans une pièce d'archives, athénienne ou halicarnassienne. Mais, à Athènes et à Halicarnasse, la tradition orale, une tradition orale autorisée, pouvait avoir conservé, de l'époque d'Hérodote à celle de son premier biographe, plus de renseignements que n'en fournissaient les archives. En tout cas, si nous sommes en présence d'une combinaison conjecturale, cette combinaison n'est pas en désaccord avec ce que nous savons d'Hérodote. Il était pro-athénien ; son œuvre même

1. Dans la notice : ἐπειδὴ ὕστερον εἶδεν ἑαυτὸν φθονούμενον ὑπὸ τῶν πολιτῶν... ; dans la pseudo-funéraire : τῶν γὰρ ἄτλητον μῶμον ὑπεκπροφυγών.

le prouve, et les critiques que son attitude lui valut de la part de censeurs dont Plutarque est le plus connu, et un détail de sa vie, authentique celui-là, dont la notice ne dit rien, mais qu'un écrivain du IIIe siècle cité par Plutarque[1], Diyllos, a sauvé de l'oubli : à savoir qu'en vertu d'un décret voté sur la proposition d'un certain Anytos, Hérodote reçut des Athéniens, — peu importe ici l'occasion, — une récompense importante. Peut-être sont-ce ces dispositions, jugées trop favorables pour Athènes, qui le firent mal voir dans sa patrie et le déterminèrent à en chercher une autre. Il n'est d'ailleurs pas nécessaire d'admettre qu'au moment où il prit cette détermination il vivait à Halicarnasse et souffrait d'une façon aiguë du mauvais vouloir des Halicarnassiens ; il pouvait bien dès lors, dégoûté du séjour dans sa ville natale, qui était fort déchue, habiter surtout à l'étranger, mieux à portée d'entendre l'appel de Périclès.

L'« 'ΑΚΜΗ » D'HÉRODOTE

Peu de temps avant le départ pour Thourioi se serait placé, si l'on en croit une note de la chronique d'Eusèbe, un incident glorieux de la carrière littéraire d'Hérodote : en 446/5 ou 445/4, il aurait été, à la suite d'une lecture qu'il aurait faite de son ouvrage, honoré par la boulè d'Athènes[2]. J'ai peine à admettre que nous soyons là, ainsi qu'on l'a supposé, en présence d'une combinaison des biographes anciens. Je comprends mal pourquoi ils auraient eu l'idée de faire coïncider l'ἀκμή de l'historien avec son départ pour Thourioi ; et pourquoi, sachant en tout et pour tout qu'il avait reçu à Athènes une récompense publique, ils auraient imaginé que

1. *De Herod. malign.*, 26 : Ὅτι μέντοι δέκα τάλαντα δωρεὰν ἔλαβεν ἐξ Ἀθηνῶν, Ἀνύτου τὸ ψήφισμα γράψαντος, ἀνὴρ Ἀθηναῖος οὐ τῶν παρημελημένων ἐν ἱστορίᾳ Δίυλλος εἴρηκεν.

2. Ἡρόδοτος ἱστορικὸς ἐτιμήθη παρὰ τῆς Ἀθηναίων βουλῆς ἐπαναγνοὺς αὐτοῖς τὰς βίβλους. La traduction latine de St Jérôme place l'événement en 445/4 (Ol. 83 4) ; la version arménienne, en 446/5 (Ol. 83 3).

cette récompense avait suivi une lecture de ses œuvres, et que ladite lecture avait précédé le départ pour Thourioi d'une année ou de deux. Hypothèse pour hypothèse, il ne me paraît pas plus inconcevable que la note d'Eusèbe remonte en dernière analyse à une pièce des archives athéniennes, au texte d'un décret de la boulè daté de 446/5 ou 445/4, honorant Hérodote au lendemain d'une lecture qu'il avait faite ; que la date de cette récompense, considérée comme celle de son ἀκμή, ait servi de point de départ pour calculer la date de sa naissance, sans que la date de la fondation de Thourioi soit entrée pour rien dans ce calcul. Je reconnais que ce que dit Eusèbe n'est pas de tout point acceptable : ce n'est certes pas toute son histoire (τὰς βίβλους) qu'Hérodote a lue en une séance ni même en plusieurs séances successives ; mais cette erreur ou cette imprécision de détail ne saurait, il me semble, discréditer la note complètement. Nous connaissons d'autres exemples de récompenses publiques décernées à Athènes, avant et après l'âge d'Hérodote, à des écrivains, poètes ou prosateurs, dont les œuvres flattaient la vanité ou servaient l'intérêt national : à Pindare, pour un dithyrambe [1] ; à Cleidèmos, pour son *Atthis* [2]. L'homme qui, avant les auteurs d'*Atthides*, recueillait les traditions athéniennes, racontait les gestes d'Athènes, avait bien droit à pareille distinction.

Le décret voté par la boulè en 445/4 est-il le même que le décret dont parlait Diyllos ? Il serait malaisé de le croire si la récompense votée dans ce dernier était réellement, comme le dit Plutarque, de dix talents, somme trop considérable pour payer les services d'un homme de lettres ; ce serait impossible, si Anytos, nommé par Diyllos comme instigateur du décret, était le même qui, beaucoup plus tard, fit condamner Socrate ; car en 445, cet Anytos, s'il vivait déjà, n'était pas en âge de proposer des décrets. Mais, chez Plutarque, le chiffre de dix talents peut être inexactement rapporté [3] ; et il put y avoir à Athènes, au cours du vᵉ siècle,

1. Isocrate, *Antidosis*, 166.
2. Tertullien, *De anima*, 52.
3. Il serait, semble-t-il, excessif, de quelque genre de services qu'il

plusieurs citoyens appelés Anytos. D'autre part, il n'est pas hors de toute vraisemblance qu'Hérodote ait attiré sur lui à plus d'une reprise, pour des motifs différents, l'attention bienveillante de la boulè et du peuple d'Athènes. Les considérants du décret d'Anytos ne nous ont pas été conservés. La question reste sans réponse.

DERNIÈRE PÉRIODE DE SA VIE

Après l'émigration à Thourioi, la notice ne mentionne plus rien d'autre que la mort d'Hérodote, survenue, dit-elle, dans cette ville, où il aurait eu son tombeau, — ce qu'on n'admettra pas volontiers, — sur l'agora [1]. Quelques-uns, paraît-il, le faisaient mourir à Pella [2]. Cette opinion dissidente se rattache à un groupe d'assertions plus ou moins fantaisistes tendant à présenter la cour de Macédoine comme le séjour aimé, le lieu de réunion des grands écrivains du ve siècle [3]. A en croire la notice consacrée par Suidas à Hellanicos, Hérodote eût vécu avec celui-ci auprès du roi Amyntas, « à l'époque d'Euripide et de Sophocle [4] ». La vérité paraît être que l'historien, au cours de ses voyages, fut reçu par le roi [5] et s'entretint avec lui ; rien de plus. Au reste, ce qui importe, ce n'est pas tant de savoir où Hérodote a été

s'agît. On a supposé que δέκα a pu prendre la place d'un *delta* signifiant quatre (ce qui serait encore une somme trop considérable) ; ou la place d'un *iota* répété fautivement après μέντοι (il ne s'agirait plus alors que d'un talent) ; ou d'un *chi* signifiant mille dans la numération attique et pris pour le chiffre X des Romains (on aurait, à ce compte, remplacé mille drachmes par dix talents).

1. κἀκεῖ τελευτήσας ἐπὶ τῆς ἀγορᾶς τέθαπται.

2. Τινὲς δ' ἐν Πέλλῃ αὐτὸν τελευτῆσαί φασιν.

3. Praxiphane de Mytilène, disciple de Théophraste, auteur d'un ouvrage Περὶ ἱστορίας, avait, semble-t-il, représenté Thucydide séjournant auprès du roi Archélaos en compagnie de représentants de tous les genres littéraires ; cf. Hirzel, *Die Thukydideslegende,* dans l'*Hermes,* 1878, p. 46 et suiv.

4. Διέτριψε δ' Ἑλλάνικος σὺν Ἡροδότῳ παρ' Ἀμύντᾳ τῷ Μακεδόνων βασιλεῖ κατὰ τοὺς χρόνους Εὐριπίδου καὶ Σοφοκλέους.

5. Par le roi Alexandre, et non pas Amyntas.

enseveli [1], ni même où lui arriva cet accident instantané qu'est la mort. Ce serait de savoir où il passa la dernière partie de sa vie. On a soutenu que les troubles qui agitèrent Thourioi, la désaffection qui s'y manifesta très vite à l'égard d'Athènes, reniée comme métropole dès 434/3, en rendirent au bout de peu d'années le séjour intenable à Hérodote. A quoi il a été répondu que, jusqu'en 412/1, c'est-à-dire jusqu'à une date que la vie d'Hérodote n'atteignit pas, les Thouriens sont restés malgré tout fidèles à l'alliance athénienne et même ont résisté à des sollicitations des Péloponnésiens [2]. Il ne semble donc aucunement impossible que, jusqu'à ses derniers jours, Hérodote ait eu à Thourioi son domicile ; ce qui ne veut point dire, bien entendu, qu'il y ait constamment résidé, pas plus qu'il n'avait fait à Halicarnasse avant 444.

DATE APPROXIMATIVE DE SA MORT

Nous n'avons sur la date de sa mort aucune indication précise. La notice est muette. Denys d'Halicarnasse se contente de dire que la vie d'Hérodote se prolongea jusqu'à la guerre du Péloponnèse [3] ; il déduisait sons doute ce vague synchronisme du texte même de l'ouvrage. Maintenant encore, l'examen de ce texte, les rapprochememts qu'on peut établir entre quelques passages et d'autres œuvres du ve siècle, fournissent seuls des points de repère.

Écartons d'abord une erreur, à laquelle pouvait donner naissance une phrase du livre I chapitre 130 : la révolte des Mèdes qui est là signalée par anticipation — ὑστέρῳ μέντοι χρόνῳ... ἀπέστησαν ἀπὸ Δαρείου — n'est pas, comme on l'a cru longtemps, celle qui eut lieu sous Darius Nothus en 408 ; c'est une révolte de beaucoup antérieure, contemporaine de

1. Ce qu'on lit dans la vie de Thucydide par Marcellinus § 17 : ...Κιμώνια μνήματα, ἔνθα δείκνυται Ἡροδότου καὶ Θουκυδίδου τάφος, n'a aucune valeur. Ἡροδότου doit être là une faute, pour Ὀλόρου.

2. Thuc., VI 104 ; VII 34, 35, 57. Première mention de la défection de Thourioi : VIII 35.

3. *De Thuc.*, 5 : ...παρεκτείνας δὲ μέχρι τῶν Πελοποννησιακῶν.

l'avènement de Darius fils d'Hystaspe, qui nous est connue aujourd'hui par la grande inscription trilingue de Béhistoun [1]. Hérodote a pu en faire mention dès qu'il commença à écrire. L'événement le moins ancien qui soit chez lui rappelé de façon incontestable est la mise à mort d'ambassadeurs spartiates livrés aux Athéniens par le roi thrace Sitalkès (VII 137) ; cet événement a été raconté aussi par Thucydide, dans un contexte historique serré (II 67) ; il est de l'été 430.

Peut-être une phrase du livre VI chapitre 98 fut-elle écrite sensiblement plus tard. L'auteur vient de rapporter le tremblement de terre qui agita Délos après le passage de Datis ; il interrompt son récit : « Ce fut là », dit-il, « un prodige que la divinité manifesta aux hommes pour annoncer les maux qui allaient venir ; car sous Darius fils d'Hystaspe, Xerxès fils de Darius et Artaxerxès fils de Xerxès, sous ces trois générations successives, plus de maux atteignirent la Grèce que sous vingt autres générations qui avaient précédé Darius, les uns lui venant des Perses, les autres des principaux d'entre les Grecs eux-mêmes en lutte pour l'hégémonie. » A lire cette phrase, on a l'impression que, lorsqu'elle fut rédigée, le règne d'Artaxerxès était révolu, comme ceux de ses deux prédécesseurs. Pour Hérodote, trois générations équivalent à un siècle (II 142). Darius fils d'Hystaspe monta sur le trône en 521 ; Artaxerxès mourut en 424. Quelques années après cette dernière date, Hérodote pouvait parler de trois générations vouées au malheur, sans se sentir obligé de nommer Darius Nothus, dont le règne ne faisait que commencer. Nous serions ainsi conduits à prolonger l'existence d'Hérodote jusque vers le temps de la paix de Nikias. Sans doute, l'emploi qui est fait du participe aoriste γενόμενος au livre IX chapitre 73 en parlant de la guerre d'Archidamos n'oblige pas à situer dans le passé toute cette guerre, à laquelle la paix de Nikias succéda ; du moins nous laisse-t-il libres d'admettre qu'elle était terminée. Et, si ce qui est dit au

1. Qu'Hérodote, dans l'histoire du règne de Darius, ne raconte pas cette insurrection comme il a raconté celle de Babylone ne prouve point qu'il ne l'ait pas connue ; il ne raconte pas tout ce qu'il sait.

même endroit de Décélie, « épargnée par les Péloponnésiens tandis qu'ils ravageaient le reste de l'Attique », était exact dès 430, ce l'était toujours dix ans plus tard ; en 413 seulement, quand Décélie eut été occupée par l'ennemi sur le conseil d'Alcibiade, la remarque aurait eu besoin d'un correctif.

Hérodote, a-t-on observé, décrit, au livre VII chapitre 199, la région de Trachis et des Thermopyles sans avoir l'air de connaître l'existence de la ville d'Héraclée en Trachinie fondée par les Spartiates en 426 (Thuc., III 92) ; il ne dit rien de deux événements de 424, — l'occupation de Cythère par Nikias (Thuc., IV 53-54), le désastre des Éginètes émigrés à Thyréa (Thuc., IV 57), — alors que, au livre VIII chapitre 235 et au livre VI chapitre 91, l'occasion lui était offerte d'en parler ; il nomme, au livre I chapitre 130, Darius fils d'Hystaspe sans éprouver le besoin de le distinguer de Darius Nothus, comme s'il n'avait connu qu'un seul roi de son nom ; il s'exprime, au livre VII chapitre 106, comme si Artaxerxès était le roi régnant, le seul qui eût été à même de continuer les libéralités de Xerxès envers les descendants d'un vaillant serviteur. Mais, quelle qu'ait été la date de la mort d'Hérodote, il n'a sans doute pas écrit tout son ouvrage dans les tout derniers temps de sa vie ; et, quelque soin qu'il ait pris de « se tenir à jour » en complétant et amendant son texte au fur et à mesure des événements, il a pu laisser quelques détails en dehors de sa revision [1]. Vivant en Occident, il pouvait d'ailleurs n'être pas exactement informé de tous les faits de guerre qui avaient la Grèce pour théâtre. Et de ceux même dont il avait connaissance, il a pu estimer quelquefois que la mention eût été superflue ou difficile à amener. Annoncer, ainsi qu'il l'a fait, l'expulsion hors de leur pays des Éginètes sacrilèges, n'était-ce pas suffisant pour donner une juste idée du ressentiment de Déméter ? Annexer à un paragraphe d'un discours prêté à Démarate une note

1. Au livre V chapitre 76, l'occasion était belle pour annoncer les invasions des Péloponnésiens en Attique en 431 et 430, invasions qu'Hérodote a certainement connues. Cependant, il n'y est pas fait allusion.

sur l'opération de Nikias, cela se pouvait-il sans gaucherie ?

En fait de rapprochements littéraires, les seuls qui entrent ici en ligne de compte sont ceux que l'on peut songer à établir entre quelques passages d'Hérodote et deux comédies d'Aristophane : les *Acharniens,* représentés en 425 ; les *Oiseaux,* représentés en 414 [1]. Il ne faut pas en exagérer la valeur. Je ne crois pas qu'il y ait, au vers 863 des *Acharniens,* une réminiscence d'un détail du livre IV chapitre 2 ; ni, aux vers 523 et suivants, une adaptation burlesque des premiers chapitres du livre I. Je ne crois pas davantage que les « huit mois » du vers 82 aient été empruntés au chapitre 192. L'« œil du Roi » dont Aristophane se gausse aux vers 95 et suivants lui vient-il du chapitre 114 ? Cela encore me semble fort douteux. Ce titre, qu'Hérodote énonce en passant, sans juger à propos de l'expliquer, devait être familier aux Grecs ; ce n'est pas lui qui provoque l'étonnement de Dikaiopolis, c'est le masque qui y correspond ; chez Eschyle déjà, au vers 695 des *Perses,* il était question d'un « œil du Roi ». L'incrédulité qui accueille la mention de bœufs cuits tout entiers au four (v. 86-87) peut sembler au contraire une réplique à une phrase du chapitre 133. Observons toutefois qu'il y a, dans les propos qu'Aristophane prête à l'ambassadeur, des traits dont Hérodote n'est à aucun degré responsable : par exemple, la mention des « montagnes d'or » (v. 82). Le poète avait pu entendre parler des rôtis monstrueux par d'autres que l'historien, par quelque hâbleur retour d'Orient dont il tenait les dires pour suspects. On ne saurait donc, à mon avis, inférer de la scène des *Acharniens* qu'en 425 le livre I d'Hérodote — ou tout au moins l'ensemble des chapitres qui y traitent de la Perse — venait d'être porté, soit par voie de publication écrite, soit par une lecture, à la

1. Les emprunts que des tragiques ont faits à Hérodote sont, dans la circonstance, sans intérêt, parce qu'on ne peut leur supposer d'ordinaire un caractère d'actualités. Les vers 337 et suivants d'*Œdipe à Colone,* représenté en 406, paraissent inspirés du chapitre 35 du livre II ; qui voudra en conclure qu'en 406 Hérodote était encore vivant, ou que son œuvre était du fruit nouveau ?

connaissance du public athénien. La dépendance me semble plus certaine entre les chapitres 178-179 du livre I, qui décrivent l'enceinte de Babylone, et les vers 1125 et suivants des *Oiseaux* ; Aristophane lui-même l'a signalée d'avance au vers 552 (περιτειχίζειν μεγάλαις πλίνθοις όπταῖς ὥσπερ Βαβυλῶνα) ; les cent orgyies du vers 1131 renchérissent sur les deux cents coudées royales d'Hérodote ; les deux chars qui pourraient se croiser en haut de la muraille, attelés de chevaux géants (v. 1126-1129), sur son unique τέθριππον. Il est aussi fort possible que l'assertion péremptoire du messager au vers 1130 — καὶ γὰρ ἐμέτρησ' αὔτ' ἐγώ — soit une reprise moqueuse de cette phrase du livre II chapitre 127 : ταῦτα γὰρ ὢν καὶ ἡμεῖς ἐμετρήσαμεν. Mais cette légère moquerie, ces imitations quelque peu ironiques, visent-elles nécessairement Hérodote vivant ? Rien n'oblige à l'admettre. Tout au plus signifieraient-elles qu'en 414 la publication de son ouvrage, lequel probablement n'a été édité qu'après sa mort, était encore récente.

En somme, les rapprochements que l'on peut faire avec Aristophane ne sont guère instructifs. Nous en restons au point où nous étions : Hérodote a vécu, certainement, jusqu'en 430 ; peut-être, quelque dix ans au delà ; il n'a pas dû connaître l'occupation de Décélie par les Péloponésiens en 413 [1]. S'il est mort vers 420, étant né vers 485 ou 490, il avait atteint la mesure ordinaire de vie que les dieux tout puissants accordent aux faibles hommes.

Jusqu'ici, nous n'avons essayé de discerner que les plus grosses lignes de la carrière d'Hérodote, celles qui en forment le cadre. Parmi les événements qui ont rempli ce cadre, deux groupes, sur lesquels Suidas garde le silence, doivent maintenant retenir notre attention : les voyages ; les séjours à

1. Ni le désastre des Athéniens en Sicile. Après cette catastrophe, il n'aurait pas maintenu, je suppose, ce qu'il a écrit au livre VII chapitre 170 : qu'un désastre essuyé jadis par les Tarentins et les gens de Rhégion dans une guerre contre les Messapiens est « le pire de tous les désastres essuyés par les Grecs dont nous ayons connaissance ».

Athènes. L'importance des uns et des autres dépasse de beaucoup celle de simples faits ; de ce qu'on en pensera dépend dans une large mesure l'idée qu'on se fera de l'homme et de l'historien ; même dans cette notice succincte, il convient donc, je crois, d'y insister.

DATE DES GRANDS VOYAGES D'HÉRODOTE

Hérodote a beaucoup voyagé. Nous n'entreprendrons pas de réfuter les critiques modernes qui, avec un excès de scepticisme, l'ont contesté, ni de suivre notre auteur à la trace partout où il semble être allé [1]. Pour donner une idée de l'ampleur de ses pérégrinations, contentons-nous de rappeler que, certainement ou presque certainement, il a été en Égypte et à Cyrène, en Syrie et à Babylone, en Colchide et à Olbia, en Péonie, en Macédoine. On aimerait savoir quand se sont placés ces voyages ; mais aucun n'est daté ni datable avec exactitude par rapport à un événement historique. Que les voyages effectués à travers des provinces de l'empire perse doivent se placer après le rétablissement officiel de la paix entre Athènes, ses alliés et le Grand Roi, c'est-à-dire la paix de Callias (448 ou 447), cela n'est point certain ; même avant cette paix, un Grec d'Halicarnasse, — d'une ville que les Perses considéraient comme sujette, — isolé et inoffensif, pourvu de recommandations, pouvait être admis, je crois, à circuler dans les territoires relevant des Achéménides. A un partisan avéré d'Athènes, compromis par des actes notoires, la police aurait fermé la porte ; mais la sympathie d'Hérodote pour Athènes, quand il voyageait en Orient, était-elle aussi vive qu'elle le devint plus tard ? et était-elle agissante ? Qu'Hérodote ait fait le voyage du Pont Euxin au moment de l'expédition de Périclès [2] ; qu'il se soit rencontré en Asie, à

1. Sur la réalité et l'étendue des voyages d'Hérodote, voir Hauvette, p. 16 et suiv., et Jacoby, col. 247 et suiv., chez qui l'on trouvera une bibliographie du sujet.

2. La date de cette expédition elle-même est d'ailleurs incertaine ;

Suse (où il est douteux qu'il soit jamais allé), avec Callias et ses compagnons d'ambassade, en 448 ; ce sont de pures conjectures, que rien de sérieux n'autorise. Il a dû se trouver à Cyrène après la chute des Battiades ; en Scythie, dans les premières années du règne d'Octamasadès ; à Babylone, du temps que Tritantaichmés y était satrape ; en Macédoine, pendant qu'Alexandre fils d'Amyntas était encore sur le trône ; par malheur, ces synchronismes n'apprennent pas grand chose, parce que les événements qui serviraient de points de repère, — avènement d'Octamasadès, entrée en fonctions de Tritantaichmès, mort d'Alexandre, fin de la dynastie de Battos, — ne sont pas eux-mêmes datés. Pour le voyage en Égypte, nous sommes un peu mieux renseignés. Lorsqu'Hérodote vit le champ de bataille de Paprémis, où le roi de Libye Inaros, avec l'aide des Athéniens, avait défait en 459 l'armée perse d'Achaiménès, les ossements des morts y étaient desséchés (III 12). Le Delta, lorsqu'il le parcourut, était pacifié, soumis à l'autorité d'Artaxerxès (II 98) ; la révolte d'Amyrtaios était donc étouffée, et les vainqueurs avaient restitué à son fils, Pausiris, le gouvernement paternel (III 15). Cela oblige à reconnaître comme *terminus a quo* l'année 449, puisque, au commencement de cette année, Amyrtaios demandait encore du secours à Kimon (Thuc., I 112). Un *terminus ante quem* fait défaut ; observons toutefois que ni la capitulation d'Amyrtaios ni l'intronisation de Pausiris n'ont suivi forcément de beaucoup ce terme de 449 ; la première put être une conséquence immédiate de la mort de Kimon, sur qui reposait l'espoir d'Amyrtaios d'être soutenu par Athènes ; la seconde put être stipulée dans le traité de capitulation.

Ainsi, tant que l'on considère isolément chacun des grands voyages, l'incertitude chronologique subsiste. Deux ou trois considérations d'ensemble sont, il me semble, susceptibles de la restreindre.

il est possible qu'elle se soit placée après la guerre de Samos, à une époque où, vraisemblablement (voir ci-après, p. 33 et suiv.), Hérodote était à Thourioi.

Remarquons tout d'abord que, de ces grands voyages, aucun n'eut pour théâtre l'Occident. Sur Carthage et sur les contrées où s'étendait la domination carthaginoise, sur Marseille, sur la Ligurie, l'Étrurie, le Latium, la Campanie, sur les côtes de l'Adriatique, Hérodote ne dit presque rien ; et le peu qu'il en dit n'engage pas à croire qu'il y ait jamais mis le pied [1]. Je sais bien qu'une description de ces pays ne rentrait pas dans le programme de son œuvre ; mais, sans lui manquer de respect, on peut douter que le souci de l'opportunité l'aurait retenu d'en parler, s'il avait eu quelque chose à en dire. La vérité doit être que les régions de la Méditerranée occidentale, à part la Grande Grèce et la Sicile, n'ont pas reçu sa visite. Or, à partir du moment où il se fixa à Thourioi, ces régions étaient à sa portée ; il faut donc croire que, durant la période thourienne de la vie d'Hérodote, son ardeur voyageuse était, pour une raison ou pour une autre, éteinte. Ce qui conduirait à placer ses grands voyages dans la période précédente.

Le choix des termes de comparaison, en plusieurs endroits des livres II III IV, fournit un second indice concordant. A propos d'un vase de bronze qu'il a vu à Exampaios en Scythie, Hérodote écrit (IV 81) : « Il est grand comme six fois le cratère qui se trouve à l'embouchure du Pont, dédié par Pausanias fils de Cléombrote ; pour qui n'a pas vu ce dernier, je donnerai ces détails ; le vase de Scythie tient facilement six cents amphores, et l'épaisseur du bronze est de six doigts. » Si, quand il voulut décrire le vase d'Exampaios, l'auteur avait connu le cratère de Delphes consacré par Crésus dont il parle lui-même au livre I chapitre 51, lequel, comme le cratère d'Exampaios, tenait précisément six cents

1. La mention d'une coutume illyrienne (I 196), celle d'un vocable ligure (V 9), peuvent venir d'Hécatée. Ce qui concerne les habitants de la ville étrusque d'Agylla (I 167) fait partie d'un ensemble d'informations recueillies à Phocée. Ce qui est dit de la langue des gens de Cortone (qu'il appelle Crotone, I 57) est de pure fantaisie, déduit d'une opinion préconçue et inexacte (cf. Rosenberg, *Herodot und Cortona*, dans le *Rheinisches Museum*, 1914, p. 615 et suiv). ; l'observation directe y aurait opposé un démenti.

amphores, il n'est guère douteux qu'au lieu du cratère de Pausanias, moins célèbre, il aurait cité de préférence celui-là ; le choix qu'il a fait semble bien indiquer que, lorsqu'il rédigea sa description, à plus forte raison quand il voyageait en Scythie, il n'était pas encore allé à Delphes, que lui et le public à qui il s'adressait étaient peu familiers avec la Grèce propre, que leur horizon était plutôt l'horizon des Grecs asiatiques. D'autres comparaisons suggèrent des réflexions de même ordre : celle des chaudrons employés par les Scythes avec les cratères de Lesbos (IV 61) ; celle du labyrinthe voisin du lac de Mœris avec les temples de Samos et d'Éphèse (II 148), celle de l'aune égyptienne avec l'aune de Samos (II 168) ; celle de Cadytis avec la ville de Sardes (III 5). On relève ailleurs, chez Hérodote, des traces d'adaptation à un auditoire athénien, à un auditoire italiote [1] ; les comparaisons que nous venons de rappeler étaient appropriées à un auditoire ionien. Or, il n'y a pas apparence qu'Hérodote ait revu l'Asie postérieurement à son départ pour Thourioi. Les voyages en Scythie, en Égypte, en Syrie, doivent donc avoir précédé ce départ ; et, comme il paraît ressortir d'un passage du livre II qu'Hérodote fut à Babylone, — où il entendit le plus probablement raconter l'aventure des voleurs de Ninive, — avant d'être en Égypte, le voyage à Babylone aussi [2]. Seul des grands voyages, le voyage à Cyrène et en Libye pourrait, à la rigueur, avoir

1. A un auditoire athénien : I 98 (l'étendue d'Ecbatane comparée à celle d'Athènes) ; I 192 (l'*artabè* perse comparée au médimne et à la chénice attiques) : I 195 (les chaussures des Babyloniens comparées à des chaussures béotiennes) ; II 7 (une distance comparée à celle qui sépare Athènes d'Olympie) ; III 55 (Pitanè, localité de Laconie, appelée un dème) ; IV 99 (la situation de la Tauride par rapport au reste de la Scythie comparée à celle du cap Sounion par rapport à l'Attique). A un auditoire italiote : IV 99 (la situation de la Tauride comparée à celle de l'Iapygie).

2. II 150 : « Je demandai à ceux qui habitaient auprès du lac (de Mœris) où était la terre qu'on avait retirée des fouilles. Ils me dirent où on l'avait emportée ; et je les crus facilement ; car je savais pour l'avoir entendu dire qu'à Ninive, ville des Assyriens, il s'était passé quelque chose de pareil... »

eu lieu plus tard ; encore convient-il de signaler que, d'après une comparaison du même livre II, l'écrivain semble avoir connu le lotos de Cyrène avant l'*acanthè* égyptienne [1].

Concurremment avec la date du départ pour Thourioi, un autre terme *ante quem* peut être fixé, croyons-nous, à la période des grands voyages d'Hérodote. Ce ne sont pas seulement le voyage en Babylonie et peut-être le voyage en Libye qui précédèrent le voyage en Égypte ; c'est aussi le voyage en Colchide, auquel put se lier le voyage en Scythie. « Il apparaît », lisons-nous au livre II chapitre 104, « que les Colchidiens sont des Égyptiens ; j'avais eu de moi-même l'idée de ce que je dis là avant de l'entendre dire à d'autres ; ayant pris la question à cœur, j'interrogeai les deux peuples..... ». Ce texte nous met en présence d'un dilemme : ou bien il nous faut croire, ce qui est peu plausible, qu'Hérodote est allé plusieurs fois dans l'un des deux pays ; ou bien force est d'admettre qu'avant de visiter celui où il alla en premier lieu, il avait une connaissance superficielle des habitants de l'autre, de leur apparence physique, de certains de leurs usages. Or, il est hors de doute qu'un Grec d'Halicarnasse pouvait être mieux renseigné sur les Égyptiens sans être allé en Égypte que sur les Colchidiens sans être allé en Colchide. Le seul pays lointain dont la visite, autant que nous pouvons savoir, ait suivi celle des bords du Nil, c'est la ville de Tyr ; car Hérodote, d'après ce qu'il raconte au livre II chapitre 44, y contrôla les dires des prêtres égyptiens ; mais le passage même d'où nous déduisons cet ordre de succession invite à croire qu'il est allé à Tyr en revenant de Memphis et de Thèbes ; et tout ce qu'il a vu entre l'Égypte et Tyr a été vu, je pense, au cours de ce trajet.

En somme, les grands voyages d'Hérodote ont pris fin vraisemblablement avec le retour d'Égypte. Et, sans doute, le voyage d'Égypte n'est pas daté. Du moins savons-nous

1. II 96 : « Les bateaux qu'ils (les bateliers du Nil) emploient pour les transports sont faits avec l'*acanthè*, dont l'aspect est tout à fait semblable à celui du lotus de Cyrène. »

qu'il fut réalisable dès 449 ou 448. Il est possible que, peu de temps après, — disons, pour fixer les idées, dès 447, — Hérodote ait cessé de courir le monde.

DATE DES SÉJOURS D'HÉRODOTE A ATHÈNES

Nulle part Hérodote ne dit être allé à Athènes. Il y alla cependant ; et même il dut y faire un ou plusieurs séjours prolongés. A elles seules, la connaissance de la ville et de sites de l'Attique qu'il laisse voir çà et là, la richesse de son information concernant l'histoire de la cité et celle de certaines familles, ne suffiraient peut-être pas à l'établir. L'abondance relative des détails destinés à un public athénien est déjà plus significative[1]. Plus encore le serait, si on pouvait l'affirmer, l'intimité avec une haute personnalité athénienne : Sophocle. Mais je crains que, sur ce point, il ne faille renoncer à convaincre les incrédules. L'Hérodote à qui Sophocle, « âgé de cinquante-cinq ans », dédie une poésie est-il l'historien ? n'est-ce pas plutôt quelque joli garçon, que le poète vieillissant s'excuse de courtiser malgré son âge ? Les vers 904 et suivants d'*Antigone*, manifestement inspirés par l'épisode de la femme d'Intaphernès (III 118-119), ont-ils été mis où ils sont dès la rédaction primitive de la pièce, au lendemain d'une lecture publique faite par Hérodote ou d'une conversation entre les deux écrivains ? ou bien ont-ils été introduits là par un interpolateur ? Malgré tout ce que l'on a pu dire dans un sens et dans l'autre, chacune des opinions adverses conservera des partisans ; il serait donc téméraire d'édifier une combinaison sur une base aussi peu assurée. Ce qui dans la circonstance est probant, ce ne sont pas des détails de fond ou d'expression, ni des témoignages extérieurs à l'œuvre d'Hérodote ;

1. Voir ci-dessus p. 27, n. 1. On peut remarquer aussi comment la ville d'Athènes, au livre I chapitre 145, est exceptée du jugement peu flatteur porté sur les anciennes villes ioniennes : ὅτι γὰρ μὴ Ἀθῆναι, ἦν οὐδὲν ἄλλο πόλισμα λόγιμον.

c'est l'esprit qui anime une ample partie de cette œuvre ; c'est la qualité, la profondeur des sentiments que l'auteur manifeste à l'égard d'Athènes. Longtemps avant Plutarque, on l'accusa de partialité pour la ville de Périclès [1] et de « malignité » envers ses adversaires [2]. Jusque chez les modernes, il est resté suspect et de l'une et de l'autre. Mais parler à propos d'Hérodote de partialité pour Athènes, c'est dire à la fois trop et trop peu. Trop, parce que ses sympathies athéniennes ne sont pas, — nous aurons l'occasion de l'observer, — aveugles et sans réserves, parce qu'il fait souvent de louables efforts pour rendre justice à tous. Trop peu, — c'est ce qui nous importe en ce moment, — parce qu'Hérodote ne fait pas seulement figure de partisan d'Athènes ; couramment, il pense, il sent, il voit en Athénien ; il est tout imprégné, tout pénétré de l'esprit d'Athènes. Une telle pénétration n'a certes pas été l'œuvre de peu de jours.

Quand s'est-elle accomplie ? Un séjour à Athènes trouve aisément sa place dans la vie d'Hérodote durant les dernières années qui précédèrent son départ pour Thourioi, entre 447 et 443. Alors, avons-nous dit, l'ère de ses grands voyages pouvait bien être close ; et il était naturel que la capitale de l'empire athénien, où la prospérité matérielle et la vie de l'esprit prenaient un rapide essor, exerçât son attrait sur un homme cultivé, ne craignant pas le dépaysement, citoyen d'une cité alliée. Par le fait, ainsi que l'a très bien remarqué M. Jacoby, certains morceaux apologétiques d'Hérodote décèlent de telles intentions, laissent deviner de telles controverses, qu'en aucun lieu et à aucun moment l'idée ne put en venir à l'auteur plutôt que dans la société des dirigeants d'Athènes au cours des années que j'ai dites. Je ne sais si le passage fameux où Périclès est nommé : — « Cette Agaristè, mariée à

1. Plutarque, *De Herodoti malignitate*, 26 : Ἐσπουδακὼς περὶ τὰς Ἀθήνας διαφερόντως... Ἀλλὰ τοῦτό γε βοηθεῖ τῷ Ἡροδότῳ πρὸς ἐκείνην τὴν διαβολὴν ἣν ἔχει κολακεύσας τοὺς Ἀθηναίους, ἀργύριον πολὺ λαβεῖν παρ' αὐτῶν.

2. Voir ci-après, pages 104 et suiv.

Xanthippos fils d'Ariphon, eut, étant enceinte, une vision pendant son sommeil ; il lui sembla qu'elle enfantait un lion ; et, peu de jours après, elle donna à Xanthippos un fils, qui fut Périclès » — signifie une approbation totale de la politique périclèenne ; la comparaison d'un homme avec un lion n'est pas toujours, en grec, franchement laudative ; il arrive qu'elle indique un dominateur, en laissant dans le doute s'il fut bon ou mauvais. Mais une chose est à retenir : le long développement consacré aux Alcméonides, qui aboutit au nom de Périclès, débute par une apologie de ses ancêtres contemporains de Marathon, qu'on avait accusés de « médisme ». Cette apologie, évidemment, offrait un intérêt particulier en un temps où Périclès lui-même pouvait être, à Athènes et ailleurs, en butte à un semblable grief ; c'est-à-dire au lendemain de la paix de Callias, conclue avec la Perse à son instigation. Moins de vingt ans plus tard, les partis qui se disputaient en Grèce l'hégémonie devaient rechercher sans scrupule, à qui mieux mieux, l'alliance de l'ennemi héréditaire[1] ; vers 447, du seul fait qu'on renonçât à lutter contre lui, beaucoup de gens se scandalisaient — ou affectaient de se scandaliser ; un témoignage de cette réprobation subsiste dans l'ouvrage même d'Hérodote ; parlant quelque part de l'ambassade de Callias, il n'ose pas en préciser l'objet[2]. L'attitude des Argiens, qui, lors de l'invasion de Xerxès, refusèrent de se joindre aux défenseurs de la liberté grecque et gardèrent la neutralité, est présentée par Hérodote non sans embarras, mais avec indulgence[3]. De la part d'un historien grec des guerres médiques, cette indulgence a de quoi étonner[4] ; on se l'expliquera, si l'on suppose qu'Hérodote ait appris à parler des Argiens, vers le temps

1. Thuc., II, 7.

2. VII 151 : Καλλίης τε ὁ Ἱππονίκου καὶ οἱ μετὰ τούτου ἀναβάντες ἑτέρου πρήγματος εἵνεκα.

3. VII 148 et suiv.

4. Elle est d'autant plus étonnante que, d'une façon générale, Hérodote juge sévèrement les « neutres » (VIII 73) et que, dans le cas particulier des Argiens, il n'ignore pas leurs bons rapports avec l'envahisseur (IX 12).

de la paix de Callias, dans les cercles d'Athènes où l'animosité se relâchait à l'égard du successeur de Xerxès et se tournait de plus en plus contre les compatriotes d'Eurybiade. Il ne faut pas oublier qu'une alliance conclue par les Athéniens avec Argos avait accompagné en 461 la dénonciation de l'alliance conclue autrefois avec Sparte pour la sauvegarde de l'hellénisme, et inauguré la politique qui devait être celle de Périclès.

Nous ne prétendons pas qu'entre 447 et 444 Hérodote soit resté constamment à Athènes. Il n'est pas du tout invraisemblable, il est même très probable, qu'il se promena alors, surtout après la conclusion de la trêve de trente ans, dans la Grèce centrale, dans le Péloponnèse, dans les Cyclades, pour y rassembler des documents ou pour y faire des lectures publiques. Lorsqu'il visita les Thermopyles, tous les Grecs tués par les soldats de Xerxès étaient enterrés au même endroit (VII 228) ; les ossements de Léonidas n'étaient pas encore transférés à Sparte, où ils le furent en 440 [1]. La visite à Delphes, pendant laquelle il vit gravé sur une offrande de Crésus le nom des Lacédémoniens (I 51), est postérieure à des événements de 448 qui provoquèrent la reconnaissance des Delphiens envers Lacédémone [2]. Visite aux Thermopyles, visite à Delphes, sont des exemples de déplacements de brève durée et à courte distance tels qu'Hérodote en a pu faire plus d'un à cette époque, sans perdre Athènes de vue, sans cesser d'être sous l'emprise athénienne. Peut-être aussi, entre 447 et 443, retourna-t-il à Halicarnasse, le temps de constater qu'entre ses concitoyens et lui il n'y avait pas d'accord. Rien de cela n'infirme l'hypothèse que, pendant plusieurs années avant de se fixer à Thourioi, il eut Athènes pour résidence ordinaire ; il fut à même, durant ce laps de temps, de fréquenter Périclès, de se lier avec Sophocle (dont l'*Antigone* est au plus tôt de 444), de gagner l'estime, la confiance, l'admiration du peuple athénien, qui s'exprimèrent de façon éclatante par le décret de 445.

1. Pausanias, III 14 1.
2. Sur ces événements, cf. Thuc., I 112 ; Plut., *Périclès*, 21.

Après s'être établi à Thourioi, Hérodote revint-il jamais à Athènes? De la part d'un pro-athénien, des retours, des séjours répétés dans la ville de Périclès, où il était *persona grata*, où il devait avoir laissé des amitiés, auraient été naturels. Rien ne prouve qu'ils aient eu lieu. Même, le plus probable est que, tout au moins à partir d'une date peu distante de la fondation de Thourioi, Hérodote n'a pas revu l'Attique. Nous avons déjà dit que l'auteur du décret cité par Diyllos, Anytos, n'est pas nécessairement le même que l'accusateur de Socrate, dont la carrière politique n'a pas dû commencer avant la guerre du Péloponnèse ; ajoutons qu'un décret en l'honneur d'un étranger pouvait toujours être voté à Athènes sans que le bénéficiaire fût présent. Aucun des événements postérieurs à 444 dont Hérodote a parlé n'est si menu ou d'un intérêt si strictement local, que, pour le connaître, l'historien ait dû vivre au milieu d'Athéniens ou interroger des Athéniens chez eux. S'il a repris une expression pittoresque qu'avait employée Périclès dans un de ses discours, probablement en 439 dans l'oraison funèbre des morts de la guerre de Samos [1], cela ne veut point dire qu'il ait entendu de ses oreilles prononcer cette oraison funèbre.

Au livre VI chapitre 98, il déclare que, selon les Déliens (ὡς ἔλεγον Δήλιοι), un tremblement de terre qu'on aurait ressenti à Délos après le passage de Datis en 490 est le premier qui ait ébranlé l'île et le dernier jusqu'à son temps (καὶ πρῶτα καὶ ὕστατα μέχρις ἐμέο σεισθεῖσα). Ce passage est en contradiction formelle avec un passage de Thucydide (II 8), où il est dit que, peu de temps avant 431, la terre trembla à Délos « pour la première fois autant que les Grecs se souviennent ».

1. D'après Aristote (*Rhét.*, I 7 p. 1365 a, III 10 p. 1411 a), Périclès avait dit, en parlant des Athéniens tombés dans une campagne que l'on croit se placer plutôt à l'époque de la guerre de Samos qu'au début de la guerre d'Archidamos : « que la jeunesse avait disparu de la ville comme si, de l'année, on avait retranché le printemps ». Hérodote, au livre VII chapitre 162, appelle métaphoriquement la meilleure partie de l'armée grecque « le printemps de l'année ». Les deux expressions se ressemblent. Il n'est pas certain, toutefois, que l'une soit imitée de l'autre.

Du point de vue de Thucydide, la contradiction n'a rien de déconcertant : l'écrivain attachait pour son compte peu d'importance aux prodiges ; malgré la forme affirmative de sa phrase (ἐκινήθη, et non pas κινηθῆναι λέγεται ou ἐλέγετο), il ne fait sans doute que relater une rumeur qui avait couru à Athènes ; il ne s'était pas soucié de rechercher si le tremblement de terre en question avait été le premier, ni même s'il s'était réellement produit. De la part d'Hérodote, une pareille insouciance ne saurait être admise ; pour qu'il ait écrit ce qu'il a écrit, il faut ou bien qu'il ait ignoré l'événement dont a parlé Thucydide, ou bien qu'il entende, en ajoutant les mots καὶ ὕστατα μέχρις ἐμέο, en contester la réalité. La seconde hypothèse implique que, postérieurement à 431, Hérodote aurait recueilli le témoignage de Déliens. Où ? A Délos même ? Nous aurions alors quelque raison de croire qu'en allant de Thourioi à Délos il serait passé par Athènes. Mais Hérodote pouvait rencontrer des Déliens en dehors de leur île ; il pouvait surtout savoir par des intermédiaires ce qui se disait à Délos. Le plus vraisemblable est d'ailleurs qu'il n'y a dans les mots καὶ ὕστατα μέχρις ἐμέο aucune intention de controverse, et qu'Hérodote, lorsqu'il les écrivit, n'avait pas entendu parler du tremblement de terre, réel ou imaginaire, auquel fait allusion Thucydide ; à ce compte, nous devrions conclure que, depuis le début de la guerre du Péloponnèse et même un peu avant, Hérodote n'a plus séjourné à Athènes.

Un autre passage de son histoire, d'une importance capitale dans le présent débat, paraît témoigner en le même sens et avec plus de force. C'est le chapitre 77 du livre V. Après avoir rappelé les victoires remportées en 507/6 par les Athéniens sur les Béotiens et les Chalcidiens, Hérodote déclare que les chaînes des ennemis faits prisonniers à cette époque se trouvaient encore de son temps sur l'Acropole, suspendues à des murs où se voyaient les traces de l'incendie allumé en 480 lors de l'invasion de Xerxès ; il raconte que, de la dîme de leurs rançons, les Athéniens firent faire un quadrige de bronze ; il ajoute que ce quadrige est dressé « tout de suite à main gauche quand on entre dans les propylées qui sont sur l'Acropole », et il donne le texte de l'inscription qui, dit-il, est gravée sur la base. A mon avis, dans ce développement, les mots τὰ προπύλαια τὰ ἐν τῇ Ἀκροπόλι désignent un édifice, et non pas seulement, comme on l'a supposé quelquefois, un espace libre précédant une porte d'entrée. Mais quel édifice ? Les fameux Propylées de Mnésiclès, construits de 437 à 432 ? Par la description de Pausanias, qui a visité l'Acropole en suivant un itinéraire facile à reconstituer, nous savons qu'à l'époque de sa visite le quadrige devait se trouver non pas tout de suite à main gauche en entrant dans les Propylées, — où il aurait été passablement encombrant, — mais tout de suite à main gauche en en sortant et en pénétrant dans l'enceinte de l'Acropole[1]. Et, s'il est légitime de supposer que le quadrige a pu changer de place quand on répara au cours du ve siècle les dévastations de 480[2] et quand les constructions du temps de Périclès transformèrent l'aspect de l'Acropole, on ne voit pas pourquoi, une fois ces constructions achevées, une fois les Propylées édifiés, il aurait été transporté d'un endroit à un autre. Peut-être les propylées qu'Hérodote a en vue sont-ils ceux qui ont précédé l'édifice de Mnésiclès ; les vestiges qui en subsistent indiquent à vrai dire une construction de dimensions restreintes, où le quadrige n'aurait pas eu sa place ; mais on peut concevoir qu'il ait été placé, quand l'écrivain le vit, sur la partie du mur d'enceinte qui butait contre eux au Nord-Ouest, de telle sorte

1. Paus., I 28 2.

2. Une restauration du quadrige, dont il est impossible d'apprécier l'importance, est attestée par la découverte qu'on a faite sur l'Acropole des débris de deux exemplaires de l'inscription votive : un exemplaire du VIe siècle, qui était la dédicace primitive (IG IV 334 a) ; un exemplaire du Ve, qui était la dédicace restaurée, — celle qu'Hérodote a transcrite (IG I 334). De l'une à l'autre, l'ordre des vers a été modifié ; et peut-être cette modification a-t-elle été connexe du changement de place du monument : tant qu'il avait été voisin des chaînes, il était naturel que celles-ci fussent mentionnées dès le premier vers ; lorsqu'il en fut isolé, on préféra donner la première place aux noms des peuples vaincus.

qu'en entrant dans ces anciens propylées on l'aurait eu tout de suite à main gauche [1]. Ou bien, si les propylées nommés chez Hérodote sont ceux de Mnésiclès, l'indication topographique concernant le quadrige est fausse ; et elle ne peut être fausse que parce qu'Hérodote n'a pas vu lui-même ce dont il parle, mais répété, inexactement, ce qu'on lui aurait dit. Il est digne de remarque que la phrase qui concerne les chaînes est rédigée à un temps passé, tandis que la phrase relative au quadrige l'est à un temps présent [2]. Hérodote, semble-t-il, parle des chaînes d'après ses souvenirs personnels, à des années de distance du temps où il les a vues ; il n'affirme pas qu'au moment où il écrit elles soient toujours où elles étaient alors ; comment serait-il plus affirmatif au sujet du quadrige, sinon parce qu'il en a entendu parler récemment, parce qu'il a appris que, de la place où il était naguère et où lui-même se rappelle l'avoir vu, on l'a transporté à une place nouvelle ? De toute façon, il paraît ressortir du texte discuté qu'Hérodote n'est pas retourné à Athènes

1. L'hypothèse est de M. Courby, qui me fait observer que, placé où il le suppose, le quadrige n'aurait eu guère à changer de place pour se trouver compris, après la construction des nouveaux propylées, dans l'enceinte de l'Acropole, à l'endroit où le vit Pausanias. — Les anciens propylées datent probablement de l'époque de Kimon ; la restauration du quadrige peut être du même temps. On admet d'ordinaire qu'elle suivit les victoires de 446 sur les Chalcidiens et la conquête de l'Eubée. Il me semble qu'à cette date, presque au lendemain du désastre de Coronée, le rappel orgueilleux d'une victoire sur les Béotiens aurait été assez intempestif. Je crois que le quadrige fut restauré plutôt dans les années qui suivirent la victoire d'Oinophyta (456). Les caractères graphiques de la seconde inscription ne s'opposent pas à cette hypothèse. Faut-il rappeler qu'en ce temps, à défaut d'une victoire sur les Chalcidiens d'Eubée, les Athéniens avaient à leur actif la conquête d'une autre Chalcis (Thuc., I 108) ?

2. Τὰς δὲ πέδας αὐτῶν... ἀνεκρέμασαν ἐς τὴν ἀκρόπολιν, αἵπερ ἔτι καὶ ἐς ἐμὲ ἦσαν περιέουσαι... Τὸ δὲ (τέθριππον χάλκεον) ἀριστερῆς χειρὸς ἕστηκε πρῶτα ἐσιόντι ἐς τὰ προπύλαια τὰ ἐν τῇ ἀκροπόλι... Il serait aisé de corriger ἕστηκε en ἑστήκεε ; — au livre VII chapitre 152, nous avons, dans un groupe de manuscrits, un exemple de la première forme substituée fautivement à l'autre ; — mais ici le voisinage de ἐπιγέγραπται semble recommander le maintien du parfait.

après la construction des Propylées de Mnésiclès, ni même, dirais-je volontiers, à partir du moment où cette construction commença.

* * *

Voilà le peu que nous pouvons savoir — savoir ou conjecturer — sur la carrière d'Hérodote. Essayons maintenant de discerner quelle sorte d'homme il fut, d'indiquer quelques traits de sa physionomie intellectuelle et morale.

LA CURIOSITÉ D'HÉRODOTE ; SES OBJETS, SON ORIGINALITÉ

Le plus immédiatement frappant est la curiosité. Curiosité double. Curiosité des mœurs, des pays et des peuples « étranges » : curiosité géographique, ethnographique. Curiosité des événements du passé : curiosité historique.

La première de ces curiosités était très ancienne chez les Grecs. Elle avait assuré le succès d'œuvres épiques contenant des descriptions et des récits de voyages plus ou moins fantaisistes, telles que sont plusieurs chants de l'*Odyssée*, telles qu'étaient les poèmes consacrés à l'expédition des Argonautes, aux exploits d'Héraclès, ou, dans un autre genre, l'*Arimaspée* d'Aristéas de Proconnèse. De bonne heure aussi, — une Περίοδος γῆς était attribuée à Hésiode, — des « instructions nautiques » à l'usage des navigateurs, des relations de voyages authentiques (voyages des Phocéens dans la Méditerranée occidentale, voyage d'Euthyménès de Marseille autour de l'Afrique, voyage de Skylax sur l'Indus), consignées par écrit ou transmises verbalement, lui avaient fourni des aliments plus solides. A la génération qui précéda Hérodote, Hécatée avait publié son grand ouvrage où la connaissance de la terre, telle qu'un Grec pouvait alors la posséder, était présentée dans un tableau d'ensemble, scientifique et systématique. En ces matières, la curiosité d'Hérodote n'a pas été, semble-t-il, tout à fait la même que celle de son devancier. Elle s'est moins portée sur la géographie proprement dite, sur la topographie, sur la « cartographie » ; elle s'est tournée davantage du côté de ce qu'on appelle aujourd'hui la géographie humaine, du côté de l'ethnographie, des particularités physiques et morales, des coutumes et des manières de vivre, des monuments et des traditions propres à chaque contrée et aux hommes qui l'habitent. Cette différence, toutefois, n'aurait pas conféré à Hérodote une bien grande originalité ; elle ne lui aurait pas mérité le renom d'un initiateur.

Il en est autrement de sa curiosité historique. De nouveau, comparons-le avec Hécatée, non plus avec Hécatée auteur de la Περίοδος γῆς mais avec Hécatée auteur des Γενεαλογίαι. Les événements racontés dans ce second ouvrage étaient de ceux qui, pour nous, ressortissent à la fable, des événements situés dans un lointain passé, dont les héros, pour la plupart, tenaient encore de près à des ancêtres divins ; déroulant ses « généalogies », Hécatée ne descendait guère au delà de la guerre de Troie, en tout cas pas au delà des invasions doriennes. Hérodote, dès l'introduction de son histoire, déclare en termes nets qu'il ne s'attachera pas à exposer d'aussi antiques aventures. Après quelques mots consacrés aux premiers conflits légendaires entre les Grecs et les Barbares d'Asie et en particulier à l'enlèvement d'Io : « Quant à moi », dit-il, « je ne vais pas prononcer, à propos de ces événements, qu'il en fut ainsi ou d'une autre façon. J'indiquerai celui qui, autant que je sache personnellement, a pris le premier l'initiative d'actes offensants envers les Grecs (il veut parler de Crésus), et j'avancerai dans la suite de mon récit... » (I 5). Sans doute, il lui arrivera plus d'une fois, à propos d'un peuple, d'une famille, d'une dynastie, d'ouvrir une parenthèse et de remonter le cours des âges jusqu'aux origines les plus reculées ; mais la matière propre de son œuvre est formée par des événements relativement récents, des événements qui dataient tout au plus d'un siècle ou deux avant lui. Dans son intitulé, il appelle ces événements τὰ γενόμενα ἐξ ἀνθρώπων ; peut-être devons-nous rapprocher des mots ἐξ ἀνθρώπων une expression du livre III chapitre 122. Il y est question de Polycrate de Samos. « Polycrate », dit Hérodote, « est, des Grecs que nous connaissions, le premier qui songea à la souveraineté maritime, exception faite de Minos de Cnossos et des autres, s'il y en eut, qui avant celui-ci régnèrent sur la mer ; mais, du temps des générations que l'on appelle humaines, Polycrate fut le premier (τῆς δὲ ἀνθρωπηΐης λεγομένης γενεῆς Πολυκράτης πρῶτος). » Les générations « que l'on appelle humaines » s'opposent aux générations mythiques ; les événements « humains » (ἐξ ἀνθρώπων), aux événements fabuleux.

De la part d'un écrivain grec, la curiosité de ces événements « humains » n'était pas, à l'époque d'Hérodote, chose banale[1]. Tous les auteurs de Γενεαλογίαι, de Κτίσεις, un Phérécyde, un Acousilaos, les ignoraient à l'égal d'Hécatée. Le genre de la chronique locale, où les auteurs s'appliquent à reconstituer, autant qu'il est possible, les annales de leur patrie depuis sa fondation jusqu'aux jours où ils écrivent, n'était pas encore né dans la Grèce d'Europe ; dans la Grèce d'Asie, il était encore au berceau. Le plus ancien représentant de ce genre de littérature dont le nom soit venu jusqu'à nous est Charon de Lampsaque ; d'après Plutarque[2], qui, dans la circonstance, avait intérêt à le vieillir, il fut l'aîné d'Hérodote (ἀνὴρ πρεσβύτερος) ; cette affirmation ne nous oblige pas à supposer entre les deux écrivains une grande différence d'âge ; peut-être les Ὧροι de Charon ne furent-ils pas publiés avant qu'Hérodote, de son côté, eût formé le projet d'œuvres historiques. A défaut de chroniques embrassant l'existence d'une cité, il ne semble même pas qu'on ait publié chez les Grecs, avant le milieu du ve siècle, des listes raisonnées de magistrats éponymes, de prêtres, de vainqueurs aux jeux, dont les archives profanes ou sacrées pouvaient fournir les éléments : ni l'ouvrage d'Hippias sur les *Olympioniques*, ni ceux d'Hellanicos sur les *Prêtresses d'Hèra à Argos* ou sur

1. Lui-même le laisse entendre, lorsqu'il déclare vouloir en faire le récit « pour qu'ils ne s'effacent pas de la mémoire des hommes » (ὡς μὴ... τῷ χρόνῳ ἐξίτηλα γένηται) ; ils étaient donc, à l'époque où il écrivait, menacés de tomber dans l'oubli.

2. *De Herodoti malignitate*, 20. De même Tertullien, *De anima*, 46 : « ...Charon Lampsacenus, Herodoto prior... »

les *Vainqueurs aux Carnéennes*, ni rien de cette espèce ne devait exister quand Hérodote entreprit ses recherches ; s'il avait disposé de semblables recueils, sa chronologie grecque serait moins imprécise. Quant à des « mémoires », où des particuliers, témoins de grandes choses, auraient consigné leurs souvenirs, rien ne prouve qu'il en ait existé aussi tôt ; on en a attribué notamment à l'Athénien Dikaios, qu'Hérodote met en scène au livre VIII chapitre 65 ; c'est une pure supposition. En fait d'histoire des événements « humains », ce qui exista le plus probablement en langue grecque avant l'ouvrage d'Hérodote, ce sont des écrits ou des portions d'écrits concernant certains peuples barbares, chez qui des annales officielles, ordonnées chronologiquement, conservaient la mémoire des faits et invitaient à en faire le récit. Il dut y avoir de ces développements historiques dans les traités d'ethnographie, les Περίοδοι γῆς ; il y en eut certainement chez Charon de Lampsaque, à qui Suidas attribue, outre les Ὧροι Λαμψακηνῶν, un livre intitulé Περσικά. Ils tenaient sans doute la plus grande place dans les Λυδιακά de Xanthos, dans les Περσικά et les Μετὰ Δαρεῖον de Dionysios de Milet. Mais Xanthos semble n'avoir été tout au plus que le contemporain d'Hérodote. Reste Dionysios, dont on place la carrière, par conjecture, peu après la révolte de l'Ionie. Cet écrivain, de qui nous n'avons rien d'appréciable, jouit aux yeux des critiques modernes d'une grande considération ; volontiers on le tiendrait aujourd'hui pour le principal, pour le vrai précurseur d'Hérodote. Charon et Dionysios, sans parler de Xanthos, avaient raconté, entre autres choses, des événements où les Grecs étaient intéressés, en particulier des incidents des grandes guerres médiques. Mais, si nous en jugeons par les titres de leurs ouvrages, ils avaient présenté ces événements comme des épisodes de l'histoire perse ; Hérodote les présenta du point de vue hellénique, comme des hauts faits des Grecs ; et, à côté d'eux, avant eux, il enregistra tout ce qu'il put atteindre d'événements « humains » dont des Grecs avaient été les seuls acteurs. S'il est à la suite d'autrui quand il narre l'enfance et les conquêtes de Cyrus, les extravagances de Cambyse, la fraude du faux Smerdis, l'avènement de Darius, les intrigues de la cour de Suse, il innove quand il se fait l'historiographe d'Athènes et de Sparte, de Samos et d'Égine, de Corinthe et de Thèbes, — bref, quand, écrivain grec, il applique sa curiosité aux événements « humains » de l'histoire grecque.

De la double curiosité qui vient d'être signalée, précisons les objets et le caractère.

Dans le domaine de la géographie et de l'ethnographie, Hérodote se montre curieux de mille choses. A vrai dire, l'attitude qu'il observe en face d'hypothèses concernant l'ensemble de la terre, sa forme circulaire, le fleuve Océan dont elle serait entourée, est passablement dédaigneuse [1]. Mais il s'intéresse aux voyages de découverte : randonnée des cinq jeunes Nasamons poussée peut-être jusqu'aux rives du Niger, périple de la Libye accompli par des Phéniciens, croisière de Sataspès au delà des Colonnes d'Hercule, expédition des Samiens à Tartessos, exploration du cours de l'Indus et des côtes du golfe Persique par Skylax de Caryanda [2]. Il recueille le plus de renseignements qu'il peut sur les régions inconnues ou presque ignorées qni environnent dans toutes les directions le monde fréquenté par les Grecs : l'Éthiopie, Méroè, le pays des Automoles, au delà duquel on ne peut vivre en raison des excessives chaleurs ; les deux zones qui s'allongent en arrière de la zone littorale de la Libye, l'une pleine de bêtes féroces, l'autre sablonneuse, jalonnée de dix en dix journées de marche par l'oasis d'Ammon, le district d'Augila fertile en dattes, les établissements des Garamantes, des Atarantes, des Atlantes ; l'Arabie, qui est le dernier des pays habités du côté du Midi ; l'Inde, qui est le dernier du côté du Levant ; les steppes des Androphages, des Mélanchlaines, des Thyssagètes, des Argippéens, des Issédons, bordées au Nord par des territoires, marais, plaines ou montagnes, où le froid est intolérable [3]. Il conteste,

1. II 23 ; IV 36.
2. II 32 ; IV 42 ; IV 43 ; IV 152 ; IV 44.
3. III 114 ; II 29 ; II 31 ; IV 181 et suiv. ; III 107 et suiv. ; III 106 ; IV 18, 20, 25, 31.

d'après des informations qu'il a prises en bon lieu, l'existence des fameux Hyperboréens ; il confesse avec regret qu'il n'a rien pu apprendre de certain sur les extrémités occidentales de l'Europe[1]. Il catalogue, en les situant les uns par rapport aux autres, les peuples de la Libye, de la Scythie, de la Thrace, les peuples faisant partie de l'empire des Achéménides ; il énumère les fleuves qui se déversent dans le Pont-Euxin, les affluents de l'Istros[2]. Il s'inquiète de savoir où le Nil prend sa source et ce qui cause ses crues périodiques ; il donne son avis sur la formation de l'Égypte[3]. Il indique les dimensions de ce pays et du Delta en particulier, celles de la Scythie, de la mer Caspienne, du Pont-Euxin, la largeur de l'Asie mineure, la longueur de la route royale ; il explique à l'aide de comparaisons la disposition de la Tauride[4]. Il fait connaître l'aspect général de telles ou telles contrées, montagneuses ou planes, herbues ou forestières, arides ou marécageuses, fertiles ou désertiques ; la nature du sol, ici noir et friable, là mêlé d'argile et de pierre, ailleurs formé de sable[5] ; la faune, la flore, les principales productions, les sites les plus remarquables. Surtout, il insiste sur les habitants, leurs conditions d'existence, leurs ressources, leurs occupations et leurs plaisirs, leurs coutumes, leur humeur, leur langage, leurs croyances ; il s'inquiète de leur origine, de la parenté qu'ils peuvent avoir avec les habitants d'autres contrées voisines ou lointaines, des migrations spontanées ou forcées qui les ont amenés où ils sont. Il signale les œuvres humaines qui, dans chaque pays, méritent particulièrement l'attention, temples, palais, statues, ex-voto de toutes sortes, travaux d'art ou d'utilité.

Cette grande diversité d'objets est déjà un caractère notable de la curiosité d'Hérodote. Un autre est la prédilection

1. IV 82 et suiv. ; III 115.
2. IV 168 et suiv., 181 et suiv. ; IV 17 et suiv., 100 ; IV 93 ; IV 51 et suiv. ; IV 48 et suiv.
3. II 28 et suiv., 20 et suiv. ; 10-12.
4. II 6-9 ; IV 101 ; I 203 ; IV 85 ; I 72, II 34 ; V 53-55 ; IV 99.
5. II 12.

de l'écrivain pour les détails concrets et pittoresques. Lorsqu'il veut donner l'idée d'un peuple, il n'en trace pas le portrait intellectuel et moral à l'aide d'épithètes, d'appréciations directes ; du moins, les appréciations, les épithètes de cette sorte sont chez lui clairsemées ; le plus souvent, il laisse aux lecteurs le soin de qualifier et de juger ce peuple d'après quelques exemples de ses façons d'agir ; lui ne s'applique pas à scruter l'âme des races ; il ne veut que décrire des apparences extérieures. Même, il paraît donner plus d'attention aux costumes qu'aux complexions physiques. Des observations comme celle-ci : « les Budins ont, tous, les yeux très clairs et le poil roux » (IV 108), ou celle-ci : « les Argippéens sont tous chauves de naissance, hommes et femmes indistinctement ; ils sont camus, ils ont le menton fort » (IV 23), n'abondent pas dans son œuvre. L'ample peinture du cortège de peuples que Xerxès mena contre la Grèce (VII 61 et suiv.) en contient tout juste une : « Les Éthiopiens orientaux ont les cheveux droits, tandis que ceux de Libye ont la chevelure la plus crépue du monde » (VII 70). Et, autour de ce trait unique, quelle prodigieuse évocation de vêtements et d'armures : bonnets de feutre en forme de tiares, bonnets pointus, casques d'airain, casques tissus, casques de cuir, casques de bois, casques ornés de cornes, coiffures de peaux de renards ou de peaux de chevaux arrachées à la tête de chevaux avec la crinière et les oreilles, tuniques multicolores à manches, amples robes bariolées, vêtements retroussés avec des ceintures, vêtements attachés avec des agrafes, vêtements de coton, sayons de peaux de chèvres, peaux de lions et de léopards, barbouillages de plâtre et de vermillon appliqués à même le corps, longues anaxyrides, bandes jambières d'un rouge éclatant, cuirasses de fer à écailles, cuirasses de lin, bottes montant au genou, chaussures s'arrêtant à mi-jambe, brodequins en peau de chevreuil, boucliers grands et petits, boucliers en cuir de bœuf, boucliers en peaux de grues, arcs de diverses matières et de toutes dimensions, carquois, flèches à pointe de fer, flèches à pointe de pierre, javelots durcis au feu, javelots armés de corne aiguë, épieux, piques, haches, mas-

sues de bois noueux ou ferrées, épées, cimeterres, poignards, etc.! Je sais qu'il s'agit là d'une description d'armée, et que, dans une description d'armée, l'attirail du soldat importe autant et plus que le soldat lui-même. Mais il arrive ailleurs que, pour dépeindre une population, Hérodote procède pareillement. Des hommes vêtus d'une tunique de lin qui descend jusqu'aux pieds, d'une tunique de laine par-dessus, et, pardessus encore, d'un manteau blanc ; chaussés de chaussures qui ressemblent à celles des Béotiens ; ayant les cheveux longs, le tête couverte d'une mitre, tout le corps frotté de parfums ; portant chacun un cachet et, à la main, un bâton travaillé en haut duquel est une pomme ou une rose ou un lys ou un aigle ou quelque autre figure : voilà comment Hérodote nous dépeint les Babyloniens (I 195) ; de leur taille et de leur tournure, de leur teint, du type de leur visage, nous ne savons par lui rien du tout.

Parmi ses remarques sur les mœurs, il en est de singulièrement ténues, qui tiennent dans la notation d'un geste, d'une attitude, d'un menu détail matériel. En Égypte, observe-t-il (II 35-36), on fait la toile en poussant la trame vers le bas, tandis qu'ailleurs on la pousse vers le haut ; les hommes portent les fardeaux sur la tête et les femmes sur les épaules ; les femmes urinent debout, et les hommes accroupis ; on s'enferme dans les maisons pour satisfaire les besoins naturels, mais on mange dans la rue ; on pétrit la pâte avec les pieds, l'argile avec les mains ; les hommes ont chacun deux vêtements, les femmes n'en ont qu'un ; on attache en dehors les cordages et les anneaux des voiles, tandis que chez les autres peuples on les attache en dedans... Il va de soi que la plupart des observations d'Hérodote portent sur des objets de plus grande importance. Bon nombre de ces objets ont dû retenir son attention parce qu'ils se présentaient à lui, — à ses yeux ou à son imagination, — sous la forme de tableaux animés, et qu'ils satisfaisaient son goût pour le spectacle ; exemples, le tableau de l'adjudication des filles à Babylone, la peinture des prostitutions sacrées dans le temple de Mylitta, celle des pélerinages à Boubastis, celle des bastonnades de Paprémis, celle des batailles rituelles que se livrent les jeunes Libyennes, celle des funérailles des rois scythes [1]. Ou bien, toujours friand de détails concrets et pittoresques, Hérodote recueille des récits qui expliquent l'origine d'un trait de mœurs ou le font voir pour ainsi dire en action : à propos des habitudes guerrières des femmes des Sauromates, l'histoire de leurs lointaines aïeules les Amazones, qui, débarquées en Scythie, combattirent d'abord les habitants, puis se laissèrent apprivoiser par de jeunes Scythes et consentirent sous certaines conditions à devenir leurs épouses et les mères de leurs enfants (IV 110 et suiv.) ; à propos de l'aversion du peuple scythe à l'endroit des coutumes étrangères, la triste aventure de Skylès, qui, s'étant laissé gagner à l'hellénisme, expia cette condescendance par la perte de sa couronne, puis de sa vie (IV 78 et suiv.).

Avec le pittoresque, l'extraordinaire exerce sur Hérodote une évidente attraction. Dans ses descriptions ethnographiques, les coutumes qui pouvaient étonner ou choquer sont signalées en bonne place. Ainsi, ce qui était contraire à la décence. Les habitants des îles de l'Araxe, a-t-il soin de noter, s'unissent à leurs femmes en public, comme les bêtes ; de même les Indiens ; chez les Machlyes et les Ausées, peuplades de Libye, le mariage est tout à fait ignoré ; hommes et femmes s'accouplent au hasard, ni plus ni moins que des animaux ; chez les Agathyrses, peuple scythe, les femmes sont communes ; elles le sont aussi, en pratique, chez les Massagètes, chez les Nasamons, bien que le mariage y existe ; l'homme suspend son carquois au chariot de la femme qu'il désire ou plante devant sa demeure un bâton, pour signifier qu'elle reçoit une visite ; et, cette précaution prise, il jouit d'elle sans avoir rien à craindre ; chez les Adyrmachides, toute fille qui se marie est, avant la consommation du mariage, présentée au roi du pays ; si elle lui plaît, il la prend ; chez les Nasamons, la mariée doit, le jour de ses noces, se prêter aux désirs de tous les invités ; chez les Gin-

1. I 196 ; I 199 ; II 60 ; II 63 ; IV 180 ; IV 71-72.

danes, les femmes portent à la cheville, fièrement, autant d'anneaux qu'elles ont connu d'amants ; chez les Thraces, les filles jusqu'à leur mariage s'abandonnent à qui elles veulent au vu et au su de leurs parents ; en Lydie, elles se prostituent toutes pour amasser une dot ; à Babylone, ce sont les parents, quand ils sont pauvres, qui prostituent couramment leurs enfants ; à Babylone encore, toute femme doit, une fois dans sa vie, se livrer pour de l'argent à un étranger [1] ; la règle d'honnêteté, commune aux Égyptiens et aux Grecs, qui proscrit des lieux sacrés le commerce sexuel, est inconnue à tous les autres peuples [2] ; certains, — les Perses par exemple, — ignorent cette autre règle qui, en Grèce, interdit aux personnes des deux sexes de prendre part ensemble à des banquets ; ou bien ils professent pour l'ivrognerie une scandaleuse indulgence ; ainsi, chez les Cauniens, non seulement les hommes, mais aussi les femmes et les enfants se réunissent sans vergogne pour boire [3]. Ailleurs, c'est sur des usages barbares ou répugnants que l'écrivain insiste. Il lui plaît de connaître les travaux d'ornement, d'habillement, de sellerie et de maroquinerie que les Scythes exécutent avec des peaux humaines, et l'emploi macabre qu'ils font des crânes de leurs ennemis en guise de coupes à boire ; il détaille les rites sanglants des obsèques de leurs rois, les blessures qu'ils s'infligent à eux-mêmes en signe de deuil, les étranglements de concubines, de serviteurs et de chevaux, la confection du sinistre escadron empaillé qui doit monter la garde autour de la tombe [4]. Il relève, aussi souvent que l'occasion se présente, les manifestations d'anthropophagie : chez les Indiens Callaties ; chez les Issédons, qui, lorsqu'ils perdent leur père, mangent ses chairs mêlées à d'autres viandes ; chez les Massagètes, qui, plus pressés, épargnent aux vieillards l'inconvénient de devenir trop

1. I 202 ; III 105 ; IV 180 ; IV 104 ; I 216, IV 172 ; IV 168 ; IV 172 ; IV 176 ; V 6 ; I 93 ; I 196 ; I 199.
2. II 64.
3. V 18 ; I 172.
4. IV 64-66, 71-72.

vieux ; chez les Indiens Padéens, qui tuent les malades et les dévorent aussitôt, avant qu'ils aient maigri et qu'ils soient devenus moins comestibles ; chez les Androphages, qui font tout ce qu'il faut pour mériter leur nom [1]. Il ne dédaigne pas de noter que les Budins, — dont il dit peu de chose, — croquent leurs poux ; que les femmes des Adyrmachides, — dont il dit moins encore, — mordues par un pou, le mordent à leur tour ; que les Nasamons, les Troglodytes Éthiopiens, les Gyzantes, se repaissent de tels aliments, — sauterelles, reptiles, singes, — qu'ils devaient apparaître à des Grecs comme des mangeurs de choses immondes ; que les Libyens nomades, pour guérir leurs enfants de convulsions, les arrosent d'urine de bouc [2].

Les descriptions de pays, chez Hérodote, sont en grande partie des recueils de « merveilles » (θώματα). Celle de la Lydie se réduit à la mention des paillettes d'or que roulait le Pactole et d'un tertre géant élevé de main d'homme (I 93) en Scythie, il n'y a de remarquable, outre le nombre et l'importance des fleuves et l'étendue des plaines, que la trace du pied d'Héraclès imprimée sur un roc près du fleuve Tyras (IV 82). Une série de fontaines situées dans des pays différents sont signalées en raison de quelque vertu exceptionnelle ; les trente-huit sources du Téaros, qui, sortant toutes d'un seul et même rocher, sont les unes froides et les autres chaudes ; une fontaine voisine de l'Hypanis, si amère, que, malgré son faible débit, elle gâte les eaux du fleuve où elle se jette ; la fontaine du pays des Éthiopiens, dont l'eau, tellement légère qu'aucun objet n'y surnage, rend la peau de ceux qui s'y baignent aussi brillante que s'ils s'étaient frottés d'huile et les parfume d'une odeur de violette ; la fontaine du Soleil dans l'oasis d'Ammon, tiède au lever du jour, fraîche à l'heure du marché, glacée à midi, de nouveau tiède au coucher du soleil, bouillante au milieu de la nuit [3]. D'autres accidents géographiques doivent également d'être

1. III 38 ; IV 26 ; I 206 ; III 99 ; IV 106.
2. IV 109 ; IV 168 ; IV 172, 183, 194 ; IV 187.
3. IV 90 ; IV 52 ; III 23 ; IV 181.

mentionnés à ce qu'ils ont de bizarre, de frappant pour l'imagination : les collines de l'hinterland libyen, jonchées de blocs de sel entre lesquels jaillit une eau fraîche et douce, habitées par des hommes dont les maisons sont construites en sel ; le mont Atlas, aux confins occidentaux du monde, pareil à une colonne étroite et ronde dont la tête se perd dans les nues ; le fleuve Araxe, que d'aucuns disent plus grand que l'Istros, au cours encombré d'îles aussi étendues que Lesbos, aux quarante bras qui, sauf un, se perdent dans des marais ; la montagne circulaire des Chorasmiens, percée de cinq brèches, qui enferme une plaine et donne naissance à l'Akès [1]. C'est encore par amour de l'extraordinaire qu'Hérodote s'arrête à présenter, en quelques mots ou longuement, certains animaux exotiques : le crocodile, l'hippopotame, les ibis et les serpents volants, les bœufs à cornes recourbées en avant qui ne peuvent paître qu'en allant à reculons, les moutons à longue queue [2], sans parler des êtres fabuleux dont poètes et hâbleurs peuplaient les *terrae incognitae* ; — à exposer comment on recueille telle ou telle matière, tel ou tel produit précieux : la poix à Zakynthe ; le bitume, le sel et l'huile rhadinakè à Ardéricca en Susiane ; la poudre d'or dans l'Inde ; les paillettes dans un lac de l'île Kyraunis, voisine du littoral libyen ; l'encens, la casse, la cannelle, le ladanum en Arabie [3].

Enfin, c'est du point de vue de l'extraordinaire qu'Hérodote juge le plus souvent les ouvrages humains. Il est en général sobre d'appréciations sur leur valeur artistique, — peut-être, à vrai dire, parce que le vocabulaire de la critique d'art était, en son temps, fort peu développé ; ce qu'il met en relief de préférence, c'est la richesse de la matière, c'est la dépense, ce sont les difficultés techniques d'exécution, ce sont surtout les grandes dimensions. Par exemple, il admire et invite à admirer la statue et la table d'or, avec trône et

1. IV 181-185 ; IV 184 ; I 202 ; III 117.
2. II 68 et suiv. ; II 71 ; II 75-76, III 107 et suiv. ; IV 183 ; III 113.
3. IV 95 ; VI 119 ; III 102 et suiv. ; IV 195 ; III 107, 110-112.

marchepied en or, qu'il a vues dans un temple de Babylone, le tout ne pesant pas moins de huit cents talents ; les nombreuses offrandes en or et en argent que Crésus et ses prédécesseurs avaient consacrées à Delphes, au sanctuaire d'Amphiaraos, à Thèbes, à Éphèse, aux Branchides, dont un cratère en or pesant plus de huit talents et demi, un cratère en argent d'une capacité de six cents amphores, une statue d'or haute de trois coudées, cent dix-sept briques d'or pâle ou d'or fin du poids de deux talents ou d'un talent et demi chacune, et un lion d'or fin du poids de dix talents ; un support de cratère en fer soudé consacré par Alyatte, œuvre de Glaucos de Chios, « qui seul a découvert l'art de souder le fer » ; les cuirasses de lin envoyées par Amasis à Samos et à Lindos, ornées d'un grand nombre de figures tissues, dont chaque fil, bien que mince, était formé luimême de trois cent soixante fils, tous distincts ; l'Héraion de Samos, « le plus grand de tous les temples que nous connaissons » ; le tunnel percé à Samos sous une montagne, long de sept stades, large de huit pieds et haut d'autant, accompagné d'un canal pour les eaux ; l'immense enceinte et les colossales murailles de Babylone ; les ouvrages et les édifices de l'Égypte, avec lesquels ceux de la Grèce ne peuvent soutenir la comparaison ni sous le rapport du travail (πόνου) ni sous le rapport de la dépense (δαπάνης) : pyramides, — à celle de Chéops on travailla vingt ans, et rien que pour fournir aux travailleurs du raifort, de l'oignon et de l'ail, on dépensa seize cents talents d'argent ; — labyrinthe, composé de douze cours couvertes et de trois mille chambres dont quinze cents souterraines ; lac de Mœris, tout creusé de main d'homme, mesurant trois mille six cents stades de tour et jusqu'à soixante brasses de profondeur [1].

L'étonnement est le premier degré de la curiosité scientifique ; la curiosité d'Hérodote voyageur — voyageur et compilateur — s'en tient volontiers à ce premier degré ; plus souvent que de l'intelligence, elle relève de la sensi-

1. I 183 ; I 50-51, 92 ; I 15 ; III 47 ; III 60 ; I 178-179 ; III 148 ; II 124-125 ; II 148 ; II 149.

bilité ; je doute que, par rapport à celle d'Hécatée, elle ait marqué un progrès vers plus de pénétration, plus de méthode, plus de sérieux ; je croirais plutôt qu'en son temps même Hérodote, comparé à son illustre devancier, — et, vraisemblablement, à d'autres moins grands personnages, — a fait figure d' « amateur ».

Dans le domaine de l'histoire, de l'histoire grecque en particulier, Hérodote n'est pas, — et l'on s'étonnerait qu'à l'époque où il écrivait il le fût, — un peintre diligent des mouvements économiques et sociaux, ni même un observateur attentif des transformations politiques. Qui compterait trouver dans son ouvrage le détail des réformes de Lycurgue, de Solon, de Clisthène, ou l'exposé suivi des progrès de la démocratie à Athènes depuis l'expulsion des Pisistratides jusqu'au gouvernement de Périclès, serait déçu. Les changements de régime, tels que les avènements et les chutes de tyrans, sont racontés à leur heure sans que l'auteur insiste sur les conséquences qu'ils entraînèrent dans la vie intérieure des cités ; les modifications apportées aux prérogatives des magistrats, au fonctionnement des services publics, ne sont mentionnées qu'incidemment, à l'occasion des faits qui les ont provoquées ; les jugements portés sur tel ou tel état politique se réduisent le plus souvent à de brèves appréciations morales. Ce qui intéresse Hérodote, ce ne sont pas les évolutions qui s'accomplissent lentement, par étapes, sous la poussée de forces éparses, difficiles à discerner et parfois inconscientes ; ce sont des événements instantanés, dramatiques, des événements enfermés dans des contours précis et qu'on peut embrasser aisément d'un coup d'œil ; autrement dit, ce sont des aventures.

Ces événements, ces aventures, peuvent être, au point de vue historique, d'importance très inégale. Le récit d'un grand fait est accompagné maintes fois d'une série d'anecdotes qui ne tiennent guère moins de place que lui. Par exemple, après le récit de la bataille de Platée et des exploits dont elle fut l'occasion, nous entendons raconter comment une femme de Cos, concubine d'un seigneur perse, vint chercher refuge au camp des Grecs ; comment Lampon d'Égine incita Pausanias à exercer des sévices sur le cadavre de Mardonios, et comment Pausanias repoussa ce conseil déshonorant ; quelle fut l'immensité du butin, ce qu'on en fit, à quel trafic clandestin les Ilotes se livrèrent avec les Éginètes ; comment Pausanias fit préparer par les cuisiniers de Mardonios, qu'il avait capturés, un festin à la mode persique, et se divertit à remarquer combien il différait d'un repas à la mode spartiate ; comment on recueillit plus tard sur le théâtre de l'action un crâne d'une seule pièce, une mâchoire dont les dents adhéraient aux maxillaires, le squelette d'un homme de cinq coudées ; comment le corps de Mardonios disparut mystérieusement ; comment les Grecs ensevelirent leurs morts et comment, par la suite, des cités dont les contingents n'avaient pas pris part au combat élevèrent cependant sur les lieux, pour se faire honneur et pour donner le change à la postérité, des cénotaphes [1]. Bon nombre des événements qu'Hérodote juge dignes de mémoire ne se rattachent pas du tout aux vicissitudes des peuples et des empires ou ne s'y rattachent que faiblement ; ce sont, si je puis dire, des événements d'intérêt privé. Ainsi, l'aventure miraculeuse d'Arion ; celle de la seconde femme d'Ariston, qui, de très laide qu'elle était dans sa petite enfance, était, grâce à Hélène, devenue admirablement belle ; l'aubaine d'Ameinoclès ; l'histoire d'Alcméon chez Crésus ; l'histoire des noces d'Agaristè ; l'histoire d'Hermotimos et Panionios ; l'histoire d'Évènos d'Apollonie ; l'histoire d'Oiobazos et celle de Pythios ; l'histoire de Phronimè ; l'histoire de Ladikè ; l'épouvantable histoire de la femme de Masistès ; l'histoire de Démokédès avant et après son séjour chez les Perses [2] ; et bien d'autres encore.

Au nom des personnages dont il est amené à parler, Hérodote ajoute volontiers, faisant un retour sur le passé ou anticipant sur l'avenir, des détails biographiques et généalo-

1. IX 75-84.

2. I 23-24 ; V 61 ; VII 190 ; VI 125 ; VI 126 et suiv. ; VIII 105-106 ; IX 92-94 ; IV 84 et VII 27-29, 38-39 ; IV 154 ; II 181 ; IX 107 et suiv. ; III 131 et 137.

giques. Il énumère les ancêtres de Léonidas et ceux de Leutychide, rois de Sparte, à partir d'Hyllos fils d'Héraclès ; il remonte, en présentant Alexandre de Macédoine, jusqu'à l'origine de sa race ; en présentant Gélon de Syracuse, il résume la carrière de ce prince et raconte même comment un de ses ancêtres, Télinès, avait acquis pour lui et pour les siens le titre héréditaire d'hiérophante ; il rappelle qu'Évelthon, roi de Salamine en Cypre, à qui Phérétimè de Cyrène demandait une armée de secours, avait consacré à Delphes un très bel encensoir ; que Philippe de Crotone, un des compagnons de Dorieus, avait remporté une victoire olympique et qu'il était le plus beau des Grecs de son temps ; que Cadmos, homme de confiance de Gélon, avait régné à Cos et volontairement renoncé au pouvoir ; que Sandokès, commandant d'un groupe de vaisseaux perses à l'Artémision, avait été juge royal, condamné comme prévaricateur et gracié par Darius ; il annonce que Sikinnos, esclave de Thémistocle qui fut chargé de missions délicates, devait être plus tard, à la demande de son maître, reçu parmi les citoyens de Thespies ; que le traître Éphialte devait périr assassiné, à tel endroit et de la main d'un tel ; que le fils de Léontiade, commandant des Thébains aux Thermopyles, devait tenter par la suite de surprendre Platée et trouver la mort dans cette affaire ; que le Spartiate qui porta à Mardonios le coup mortel, Aeimnestos, devait être tué quelques années plus tard dans un combat contre les Messéniens [1]. On n'en finirait pas de citer des exemples.

Le goût de l'individuel, qu'expriment ces additions signalétiques et les anecdotes sans intérêt public dont nous parlions tout à l'heure, est peut-être ce qui caractérise le mieux la curiosité d'Hérodote historien. Il se manifeste dans son œuvre un peu partout et de diverses façons. D'amples morceaux, s'ils étaient isolés, sembleraient des extraits de « Vies » des hommes illustres. L'histoire de la Lydie sous les Mermnades est représentée presque uniquement par quelques aventures de Gygès, d'Alyatte et de Crésus. Celle

1. VII 204 et VIII 131 ; VIII 137-139 ; VII 54-55, 53 ; IV 162 ; V 47 ; VII 164 ; VII 194 ; VIII 75 ; VII 23 ; VII 233 ; IX 64.

de la fondation de l'empire perse et de ses premiers développements, par un choix d'aventures de Cyrus ; après quoi les faits et gestes personnels de Cambyse, de Darius, tiennent dans les « histoires perses » une place prépondérante. De même, dans les parties consacrées à l'histoire d'Athènes, à l'histoire de Sparte, à l'histoire de Samos, les chapitres qui pourraient appartenir à des biographies de Pisistrate, de Mégaclès, de Clisthène, de Miltiade, de Thémistocle, d'Anaxandride, de Dorieus, de Cléomène, d'Ariston et de Démarate, de Léonidas, de Leutychide, de Polycrate. Presque d'un bout à l'autre du récit de la seconde guerre médique, le personnage de Xerxès est l'objet, de la part du narrateur, d'une attention soutenue ; Hérodote, qui le proclame le plus digne par sa taille et par sa beauté de commander à tant de millions d'hommes [1], décrit son équipage et sa garde, ses repas et ses campements ; rappelle les compliments qu'il adressa, les récompenses qu'il décerna à quelques-uns de ses hôtes d'un jour ; il relate ses impressions de voyage, les visites que le Grand Roi a faites comme un simple touriste à certains lieux célèbres, les réflexions et les admirations que ce qu'il a vu lui inspira ; il le représente, irrité de la rupture de ses ponts de bateaux, faisant fustiger l'Hellespont ; puis, du haut de la plate-forme de marbre qu'on éleva pour lui à Abydos, jouissant de la contemplation de sa propre puissance, et cédant tout à coup à un accès de mélancolie ; il le montre présidant au passage des ponts, au défilé des troupes, à leur dénombrement, comme à des galas militaires, passant en revue solennellement l'armée de terre et la flotte, faisant lutter devant lui des contingents navals et des corps de cavalerie, assistant aux engagements des Thermopyles, à la bataille de Salamine, non pas en général, mais en spectateur et en juge [2] ; si bien que, par moments, le lecteur est tenté d'oublier la gravité de la situation et de

1. VII 187.

2. VII 40-41 ; 118-120 ; VII 27-29, 116 ; VII 31, 43, 128, 139, 197 ; 35 ; 44, 45 et suiv. ; 55-56, 60, 100, 44, 196 ; 212, VIII 69, 86, 88, 90.

ne voir dans ce qu'on lui raconte, au lieu du conflit décisif entre les Grecs et les Barbares d'Asie, qu'un déplacement royal, une distraction fastueuse de despote.

Hérodote n'a pas négligé de rechercher les causes des événements, et il a su en discerner de profondes. Il a bien vu, par exemple (nous y reviendrons), que la cause première des entreprises des Achéménides contre la Grèce, comme auparavant de leurs expéditions contre la Lydie et Babylone, contre les peuples de l'Est, les Massagètes, l'Égypte, les Scythes, était l'appétit de conquêtes, le besoin insatiable d'expansion d'un empire militaire qui ne pouvait se soutenir que par la guerre et, s'il ne grandissait pas, était condamné à décroître. Il n'en a pas moins recherché et signalé avec complaisance des causes secondes, plus ou moins plausibles, représentées par les ambitions, les intrigues, les rancunes de quelques individus : pour la campagne de Cambyse en Égypte, par les manœuvres d'un médecin égyptien et les révélations d'une fille d'Apriès, qui voulaient l'un et l'autre créer des embarras à Amasis, par le souvenir de l'animosité de Cassandane, mère de Cambyse, contre une concubine égyptienne de Cyrus, par les excitations d'un officier grec, qui, mécontent d'Amasis, avait quitté son service et cherchait à se venger de lui ; pour les premières menaces de Darius à l'adresse des Grecs, par les instances d'Atossa, obéissant elle-même aux suggestions de Démokédès de Crotone. Ailleurs, il a accepté de placer à l'origine du renversement d'Astyage par Cyrus les conseils d'Harpage ; à l'origine de la révolte de l'Ionie, les combinaisons d'Aristagoras et d'Histiée, qui n'eurent peut-être pas, dans la réalité, une influence aussi grande ; à l'origine des troubles de Samos qui suivirent la chute de Polycrate, l'empressement de Darius à acquitter une dette personnelle de reconnaissance contractée envers Syloson ; à l'origine de la mésintelligence entre Égine et Athènes, une dispute à propos de statues : à l'origine des desseins de Miltiade contre Paros, le ressentiment d'avoir été desservi par un Parien [1].

1. III 1, 3, 4 ; III 133-134 ; I 123-124 ; V 35 ; III 139 et suiv. ; V 82 et suiv. ; VI 133.

Dans le récit des faits, Hérodote cherche à mettre en lumière, le plus souvent qu'il peut et le plus exactement qu'il peut, les mérites ou les démérites d'individus. Chez lui, les noms propres abondent. Il s'est retenu d'énumérer ceux des trois cents Spartiates des Thermopyles et ceux des capitaines ioniens qui, à Salamine, enlevèrent des vaisseaux aux Grecs ; il reconnaît qu'il serait inutile de citer ceux des chefs subalternes de l'armée et de la flotte de Xerxès[1] ; mais il en énonce beaucoup d'autres ; et les titres de quelques-uns de ceux qui les portaient à être connus de la postérité peuvent paraître bien minces. Il aime les épisodes où des personnages, célèbres ou obscurs, quelquefois anonymes, le plus souvent désignés par leurs noms, — Bias ou Pittacos, Solon, Sandanis, Crésus, Artabane, Démarate, Artémise, Coès, Sosiclès de Corinthe, un vieillard de Lampsaque, un citoyen d'Égine, Mégabyze, un habitant d'une ville de l'Hellespont, Mégacréon d'Abdère, Tritantaichmès, un convive perse d'Attaginos, — jouent auprès de princes et d'assemblées le rôle de conseillers et de mentors, portent des jugements sur ce qui s'est passé, se passe ou se passera, prononcent des « mots historiques »[2]. Parmi les délibérations dont il rend compte, politiques ou militaires, il en est, et des plus importantes, qui sont présentées comme des conflits de personnes, où chacune des parties s'attaque à l'adversaire autant qu'à son opinion : témoin les scènes où s'affrontent Artabane et Mardonios, Thémistocle et Adimante, Démarate et Achaiménès[3]. Une large place est réservée par lui à l'exposé de ruses, de sagaces découvertes, d'habiles combinaisons, qui, en même temps qu'elles influent sur la marche des événements, sont susceptibles d'illustrer leurs auteurs : à la ruse de Thrasybule, faisant croire aux

1. VII 224 ; VIII 85 ; VII 96, 99.

2. I 27 ; I 32 ; I 71 ; I 89, 155, 207, III 34, 36 ; VII 10, 46 et suiv. ; VII 102 et suiv., 209, 234 et suiv. ; VIII 68, 101-102 ; IV 97 ; V 92 ; VI 37 ; V 80 ; IV 144 ; VII 56 ; VII 120 ; VIII 26 ; IX 16.

3. VII 9-10 ; VIII 59 et suiv. ; VII 235-237.

ennemis que Milet, assiégée, affamée, regorge de victuailles ; au stratagème de Tellias, déguisant en fantômes une partie de l'armée phocidienne ; au dévouement héroïque de Zopyre, qui remit Babylone entre les mains de Darius ; à la conquête des ossements d'Oreste par le Spartiate Lichas, ingénieux détective [1]. Surtout, les exploits de valeureux guerriers retiennent l'attention de l'écrivain. Quand il raconte un combat, Hérodote ne se contente pas de décrire les lieux où ce combat s'est livré, de dénombrer les troupes qui y prirent part, d'indiquer leur ordre de bataille, les mouvements qu'elles effectuèrent, les incidents tactiques qui décidèrent la victoire d'un parti et la déroute de l'autre ; il désire connaître et faire connaître les plus brillants faits d'armes qui y furent accomplis, les rencontres étranges qui ont pu s'y produire ; il nomme ceux des combattants qui se sont le plus distingués, il distribue des prix. « Ce sont les Éginètes », déclare-t-il après le récit de Salamine (VIII 93), « qui se distinguèrent le plus à cette journée, et après eux les Athéniens ; parmi les Éginètes, Polycritos ; du côté des Athéniens, Eumène d'Anagyronte et Ameinias de Pallène » ; et de semblables remarques accompagnent les récits de l'Artémision, de Platée, de Mycale [2]. Plutarque relève avec aigreur que, dans la relation de Salamine, Hérodote s'attarde à raconter une prouesse d'Artémise [3] ; avec une complaisance moins choquante aux yeux d'un fervent patriote, mais égale, l'historien signale comment se comportèrent avant, pendant et après un engagement quelques hommes en particulier : Othryadas ne voulut pas survivre à tous ses compagnons ; Pythès, plutôt que de se rendre, se laissa hacher de coups ; Lycomédès enleva le premier un vaisseau aux ennemis ; Diainékès répondit à une nouvelle qui aurait pu le démoraliser par une héroïque boutade ; Eurytos, bien que souffrant des yeux, se fit conduire au fort de la mêlée et y périt les armes à la main ; Pantitas se punit de mort

1. I 21-22 ; VIII 27 ; III 154 et suiv. ; I 68.
2. VIII 17 ; IX 70, 72 ; IX 104.
3. *De Herodoti malignitate*, 43.

pour n'avoir pas assisté au combat ; Polycritos, en même temps qu'il coule un vaisseau sidonien, invective à la mode homérique Thémistocle, qui l'avait soupçonné de médisme ; Amompharètos refuse obstinément, avec stupidité mais magnanimité, de s'associer à un mouvement de repli ; Sophanès s'amarre au sol avec une ancre pour ne pas céder de terrain ; Callimachos, frappé de loin sans avoir pu combattre, se plaint, non de mourir, mais de n'avoir rien fait pour sa propre gloire ni pour le salut de la Grèce [1].

Intérêt tout spécial pour les aventures, goût de l'individuel, ce double caractère de la curiosité d'Hérodote l'apparente de près aux poètes épiques et aux conteurs, représentants presque uniques jusqu'à lui, dans le monde grec, de la littérature narrative, écrite ou parlée. Lui aussi se propose de glorifier ce que les poètes appellent κλέα ἀνδρῶν, les grandes actions des hommes [2], qui, dans les épopées, étaient en général les grandes actions d'une élite de héros. Lui aussi est à l'affût d'anecdotes sortant de l'ordinaire, merveilleuses, dramatiques, piquantes, édifiantes ; le « père de l'histoire » est assurément plus qu'un simple conteur d'histoires ; mais « les histoires » ont encore pour lui beaucoup d'attrait.

DE LA SINCÉRITÉ D'HÉRODOTE

Esprit curieux, Hérodote a-t-il été un bon observateur, un enquêteur consciencieux et avisé ? Pour nous en rendre compte, il nous faut d'abord prendre parti dans une question qui domine le débat : celle de la sincérité de l'écrivain. Car cette sincérité a été mise en doute. On a accusé Hérodote de n'avoir pas vu autant de choses qu'il voudrait le faire croire ; on l'a soupçonné d'avoir imaginé une partie de ce qu'il raconte.

1. I 82 ; VII 181 ; VIII 11 ; VII 226 ; VII 229 ; VII 232 ; VIII 92 ; IX 52 et suiv. ; IX 72 ; IX 71.

2. I 1 : μήτε ἔργα μεγάλα τε καὶ θωμασία, τὰ μὲν Ἕλλησι τὰ δὲ βαρβάροισι ἀποδεχθέντα, ἀκλέα γένηται.

Le premier de ces deux griefs remonte à l'antiquité[1]. Il a son origine d'une part dans la constatation d'erreurs graves qu'Hérodote a commises en décrivant ce qu'il prétend avoir vu, de lacunes que présentent ses descriptions ; d'autre part, dans la constatation de « plagiats ». Nous reviendrons ailleurs sur les erreurs et les lacunes ; à coup sûr, il y en a de déconcertantes ; aucune n'est telle, cependant, qu'on ne puisse l'expliquer sans nier la sincérité de l'auteur. Quant à la question des plagiats, disons-en quelques mots sans plus attendre[2].

Il est incontestable que, dans les parties géographiques et ethnographiques de son œuvre, Hérodote doit beaucoup à des écrivains plus anciens, surtout à Hécatée. Le grammairien Polion[3], contemporain d'Hadrien, avait dénoncé ses « larcins » (περὶ τῆς Ἡροδότου κλοπῆς) ; il signalait entre autres choses que les passages du livre II relatifs au phénix, à l'hippopotame, à la chasse au crocodile, reproduisaient presque littéralement des passages de la *Périégèse*. De nos jours, bien que nous ne possédions d'Hécatée que de misérables fragments, d'autres emprunts ont été discernés avec une quasi certitude. Or, Hérodote ne cite jamais Hécatée que lorsqu'il le critique et le combat. Le procédé peut paraître choquant ; il choquait déjà les érudits romains, quelques siècles après Hérodote, et les mettait en défiance. Mais il ne faut pas juger les hommes et les choses d'une époque avec les sentiments d'une autre. Du temps d'Hérodote et durant

1. Ainsi, Aelius Aristide (t. II, p. 458 et suiv. Dindorf) prétendait qu'Hérodote n'avait pas visité Éléphantine ; car, s'il y était allé, il n'aurait pas accueilli, au sujet des sources du Nil, les sottises rapportées au livre II chapitre 28. Il est en effet surprenant qu'un homme qui a vu Éléphantine et Syène n'oppose pas à ces sottises un démenti plus formel ; pour mettre à l'abri du soupçon la sincérité de notre auteur, il ne suffit pas d'observer que lui-même n'a pas pris au sérieux les propos du scribe de Saïs ; voir ci-après, pages 72-73.

2. Sur cette question, et sur les emprunts faits par Hérodote à Hécatée, voir Diels, *Herodot und Hekataios* dans l'*Hermes*, 1887, p. 411 et suiv., et Jacoby dans la *Real-Encyclopädie* de Wissowa, s. v. *Hekataios*, col. 2675 et suiv.

3. Cité par Porphyre, chez Eusèbe, *Praep. evang.*, X 3.

toute la période classique, ce que nous venons de constater paraît avoir été de pratique courante : Thucydide, qui nomme Hellanicos pour le blâmer au chapitre 97 de son livre I, lui emprunte sans le nommer une partie du chapitre 9 ; Aristote, qui traite quelque part Hérodote de μυθολόγος, lui emprunte fort bien, sans le nommer davantage, une description du crocodile. Un écrivain soucieux d'instruire ses lecteurs pensait avoir fait assez en exposant ce qu'il tenait pour exact, sans donner à l'appui la bibliographie du sujet ; si ses devanciers avaient accrédité des opinions qu'il estimait erronées, il les réfutait ; s'il était d'accord avec eux, il ne croyait pas nécessaire de souligner cet accord. Hérodote devait se sentir d'autant moins obligé de nommer à tout bout de champ Hécatée, s'il avait vérifié par lui-même l'exactitude de ce qu'il empruntait, et ainsi l'avait fait sien en quelque sorte. C'est ce qui a dû se produire plus d'une fois. Nous en avons un exemple très net au commencement du livre II : Hécatée avait dit que l'Égypte est un « présent du Nil » ; Hérodote reprend l'expression, mais non sans déclarer qu'il a pu de ses yeux en apprécier la justesse, non sans laisser entendre que, si l'on n'avait fait avant lui cette remarque, il aurait très bien su la faire[1]. Le même soin d'affirmer son indépendance de jugement par rapport à ses informateurs, sa capacité de contrôle, sa part d'observation personnelle, se constate en plusieurs autres passages[2]. De prime abord, il semble plus difficile de justi-

1. II 5 (δῆλα γὰρ δὴ καὶ μὴ προακούσαντι, ἰδόντι δέ, ὅστις γε σύνεσιν ἔχει, ὅτι Αἴγυπτος ἐς τὴν Ἕλληνες ναυτίλλονται ἐστὶ Αἰγυπτίοισι ἐπίκτητός τε γῆ καὶ δῶρον τοῦ ποταμοῦ) ; cf. II 10 *in.*, 12 *in.* Renchérissant sur ce qu'avait écrit Hécatée et sur ce que disaient les « prêtres » égyptiens, Hérodote observe que le nom de « présent du Nil » ne convient pas seulement à l'Égypte au-dessous de Memphis, mais aussi à une zone située plus en amont. A l'appui de cette opinion, que la basse Égypte est formée des alluvions du fleuve, il apporte des comparaisons avec les estuaires d'autres fleuves et des observations tirées de la nature du sol.

2. Par exemple : II 104 (νοήσας δὲ πρότερον αὐτὸς ἢ ἀκούσας ἄλλων λέγω).

fier Hérodote, lorsque, dans des morceaux empruntés, il invoque le témoignage des habitants de tel ou tel pays ; le soupçon vient alors tout naturellement à l'esprit qu'il feint d'avoir appris dans ce pays ce qu'il a trouvé dans des livres. Et ce soupçon aurait beaucoup de force s'il était sûr que la référence a été ajoutée par l'emprunteur. Mais rien n'est moins certain ; elle a pu être elle-même empruntée avec ce qu'elle accompagne. En ce cas, Hérodote est excusable d'avoir indiqué seulement, par-dessus un intermédiaire, les informateurs réels, — surtout s'il les a interrogés à son tour et a obtenu d'eux confirmation des propos qu'on leur avait attribués.

En somme, les « plagiats » d'Hérodote ne sont que des emprunts innocents. Nul ne prêtera à l'écrivain l'intention de faire croire à ses lecteurs que tout ce qu'il décrit est décrit par lui *de visu*, que tous les témoignages étrangers qu'il allègue ont été recueillis par lui-même et sur place. On lui reconnaît le droit d'affirmer qu'une chose, une statue, un édifice, existait encore de son temps à tel endroit et en tel état parce qu'on le lui a assuré et sans l'avoir constaté de ses yeux ; on ne lui sait pas mauvais gré d'appeler « les Perses » des informateurs perses qu'il a rencontrés hors de Perse, « les Carthaginois » des Carthaginois qu'il a interrogés hors de Carthage ; on ne trouve pas incorrect qu'il fasse part de ce qui se raconte dans un pays où il n'est pas allé (pays des Argippéens, pays des Massagètes, etc.) d'après des gens qui, eux, y sont allés. Jugé du point de vue antique, Hérodote n'est pas plus coupable quand il lui arrive d'emprunter sans le dire à des écrivains antérieurs ; et ses emprunts tacites ne nous autorisent pas à suspecter sa bonne foi. Si c'est une tâche délicate de reconstituer ses voyages, du moins ceux qui l'entreprennent n'ont-ils pas à craindre, à mon avis, d'être induits en erreur par des mensonges. La distinction que notre auteur marque, en plus d'un endroit, entre ce qu'il a vu et ce qu'il n'a pas vu[1], ce qu'il connaît par l'examen

1. Par exemple : I 183 ; II 29, 73, 148 ; IV 81. Cf. II 99, 147.

direct (ὄψις) et ce qu'il connaît par ouï-dire (ἀκοή), ce qu'il est en état de présenter comme sûr et ce dont il n'oserait pas se porter garant[1], cette distinction, où je ne saurais voir un raffinement de duplicité, me paraît propre à inspirer confiance. Toutes les fois qu'Hérodote, expressément ou de façon détournée, dit être allé en un certain lieu, avoir vu une certaine chose, on peut croire qu'il a vu cette chose et qu'il est allé en ce lieu. Lorsque son texte est ambigu, — ce qui arrive trop souvent[2], — cette ambiguïté n'est pas voulue.

L'autre reproche, le reproche d'avoir inventé une partie de ce qu'il raconte, n'a pas été non plus, dans l'antiquité, tout à fait épargné à Hérodote. Il apparaît plusieurs fois chez Plutarque : ainsi, ce serait une invention d'Hérodote, que l'aventure d'Io telle qu'il la présente, à l'en croire, d'après des Phéniciens ; autre invention, l'accusation de lâcheté contre les Corinthiens, mise par lui au compte des Athéniens ; invention, l'histoire de Léontiade et des Thébains marqués de la marque royale sur l'ordre de Xerxès ; invention, que les Naxiens aient voulu fournir un contingent à la flotte barbare ; etc.[3]. En pareils cas, les « mensonges » d'Hérodote lui auraient été inspirés par une intention calomnieuse, par un parti pris de dénigrement ; c'est son impartialité qui est en cause, plus exactement que sa sincérité. Moins injurieuse au point de vue moral qu'une telle accusation de calomnie, celle d'avoir de gaieté de cœur mêlé à l'exposé d'événements réels de pures et simples fictions jette sur la bonne foi de l'historien une suspicion plus troublante ; car elle peut s'étendre à plus de cas. Je ne crois pas qu'aucun censeur ancien l'ait nettement formulée. L'expression dédaigneuse de Thucydide : ἀγώνισμα ἐς τὸ παραχρῆμα ἀκούειν

1. Par exemple : I 140.

2. Sur l'ambiguïté des présents descriptifs, des formules telles que ἐπ' ἐμέο, μέχρις ἐμέο, ἐς ἐμέ, des appels au témoignage des gens de tel et tel pays, voir Jacoby, col. 249-250.

3. *De Herodoti malignitate*, 11, 39, 33, 46. Dans un autre passage (40 3), Hérodote est accusé, en termes généraux, de mettre couramment sous le couvert d'autrui (des Scythes, des Perses, des Égyptiens) les histoires tendancieuses qu'il imagine.

(I 22), — nul n'ignore à qui il en a, — ne fait pas allusion à des libertés aussi grandes ; ce qu'elle vise, ce sont bien des récits dictés par le désir de plaire plus que par le souci exact de ce qui fut, mais cependant, le contexte le prouve, des récits reposant sur des informations ; ce qu'elle condamne, ce n'est pas un abus d'imagination, c'est un manque de sens critique. Il en est de même le plus souvent des termes peu flatteurs tels que μυθολόγος, λογοποιός, ληρώδης, ψεύστης, ψεύδεσθαι, μυθογραφεῖν, παραδαξολογεῖν, voire σχεδιάζειν [1], que des écrivains d'époques et de tendances diverses, Ctésias, Aristote, Ératosthène, Agatharchidès, Hécatée d'Abdère, Manéthon, etc. [2], emploient en parlant d'Hérodote, d'Hérodote historien aussi bien que d'Hérodote géographe, ethnographe, naturaliste ; on ne l'accuse pas de tromper délibérément en imaginant ce qu'il dit ; on blâme sa légèreté, son ignorance, sa simplicité, son amour des μῦθοι, qui lui ont fait accepter les mensonges de mystificateurs et les assertions de gens incompétents [3] ; il arrive que, tout en signalant ses erreurs, on reconnaisse et on loue le zèle qu'il a mis d'ordinaire à s'instruire, et l'étendue de son information [4]. Plutarque lui-même, si mal disposé pour Hérodote, ne lui reproche pas tant, dans l'ensemble de sa diatribe, d'inventer que de choisir méchamment parmi plusieurs traditions en cours la plus désobligeante, de rabaisser les mérites des grands hommes et des belles actions, d'interpréter les événements dans le sens le moins brillant ; ce qui est tout autre chose

1. A propos des crues du Nil, nous lisons chez Diodore I 38 (Agatharchidès) : περιφανῶς ὁ συγγραφεὺς σχεδιάζων εὑρίσκεται ; or, ce qui est reproché cette fois à Hérodote, ce n'est pas l'invention d'une explication, c'est le vice de raisonnement, la légèreté qu'elle implique.

2. Voir : Aristote, *Hist. an.*, VI 31 p. 579 b ; *De gen. an.*, III 5 p. 756 b ; Strabon, XI 6 2-3 ; Diodore, I 59 2, 66 10, 69 7 ; II 15 2 ; Josèphe, *C. Apion*, I 16, 73 ; Photius, *Bibl.*, 72 p. 35 b.

3. Ἀγνοία, ἁπλότης, φιλομυθία, la complaisance à présenter ἐν ἱστορίας σχήματι ce qu'il n'aurait ni vu ni entendu ἢ οὐ παρά γε εἰδότων.

4. Diodore I 37 4 (Agatharchidès) : ὁ πολυπράγμων, εἰ καί τις ἄλλος, καὶ πολλῆς ἱστορίας ἔμπειρος.

et n'est pas toujours une erreur. Il est autrement grave de supposer, comme on l'a fait de nos jours[1], qu'Hérodote, par un acte de fantaisie, a fait d'un personnage historique ou pseudo-historique le héros d'une aventure qu'il invente ou dont il a trouvé le thème n'importe où : qu'il a, par exemple, attribué à la femme d'Intaphernès une pensée qu'exprimait l'Antigone de Sophocle, et l'a représentée en conséquence, sans que rien l'y autorisât, demandant la grâce de son frère de préférence à celle d'aucun autre des siens ; qu'il a rattaché à la fille de Chéops, à Rhampsinite, à Crésus, à Pactyas, des anecdotes où jusqu'alors ils n'avaient rien à faire ; que la discussion des sept conjurés perses sur les formes de gouvernement, après le meurtre du faux Smerdis, est une transposition de discussions sophistiques dont il est seul responsable ; qu'il a imaginé, pour le seul plaisir de le confronter et de le concilier avec une tradition de Dodone, un prétendu récit des prêtres de Thèbes d'Égypte relatif aux oracles de Dodone et d'Ammon[2] ; que les formules du type « à ce qu'on dit » ou d'autres plus précises : « à ce que disent les Corinthiens, à ce que disent les Lesbiens, etc. », dont Hérodote est prodigue, les protestations que ce qu'il dit est véridique bien qu'on en ait douté, les objections même que lui tout le premier élève contre ce qu'il est censé rapporter, ne sont souvent que de purs jeux d'esprit, d'aimables plaisanteries. L'hypothèse est piquante. Elle ne me convainc pas. Je reconnais d'ailleurs qu'en ces matières on ne peut démontrer ni le pour ni le contre ; d'une façon plus ou moins avouée, on ne fait qu'opposer l'une à l'autre des impressions personnelles. La mienne est qu'Hérodote, bien qu'il ne soit pas dépourvu d'humour et qu'il s'exprime parfois en « pince-sans-rire », n'a pas eu tant de désinvolture qu'on lui en prête. Sans doute, il y a chez lui une part de fantaisie créatrice. Mais il

1. Voir notamment Aly, *Volksmärchen, Sage und Novelle bei Herodot und seinen Zeitgenossen,* passim ; Howald, *Die ionische Geschichtsschreibung* dans l'*Hermes,* 1923, p. 140 et suiv.

2. Cette dernière hypothèse est de Panofsky, *De historiae Herodoteae fontibus,* p. 22-23.

est rare que cette fantaisie atteigne le fond des choses, ce qu'on peut appeler la matière de l'histoire. Les discours qu'il prête à des personnages, comme devaient le faire à sa suite presque tous les historiens de l'antiquité, ne reproduisent pas, évidemment, ce que ces personnages ont pu dire, si tant est que, dans les conjonctures où il les fait parler, ils aient dit quelque chose ; du moins illustrent-ils des épisodes, commentent-ils des situations qui étaient pour lui des données. Les invraisemblances de forme les plus flagrantes n'ont ici qu'un intérêt secondaire. En mettant dans la bouche de Gélon de Syracuse dès 480 une expression imagée qui serait une trouvaille de Périclès[1], Hérodote, — si vraiment il s'est permis cet anachronisme, — faisait de façon ouverte œuvre de fantaisie ; cela ne veut point dire qu'il ait imaginé ni le refus opposé par Gélon à la demande des Grecs ni même le ton de ce refus. Il faisait œuvre de fantaisie en supposant que, dans une assemblée des Péloponnésiens, un député de Corinthe, Sosiclès, pour détourner ses auditeurs de rétablir des tyrans à Athènes, raconte tout au long l'histoire de Kypsélos[2] ; mais, derechef, cela ne veut point dire qu'il ait imaginé ni l'intervention de Sosiclès ni la nature de ses arguments, non plus qu'aucun trait essentiel de l'histoire de Kypsélos. Dans les récits circonstanciés d'anecdotes, dans la présentation de contes, de nouvelles, Hérodote, sans manquer à ses devoirs d'historien, pouvait prendre quelques libertés ; autant qu'on en peut juger, il l'a fait avec discrétion ; le style de ces récits a souvent chez lui une allure populaire assez marquée ; cela paraît indiquer qu'il les a reproduits jusque dans le détail tels qu'on les lui racontait. C'est dans le compte rendu d'événements importants, diplomatiques, politiques ou militaires, qu'était requis le plus d'exactitude et qu'il fallait s'abstenir le plus scrupuleusement de lâcher la bride à l'imagination. Peut-être Hérodote l'a-t-il quelquefois oublié, surtout lorsqu'il voulait rattacher à tout prix à son récit principal des développements étrangers à

1. VII 162. Voir ci-dessus, page 33, note 1.
2. V 92.

ce récit. Peut-être, par exemple, pour introduire au livre I des chapitres de l'histoire d'Athènes ou de Sparte, au livre IV une revue des peuples de Scythie ou des tribus libyennes, ailleurs la description de la Thessalie, ailleurs un développement sur Clisthène de Sicyone, a-t-il imaginé arbitrairement que Crésus rechercha l'alliance de cités grecques, que les Scythes menacés par Darius réclamèrent l'assistance de leurs voisins, que les Perses projetèrent la conquête de la Libye, que Xerxès désira visiter la vallée de Tempè, que Clisthène d'Athènes, quand il changea les noms des tribus de l'Attique, eut l'intention d'imiter son aïeul[1]. Mais ce sont là des cas exceptionnels. En général, la fantaisie d'Hérodote s'exerce avec plus de réserve ; elle n'invente pas, elle se contente d'associer librement. Dans l'histoire de la chute d'Astyage, on peut trouver que le personnage d'Harpage manque d'unité morale ; il apparaît d'abord comme un homme outragé, qui se venge des sévices d'un despote et à qui va la sympathie ; ensuite comme un traître, qui, en face d'Astyage, fait assez piètre figure. Est-ce à dire qu'Hérodote lui ait, ici ou là, attribué un rôle de fantaisie ? Il est bien plus plausible qu'il a suivi tour à tour deux traditions, où Harpage était peint de couleurs différentes. De même, j'admets que, dans son récit de l'histoire de Crésus, Hérodote ait combiné le premier deux versions, l'une qui montrait en Crésus une victime du destin, expiant l'usurpation de son ancêtre Gygès, l'autre qui le présentait sous les traits d'un orgueilleux, irritant les dieux par son outrecuidance ; j'admets qu'il ait, le premier, rattaché l'un à l'autre, pour produire un plus grand effet pathétique, des épisodes qui jusqu'alors étaient racontés isolément ; donné le premier à la mort du fils de Crésus la valeur d'un avertissement, d'un de ces revers de fortune que Solon avait fait pressentir ; montré le premier le roi déchu, prêt à périr, se remémorant sur son bûcher les paroles du sage Athénien ; plus volontiers encore, j'admets qu'avant Hérodote personne n'avait eu l'idée de faire raconter

1. I 56, IV 102, IV 167, VII 228, V 67-69.

par Solon l'heureuse vie de Tellos d'Athènes ni la mélancolique aventure de Cléobis et Biton ; mais tous les éléments de ce récit, l'annonce de la vengeance divine qui punirait en la personne du cinquième roi Mermnade la forfaiture du premier, la visite de Solon chez Crésus et ses conseils de modération, le nom de Tellos d'Athènes et les principaux événements de sa carrière, le trait de piété des deux jeunes Argiens et la récompense qu'ils reçurent, l'histoire d'Atys, la détresse de Crésus et son salut miraculeux alors que déjà les flammes l'environnaient, — tout cela devait être fourni par la tradition, disons par des traditions antérieurement fixées, qu'Hérodote recueillit. Le travail de groupement, d'agencement, dont l'histoire de Crésus offre un exemple, est, je pense, le maximum de ce que l'écrivain se permettait d'habitude ; il n'est pas en contradiction avec la règle qu'Hérodote déclare s'être imposée : répéter ce qu'il entendait dire, λέγειν τὰ λεγόμενα [1]. Dans les morceaux narratifs comme dans les développements ethnographiques, les formules du type « à ce qu'on dit, à ce que disent les Corinthiens, les Lesbiens, etc. » constituent à mon avis de vraies références, qui doivent être prises au sérieux. La distinction, maintes fois signalée, entre ce qui est raconté d'après tel informateur et ce qui est raconté d'après tel autre, ou, plus généralement, entre ce qui reproduit un récit entendu et ce qui exprime une conjecture personnelle [2], n'est pas moins sincère que celle des choses vues et des choses connues par ouï-dire.

HÉRODOTE ENQUÊTEUR

Ainsi, Hérodote ne cherche pas à donner le change sur l'étendue des recherches qu'il a faites et dont il promet d'exposer les résultats (ἱστορίης ἀπόδεξις ἥδε). Il faut voir maintenant ce qu'ont été ces recherches, et de quelle diligence ou de quelle négligence elles témoignent.

1. VII 152.
2. Par exemple : II 53 ; VIII 112, 133 ; IX 32.

J'ai dit et je maintiens qu'Hérodote a beaucoup voyagé. Il ne faut pas toutefois s'exagérer l'ampleur de ses voyages ni leur difficulté. Jamais son appétit de voir ne l'a entraîné loin d'un établissement grec ou au delà de quelques provinces de l'empire perse des plus aisément accessibles. Qu'a-t-il vu de la Scythie ? Peu de chose, je crois, en dehors d'Olbia et de ses environs ; le point le plus avancé qu'il ait atteint vers le Nord paraît avoir été Exampaios, d'où l'on gagnait la mer en quatre jours en descendant le cours de l'Hypanis ; ce qu'il dit de régions plus lointaines, de la ville de bois des Budins, des sépultures royales de Gerrhos, des ruines des châteaux de Darius encore visibles à son époque sur les rives de l'Oaros, reproduit ou des informations tirées d'ouvrages plus anciens ou des renseignements fournis par des Scythes et des Grecs familiers avec l'intérieur. De l'Asie mineure, il ne semble connaître que la partie occidentale jusque vers Kélainai et les confins de la Phrygie, la côte septentrionale, la côte méridionale jusqu'à la Pisidie. S'il avait visité le centre, il ne dirait pas que cinq journées suffisent à un bon marcheur pour traverser la péninsule de Sinope à la mer de Cypre [1] ; le plus qu'on puisse supposer, c'est qu'il ait suivi la route royale, cette route si sûre, pourvue de si bons gîtes d'étape, qu'il décrit avec admiration ; encore cela même est-il contestable ; pour peu qu'il se fût renseigné auprès d'un voyageur, qu'il eût consulté une carte ou un itinéraire, examiné les postes et caravansérails les plus voisins de Sardes, il était en état d'écrire sans plus ample informé ce qu'il a écrit au livre V chapitres 52-54 ; et, à lire le chapitre 98 du livre VIII, on n'a pas l'impression qu'il ait vu fonctionner sur la route le service de courriers rapides du Grand Roi. Sa connaissance de l'Est ne s'étend pas jusqu'à l'Inde, dont il parle d'après des renseignements de source perse, probablement recueillis dès avant lui par un écrivain grec ; — ni jusqu'à la Bactriane : la référence du livre III chapitre 102 : .. τῶν ἄλλων Ἰνδῶν, οἳ Βακτρίοισι παραπλησίην ἔχουσι δίαιταν, qui ne renvoie à rien

1. I 72, II 34.

dans son ouvrage, a dû être empruntée par lui, assez maladroitement, en même temps que le contexte ; et c'est, je crois, par ouï-dire, qu'il sait l'existence en Bactriane de Barcéens déportés ; — ni jusqu'aux régions qui entourent la Caspienne : les détails qu'il donne sur leurs habitants sont présentés comme des on-dit [1] ; et, trompé par des homonymies, il confond d'un cœur léger le pays des sources de l'Araxe (aujourd'hui l'Éraskh), c'est-à-dire le plateau d'Erzeroum, avec le pays des sources du Gyndès (la Diala), c'est-à-dire les confins Sud-Ouest de la Médie [2] ; non moins allégrement, trois fleuves, très distants l'un de l'autre, l'Araxe d'Arménie, déjà nommé, qui coule de l'Ouest à l'Est et va se jeter dans la Caspienne, un second Araxe situé à l'Est de cette mer, qui limitait au Sud-Ouest les steppes des Massagètes (probablement l'Amou-Daria), et la basse Volga [3]. Il n'a pas même vu Ecbatane, ni la Médie ; la description succincte qu'il donne du pays, au livre I chapitre 110, vient d'Hécatée; celle de la capitale, qui a au chapitre 98 des airs de château merveilleux, lui fut peut-être dictée par un voyageur fanfaron, par un Grec qui avait été là-bas en ambassade ; d'après quelques phrases de l'histoire de Cyrus (I 110 et suiv.), il paraît s'être figuré que la région montagneuse du Nord-Ouest de la Médie, du côté du pays des Saspires, était à proximité d'Ecbatane ; il n'aurait pas commis cette erreur s'il était allé sur les lieux. Pas plus que la Médie, il ne connaît la Perse, que d'ailleurs il ne décrit point ; les Perses qu'il cite comme ses informateurs peuvent avoir été rencontrés en n'importe quel lieu de l'empire des Achéménides, en particulier dans les satrapies de l'Ouest ; et là aussi Hérodote a pu faire, au sujet de la religion, des lois et des coutumes persanes, les constatations qu'il dit être le fruit de son expérience personnelle. Est-il allé jusqu'à Suse ? Ce n'est pas impossible ; car il donne sur une localité relativement voisine, Ardéricca, et sur ses environs des détails assez abondants (VI 119);

1. I 202-203.
2. I 201.
3. I 201 (voir la note à ce passage); IV 11, 40.

mais de Suse même, ville fameuse, résidence ordinaire du Grand Roi, il ne dit rien du tout[1] ; ce qui invite à concevoir des doutes. Il n'a pas pénétré en Arabie ; tout ce qu'il dit du sol de ce pays, de ses produits, des mœurs de ses habitants, a pu être observé ou appris le long du littoral entre la Syrie et l'Égypte, où les Arabes possédaient plusieurs ports, ou bien à Bouto d'Arabie, ville située à l'Est du Delta sur le trajet du canal de Nécos. Dans la vallée du Nil, Hérodote, de son propre aveu, n'est pas remonté plus haut qu'Éléphantine, où stationnait une garnison perse ; du cours supérieur du fleuve et du pays des Éthiopiens, — comme aussi du pays des Ammoniens et de la ville d'Oasis, qu'habitait, dit-il au livre III chapitre 26, une colonie samienne, — il ne parle que d'après autrui. En Libye, il connaît certainement Cyrène, probablement quelques points de la côte et quelques districts voisins : à l'Est de Cyrène, Aziris ; à l'Ouest, Barkè, où il a pu entendre parler des Barcéens déportés en Bactriane, le pays des Évhespérites, la région du Kinyps, dont il vante l'agrément et la fertilité, égale, dit-il, à celle de la Babylonie ; c'est tout ; pas plus que dans les plaines glacées et les steppes immenses du Nord il ne s'est aventuré chez les peuples brûlés du soleil et dans les pays de la soif. Ni sur terre ni sur mer, Hérodote, semble-t-il, ne s'est écarté des routes fréquentées. S'il est allé, comme cela est probable, d'un point de la côte syrienne au coude de l'Euphrate, il n'a fait que suivre une grande voie commerciale, où circulaient toute sorte de voyageurs. Rien ne prouve qu'il se soit rendu par terre, comme on l'a supposé, de Phénicie en Égypte ; au chapitre 6 du livre III, d'où l'on a tiré cette hypothèse, il ne se met pas à part de « ceux qui se rendent en Égypte par mer » ; il se vante simplement de savoir une chose que savent peu d'entre eux :

1. C'est vraisemblablement à Suse que se trouvait la ménagerie royale dont il est parlé au livre III chapitre 102, où se voyaient des fourmis de l'Inde « plus petites que des chiens, plus grosses que des renards ». Ce qu'en dit Hérodote prouve assez qu'il ne les a pas vues. Il est vrai que l'accès de la ménagerie royale n'était peut-être pas permis à tout venant.

comment était assuré, dans la partie désertique du trajet en question, le ravitaillement en eau ; et cela pouvait se savoir en Égypte, d'où l'eau était expédiée. Les voyages d'Hérodote ont été, dans toute la mesure du possible, des voyages maritimes. Et presque toutes ses navigations ont été des navigations côtières. C'est une erreur de croire, d'après une phrase du livre IV chapitre 86, qu'il a traversé le Pont-Euxin en ligne directe de Sindikè à Thémiskyra ; ce qu'il présente comme sien dans cette phrase, ce n'est pas la constatation que, de Sindikè à Thémiskyra, il y a trois jours et deux nuits de traversée pendant la belle saison ; c'est, uniquement, le calcul auquel il se livre, la multiplication du nombre de ces jours et de ces nuits par le nombre d'orgyies parcourues en un jour et en une nuit, tous nombres qu'il pouvait apprendre en interrogeant les habitués de ces mers. Comparés avec les voyages qu'entreprenaient alors maints trafiquants, les voyages les plus lointains d'Hérodote étaient sans danger et presque sans fatigue ; ce n'étaient à aucun titre des voyages d'explorateur ; bien plutôt des voyages de touriste.

Cette remarque n'est pas indifférente. Ajoutons-y cette autre, qui ne l'est pas non plus : les voyages d'étude d'Hérodote ne furent, semble-t-il, ni nombreux ni de longue durée. Rien n'indique qu'il soit jamais retourné voir des choses déjà vues, ni, comme on l'a supposé à propos de l'Égypte, qu'il s'y soit repris à plusieurs fois pour visiter un pays. Un périple du Pont-Euxin, auquel put s'annexer un voyage en Thrace et en Macédoine ; un voyage à Babylone, aller par l'Euphrate, retour peut-être par Suse et la route royale ; un voyage en Égypte, dont M. Sourdille a reconstitué l'itinéraire [1] ; un voyage à Cyrène, agrémenté de quelques excursions en Libye ; quatre ou cinq voyages au total ; point n'est besoin de croire qu'Hérodote, pour voir tout ce qu'il a vu en dehors de la Grèce propre, de l'Ionie et des régions voisines, de la Sicile et de la Grande-Grèce, en ait accompli davantage. Il est même possible que le voyage d'Égypte ait eu comme

1. Sourdille, *La durée et l'étendue du voyage d'Hérodote en Égypte*, Leroux, 1910.

préface le voyage à Cyrène, et que le voyageur soit arrivé à Canope en longeant le littoral africain ; ce qu'il dit du limon du Nil projeté au large jusqu'à une distance d'une journée de navigation des côtes [1] n'oblige pas à admettre qu'il était venu par la haute mer ; l'observation n'était sans doute pas de lui. Plus sûrement, c'est en revenant d'Égypte qu'il a dû visiter la côte syrienne, du lac Serbonis jusqu'à Tyr ; le fait que, au livre III chapitre 5, il la décrit dans l'ordre inverse ne doit pas induire en erreur ; cet ordre s'imposait à l'historien, qui, là, raconte la marche de Cambyse ; l'hypothèse d'un voyage spécial en Syrie n'a aucune plausibilité. Quant à la durée des séjours qu'Hérodote fit à l'étranger, nous pouvons en avoir une idée par le temps qu'il a consacré au pays le plus riche en curiosités de toute sorte, l'Égypte. Ce temps, ainsi que l'a montré M. Sourdille, n'a pas excédé quatre mois ; arrivé pendant que l'inondation battait son plein, c'est-à-dire au plus tôt vers la fin de Juillet, le voyageur avait quitté la terre des Pharaons dès avant le mois de Décembre.

Il voyait vite ; dans ces conditions, il était presque inévitable qu'il vît parfois « en gros » et superficiellement. On trouve dans son ouvrage des généralisations abusives : quand il dit, par exemple, qu'il n'y avait pas de vignes en Babylonie (I 193), où il y en avait bien quelques-unes [2], ni en Égypte (II 77), où l'on récoltait, notamment à Maréa, des vins assez estimés [3] ; quand il parle des maisons de Babylone comme si toutes avaient eu des étages (I 180), alors que ce fut sans doute l'exception [4]. Ailleurs, on relève chez lui des confusions : ainsi, ce ne sont pas, comme il dit (I 194), les

1. II 5.

2. Delitzsch, *Zu Herodots babylonischen Nachrichten*, dans la *Festschrift für Sachau* (1915), p. 88-89.

3. Spiegelberg, *Die Glaubwürdigkeit von Herodots Bericht über Aegypten* (1926), p. 11-12.

4. Delitzsch, *o. l.*, p. 101-102 ; Koldewey, *Das wiedererstehende Babylon* (4e éd., 1925), p. 100-101. Il y a aussi quelque chose d'exagéré dans cette affirmation, que les rues étaient rectilignes ; cf. Koldewey, p. 236.

bateaux ronds de l'Euphrate qui pouvaient porter jusqu'à cinq mille talents ; ce sont des bateaux d'un autre type, flottant sur des outres gonflées [1]. Des contre-vérités, comme l'absence de médecins à Babylone et l'étrange façon dont on y aurait pris soin des malades (I 197), ou l'universelle prostitution sacrée des femmes babyloniennes (I 199), sont acceptées et répétées sans contrôle [2]. Lorsqu'Hérodote se mêle d'énoncer des mesures, elles sont plus d'une fois inexactes. Il déclare avec insistance que l'enceinte extérieure de Babylone avait la forme d'un quadrilatère de 120 stades de côté et un périmètre total de 480 stades (I 178), ce qui équivaut à peu près à 86 kilomètres ; d'après les fouilles récentes, l'évaluation la plus généreuse attribue à ce périmètre à peine une vingtaine de kilomètres [3] ; Hérodote s'est trompé, largement, du simple au quadruple ; il est vrai qu'en son temps l'enceinte en question était démantelée (III 149) ; elle devait néanmoins rester assez apparente pour que notre auteur, s'il en avait voulu prendre la peine, eût pu en vérifier les dimensions ; mais il ne l'a pas fait, et a enregistré, peut-être sans les bien comprendre [4], les dires d'un informateur quelconque. Cet homme, qui n'a pas hésité devant des déplacements longs et coûteux pour s'enquérir d'un détail, a par moments de surprenantes crises de nonchalance. D'Éléphantine, où il affirme être allé, il aurait pu, au prix d'une courte excursion en amont, s'apercevoir que la première cataracte n'était pas à beaucoup près aussi étendue qu'on le lui racontait ; il aurait pu voir encore plus aisément qu'entre l'île d'Éléphantine et Syène de Thébaïde, située tout juste en face sur la rive droite, il n'y avait point

1. Delitzsch, *o. l.*, p. 90-91.

2. Delitzsch, *o. l.*, p. 93-94 ; Meissner, *Babylonien und Assyrien*, t. II (1925), p. 101. C'étaient des hiérodules qu'Hérodote vit s'offrir aux étrangers dans le sanctuaire de Mylitta ; Meissner, *o. l.*, p. 68-69, 435.

3. Koldewey, *o. l.*, p. 2.

4. Il se peut qu'il ait pris la longueur de tout le périmètre pour celle d'un des quatre côtés. Un étourdi qui, de nos jours, entendrait parler en termes peu précis d'un « carré de 20 kilomètres », serait bien capable d'en faire autant.

de place pour les montagnes Crophi et Mophi et pour les abîmes insondables d'où, à en croire un scribe de Saïs (II 28), jaillissaient les sources du Nil ; mais Hérodote, pressé, n'a tenté aucune excursion ; il n'a même pas dû visiter Syène, qu'il prit pour un faubourg d'Éléphantine et dont il ignora le nom particulier ; et, faute d'avoir bien regardé, il a enregistré des fariboles qui ont pu faire douter de la réalité de son voyage [1]. En Grèce même, il semble être passé à proximité de sites intéressants sans se détourner pour les voir : ainsi, il n'a pas dû voir le sanctuaire de Délion, qu'il situe inexactement « au bord de la mer *en face de Chalcis* [2] ». Ses descriptions, celles même d'objets qu'il était facile d'examiner, peu compliqués, de dimensions restreintes, manquent quelquefois de précision ; témoin ce qu'il dit, au livre II chapitre 73, des images du phénix, qui, à l'entendre, ressembleraient tout à fait à un aigle ; ou bien ce qu'il dit, au chapitre 106, du bas-relief rupestre de Karabel [3] : « c'est une effigie d'homme haute de cinq empans, tenant de la main droite une lance, et un arc de la gauche » ; en réalité, le roi hittite qu'Hérodote a pris pour Sésostris tient sa lance de la main gauche et son arc de la droite ; et les images du phénix ne présentent avec l'aigle aucune ressemblance. De pareilles fautes diminuent incontestablement, sur quelques points, la valeur documentaire des allégations d'Hérodote. Dans une analyse des qualités et défauts de l'auteur, ne leur attribuons pas plus de gravité qu'elles n'en ont. Elles ne sont pas si nombreuses que certains de ses détracteurs inviteraient à le croire ; elles laissent subsister à son actif de réels mérites d'observateur et une grande

1. Voir Sourdille, *o. l.*, p. 226-229.
2. VI 118.
3. Étant donnée la situation du bas-relief rupestre de Karabel, il paraît en effet très probable qu'il est un des deux bas-reliefs dont veut parler Hérodote et sur lesquels la figure représentée était, d'après lui, identique (ἑκατέρωθι δὲ ἀνὴρ ἐγγέγλυπται κτλ.). L'erreur de l'écrivain n'est peut-être que d'avoir étendu à l'un et à l'autre monument ce qui n'était vrai que de l'un ; ce n'en serait pas moins une erreur.

somme d'observations. Il fallait cependant les signaler, sous peine de tomber dans le panégyrique ; si l'accusation de mauvaise foi doit être écartée de notre auteur, on ne saurait l'absoudre tout à fait de l'accusation de légèreté [1].

Ce fait, qu'il y a des lacunes et des négligences dans l'information visuelle d'Hérodote (ὄψις) fait craindre qu'en recueillant des renseignements verbaux (ἀκοή) sur les événements qu'il raconte, — puisqu'aussi bien, comme nous l'avons vu, il disposait alors de peu de documents écrits, — il n'ait pas déployé toute la diligence désirable. Thucydide paraît l'insinuer dans les chapitres d'introduction (I 20-22) où, sans nommer personne, il fait, je crois, le procès de son devancier. Car ce n'est pas seulement le défaut de critique des témoignages qu'il censure dans ces chapitres ; c'est aussi une disposition paresseuse à ne pas s'entourer d'assez de renseignements, à se contenter par exemple de témoignages unilatéraux et, d'une façon générale, de ce qu'on a sous la main (τὰ ἑτοῖμα); Hérodote, si tout cela doit s'entendre de lui, se serait montré dans ses recherches trop économe de sa peine, comme il a été parfois dans ses voyages trop économe de son temps [2]. Il est très malaisé de mesurer la justesse de ce blâme ; on ne saurait en tout cas l'admettre sans des réserves.

Il faut d'abord tenir compte de ceci : qu'Hérodote se heurtait, pour rassembler sa documentation, à des difficultés que ne connut pas Thucydide. Les événements de la guerre du Péloponnèse se sont déroulés entre Grecs, en pays grecs ; une partie de ce que voulait raconter Hérodote appartenait à l'histoire de peuples étrangers. Or, à l'étranger, l'historien, quelque soucieux qu'il pût être de s'instruire, voyait

1. Il semble qu'Hérodote ne prenait pas toujours sur ce qu'il regardait au cours de ses voyages des notes bien précises, et qu'il se fiait beaucoup à sa mémoire ; au livre II chapitre 125, parlant d'une inscription gravée sur la pyramide de Chéops, il s'exprime en ces termes : « ...autant que je me rappelle (ὡς ἐμὲ εὖ μεμνῆσθαι) ce qu'a dit l'interprète qui m'en faisait la lecture ».

2. C'est ce que stigmatisent nettement des expressions telles que ἐκ τοῦ παρατυχόντος πυνθανόμενος ou ἀταλαίπωρος ζήτησις.

nécessairement son champ d'action limité ; limité par les méfiances nationales, qui lui interdisaient l'accès de certaines sources d'information ; limité par son ignorance des langues. Il ne savait pas l'égyptien, ni le scythe, ni le babylonien, ni l'araméen, qui était la langue le plus souvent usitée par la chancellerie des Achéménides, ni même, à ce qu'il semble, le perse[1] ; qui donc pouvait-il interroger ? Les Grecs établis dans le pays, s'il y en avait, étaient capables de lui fournir des indications d'ordre géographique, économique, de le renseigner à la rigueur sur les mœurs et les croyances actuelles des habitants, — avec quelle inexactitude, le livre II en offre

1. S'il avait su le perse, ne serait-il pas plus affirmatif et plus exact, au livre I chapitre 132, lorsqu'il parle du chant liturgique qui accompagnait les sacrifices offerts par les Perses à leurs dieux (...θεογονίην, οἵην δὴ ἐκεῖνοι λέγουσι εἶναι τὴν ἐπαοιδήν. Voir la note à ce passage) ? Trompé par la désinence en *a*, il prend le dieu Mithra, — dont il écrit le nom : Μίτρα, — pour une divinité féminine (I 131), et, semble-t-il, Nabukudracara, — nom perse de Nabuchodonosor, pour un nom féminin (voir l'introduction à l'Histoire de Cyrus). Il donne des noms de Darius (Dāraya-wahush), Xerxès (Khshaya-arshan) et Artaxerxès (Arta-Khshathra), — lesquels signifient respectivement : « celui qui maintient le bien », « celui qui règne sur les mâles », « celui dont la royauté est conforme à la loi divine », — des traductions approximatives, qui doivent être de seconde main (VI 98). Au lieu de Ἀρταφέρνης Ἰνταφέρνης, où -φέρνης reproduit assez exactement l'élément final des noms perses (farnah, gloire), les manuscrits d'Hérodote donnent le plus souvent Ἀρταφρένης Ἰνταφρένης, et il est très probable que lui-même, — comme Eschyle dans les *Perses* (v. 776) et le rédacteur d'une inscription attique de la dernière partie du ve siècle (IG I 64), — préféra -φρένης à -φέρνης, peut-être en pensant au grec φρήν ; ce qu'il n'aurait pas fait apparemment s'il avait su le sens du mot farnah. Il semble dire que beaucoup des noms propres perses exprimaient des qualités physiques (I 139) ; les noms de ce type ont-ils été vraiment si répandus ? Seul, le passage du livre I chapitre 139 où il est dit que tous les noms des Perses finissent, « sans qu'eux-mêmes s'en rendent compte », par un son équivalent au *san* ou au *sigma*, peut, interprété d'une certaine manière (voir la note au passage en question), donner à penser qu'Hérodote avait fait, sur la prononciation et l'orthographe de ces noms, des observations personnelles ; mais l'interprétation du passage est douteuse.

de copieux exemples ; — ils ne se souciaient pas d'ordinaire du passé d'une nation qui n'était pas la leur. La rencontre d'un homme tel que Tymnès avec qui Hérodote s'entretint de l'histoire de Scythie (IV 76), probablement un Halicarnassien ou un Carien hellénisé[1], qui avait été *epitropos* du roi Ariapeithès et, en cette qualité, pouvait savoir bien des choses, pareille rencontre dut être pour notre auteur une exceptionnelle bonne fortune. Restaient deux catégories d'informateurs : en quelques lieux, les cicérones et drogmans professionnels ; — c'est à eux surtout qu'Hérodote a dû avoir affaire en Égypte et à Babylone, et il y a lieu de croire que ce sont plus d'une fois des gens de cette espèce qu'il appelle des prêtres ; — et des hommes cultivés (λόγιοι) sachant le grec ou qui se prêtaient à être questionnés par le moyen d'interprètes. Nul doute qu'Hérodote ait fait ce qu'il pouvait pour profiter de leur science, et que, dans la plupart des cas, les opinions qu'il met au compte d'un peuple (Πέρσαι, Λυδοί, Σκύθαι, etc.) soient en réalité des opinions qu'il leur a entendu exprimer. Plusieurs de ces λόγιοι s'entrevoient ou se devinent : ainsi les Harpagides, établis, croit-on, en Lycie[2] ; ainsi les descendants d'Artabaze fils de Pharnace, dont l'historien connaît en détail les agissements pendant la seconde guerre médique et dont il parle en termes favorables[3] ; un fils de cet Artabaze, Tritantaichmès, était du temps de l'historien satrape de Babylone (I 192) ; des membres de sa famille habitèrent longtemps une des satrapies occidentales, la satrapie de Daskyleion, dont le gouvernement lui avait été confié par Darius[4]. Peut-être, d'ailleurs, le λόγιος perse de qui Hérodote apprit le plus de choses fut-il un homme qu'il rencontra tout simplement à Athènes, un grand seigneur transfuge et réfugié : Zopyre, fils de Mégabyze (III 160).

Lorsqu'il s'agissait d'histoire grecque, les difficulté nées

1. A en juger par son nom, qui est ailleurs (V 37, VII 98) celui du père d'un tyran de Terméra, localité située en face de Cos.
2. Voir l'introduction à l'Histoire de Cyrus.
3. VIII 126-129 ; IX 41, 58, 66, 89.
4. Voir *Real-Encyclopädie*, II, col. 1298-1299.

de la diversité des langues disparaissaient ; mais d'autres subsistaient, tenant à la différence des temps et à la dispersion des événements. Les faits que racontait Thucydide [1] étaient des faits contemporains, dont il avait été lui-même le spectateur, sinon l'acteur ; si plusieurs s'étaient accomplis sur des théâtres assez éloignés, tous avaient eu à Athènes ou leur point de départ ou leur répercussion. Des événements qu'a racontés Hérodote, beaucoup, sans appartenir à un passé très reculé, étaient vieux de plusieurs générations ; les plus récents dataient de sa prime jeunesse ; des uns, il n'existait plus de témoins ; des autres, les témoins commençaient à devenir rares ; plutôt que sur des témoignages directs et individuels, l'historien devait le plus souvent faire fond sur des traditions. Et ces traditions étaient éparses, comme avaient été indépendants les événements qui en faisaient l'objet. Ce qui put être fourni par une tradition panhellénique n'est qu'une petite partie de l'œuvre d'Hérodote ; il s'en faut même de beaucoup qu'il ait pu apprendre dans quelques grands centres, à Athènes, à Delphes, à Sparte, tout ce qu'il a raconté. Nombreux sont les passages où il se réfère à ce qu'on disait chez tel ou tel peuple de Grèce ; et, en l'absence de toute référence de ce genre, l'accent particulariste de maints récits, l'intérêt purement local de maintes anecdotes, révèlent à eux seuls d'où viennent ces anecdotes et ces récits. En quel endroit, plutôt qu'à Pitanè de Laconie, où Hérodote fut reçu par un habitant du pays (III 55), l'historien a-t-il été renseigné sur la conduite qu'avaient tenue à Platée le contingent de Pitanè et son chef Amompharètos [2] ? Où, sinon dans la bourgade attique de Décélie, s'instruisit-il des hauts faits du Décéliote Sophanès [3] ? C'est à Abdère, sans doute, qu'on lui rapporta l'ironique propos de l'Abdéritain Mégacréon ; à Thasos, qu'il apprit quelle somme avait déboursée un citoyen de la ville pour traiter l'armée de Xerxès ; à Orchomène de Béotie, qu'il reçut la confidence de l'Orchoménien Thersandros ; c'est

1. Le livre I mis à part.
2. IX 53 et suiv.
3. IX 73 et suiv.

à Skionè, ou dans la région des Aphétes, qu'il entendit vanter les prouesses du plongeur Skyllias ; en Magnésie, l'enrichissement inouï d'Ameinoclès[1] ; et ainsi de suite. Quelques informations portent avec elles, si je puis ainsi dire, un certificat de provenance plus précis qu'une indication de lieu. Tels détails de l'histoire athénienne viennent des traditions domestiques de la famille de Kimon ; tels chapitres sont issus d'entretiens, sinon avec Périclès, du moins avec un membre de la maison des Alcméonides ou quelqu'un de son entourage ; des incidents de l'histoire intérieure de Sparte, des épisodes de la guerre médique, sont racontés, selon toute vraisemblance, d'après un descendant du roi détrôné Démarate ou d'après un dépositaire de ses rancunes et de ses souvenirs ; la mort glorieuse du Spartiate Aristodèmos, réparant une faute qui l'avait notoirement déshonoré, est probablement relatée, relatée avec une certaine insistance (XI 71), à l'instigation d'un des siens ; le récit de ce qui s'est passé à Thèbes après Platée paraît dû à un informateur ayant des accointances avec l'ancien parti mède. Quelque incomplète que soit notre connaissance des sources d'Hérodote, nous en savons assez pour discerner de multiples enquêtes menées par l'historien en tout pays et dans des milieux différents.

D'assez nombreux passages de son œuvre, qui le montrent posant des questions, insistant, réclamant des détails[2], prouvent qu'il a été, sinon toujours, du moins en mainte circonstance, un enquêteur actif et consciencieux. Deux choses en particulier doivent être relevées à son éloge. D'abord, la fréquence des cas où, sur un même sujet, il rapporte plusieurs traditions ; à propos d'un même événement, plusieurs témoignages, unanimes ou contradictoires. S'agit-il de l'origine des Scythes ? il expose tour à tour « ce que les Scythes disent d'eux-mêmes », « ce que racontent les Grecs qui habi-

1. VIII 120 ; VII 118 ; IX 16 ; VIII 8 ; VII 190.

2. Par exemple : II 54, 91, 118, 150. Hérodote lui-même établit une distinction entre ce qu'il a appris grâce à des interrogations, à un effort de recherche, et ce qu'il a entendu dire sans autre peine que celle d'écouter (II 99 : ἱστορίη — λόγους... κατὰ τὰ ἤκουον).

tent les bords du Pont-Euxin », et « une tradition également admise par les Grecs et par les Barbares » (IV 5-12). De l'origine de la nation carienne ? il oppose les dires et les arguments des Cariens de son temps aux assertions venues de Crète (I 171). Des incidents qui déterminèrent l'expulsion des Pélasges hors de l'Attique ? il relate ce que raconte Hécatée et ce qui se dit à Athènes (VI 137). Après avoir conté l'aventure miraculeuse d'Arion, il certifie que Corinthiens et Lesbiens s'accordaient pour la présenter de même ; et, de ce qu'il raconte, il rapproche ce qu'il a vu au Ténare : une statuette de bronze représentant un homme sur un dauphin, ex-voto du fameux citharède (I 23-24). Parlant des lois de Lycurgue, il signale que selon « quelques-uns » (ces « quelques-uns » devaient être Delphiens), la Pythie les aurait dictées au législateur, tandis que, de l'aveu des Lacédémoniens, celui-ci les avait apportées du pays de Minos (I 65)[1]. Même sur des points de détail qui offrent peu d'intérêt, il ne dédaigne pas, à l'occasion, d'enregistrer des variantes : par exemple, sur l'artifice dont fit usage Oibarès, écuyer de Darius, pour provoquer les hennissements du cheval de son maître (III 87) ; sur la nature exacte de l'entorse que se donna Miltiade en sautant un mur à Paros (VI 134) ;

1. Quelques autres exemples d'informations multiples : I 70 (comment vint à Samos un cratère destiné à Crésus) ; II 125 (comment furent édifiées les pyramides) ; III 30 (circonstances de la mort de Smerdis) ; III 32 (circonstances de la mort d'une sœur de Cambyse) ; III 45 (ce qui advint des Samiens expédiés par Polycrate en Égypte) ; III 47 (pourquoi les Lacédémoniens attaquèrent Samos) ; III 120-121 (causes de l'animosité d'Oroitès contre Polycrate) ; IV 103 (comment les Taures traitent les cadavres des étrangers qu'ils immolent) ; IV 150 (accord des Lacédémoniens et des Théréens sur l'histoire de Théras) ; IV 155 (accord des Théréens et des Cyrénéens sur le nom de Battos) ; V 36-37 (versions athénienne, éginète et argienne de l'affaire des statues de Damia et Auxésia) ; V 41 (rapport d'âge de Cléombrote et de Léonidas) ; V 45 (rôle de Dorieus en Grande-Grèce) ; VI 73 et 84 (explications de la démence de Cléomène) ; VII 166-167 (deux versions de la mort d'Amilcar) ; VII 229-230 (deux versions de la défaillance d'Aristodèmos) ; IX 73 (deux versions des exploits de Sophanès) ; IX 94 (filiation de Déiphonos).

sur la place que Xerxès occupa dans le défilé de l'armée perse traversant le pont de l'Hellespont (VII 55) ; sur le lieu du supplice d'Artayctés (IX 119). Pour raconter la seconde guerre médique, Hérodote, lié avec des Athéniens, convaincu des mérites d'Athènes, aurait pu se contenter de reproduire telle quelle la version athénienne ; il y intercale au contraire des variantes et des compléments qu'il a notés à Corinthe, à Égine, à Delphes, à Tégée, à Sparte, ici et là. Je sais bien que ces variantes et ces compléments, ayant le plus souvent un caractère tendancieux, le caractère d'apologies, de démentis, de glorifications d'une cité ou d'un individu, s'offraient pour ainsi dire d'eux-mêmes à l'enquêteur ; encore fallait-il qu'il se fût mis en état de les rencontrer sur sa route et qu'il y prêtât l'oreille. Hérodote écoute les voix discordantes. et retient ce qu'elles disent. Il rapporte, d'après les Athéniens, que ce fut un des leurs, Ameinias de Pallène, qui engagea l'action à Salamine ; mais non sans remarquer que, d'après les Éginètes, ce fut un vaisseau d'Égine qui donna le premier (VIII 84). Il consigne l'histoire qui avait cours à Athènes sur la défaillance de l'amiral corinthien Adimante, lequel, saisi de frayeur au premier choc, aurait pris la fuite sans vergogne ; mais il reconnaît que les Corinthiens prétendaient au contraire s'être couverts de gloire dans le combat, et que les autres Grecs leur rendaient aussi ce témoignage (VIII 94). Il raconte, comme on le racontait sans doute à Athènes et à Sparte, que Gélon, tyran de Syracuse, refusa de faire cause commune avec les Grecs par l'effet d'un entêtement vaniteux, parce qu'il ne voulut pas consentir à être commandé par un Spartiate ; mais il ajoute qu'en Sicile on présentait les choses tout autrement : Gélon, assuraient les Siciliens, serait en tout état de cause venu au secours de la Grèce si une attaque des Carthaginois ne l'avait retenu dans son île (VII 165). De passage à Argos, il entend expliquer, d'une façon qui naturellement ménage l'honneur national, la neutralité équivoque que les Argiens avaient observée entre l'agresseur perse et les défenseurs de la liberté grecque ; il consigne cette interprétation ; mais, auprès d'elle, il en recueille deux autres : l'une qui, imputant aux Argiens d'avoir appelé l'envahisseur, devait être développée à Sparte par leurs pires ennemis ; l'autre moins sévère, qui, déclare l'historien, se répétait un peu partout en Grèce ; et, à l'appui, il rappelle ce que racontaient « quelques Grecs » d'une ambassade récente envoyée par les Argiens à Suse (VII 148-151). La richesse de documentation qu'en pareil cas nous saisissons sur le vif exista, semble-t-il, plus souvent qu'elle ne se manifeste. Hérodote dit connaître quatre versions de l'enfance de Cyrus (I 94) et plusieurs versions de sa mort (I 214) ; il n'en expose qu'une ; le même silence où il a enseveli les autres peut recouvrir maintes informations qu'il n'a pas estimées dignes d'être transmises[1]. Au chapitre 3 du livre II, qui est la partie de l'œuvre d'Hérodote où nous voyons le mieux comment il s'informait, l'auteur écrit : « J'ai entendu dire encore d'autres choses à Memphis, au cours d'entretiens que j'ai eus avec les prêtres d'Héphaistos ; et je me suis rendu également, pour ces mêmes sujets, à Thèbes et à Héliopolis. *Je voulais savoir si ce qu'on m'y dirait coïnciderait avec ce qu'on m'avait dit à Memphis* ; car les Héliopolitains sont tenus pour les plus savants des Égyptiens. » La volonté de contrôle, de vérification, qui s'affirme nettement dans ce passage a plus d'une fois sans doute dirigé Héro-

1. Ce ne sont pas seulement des informations contredites par d'autres qu'Hérodote retient par devers lui ; ce sont aussi, quelquefois, des détails dont il croit superflu de surcharger son récit : par exemple, les noms des trois cents Spartiates des Thermopyles ou des généraux subalternes de l'armée de Xerxès (voir page 55), ceux des capitaines ioniens qui se distinguèrent à Salamine (VIII 85), les actions d'éclat du Delphien Timasithéos (V 72). On sait qu'il a annoncé plusieurs développements qui ne figurent pas dans son œuvre (I 106, 184 ; VII 213). Sur certains événements dont il parle en peu de mots ou auxquels il fait simplement allusion, — la guerre de Chios contre Érythrée (I 18), la guerre de Mégare (I 59), les campagnes de Cyrus dans l'Est (I 177), l'enrichissement inouï de Sostratos d'Égine (IV 152), la guerre de Sigée (V 95), la guerre d'Érétrie contre Chalcis (V 99), la répression par Xerxès de la révolte des Égyptiens (VII 7), etc., — il aurait pu, je crois, s'il l'eût voulu, en dire plus long qu'il n'en dit.

dote[1] ; elle n'est pas le fait d'un insouciant qui se contente à trop bon marché de ce qu'il a sous la main (τὰ ἑτοῖμα).

D'autre part, Hérodote confesse volontiers que, sur tel ou tel point, il n'a pu obtenir d'informations satisfaisantes. Ainsi, sur la raison des crues du Nil, qu'il était si curieux de connaître (II 19) ; — sur les sources du fleuve : « De tous les Égyptiens, Libyens et Grecs avec qui je me suis entretenu, aucun ne se targuait de connaître les sources du Nil, si ce n'est le trésorier du temple d'Athèna à Saïs en Égypte ; je crus néanmoins qu'il plaisantait... Je n'ai rien pu savoir de personne autre : mais voici tout ce que j'ai appris en poussant le plus loin possible mes recherches » (II 28-29 ; cf. 34) ; — sur les régions de l'extrême Nord : « Nul ne sait exactement ce qu'il y a au-delà du pays dont nous nous disposons à parler ; je ne peux m'en informer auprès de personne qui dise l'avoir vu de ses yeux » (IV 16) ; — sur ce qu'est devenu le cadavre de Mardonios : « Qui l'a fait disparaître, je ne puis le dire d'une façon certaine. J'ai entendu dire de différentes personnes de tout pays qu'elles lui avaient donné la sépulture ; je sais que plusieurs reçurent pour l'avoir fait de riches présents d'Artontès fils de Mardonios. Mais, quant à savoir qui d'entre ces personnes a soustrait le cadavre et l'a enseveli, je ne le sais pas d'une façon certaine » (IX 84) ;[2].

1. II 44 (voyage à Tyr) ; 75 (voyage à Bouto); 104 (double enquête menée en Égypte et en Colchide).

2. Quelques autres aveux d'ignorance (dont certains, à vrai dire, pourraient bien être ironiques ; voir ci-dessous, p. 144, n. 1) : I 160 (quel fut le prix convenu pour la livraison de Pactyas) ; II 126 (quelle somme devait procurer à Chéops la prostitution de sa fille) ; III 115 (quelles sont les limites de l'Europe au Couchant) ; III 116 (comment on se procure tant d'or dans l'extrême Nord) ; IV 53 (où sont les sources du Borysthène) ; 81 (quelle est la population de la Scythie) ; V 66 (quelle était l'origine d'Isagoras) ; VI 118 (quel fut le songe de Datis) ; VI 124 (qui, après Marathon, fit d'Athènes des signaux à la flotte perse) ; VII 26 (qui amena les plus belles troupes à Xerxès) ; VII 153 (comment Télinès était en possession des objets sacrés du culte des Déesses) ; VIII 128 (comment le traître Timoxénos s'entendit avec Artabaze) ; VIII 133 (sur quelles affaires un envoyé de Mardonios alla consulter les oracles).

Présenté de la sorte, un aveu d'ignorance donne confiance en celui qui le fait ; des recherches qui n'aboutissent pas n'en sont pas moins des recherches ; il arrive même souvent que ce soient les plus laborieuses[1].

DE LA CRÉDULITÉ ET DU SENS CRITIQUE D'HÉRODOTE

Il y a chez Hérodote beaucoup d'erreurs, de naïvetés, de sottises. Mais il serait injuste de faire état de toutes pour taxer l'écrivain de crédulité excessive. Lui-même déclare en termes formels qu'il n'ajoute pas foi à tout ce qu'il répète d'après autrui[2], — comment le pourrait-il lorsqu'il reproduit côte à côte des opinions ou des récits inconciliables ? — et parfois le rapprochement de deux passages de son œuvre prouve que, de sa part, cette déclaration n'est pas une vaine parole. C'est ainsi qu'au livre IV chapitres 7 et 27 il parle de pluies de plumes et d'hommes qui n'ont qu'un œil en de tels termes, qu'on peut se demander s'il ne croit pas à la réalité des unes, à l'existence des autres ; mais, par le chapitre 31 du livre IV et le chapitre 116 du livre III, nous connaissons clairement qu'il n'y croit point. Ou bien, dans un autre ordre d'idées, il semble admettre au livre V chapitre 63 que les Alcméonides corrompirent la Pythie ; mais, au livre VI chapitre 23, il laisse voir qu'il en doute. A la différence d'Hécatée, qui substituait sans façon aux « sots

1. Les expressions qui, dans plusieurs passages, accompagnent l'aveu d'ignorance, — πρόθυμος δὲ ἔα τάδε πυθέσθαι (II 19), τοῦτο μελετῶν (III 115), ἐπὶ μακρότατον ἐπυθόμην (II 29), ἐπ' ὅσον μακρότατον ἱστορέοντα ἦν ἐξικέσθαι (II 34), ὅσον ἡμεῖς ἀτρεκέως ἐπὶ μακρότατον οἷοί τε ἐγενόμεθα ἀκοῇ ἐξικέσθαι (IV 16), οὐκ οἷός τε ἐγενόμην ἀτρεκέως πυθέσθαι (IV 81), οὐκ ἔχω εἰπεῖν τὸ ἀτρεκές· οὐ γὰρ λέγεται πρὸς οὐδαμῶν ἀνθρώπων (VII 60), οὐκ ἔχω εἰπεῖν· οὐ γὰρ ὦν λέγεται (VIII 128, 133), — semblent bien indiquer qu'Hérodote s'était informé de son mieux.

2. VII 152 : Ἐγὼ δὲ ὀφείλω λέγειν τὰ λεγόμενα, πείθεσθαί γε μὲν οὐ παντάπασι ὀφείλω, καί μοι τοῦτό γε τὸ ἔπος ἐχέτω ἐς πάντα τὸν λόγον.

racontars » des anciens l'exposé de ses idées personnelles, Hérodote tient pour son principal devoir de transmettre avec fidélité les informations qu'il a pu recueillir, en laissant chacun libre d'en penser ce que bon lui semble[1] ; et, lorsque, sur un point déterminé, ces informations sont multiples et contradictoires, volontiers il remet au lecteur le soin de décider laquelle est la plus digne de créance[2]. Il lui arrive néanmoins assez souvent de marquer des préférences, d'élever des objections, de faire des réserves, ou même de proposer à l'encontre des informations recueillies des conjectures, — qu'il a toujours grand soin de présenter expressément comme telles, — pour que l'on soit en droit de parler de son sens critique.

Il n'est certainement rien moins qu'un esprit fort ; il croit aux dieux, à leur immixtion dans les affaires humaines, aux prodiges par lesquels ils communiquent leur volonté aux hommes ou leur annoncent l'avenir, aux présages, aux apparitions, aux songes, aux oracles. Mais, même en ces matières, sa croyance n'est pas illimitée ; ou, plus exactement, elle n'est pas constante. Et elle n'a pas le caractère d'une foi sans conditions ; elle est réfléchie, et, dans une certaine mesure, rationnelle. L'histoire des statues de Damia et d'Auxésia, qui se seraient mises à genoux pendant qu'on les tirait avec des cordes pour les arracher de leurs bases, le trouve sceptique (V 86) ; et aussi l'histoire des flammes qui seraient sorties de la poitrine de la statue d'Hèra pour signifier à Cléomène de Sparte qu'il ne devait pas prendre Argos (VI 82). Il est vrai que, dans ces deux cas, le miracle lui était conté par des informateurs avec qui il ne sympathisait point : des Éginètes,

1. II 123 (Τοῖσι μέν νυν ὑπ' Αἰγυπτίων λεγομένοισι χράσθω ὅτεῳ τὰ τοιαῦτα πιθανά ἐστι· ἐμοὶ δὲ παρὰ πάντα τὸν λόγον ὑπόκειται ὅτι τὰ λεγόμενα ὑπ' ἑκάστων ἀκοῇ γράφω), 130, 146 ; IV 96, 173, 187, 191, 195 ; VI 82, 137 ; VII 152.

2. III 122 (Αἰτίαι μὲν δὴ αὗται διφάσιαι λέγονται τοῦ θανάτου τοῦ Πολυκράτεος γενέσθαι, πάρεστι δὲ πείθεσθαι ὁκοτέρῃ τις βούλεται αὐτέων) ; V 45 (ταῦτα μέν νυν ἑκάτεροι αὐτῶν μαρτύρια ἀποφαίνονται, καὶ πάρεστι ὁκοτέροισί τις πείθεται αὐτῶν τούτοισι προσχωρέειν).

ennemis d'Athènes ; des défenseurs de la mémoire de Cléomène, lequel avait été ennemi de Démarate. Mais il ne paraît pas croire davantage à certaines histoires merveilleuses dont les Athéniens se faisaient gloire : Pan apparaissant dans les monts d'Arcadie au courrier Pheidippidès, l'appelant par son nom, l'assurant de sa bienveillance pour Athènes, réclamant un culte en Attique (VI 105) ; Borée, à la prière des Athéniens, compatriotes de son épouse Orithyie, fracassant les vaisseaux des Barbares contre la côte de Magnésie (VII 189). Du reste, il est souvent malaisé de comprendre pourquoi, en face de cas analogues, Hérodote adopte des attitudes différentes : pourquoi par exemple, il incline à expliquer la folie de Cambyse par une simple raison physique, en la rattachant à l'épilepsie dont ce prince était atteint (III 33), tandis qu'il refuse d'expliquer la folie de Cléomène, ainsi que le faisaient les Spartiates, par une autre raison physique, tirée de l'abus du vin (VI 84). Son incrédulité intermittente à l'égard du surnaturel ne semble pas lui être dictée par des règles fixes d'une application générale, mais, dans chaque circonstance, par des considérations particulières qui ne relèvent pas toutes de la logique, sinon par le caprice ; autrement dit, elle est question d'espèces. Cette incrédulité s'affirme parfois assez inopportunément : il s'étonne que les Athéniens contemporains de Pisistrate aient pu croire qu'Athèna, sous la forme d'une femme, ramenait le tyran à Athènes (I 60) ; peut-être eût-il mieux fait d'observer que la femme qui jouait le rôle de la déesse, habitante d'un bourg de l'Attique, de taille exceptionnelle et de fière prestance, devait être connue de tous dans le pays. S'il croit aux oracles, c'est que l'expérience lui a montré maintes fois leurs prédictions confirmées par les événements (VIII 77) ; mais il se défie judicieusement des fraudes, des prophéties après coup. Rapportant la réponse des devins de Telmessos aux envoyés de Crésus, réponse qui annonçait la chute de Sardes, il a soin de noter : « Telle fut la réponse que les Telmessiens firent à Crésus alors qu'il était déjà pris, *sans rien savoir encore de ce qui était advenu de Sardes et de sa personne* » (I 78). Même genre d'observation lorsqu'il s'agit de la confidence prophétique qu'un Perse, peu de jours avant Platée, fit à Thersandros d'Orchomène : « Voilà ce que j'ai entendu dire par Thersandros d'Orchomène ; *il ajoutait qu'il l'avait aussitôt répété à plusieurs personnes avant la bataille de Platée* » (IX 16)[1].

Surtout, la religiosité d'Hérodote ne l'empêche pas d'adopter volontiers, en face des mythes et des légendes, l'attitude rationaliste qui avait été déjà celle d'Hécatée. Il entend dire en Thessalie que l'étroit vallon de Tempè par lequel le Pénée roule ses eaux est l'ouvrage de Poseidon ; il acquiesce, mais non sans ironie : « Ce qu'on dit est vraisemblable. Quiconque pense en effet que Poseidon ébranle la terre et que les séparations que les tremblements de terre y ont faites sont des ouvrages de ce dieu, doit être d'avis, en voyant ce vallon, que Poseidon en est l'auteur ; car c'est bien par le fait d'un tremblement de terre, à ce qu'il m'a paru, que ces montagnes ont été séparées » (VII 129). On lui raconte à Dodone qu'une colombe noire venue de Thèbes d'Égypte s'est perchée sur un chêne et a articulé d'une voix humaine que les destins voulaient qu'on établît en ce lieu un oracle de Zeus. Mais, objecte-t-il, comment pourrait-il se faire qu'une colombe émît des sons articulés ? Cette prétendue colombe, cette prétendue colombe noire, devait être une femme, une Égyptienne brune de peau, vendue en Thesprotie par des marchands d'esclaves ; on dit d'elle qu'elle était une colombe parce que, ne sachant pas le grec, elle parlait un langage qui paraissait aux habitants du pays ressembler à la voix de cet oiseau ; et quand, au bout de quelque temps, ayant appris le grec elle commença à se faire comprendre, on dit que la colombe avait parlé (II 56-56). Parmi les légendes qui avaient cours sur les premiers jours de Cyrus, l'une montrait l'enfant, grâce à la protection divine, nourri dans le désert par une chienne ; pour Hérodote, pas de doute ; cette légende est

1. Les « autres témoins » dont il est question au livre VIII chapitre 68 doivent être aussi des personnes à qui Dikaios disait avoir raconté, dès avant le désastre des Perses à Salamine, le prodige qui, à lui seul et à Démarate, avait annoncé ce désastre.

un embellissement de la réalité ; le vrai doit être que Cyrus a été recueilli, allaité, élevé par une femme dont le nom, en mède, signifiait *chienne* (I 110).

Là où la divinité n'est pas en cause, Hérodote est encore plus à l'aise pour refuser de croire à ce qui contredit les lois de la nature. Il ne s'en fait pas faute. On ne saurait lui en vouloir d'accepter — ou de paraître accepter — sur la structure, la génération, les mœurs de certains animaux, sur l'origine de certains produits, sur la cause de certains phénomènes, des opinions erronées, dont quelques-unes se sont maintenues durant des siècles et jusqu'à des époques où les sciences naturelles avaient réalisé de grands progrès. Du moins n'admet-il pas l'existence d'hommes qui n'ont qu'un œil, d'hommes aux pieds de chèvre, d'hommes qui sommeillent pendant six mois de suite, et laisse-t-il aux Libyens la responsabilité de ce qu'ils disent concernant des hommes à tête de chien et des hommes sans tête qui ont un œil au milieu de la poitrine [1]. Que les Neures, une fois par an, se transforment en loups pour quelques jours et reprennent ensuite leur forme humaine, il le nie catégoriquement, encore que des Scythes le lui aient affirmé avec serment, et aussi des Grecs établis en Scythie (IV 105). La pluie de plumes qui, d'après certains Scythes, emplirait l'air dans les régions boréales, est tout simplement, à son avis, de la neige tombant à gros flocons (IV 31). L'histoire du phénix transportant d'Arabie à Héliopolis le corps de son père dans une boule de myrrhe est qualifiée par lui d'incroyable (II 73). Il traite de fable ce que les Égyptiens racontent de l'île Chemmis, qui, à les en croire, serait flottante ; et il saisit l'occasion de déclarer que la notion d'une île flottante le plonge dans la stupeur (II 156). Trop confiant dans les données de son expérience personnelle et de l'expérience de ceux qui l'entouraient, il refuse même de croire qu'au cours du périple de la Libye les Phéniciens aient pu avoir le soleil à leur droite dans des circonstances où, au Nord de la Ligne,

1. III 116 ; IV 25, 191.

c'est-à-dire partout où fréquentaient les navigateurs antiques, ceux-ci l'avaient à leur gauche (IV 42). Les récits d'exploits prodigieux, d'entreprises colossales, — bien qu'il ait eu sous les yeux les murs de Babylone, les pyramides d'Égypte, le canal de Nécos et celui de l'Athos, — lui inspirent une prudente défiance. Skyllias de Skionè aurait plongé dans la mer aux Aphétes et n'en serait ressorti qu'à l'Artémision, à 80 stades de distance? Galéjade! « Je pense que Skyllias s'est rendu à l'Artémision sur une barque » (VIII 8). Thalès de Milet, pour permettre à Crésus de traverser l'Halys, aurait divisé ce fleuve en deux parties, l'une et l'autre guéables? Bien plutôt, « quand Crésus fut parvenu sur les bords de l'Halys, il poursuivit sa route, à mon avis, en faisant passer son armée par les ponts existants » (I 75).

Quittons le domaine du surhumain, de l'extraordinaire. En face d'informations qui n'ont aucun caractère merveilleux, — et, même en un temps épris de fables, c'étaient évidemment des informations de ce genre qui s'offraient surtout à l'enquêteur, — que vaut la critique d'Hérodote?

C'est, sous plus d'un rapport, une critique simpliste. Il ne vient pas, semble-t-il, à l'idée du « père de l'histoire » que, dans une assertion, il puisse y avoir une part de vrai auprès d'une part d'erreur et que l'on doive chercher par de patientes analyses à isoler la première; pas davantage, que plusieurs récits d'un même événement ne sont souvent qu'autant d'altérations divergentes de la vérité, et que c'est affaire à l'historien de reconstituer cette vérité en les combinant l'un avec l'autre. Pour lui, une information est chose que l'on accepte ou que l'on rejette en bloc. Ce renseignement est-il exact ou controuvé? Entre ces traditions, laquelle convient-il de choisir? Telles sont les questions qu'il se pose. D'autre part, bien qu'il ait pratiqué quelquefois, — nous en verrons tout à l'heure des exemples, — la méthode qui procède par groupement des faits, par recoupements et par comparaisons, trop souvent sa critique s'exerce, si je puis ainsi dire, en tête-à-tête avec une information déterminée, et ne cherche que dans la qualité de cette information considérée isolément des raisons de l'admettre ou de la réprouver. De là vient qu'il laisse subsister, d'un passage à un autre de son œuvre, des discordances, que nous relèverons à l'occasion. Et aussi, par l'effet d'une négligence contraire, qu'il a accueilli des anecdotes si semblables entre elles qu'elles paraissent copiées l'une sur l'autre. Une fois, il remarque lui-même qu'une action de Leutychide répète à peu de chose près une action attribuée à Thémistocle (IX 98) ; et nous devons reconnaître que, dans ces deux cas particuliers, la situation étant la même et le but à atteindre identique, l'emploi de moyens pareils n'avait rien que de naturel. D'autres similitudes, plus suspectes, ne paraissent pas le frapper. L'histoire du Lydien Pythios au livre VII chapitres 37-38 reproduit celle du Perse Oiobazos au livre IV chapitre 84. Celle de Xerxès récompensant d'une couronne d'or le pilote qui l'a sauvé du naufrage et lui faisant ensuite couper la tête parce qu'il a causé la mort de plusieurs seigneurs perses (VIII 118) rappelle l'histoire de Cambyse joyeux de retrouver Crésus, mais sans pitié pour ceux qui l'ont soustrait à son courroux (III 36). La gaillarde réplique des Automoles aux émissaires de Psammétichos (II 30) et la réponse de la femme d'Intaphernès à Darius (II 119), différentes de ton, expriment une même idée. Le suicide de Pantitas, un des trois cents Spartiates des Thermopyles, que les circonstances avaient mis à l'abri du trépas (VII 232), est à rapprocher du suicide d'Othryadas, seul survivant des trois cents de Thyréa (I 82). Par trois fois, les engagements des Thermopyles et de l'Artémision, la victoire remportée par Gélon en Sicile sur les Carthaginois et la victoire de Salamine, la bataille de Platée et la bataille de Mycale, auraient eu lieu le même jour (VIII 15 ; VII 176 ; IX 89). Les doublets, objets de scandale pour la critique historique moderne, ne sont pas rares chez Hérodote.

Des raisons qui lui font accorder ou refuser sa créance, les unes sont déduites d'observations personnelles, de témoignages incontestables, de confrontations chronologiques, de rapprochements avec les lois et coutumes d'un pays. Il est inexact que des statues sans mains qu'on lui a montrées en

Égypte prouvent que les femmes dont elles sont les images aient eu de leur vivant les mains coupées ; Hérodote a bien regardé ; et il a constaté que les mains des statues en question, statues de bois, étaient tout simplement tombées de vétusté (II 131). Il est inexact que le sentier par où les Perses tournèrent la position des Thermopyles leur ait été montré par Onétès et Corydallos, puisque les pylagores ne mirent jamais à prix la tête de ces deux hommes, mais seulement celle du Trachinien Éphialte (VII 214). Il est inexact que Xerxès, retournant en Asie après la défaite de Salamine, se soit embarqué à Eion ; on a la preuve qu'il suivit la voie de terre au delà de cette ville, puisqu'il fit étape à Abdère, plus voisine de l'Hellespont qu'Eion (VIII 120). Il est inexact que la pyramide dite de Mykérinos ait été élevée aux frais de la courtisane Rhodopis ; d'abord, parce que Rhodopis ne vivait pas au temps de Mykérinos, mais au temps d'Amasis ; ensuite, parce qu'on peut voir à Delphes des offrandes qui représentent la dîme de ses biens, et qu'une richesse décuple n'eût pas suffi à faire édifier la pyramide (II 134-135). Il est inexact que les Égyptiens aient voulu immoler Héraclès à leur dieu : « comment en effet un peuple à qui il n'est pas même permis de sacrifier des animaux, excepté des porcs, des bœufs et des veaux, à la condition qu'ils soient purs, et des oies, comment ce peuple sacrifierait-il des hommes ? » (II 45). Il est inexact que Cambyse soit, comme voudraient le faire croire les Égyptiens par vanité nationale, fils de Cyrus et d'une concubine égyptienne ; ils devraient savoir « premièrement, qu'en Perse la loi ne permet pas à un fils naturel de devenir roi quand il y a un fils légitime ; ensuite, que Cambyse était fils de Cassandane, fille de Pharnaspe de la race des Achéménides, et non de l'Égyptienne » (III 2). Inversement, ce qu'on dit d'un lac de la Libye, d'où les filles du pays tireraient des paillettes d'or en y plongeant des plumes frottées de poix, ne doit pas être trop vite rejeté comme un conte : car il se passe dans un pays grec où chacun peut le constater, à Zakynthe, quelque chose de comparable (IV 195). Ou bien : il ne faut pas trouver invraisemblable qu'après la mort de Smerdis le mage l'un des conjurés qui l'avaient abattu, un grand seigneur perse, ait songé à établir chez les Perses la démocratie; car, plus tard, un autre grand seigneur, un propre neveu de Darius, après avoir soumis les cités ioniennes, en expulsa les tyrans et y installa des gouvernements populaires (VI 43).

En pareils cas, la critique d'Hérodote s'appuie sur des documents positifs, sur des données objectives. Il n'en est pas toujours ainsi. Et voici des exemples d'une autre sorte. Hélène est-elle allée à Troie, comme le veut l'opinion commune? Hérodote le conteste; car si elle y avait été, dit-il, les Troyens l'auraient certainement rendue aux Grecs plutôt que de s'exposer à périr en la retenant; Priam, quelles qu'eussent été ses dispositions initiales, se serait vite lassé de sacrifier pour elle ses enfants et son peuple; le seul qui pouvait tenir à la garder, Pâris, n'étant pas l'aîné de la famille, n'aurait pu imposer sa volonté (II 120). Il nie qu'à l'époque de Marathon les Alcméonides aient eu partie liée avec Hippias et les Perses; comment auraient-ils servi la cause du tyran, eux qui avaient toujours manifesté la plus forte aversion à l'égard de la tyrannie, qui, tout le temps de la domination des Pisistratides, avaient vécu hors de leur pays, qui par leurs trames avaient contribué à affranchir Athènes plus qu'Harmodios et Aristogiton? (VI 121, 123). Il ne croit point que Xerxès, surpris en pleine mer par une tempête, ait ordonné aux nobles Perses qui l'accompagnaient de se jeter à la mer pour alléger le navire; apparemment, le roi eût plutôt fait descendre à fond de cale tous ceux qui étaient sur le pont, et aurait fait noyer, à la place des seigneurs de sa cour, pareil nombre de rameurs phéniciens (VIII 118-119). Il doute que Télinès, ancêtre de Gélon, ait accompli les hauts faits qu'on lui prête; car, fait-il observer, exécuter de semblables projets n'appartient qu'à de grandes âmes, à des hommes hardis et courageux; or, les habitants de la Sicile disent de Télinès qu'il était au contraire mou et efféminé (VII 153). Les histoires extravagantes des Psylles partant en guerre contre le vent du Sud

(IV 173), de Xerxès faisant marquer l'Hellespont au fer rouge (VII 35), de Rhampsinite plaçant sa fille dans un lupanar pour découvrir le larron qui se jouait de lui (II 121), de Chéops comptant sur les produits de la prostitution de la sienne pour améliorer ses finances (II 126), le trouvent plus ou moins franchement incrédule. Il soupçonne Démarate de s'être vanté en prétendant que, par ses conseils, il avait assuré la couronne à Xerxès au détriment d'Artobazane, fils de la première femme de Darius ; le crédit dont jouissait la seconde femme, Atossa, mère de Xerxès, suffit, à son avis, pour expliquer la décision du roi (VII 3). Dans le récit que font les Égyptiens des précautions qu'Amasis aurait prises pour soustraire son cadavre aux outrages posthumes et de la confusion qui en résulta pour Cambyse, il discerne un mensonge inspiré par l'amour-propre national (III 16). Là, et ailleurs encore, Hérodote fait appel simplement au bon sens et à des considérations psychologiques. Or, le bon sens et la psychologie sont à coup sûr des guides estimables ; ils écartent de l'absurdité, de la grossière erreur ; ils peuvent conduire un poète, l'auteur d'une œuvre d'imagination, à la vérité littéraire ; ils ne peuvent, à eux seuls, conduire à la vérité historique.

Aussi bien, Hérodote n'avait-il pas de cette vérité une conception aussi sévère, un besoin aussi vif, que Thucydide et nous autres modernes. Il est assez frappant que, là même où il aurait pu faire état de documents officiels, de pièces d'archives, il ne paraît pas s'en être beaucoup soucié, et qu'il semble éprouver en toutes circonstances une prédilection marquée pour les traditions orales, plus vivantes, plus circonstanciées, plus pittoresques, mais par nature moins certainement véridiques. D'ailleurs, quelques phrases de son ouvrage sont ici instructives. L'explication du ravitaillement en eau des troupes de Cambyse à laquelle il donne la préférence est appelée par lui ὁ πιθανώτερος λόγος, par opposition à l'ἧσσον πιθανός, — l'explication la plus vraisemblable par opposition à celle qui l'est moins (III 9). De même, la tradition qu'il choisit entre plusieurs touchant la mort de

Cyrus n'est, de son propre aveu, que le πιθανώτατος λόγος (I 214). Ne doutons pas que la version de l'enfance du grand roi qu'il présente comme ὁ ἐὼν λόγος (I 95) n'avait, elle non plus, d'autre titre à ses yeux que celui d'une plus grande vraisemblance ; qu'il n'y avait pas toujours pour lui une distinction nette entre ἀληθής et πιθανός ; que, d'une façon avouée ou tacitement, avec ou sans développements à l'appui, c'est souvent d'après le critère du vraisemblable qu'il s'est fait une opinion, a accueilli ou rejeté ce qu'il entendait dire, préféré ceci à cela. La méthode était peu rigoureuse. Il est arrivé plus d'une fois qu'elle a laissé l'auteur dans l'embarras, en présence d'assertions ou de récits divergents ; car, si le vrai est un, le vraisemblable peut être multiple ; et il l'est souvent en effet.

Dans l'appréciation du vraisemblable, il y a presque toujours une part de subjectif. La valeur des jugements qu'un homme porte en ces matières dépend tout particulièrement de son plus ou moins de liberté d'esprit, de ses partis pris ou de son impartialité ; et, d'autre part, de ses qualités de psychologue, de sa pénétration, de son aptitude à saisir ressemblances et différences, ce qui se concilie ou se heurte irréductiblement. Examinons, de ces deux points de vue, la mentalité d'Hérodote.

DE L'IMPARTIALITÉ D'HÉRODOTE ET DE SES PRÉFÉRENCES POLITIQUES

C'est une opinion très répandue chez les hommes de tous les temps, que le peuple auquel ils appartiennent est le premier du monde. La professer apparaît même à beaucoup comme un devoir. Hérodote, qui la signale chez les Perses (I 134), chez les Égyptiens, (II 121 *fin.*), l'a sans doute rencontrée également chez les Grecs ; et il se peut qu'il l'ait partagée. Du moins ne s'étale-t-elle pas dans son ouvrage avec une insistance indiscrète ni de façon agressive. La déclaration du livre I chapitre 60, que « les Grecs, dès l'antiquité, se sont distingués des Barbares en se montrant plus fins, plus dégagés d'une sotte naïveté », s'intercale dans un raisonnement d'où l'ironie n'est pas absente. Les traits dont Hérodote semble faire le plus d'honneur aux Grecs, — non pas d'ailleurs à tous, — sont, d'une part, un esprit de modération, d'humanité, qui les empêche de se laisser aller à de brutales violences, d'exercer des vengeances excessives contre les vivants et les morts [1] ; d'autre part, le dédain des avantages matériels et le désir de la gloire, le souci de la dignité personnelle, une fière soumission à la loi librement acceptée, l'amour de la liberté [2] ; ce qui, je crois, n'est que justice.

En tout cas, le patriotisme hellénique d'Hérodote ne l'induit pas à vilipender les autres peuples, à ne parler d'eux qu'avec raillerie et mépris. Dès les premiers chapitres de son histoire, les « Barbares » font honorable figure : c'est d'après des λόγιοι perses ou phéniciens que sont rapportés, commentés, les plus anciens conflits entre la Grèce et l'Asie. La même révérence envers l'érudition et les traditions étrangères reparaît souvent par la suite, surtout dans le livre II ; et assez souvent elle s'accompagne de jugements peu flatteurs, de sarcasmes à l'adresse des Grecs et des croyances helléniques. Nous avons déjà signalé le passage où, aux prétentions d'Hécatée, qui se targuait d'avoir un dieu pour son seizième ancêtre, sont opposées les déclarations narquoises de prêtres égyptiens, qui, à Thèbes, connaissaient trois cent quarante-cinq générations de hauts dignitaires religieux auxquelles aucun dieu, aucun héros, n'avait collaboré (II 143). Voici quelques auters exemples. A propos des enfants que Psammétichos fit élever dans un strict isolement, pour savoir quel idiome ils parleraient : « C'est ainsi que les choses se sont passées, d'après ce que j'ai appris des prêtres d'Héphaistos à Memphis ; mais les Grecs racontent beaucoup de fadaises (μάταια πολλά) et, en particulier, que Psammétichos fit

1. IX 79.
2. VIII 26 ; VII 136 ; VII 104 ; VII 135, VIII 143.

élever les enfants auprès de femmes à qui auparavant il avait fait couper la langue » (II 2). A propos d'une prétendue aventure d'Héraclès : « Les Grecs racontent beaucoup de choses inconsidérément (ἀνεπισκέπτως) ; c'est une sottise entre autres que le récit qu'ils font (εὐήθης δὲ αὐτῶν καὶ ὅδε ὁ μῦθος) au sujet d'Héraclès : qu'arrivé en Égypte, les Égyptiens l'auraient orné de guirlandes et emmené en pompe pour l'immoler à Zeus... » (II 45). A propos d'Hélène et de la guerre de Troie : « Je demandai aux prêtres (de Memphis) si les Grecs disent des fadaises (μάταιον λόγον λέγουσι) en racontant ce qui s'est passé à Ilion ; ils me répondirent... ; je suis de leur sentiment » (II 118-120). A propos du Scythe Anacharsis : « J'ai entendu parler de lui autrement par des Péloponnésiens ; ... mais ce récit n'est qu'une invention gratuite des Grecs (ὁ λόγος ἄλλως πέπλασται) » (IV 77). Je sais bien que, dans cette attitude d'Hérodote, il y a vraisemblablement une part de pédantisme [1] : l'écrivain est fier de ses informations exotiques, et, s'il les préfère aux opinions courantes chez ses congénères, ce peut être surtout pour affirmer sa supériorité. Autant en avait fait avant lui Hécatée [2], autant en faisaient autour de lui d'autres Grecs, admirateurs plus ou moins sincères de la sagesse barbare. Le préjugé national n'en est pas moins, en pareil cas, nettement mis de côté. — Il l'est aussi, et de façon plus franche, quand Hérodote, en cela encore disciple d'Hécatée, attribue aux Barbares, surtout aux Égyptiens, aux Phéniciens et aux Babyloniens, l'invention de maintes choses que les Grecs leur auraient empruntées ou parfois dérobées : les désignations des douze dieux et celle d'Héraclès ; les autels, statues divines et temples ; les cérémonies du culte dionysiaque ; la divination d'après l'examen des victimes ; les

1. Et aussi de cet esprit de dénigrement mutuel qui anime souvent les érudits et les hommes de lettres ; quand il parle des Grecs, Hérodote, plus d'une fois, pense à un écrivain.

2. Une partie de ce qu'il opposait, dans ses *Généalogies*, aux λόγοι πολλοί τε καὶ γελοῖοι des Grecs était emprunté à des traditions barbares ; cf. Jacoby, *Real-Encyclopädie*, t. VII, col. 2740, s. v. *Hekataios*.

panégyries, les processions et les προσαγωγαί ; la croyance à l'immortalité de l'âme, la doctrine de la métempsychose ; l'art de graver des figures sur la pierre ; les lettres de l'alphabet ; la division de l'année en douze mois et celle du jour en douze parties ; la géométrie, le gnomon, le polos ; la loi, introduite par Solon en Attique, ordonnant à tous les citoyens de déclarer chaque année leurs moyens de subsistance et punissant de mort quiconque n'en pourrait déclarer d'honorables [1] ; aux Lydiens reviendrait l'invention des monnaies, du commerce de détail, de la plupart des jeux [2] ; aux Libyens, celle de l'habillement et de l'égide d'Athèna, l'usage des cris perçants qu'on pousse au moment des sacrifices, le culte et le nom de Poseidon [3]. — En face des coutumes étrangères, Hérodote est sobre d'appréciations. S'il en blâme expressément quelques-unes ou laisse deviner qu'il les réprouve, bien plus souvent il en rapporte d'autres, même cruelles, répugnantes ou extravagantes, sur un ton impassible ; et il lui arrive d'en louer, même de fort éloignées des coutumes helléniques [4], ou de faire, du point de vue « barbare », le procès de certaines de celles-ci [5]. Autant que notre Montaigne, il paraît estimer que, sur beaucoup de points, le bien et le mal, l'honnête et le déshonnête, sont purement relatifs : « Tous les hommes », dit-il au livre III chapitre 38, « si on les mettait en devoir de faire un choix entre toutes les coutumes en les invitant à choisir les meilleures, choisiraient, après mûr examen, chacun celles de son pays ; tant ils sont persuadés, chacun de son côté, que celles de chez eux sont de beaucoup les meilleures » ; et, après avoir conté une anecdote où nous voyons les Indiens Callaties

1. II 50, 43 ; II 4 ; II 49 ; II 58 ; II 123 ; II 4 ; V 58 ; II 4, 109 ; II 109 ; II 177.

2. I 94.

3. IV 189 ; II 50.

4. Par exemple : I 136-137, 196, 197 ; IV 46.

5. De l'usage d'élever aux dieux des temples, des autels et des statues (I 131) ; de la pratique des rites dionysiaques (IV 79) ; de l'ordonnance des repas à la mode grecque (I 133).

non moins offusqués par l'usage grec de brûler les morts que les Grecs par l'usage indien de les manger, il conclut en citant une maxime de Pindare, qu'il détourne d'ailleurs de son vrai sens : « La coutume est la reine du monde ». — Aux productions de l'art et de l'industrie des Barbares, à leurs édifices, à leurs travaux de toute sorte, murailles, fossés, digues et ponts, canaux, lacs artificiels, tumuli, il ne marchande pas les éloges ; et, quand il y a lieu de le faire, il constate volontiers que la Grèce n'a rien de comparable (II 148). La puissance et l'organisation des grands empires lui inspirent un respect mêlé d'admiration. Il est émerveillé par l'aménagement de la route royale allant de Sardes à Suse, par les confortables hôtelleries qui en jalonnaient le parcours, par la sécurité qui y régnait (V 52), par le service de l'*aggareion* qui y assurait d'un bout à l'autre la transmission rapide des messages officiels (VIII 98). — Enfin, il est bien loin de méconnaître les qualités morales des étrangers, de ceux même qui devaient lui apparaître comme les ennemis héréditaires de son peuple, je veux dire les Perses. Dans quelques épisodes où il met en présence un Grec et un Barbare, il ne dissimule pas que le Grec n'a pas eu le beau rôle : ainsi Ménélas, payant Protée d'ingratitude (II 119) ; Démokédès, acceptant sans scrupule les libéralités du prince qu'il s'apprête à trahir et, pour se mettre à l'aise, attribuant à Darius des intentions perfides que celui-ci n'avait pas (III 135) ; Histiée, trompant impudemment la confiance du Grand Roi (V 107). Il note chez les Arabes la fidélité à la parole donnée (III 8) ; chez les Égyptiens, un grand respect des dieux et une minutieuse propreté (II 37) ; chez les Perses, l'horreur du mensonge (I 138), le goût des belles actions (III 154), un dévouement à la personne royale qui, s'il les conduit trop souvent à se comporter en flatteurs et à accepter tête baissée les outrages les plus dégradants, leur inspire d'autres fois des actes de véritable héroïsme[1] ; une intrépidité à laquelle Hérodote se plaît à rendre justice,

1. III 154 et suiv. ; VIII 118.

expliquant leurs défaites, — au grand scandale de Plutarque, — par l'infériorité de leur armement et de leur éducation tactique plutôt que par le manque de courage; une disposition chevaleresque à honorer la valeur chez leurs ennemis [1]. — Pas plus que les peuples barbares, leurs princes ne sont systématiquement noircis ou caricaturés. Plusieurs, qui sont victimes de tragiques catastrophes, Crésus, Astyage, Psamménite, opposent aux coups du sort une force d'âme, une dignité, qui commande le respect [2]. Beaucoup traitent les vaincus avec mansuétude et pratiquent le pardon : Amasis épargne Apriès jusqu'à ce que les Égyptiens exigent la mort du roi dépossédé; Cyrus ne fait aucun mal à Astyage; le premier moment de colère passé, il pardonne à Crésus son agression et l'entoure d'égards; Cambyse, en dépit de son humeur farouche, a pitié de Psamménite, qui ne souffre rien d'autre que de vivre captif à la cour du vainqueur; même, dit Hérodote, s'il avait su s'abstenir d'intriguer, on lui aurait rendu le gouvernement de l'Égypte; « car les Perses ont l'habitude d'honorer les fils des rois, et, si quelque roi s'est révolté contre eux, ils n'en rendent pas moins à ses fils le pouvoir »; Darius, si on lui eût présenté Histiée vivant, aurait fait grâce au rebelle, à l'instigateur du soulèvement de l'Ionie; il comble de biens un fils de Miltiade, tyran de la Chersonnèse, qui tombe entre ses mains, bien que Miltiade, lors de l'expédition de Scythie, ait été d'avis de le trahir; quelque irrité qu'il soit contre les Érétriens, qui étaient venus attaquer Sardes, il se contente, quand on les lui amène prisonniers, de les déporter en Cissie, et ne les maltraite point; Xerxès refuse de venger sur les Spartiates Sperchias et Boulis, qui s'offrent aux représailles, le massacre des hérauts perses par leurs concitoyens; la confiance qu'il a dans la fidélité des Ioniens prouve qu'il oublie volontiers les offenses pour ne se souvenir que des

1. VII 107, IX 70, 101, 102, 107; V 49, VII 211, VIII 16, 86, IX 62-63; VII 181, 238.
2. I 86 et suiv., 129; III 14.

bienfaits[1]. Tout-puissants, les souverains orientaux, tels que les dépeint Hérodote, ne sont pas plus autoritaires à l'égard de leurs sujets ni plus capricieux ni plus cruels que les tyrans de race grecque : Cyrus a mérité qu'on l'appelât le père de son peuple ; Cambyse, dur et négligent, a l'excuse de la folie ; Darius, que les Perses eux-mêmes traitent de marchand à cause de ses exigences fiscales, a été bon administrateur (III 89). Ces souverains s'appliquent à faire régner autour d'eux la justice ; c'est par son intégrité que Déiokès a acquis la couronne ; et les rois de Perse surveillent avec sévérité les fonctionnaires qui jugent en leur nom[2]. Ils sont accueillants, hospitaliers, envers les étrangers proscrits et les princes chassés de leurs états, souvent, à vrai dire, par calcul politique, mais aussi par l'effet d'une générosité naturelle[3]. Ils reconnaissent avec magnificence les services qu'on leur rend et savent apprécier le mérite[4]. Bien qu'ils soient habitués à ce que tout plie devant eux et qu'il ne manque pas de courtisans pour flatter leur humeur dominatrice, nous les voyons en plus d'une circonstance demander conseil à autrui, suivre les avis qu'on leur donne, et, quand ils se sont trompés, venir à résipiscence, ou du moins, s'ils ne se laissent pas persuader, tolérer la franchise avec laquelle on leur parle[5]. Xerxès, l'orgueilleux Xerxès, qui rêve de l'empire du monde, qui fera percer l'Athos et fustiger

1. II 169, I 130, I 88, III 15, VI 30, VI 41, VI 119, VII 136, VII 52.

2. I 96-97 ; V 25, VII 194.

3. Parmi les hôtes des souverains de Suse, nous voyons figurer un roi détrôné de Sparte, Démarate (VI 70), les Aleuades, chassés de Thessalie, les Pisistratides, Onomacrite, expulsé de l'Attique (VII 6). De la lointaine Sicile, Skythès, tyran déchu de Zanclè, vient se réfugier auprès d'eux (VI 24). Thémistocle prévoit qu'il pourra être amené à leur demander asile (VIII 109-110).

4. III 130 et suiv., 160, IV 143, V 11, VII 29, 107, 117, XI 107.

5. I 27 (Crésus et Bias), 171 (Crésus et Sandanis) ; I 88, 156, 207 (Cyrus et Crésus) ; III 63 (Cambyse et Préxaspe ; IV 97 (Darius et Coès), V 23 (Darius et Mégabyze) ; VIII 13, 47 (Xerxès et Artabane), VII 101 et suiv., 209, 234 et suiv. (Xerxès et Démarate), VIII 67-69, 101-102 (Xerxès et Artémise).

l'Hellespont, ne s'associe que mollement aux rodomontades de Mardonios ; après un emportement passager, il écouterait la voix de la raison, c'est-à-dire du sage Artabane, et renoncerait à attaquer les Grecs, si les dieux ne l'y contraignaient ; fier de ses armées, qu'il estime invincibles, il ne déprise pas cependant l'adversaire ; engagé à son corps défendant dans une périlleuse entreprise, il fait contre mauvaise fortune bon cœur, ce qui est après tout le mieux qu'il ait à faire[1] ; il est, au milieu de ses troupes en marche, accessible à la mélancolie et aux réflexions philosophiques[2], curieux d'antiquités, de souvenirs, de sites singuliers, de beautés naturelles[3] ; tout autre chose qu'un soudard et un brutal conquérant. Au plus redoutable ennemi que la Grèce ait connu, au ravageur d'Athènes, Hérodote n'a pas refusé quelques traits qui le rendent presque sympathique.

En voilà assez pour expliquer comment, aux yeux de Plutarque, l'historien a pu mériter la qualification de φιλοβάρβαρος. Grandi au contact d'allogènes, spectateur de réalités vivantes, il ne pouvait avoir les préjugés, — préjugés littéraires, stylisés, — d'un homme de cabinet de l'époque impériale ; mais, dans un monde qui vibrait encore du souvenir des grandes guerres et de l'exaltation des grandes victoires, il était exposé aux suggestions de la rancune et de la vanité nationale ; il n'y a pas mal résisté. Les préventions les plus nettes qui se remarquent chez lui ne sont pas dirigées contre des Barbares ; elles le sont contre des frères de race.

D'abord contre les Ioniens d'Asie. Hérodote parle d'eux sans tendresse, volontiers sur un ton de moquerie. Il nie qu'ils soient, comme ils voudraient le faire croire, de sang pur et de noble origine, alors que leurs ancêtres, quand ils vinrent s'établir en Asie, étaient un ramassis de Grecs de toutes provenances et même d'étrangers, qui prirent pour

1. VII 11 et suiv. ; 8, 53 ; 50.
2. VII 46.
3. VII 31, 43, 128, 197.

femmes des Cariennes et pour rois des Lyciens ou des Caucones ; il représente les Athéniens, dans une circonstance où ils veulent châtier et humilier leurs femmes, ne trouvant rien de mieux que de leur imposer le costume ionien, — qui, en réalité, vient de Carie ; il signale que d'autres peuples de bonne souche ionienne repoussent comme infamante une dénomination qui les apparente à leurs cousins asiatiques, et que nul, en dehors des douze villes, ne sollicita jamais son admission à leur fameux sanctuaire du Panionion, dont ils étaient si fiers et si jaloux [1]. Il paraît s'amuser de la déconvenue que les Ioniens éprouvèrent quand ils offrirent — trop tard — de se soumettre à Cyrus et furent piteusement éconduits ; il tourne en ridicule l'ambassadeur qu'ils envoyèrent à Sparte pour demander du secours ; il souligne que Cyrus dédaigna de marcher contre eux en personne et en confia le soin à un lieutenant ; il note avec complaisance l'appréciation sarcastique des Scythes, qu'à les considérer comme des hommes libres les Ioniens sont les plus vils et les plus lâches du monde, mais que, si on les envisage en tant qu'esclaves, il n'en est pas de plus attachés à leurs maîtres ni de plus incapables de s'enfuir [2]. Les instigateurs du soulèvement de l'Ionie, Histiée, Aristagoras, sont présentés par lui comme des intrigants et des brouillons ; leur entreprise, comme une folle aventure, dont l'insuccès était certain d'avance et qui devait déchaîner sur le monde les pires calamités [3] ; le récit qu'il fait de l'expédition de Sardes est empreint d'une méprisante ironie ; les Ioniens, par un coup de surprise, s'emparent de toute la ville, — sauf de la citadelle, qui seule était défendue ; et, dès que l'ennemi se ressaisit et leur montre les dents, ils déguerpissent à la hâte ; Darius, qui sait à quoi s'en tenir sur leur compte, s'émeut peu de leur rébellion ; elle avorte en effet, et non pas seulement à cause de l'inégalité des forces qui s'affrontent, mais aussi parce que les Ioniens, continuant des errements anciens (I 170),

1. I 146-147 ; V 97 ; I 143.
2. I 141, 152, 153 ; IV 143.
3. V 30, 35 (cf. VI 3), 97.

ne coordonnent pas assez strictement leurs efforts et sont incapables de s'astreindre pendant plus de quelques jours à une dure discipline [1]. En écrivant les passages auxquels nous venons de faire allusion, Hérodote, natif d'une cité dorienne, d'une cité dorienne proche de l'Ionie, s'abandonnait quelque peu à la morgue que les Doriens affectaient fréquemment envers les autres Grecs ; aussi, et — je crois — davantage, à l'humeur malicieuse qui anime d'ordinaire les uns contre les autres les habitants de pays limitrophes, de villes voisines, de bourgades qui se touchent. Mais cette morgue et cette malice ne troublent pas toujours son jugement ; entre les boutades et les critiques, il y a place chez lui pour des éloges à l'adresse des Ioniens. A plusieurs reprises, il les montre nettement supérieurs sur mer aux Phéniciens ; il reconnaît que, sur terre, s'ils luttèrent sans succès contre les généraux de Cyrus, ce ne fut pas sans courage [2]. Il relève même à leur honneur des traits de noblesse d'âme, d'attachement à la liberté, de solidarité : les Phocéens refusent d'acheter leur salut en abattant, sur l'injonction d'Harpage, une minime partie de leurs murs et en consacrant une de leurs maisons ; eux et les Téiens abandonnent leur pays plutôt que d'y vivre en esclaves ; avant la bataille de Ladè, les habitants de chaque ville, sollicités en particulier par des émissaires du commandement perse, repoussent les propositions clémentes qui leur sont faites parce qu'ils croient qu'elles sont faites à eux seuls, et ne veulent pas trahir la cause commune [3]. Faut-il rappeler qu'en faveur des Samiens, qui font partie de la Dodécapole ionienne, Hérodote oublie ses préjugés au point de n'avoir pour eux que de la sympathie et même, à l'occasion, des trésors d'indulgence [4] ?

Son mauvais vouloir à l'endroit des Thébains, dont Plutarque est si fort indigné, s'exprime essentiellement par la constatation d'un acte indéniable, qu'en vérité Hérodote ne

1. V 100-101 ; V 105 ; VI 12.
2. V 112, VIII 90 ; I 169.
3. I 164 ; 165, 168 ; VI 10.
4. Voir ci-dessus, p. 10.

pouvait ni ignorer ni taire : le ralliement de Thèbes au parti de l'envahisseur. Mais il faut concéder à Plutarque qu'Hérodote n'a rien fait pour excuser cet acte. Il pouvait alléguer à la décharge des Thébains, comme il l'a fait à la décharge des Thessaliens et des Phocidiens [1], la nécessité, la situation géographique de leur pays, abandonné à la merci des Perses ; il les montre au contraire, lorsqu'ils passent à l'ennemi, s'excusant d'avoir dû jusqu'alors servir contre leur gré la cause de l'indépendance (VII 233) ; tout au plus laisse-t-il entendre en passant que le médisme, chez eux, n'a pas été le fait de la population tout entière (IX 85). Autour de leur défection, il signale, sans nécessité sinon sans exactitude, des circonstances qui la rendent plus laide : les soupçons de Léonidas, la flétrissure des transfuges par Xerxès [2]. Les seuls traits qui, dans cette honte, maintiennent un peu d'honneur sont le rappel du courage que les troupes thébaines déployèrent à Platée au service d'une mauvaise cause, et celui du dévouement de quelques oligarques, les plus compromis comme partisans des Mèdes, qui, après la bataille, pour éviter à Thèbes un siège et une mise à sac, se livrèrent spontanément aux Grecs [3].

De ce mauvais vouloir d'Hérodote à l'égard des Thébains, et aussi de sa complaisance à rapporter de méchants bruits qui couraient sur le compte des Corinthiens [4], on donnait dans l'antiquité des explications anecdotiques [5]. Il se peut

1. VII 172-174 ; IX 17.

2. VII 205, 222 ; 223. Passés à l'ennemi, non seulement les Thébains se battent avec ardeur dans ses rangs, mais ils lui donnent des conseils politiques tirés de leur connaissance du monde grec (IX 2, 41) et lui dénoncent les quelques cités de Béotie qui n'ont pas voulu se soumettre (VIII 50).

3. IX 66, 68 ; 86-87.

4. Voir ci-dessus, p. 80.

5. Plutarque, *De Herodoti malignitate*, 31 (les Thébains lui auraient refusé l'argent qu'il demandait, et interdit de s'entretenir avec les jeunes gens) ; [Dion Chrysostome], *Corinthiaca*, 7 (les Corinthiens n'auraient pas voulu reconnaître par des largesses les justes éloges qu'il leur avait d'abord décernés).

qu'en effet, entre l'écrivain conférencier et le public de telle ou telle ville grecque, se soient produits des froissements ; mais, en général, l'attitude d'Hérodote envers les différents peuples de la Grèce s'explique d'une autre manière : la raison d'être en est souvent dans la qualité des relations que ces peuples entretenaient vers le milieu du ve siècle avec les Athéniens. Hérodote parle avec indulgence des Thessaliens, des Phocidiens, des Argiens [1], parce qu'alors Thessaliens, Phocidiens et Argiens étaient en bons termes ou tout au moins n'étaient pas en mauvais termes avec Athènes ; il parle des Thébains sévèrement et des Corinthiens sur un ton ambigu, parce que Thèbes et Corinthe étaient du camp opposé.

Est-ce à dire qu'il fasse délibérément œuvre de pamphlétaire, d'agent de propagande ? qu'il veuille appuyer la politique que l'on pratiquait de son temps à Athènes, favoriser l'impérialisme athénien ? Je ne le crois pas. Dans les quelques passages où il fait allusion à l'ensemble des événements qui suivirent la déconfiture des Perses, il paraît attristé de la tournure que prirent alors les choses. Il y a de l'amertume dans cette phrase du livre VIII chapitre 3 : « Les Athéniens (pressés par les alliés de laisser le commandement suprême aux Lacédémoniens) cédèrent, pour le temps où ils avaient grand besoin des alliés, comme ils le firent bien voir. Car, lorsqu'on eut repoussé le Perse et alors que déjà on combattait pour s'emparer de son pays, prétextant l'arrogance de Pausanias, ils enlevèrent aux Lacédémoniens le commandement » ; il y a de la mélancolie dans cette autre phrase du livre VI chapitre 98 : « Sous Darius fils d'Hystaspe, Xerxès fils de Darius et Artaxerxès fils de Xerxès, sous ces trois générations successives, plus de malheurs arrivèrent à la Grèce que durant vingt autres générations qui avaient précédé Darius, les uns lui venant des Perses, les autres des principaux d'entre les Grecs eux-mêmes en lutte pour l'hégémonie. » Hérodote, il me semble, était tout le contraire d'un profond politique. Et, bien qu'il ait pris à tâche d'assurer la

1. Pour ce qui concerne les Argiens, voir ci-dessus, p. 31-32.

mémoire de beaucoup de faits d'armes, il n'était rien moins que belliqueux. « Il n'y a pas d'homme assez insensé », fait-il dire par Crésus à Cyrus (I 87), « pour préférer la guerre à la paix ; dans la paix, les enfants ensevelissent leurs pères ; dans la guerre, ce sont les pères qui ensevelissent leurs enfants. » Surtout, les guerres entre hommes du même sang, les guerres entre Grecs, lui apparaissent comme des calamités, des non-sens, des monstruosités : « Autant la guerre est pire que la paix », dit-il en son propre nom, « autant l'est la discorde entre gens de même race que la guerre faite de commun accord » (VIII 3) ; et, par la bouche de Mardonios, qui, dans la circonstance, m'a tout l'air d'être son interprète : « Les Grecs, puisqu'ils sont de même langue (pour Hérodote, langue et race coïncident), devraient régler leurs différends par le moyen de hérauts et d'ambassades et en usant de tous les procédés plutôt que par des combats » (VII 9). Telle étant l'humeur d'Hérodote, il pouvait saluer comme un heureux événement la conclusion de la paix de Callias ; je doute qu'il ait approuvé chaudement tous les autres articles du programme de Périclès en fait de politique étrangère. Je ne suis pas non plus bien convaincu qu'il ait chéri en Athènes le modèle d'une cité démocratique. La démocratie qu'il fait profession d'aimer est un état qui s'oppose à la tyrannie, au gouvernement despotique d'un seul ; ce n'est pas l'ochlocratie telle que Périclès contribua fâcheusement à l'établir. S'il proclame que le nom de l'*isonomie* est le plus beau du monde, s'il approuve dans l'état populaire la responsabilité des magistrats et les délibérations prises en commun (III 80), s'il montre la prospérité nationale découlant de cet état comme une conséquence naturelle (V 78), il prête ailleurs à l'un de ses personnages (c'est, à vrai dire, un Perse, mais il nous est donné pour un homme judicieux) des appréciations de Dèmos que Critias n'aurait pas désavouées : — il est sot (ἀξύνετος), insolent (ὑβριστής), effréné (ἀκόλαστος), il ne comprend rien (οὐδὲ γινώσκειν ἔνι), il manque de jugement (ἄνευ νόου), etc. (III 81), — et, à propos de l'inégal succès qu'obtint Aristagoras en tête-à-tête avec Cléomène de Sparte et devant l'assemblée des Athéniens, une réflexion mordante lui échappe : « il est plus aisé, faut-il croire, de tromper beaucoup d'hommes qu'un seul » (V 97). A mon humble avis, la prédilection d'Hérodote pour Athènes dut être déterminée moins par une communauté de vues entre lui et les maîtres de l'heure que par l'agrément qu'il trouva dans la société athénienne et le bon accueil qu'elle lui fit.

Quoi qu'il en soit, il est incontestable qu'Hérodote, dans ses histoires grecques, raconte beaucoup de choses comme on les racontait de son temps à Athènes. De là son empressement à signaler, à exalter les mérites des Athéniens, — des Athéniens, qui, les premiers des Grecs, soutinrent à Marathon la vue de l'équipement des Mèdes et des hommes qui le portaient, tandis que jusque-là le seul nom de ces Mèdes était pour tous un sujet d'épouvante ; des Athéniens qui, lors de Salamine, furent après les dieux les libérateurs de la Grèce [1] ; — de là aussi, l'inégale sévérité envers les différents peuples grecs ou l'inégale bienveillance dont nous avons cité plus haut quelques exemples. Les bonnes dispositions de l'historien pour Athènes et les amis d'Athènes ne l'empêchent pas d'ailleurs de donner la parole, quand ses informations le lui permettent, à des membres du parti adverse, ni de leur décerner des éloges lorsqu'à sa connaissance ils y ont droit. Nous l'avons vu accueillir, auprès d'une médisance athénienne, la protestation des Corinthiens ; auprès de l'explication argienne de la neutralité d'Argos, d'autres explications moins bénignes [2]. Aux Corinthiens, il attribue à plusieurs reprises un rôle fort honorable : ils refusent de seconder des entreprises qu'ils estiment injustes et, en face de Sparte, font preuve d'indépendance ; ils s'interposent entre Athéniens et Thébains et règlent un différend qui armait les deux peuples l'un contre l'autre [3]. Les Éginètes, ennemis invétérés d'Athènes, n'en sont pas moins présentés comme ayant le

1. VII 112, IX 45 ; VII 139.
2. Voir ci-dessus, p. 80-81.
3. V 75, 92 ; VI 108.

plus contribué avec les Athéniens à la victoire de Salamine et ayant accompli au cours de la mêlée les plus brillants exploits individuels ; les prouesses d'un Éginète et la stupeur qu'elles causèrent chez les Perses avaient déjà fait auparavant l'objet d'une mention particulière [1]. Surtout, avec la sympathie pour Athènes coexistent chez Hérodote l'estime et l'admiration pour deux puissances grecques qui, au ve siècle, voulaient peu de bien aux Athéniens et à qui les Athéniens n'en voulaient pas davantage : Delphes, Lacédémone.

Delphes est entourée par lui de la plus grande révérence. Il a beaucoup interrogé ses prêtres, ses λόγιοι, il les a beaucoup écoutés, et il a cru tout ce qu'ils lui racontaient. Il fait, si je puis dire, de la réclame pour l'oracle, plus véridique que les autres et qui n'est jamais pris en défaut [2] ; il laisse aux Athéniens la responsabilité du récit d'après lequel la Pythie, à l'époque des fils de Pisistrate, se serait laissé corrompre par les Alcméonides ; et, s'il admet comme un fait avéré que le roi de Sparte Démarate fut un peu plus tard victime d'une pareille intrigue, ce n'est pas sans ce correctif, que la Pythie coupable fut déposée et Cobon son complice banni par les Delphiens [3]. Le rôle de Delphes pendant la seconde guerre médique paraît avoir été, dans la réalité, peu glorieux ; quelque chose de cela transparaît à travers le récit même d'Hérodote ; mais, si l'on prend ce récit tel qu'il est, sans essayer de lire entre les lignes, le prestige du saint lieu y est sauvegardé ; l'oracle concilie l'annonce d'inévitables calamités avec des conseils et des encouragements ; les Delphiens, en communiquant aux Grecs une de ses réponses, acquièrent un titre immortel à leur reconnaissance ; le sanctuaire est miraculeusement protégé par les dieux ; les Barbares eux-mêmes le considèrent comme tellement sacré, que, dans l'esprit de Mardonios, de sa préservation ou de sa ruine dépendrait l'issue de la guerre [4]. Lorsque Delphes est

1. VIII 86, 91 ; 84, 93, 122 ; VII 181.
2. I 48, 53, 91.
3. V 63 ; VI 66.
4. VII 140-141, 220, VIII 114 ; VII 178 ; VIII 36-39 ; IX 41.

en cause, la piété d'Hérodote prend le dessus sur son sens critique et sur ses préférences nationales.

L'image de Sparte qui ressort de l'ensemble de son œuvre n'est certes pas dessinée dans un esprit de dénigrement. Jusqu'aux guerres médiques, la cité de Lycurgue apparaît comme la première du monde grec [1], celle à qui s'adressent de préférence les demandes d'aide et de protection, celle qui se dresse en face de l'avance de Cyrus pour lui signifier son veto, celle qu'on invite à châtier les manquements au patriotisme hellénique, celle qui à Athènes même intervient plusieurs fois avec des allures souveraines [2]. Si, dans la relation de la première guerre médique, elle tient si peu de place, la faute n'en est pas à l'historien ; il n'a pas inventé que les Spartiates arrivèrent après la bataille ; pas davantage, — n'en déplaise à Plutarque, — qu'avec un peu moins de dévotion formaliste et un peu plus de bonne volonté, ils auraient pu éviter ce retard [3]. Vienne la seconde guerre. Sans doute, Hérodote proclame, et proclame très haut, que les Athéniens ont été les principaux artisans du salut commun. Mais son récit de l'affaire des Thermopyles est d'un bout à l'autre un magnifique éloge de l'héroïsme spartiate ; mais la victoire de Platée, « la plus belle de toutes celles dont nous ayons connaissance », est appelée par lui une victoire de Pausanias, à laquelle, déclare-t-il avec preuves à l'appui, les Spartiates ont le plus brillamment contribué ; mais il montre les alliés déférant, même sur mer, le commandement suprême à Sparte et refusant d'obéir à un autre qu'à un Spartiate ; mais, autour de Léonidas, de

1. Les Spartiates sont de pure race hellénique, tandis que les Athéniens sont d'origine pélasgique, c'est-à-dire barbare, et n'ont pas toujours compté parmi les Grecs (I 57, II 51).

2. I 69, 141, III 46, V 38, VI 84, 108 ; I 152 ; VI 49 ; V 63-64, 70, 72, 74.

3. L'imputation de Plutarque (*De Herodoti malignitate*, 26) a été réfutée il y a longtemps par Fréret dans les *Mémoires de l'Académie des Inscriptions et Belles-Lettres*, t. XVIII, p. 135 et suiv. Sur la date de la bataille de Marathon et le retard des Spartiates, voir Busolt, *Griech. Gesch.*, II², p. 580 n. 3 et 4, 596 n. 4.

Pausanias et d'autres Spartiates moins illustres, il multiplie les anecdotes célébrant leur bravoure, leur religion de la discipline, leur fierté, leur magnanimité[1]. Il ne faut donc pas dire que, chez lui, Sparte soit sacrifiée à Athènes ; entre les deux cités rivales il y a partage de gloire, comme il y en eut un, de l'aveu des Spartiates eux-mêmes (VIII 124), entre Thémistocle et Eurybiade ; à chacune des deux revient une primauté ; à Athènes, la primauté dans les conseils, dans tout ce qui demande de la réflexion et du calcul, le prix de la prudence et de l'habileté ; à Sparte, la primauté sur les champs de bataille, le prix de la valeur militaire. Attribuer aux Spartiates, ainsi qu'il arrive à Hérodote de le faire, de l'indécision, une lenteur à se mettre en mouvement qui parfois rend douteux qu'ils veuillent tenir les engagements pris, un certain égoïsme de péninsulaires, le manque d'audace et d'esprit d'entreprise, de la répugnance pour les expéditions lointaines, une étroitesse de conception qui se manifeste jusque dans les choses proprement militaires, voire quelque timidité en présence d'ennemis qu'ils n'ont pas encore rencontrés[2], c'était bien en un sens faire valoir Athènes par contraste ; ce n'était pas, autant que nous puissions juger grâce à des témoignages concordants, peindre Sparte autre qu'elle ne fut.

Dans un ouvrage comme celui d'Hérodote, dont la partie historique consiste surtout en un exposé de conflits internationaux, c'est au détriment ou en faveur de peuples que l'auteur pouvait le plus souvent montrer de la partialité. Pourtant, ce qu'il dit çà et là de l'histoire intérieure de quelques nations ou de quelques cités lui offrait l'occasion d'en manifester pour ou contre les individus. Qu'en parlant

1. VII 209, 211, 220, 234 ; IX 64, 70 ; VIII 3 ; VII 134-136, 220, 226 et suiv., IX 70, 77-78. Voir aussi VII 102, 104.

2. VI 106, 120 ; IX 6 (μακρότερα καὶ σχολαίτερα ἐποίευν) ; IX 53 ; IX 6 et suiv ; V 50, VIII 108, 132, IX 105, 113 ; IX 52 et suiv. (entêtement d'Amompharètos, pour qui ne jamais reculer semble résumer tous les devoirs du soldat), 69 (ignorance de la poliorcétique) ; IX 45.

de certains personnages étrangers, mèdes ou perses, égyptiens ou babyloniens, il se soit fait l'écho de traditions de partis, cela n'entre pas ici en ligne de compte : Hérodote, de toute évidence, n'avait aucune raison personnelle d'attaquer ou de défendre Astyage, Cambyse, Smerdis le mage ; et la vérification de ce qu'il entendait raconter d'eux lui aurait été presque impossible. Il n'est pas davantage responsable de ce qu'il dit quand il parle mal des tyrans et les représente comme des ogres ; ainsi le voulaient l'opinion commune de son époque et le credo politique à la mode ; il ne refuse pas d'ailleurs de reconnaître qu'un des plus notoires parmi ces horribles tyrans, Pisistrate, mit le bon ordre dans sa ville et la gouverna sagement en respectant les usages (I 60). Les personnages de l'histoire grecque à propos desquels Hérodote pourrait être le mieux soupçonné de partialité sont d'une part Thémistocle, d'autre part Démarate et Cléomène. Démarate, réfugié à la cour de Suse, n'est pas nommé parmi les princes déchus qui excitèrent Xerxès à faire la guerre aux Grecs pour reconquérir leur puissance. Ce fut lui, est-il dit au chapitre 239 du livre VII[1], qui, par un message secret, annonça aux Lacédémoniens que le Grand Roi se mettait en campagne ; et, charitablement, l'écrivain laisse dans le doute s'il le fit par bienveillance pour eux, malgré le traitement outrageant qu'il avait souffert de leur part, ou pour les insulter. On nous le montre plusieurs fois interrogé par Xerxès sur ses compatriotes, et chaque fois, bien loin de les déprécier par esprit de vengeance, il fait d'eux au contraire le plus pompeux éloge[2]. Visiblement, Hérodote ménage sa mémoire. Cette indulgence envers le roi détrôné devenu l'ennemi de sa patrie devait conduire à la sévérité envers son adversaire, envers l'homme dont les machinations l'avaient dépouillé de la couronne : Cléomène ; d'autant plus que le même homme avait eu en face d'Athènes libérée des Pisistratrides une attitude inamicale, et qu'il était sans doute

1. L'authenticité de ce chapitre est d'ailleurs contestée.
2. VII 102, 104, 234.

exécré à Argos, où l'auteur avait des amis. En effet, la figure de Cléomène est faite surtout de traits qui n'ont rien de séduisant : Hérodote observe expressément qu'il dut la royauté non pas à ses mérites, car il était loin de valoir Dorieus, mais au hasard de sa naissance ; il le représente comme un déséquilibré, un ivrogne, un brutal, un homme sanguinaire, vindicatif, haineux, capable de traîtrise et de mensonge, un intrigant peu délicat quant au choix des moyens, agent de corruption, peut-être susceptible de se laisser corrompre [1]. Mais, auprès de passages où Hérodote paraît interpréter les rancunes d'autrui, rancunes des descendants de Démarate ou d'une coterie de Lacédémoniens, rancunes d'Athènes et d'Argos, il en est d'autres où, sans craindre de se contredire, il montre Cléomène sous un bien meilleur jour : intègre, de sens rassis, défenseur fidèle et calomnié des intérêts généraux de la Grèce [2]. Ses préventions, qui étaient des préventions d'emprunt, ne sont pas des préventions tenaces. En ce qui concerne Thémistocle, ce qui a paru justifier le soupçon qu'Hérodote ait voulu diminuer sa gloire, c'est d'abord qu'il garde presque complètement le silence sur les actes du grand homme d'état antérieurs à la seconde guerre médique ; c'est ensuite qu'il fait honneur à un autre que lui, — à Mnésiphile, — de l'idée qu'il fallait combattre à Salamine et non pas près du Péloponnèse ; c'est enfin qu'il lui attribue des actes de fourberie, de cupidité et d'indélicatesse. Ces remarques sont intéressantes et méritaient d'être faites. Peut-être n'ont-elles pas toutes la même portée, et ce qu'une morale austère appelle fourberie, cupidité ou indélicatesse apparaissait-il à Hérodote, — lorsque Thémistocle se ménage à tout hasard un refuge auprès du roi de Perse, comme de la simple prudence, — quand il garde pour lui une partie de l'argent destiné par les Eubéens à acheter les chefs de la flotte

1. V 39, 42 ; V 42, VI 75 ; VI 84 ; VI 79-80 ; VI 65, 74 ; VI 66 ; V 51.
2. III 149 ; V 49-50 ; VI 61.

grecque ou quand il rançonne à son profit les partisans des Mèdes, comme une ingénieuse combinaison de la bonne diplomatie, de la politique nationale et de l'intérêt personnel[1] ; Hérodote, en Grec avisé, n'avait sans doute pas la naïveté de croire qu'un utile serviteur du bien public soit nécessairement, dans le privé, un parangon de vertu. Mais passons. L'ensemble des remarques qui précèdent autorise cette conclusion : que, dans certains milieux athéniens où Hérodote a puisé des informations, on professait à l'égard de Thémistocle une animosité, une jalousie rétrospective ; je n'y vois pas la preuve que l'historien se soit associé à ce sentiment. Le peu qu'il dit du rôle de Thémistocle avant l'invasion de Xerxès (VII 144) signale ce qui était, à son point de vue et pour l'intelligence des événements qu'il raconte, l'essentiel : car ce n'est pas en prenant part à des querelles de factions, en travaillant au bannissement d'Aristide, ni même en décidant la création du Pirée, que Thémistocle s'est trouvé préparer la résistance victorieuse de la Grèce à l'envahisseur ; c'est en faisant construire une nombreuse flotte athénienne. Dans un récit des guerres médiques, le détail de ce qui se passa à Athènes entre 490 et 480 aurait constitué une digression ; je sais qu'Hérodote pouvait admettre une pareille digression sans faillir à ses habitudes, — encore que, dans les derniers livres de son œuvre, la composition soit plus serrée ; mais, s'il ne l'a pas admise, pourquoi serait-ce avec l'intention de desservir la renommée de Thémistocle ? Cette intention est-elle plus certaine dans l'épisode de Mnésiphile (VIII 57-58) ? En disant que Thémistocle s'appropria (ἑωυτοῦ ποιεύμενος) l'idée de son compatriote, je ne pense pas qu'Hérodote ait voulu stigmatiser un plagiat ; aurait-il relevé en ce cas qu'aux raisons données par Mnésiphile Thémistocle en ajouta beaucoup d'autres (καὶ ἄλλα πολλὰ προστιθείς) ? aurait-il commenté comme il le fait le résultat du vote des Grecs à l'assemblée de l'Isthme ? aurait-il rapporté les honneurs extraordinaires

1. VIII 110 ; VIII 4-5, 112.

rendus à Thémistocle par les Spartiates sans observer d'un mot que ces honneurs étaient en partie usurpés ? se serait-il plu à raconter ensuite comment, de retour à Athènes, Thémistocle ferma la bouche à un envieux [1] ?

En résumé, si des faits ou des personnages sont présentés chez Hérodote d'une façon trop sévère ou trop indulgente, la cause n'en est pas un dessein arrêté de l'auteur, une volonté consciente de favoriser tel ou tel ; et ce n'est pas non plus, ou ce n'est que rarement, une disposition malveillante à l'égard de ceux à qui il est fait tort ; quoi qu'en pense Plutarque, il n'y a pas de fiel dans l'âme d'Hérodote. Sa partialité, si l'on peut employer ce mot, procède d'une docilité trop grande en face de certains informateurs qui lui sont personnellement sympathiques. Mais cette docilité n'est jamais érigée en système ; affranchi pour son compte de beaucoup de préjugés, ethniques ou politiques, Hérodote s'efforce manifestement de ne pas se laisser circonvenir et de rester impartial. Le constater n'est pas vouloir mettre sa véracité à l'abri de contestations légitimes ; ce n'est que reconnaître une des qualités, et non des moins estimables, de son esprit et de son caractère.

HÉRODOTE PSYCHOLOGUE

Hérodote n'est pas un profond psychologue. On peut glaner à travers son ouvrage quelques traits qui révèlent plus de finesse d'esprit, plus de sagacité que n'en possèdent les hommes du commun : cette réflexion par exemple, qu'en se rendant invisible, par le moyen d'une rigoureuse étiquette, au gros de ses sujets, Déiokès entendait leur inspirer l'idée qu'il était, lui le roi, d'une espèce supérieure (I 99) ; ou cette maxime, attribuée à Polycrate, qu'on fait plus de plaisir à un homme en lui restituant ce qu'on lui a enlevé qu'en ne lui enlevant jamais rien (III 30) ; ou les remarques,

1. VIII 123, 124, 125.

placées dans la bouche d'Otanès et de Xerxès, sur l'appétit de flatteries des despotes et leur défiance à l'égard des flatteurs (III 80), sur la jalousie plus fréquente entre concitoyens qu'entre étrangers unis par les liens de l'hospitalité (VII 237) ; ou les conjectures proposées sur les mobiles de certains personnages : de Maiandrios de Samos, lorsqu'il laissa les coudées franches contre les Perses à son frère Charilaos (III 146) ; des Lacédémoniens, lorsqu'ils conseillèrent aux Platéens de se mettre sous la protection d'Athènes (VI 108) ; des Phocidiens, lorsqu'ils refusèrent en 480 d'embrasser le parti des Mèdes (VIII 30). Mais les détails de cette qualité sont peu nombreux. En général, le jeu des ressorts psychologiques tel qu'Hérodote le discerne et le note n'a rien de rare ni de bien compliqué. Du moins semble-t-il, d'ordinaire, discerné avec justesse et noté avec exactitude. Si nous voulions indiquer des passages où la genèse d'un projet, un revirement d'opinion, des calculs de probabilités, sont reconstitués d'une façon très plausible, nous n'aurions que l'embarras du choix.

Il y a cependant chez Hérodote des invraisemblances et des incohérences sur quoi on ne saurait fermer les yeux. Il est indéniable que les personnages qu'il met en scène se comportent parfois d'une façon qu'on ne s'explique pas, ou que l'explication qu'il donne de leur conduite satisfait mal la raison. Mais, avant de lui imputer de ce chef un manque de finesse ou des défaillances du bon sens, il faut voir comment les passages inquiétants se répartissent, et ce qui les entoure. La plupart se rencontrent dans les récits des événements les plus anciens, de ceux en particulier qui appartiennent — ou sont censés appartenir — à l'histoire des peuples étrangers. Qu'on parcoure le livre I. L'étrange obstination de Candaule à exhiber sa femme nue, l'imprudence d'Astyage qui confie le commandement de ses armées à un homme qu'il a offensé, sont tant bien que mal expliquées par l'irrésistible intervention du destin ou des dieux (I 8, 127). Mais comment se fait-il que la reine de Lydie devine du premier coup que son mari a posté Gygès dans la chambre ? Pourquoi son ressentiment contre Candaule la porte-t-il d'emblée à s'offrir à Gygès ? Où prend-elle l'assurance qu'elle peut disposer de la couronne de Sardes en même temps que de sa personne ? Plus loin, est-il admissible que Crésus, instruit que son fils périrait par une pointe de fer et qui a poussé la précaution jusqu'à faire enlever de ses appartements les flèches et les piques pendues aux murs dont quelqu'une en tombant aurait pu blesser le jeune homme, envoie cependant celui-ci à la chasse au milieu d'une troupe de gens armés ? et qu'il choisisse pour veiller sur Atys précisément un homme qui a la main malheureuse, un homme déjà coupable d'un meurtre involontaire ? Peut-on le croire assez sot, lui qui doit bien savoir à quoi s'en tenir sur l'ambiguïté des oracles, pour prendre au pied de la lettre la réponse de Delphes où il est question, comme futur roi des Mèdes, d'un mulet ? Et que penser de la transformation qui s'opère soudainement en lui après sa chute ? L'épreuve du feu suffit-elle pour faire d'un étourdi présomptueux un sage et prudent conseiller ? Astyage, en reconnaissant le jeune Cyrus, fait preuve d'une perspicacité surhumaine. L'horrible vengeance qu'il exerce contre Harpage est, de la part même d'un « Barbare », hors de toute proportion avec la faute commise, faute avouée, faute légère, faute qui, semble-t-il, ne saurait avoir de suites fâcheuses ; elle est donc incompréhensible. L'artifice auquel Cyrus a recours en produisant une fausse lettre d'Astyage qui l'aurait investi du gouvernement de la Perse est puéril, et son succès a de quoi étonner. La confidence du forgeron de Tégée qui met le Spartiate Lichas sur la trace des ossements d'Oreste manque de naturel. A de semblables traits, on reconnaît les procédés des contes populaires, qui, pour les temps anciens et les pays exotiques, fournissaient à Hérodote la principale matière de ses récits. Le conte, d'ordinaire, ne s'embarrasse guère de logique ; il n'a cure d'enchaîner les faits avec rigueur et de motiver conformément aux lois de la raison tous les actes des personnages ; ceux-ci s'y comportent souvent comme des marionnettes capricieuses, impulsives, dont un chacun est libre de s'expliquer à sa guise les déterminations imprévues [1]. Que pouvait faire Hérodote de tels contes ? Les soumettre à une critique sévère pour en extraire ce qu'ils contenaient de vérité, si toutefois ils en contenaient, n'était ni dans ses moyens ni dans ses goûts. Les assagir, en essayant de concilier ce qui à première vue semblait contradictoire, de préparer ce qui éclatait à l'improviste, de relier ensemble ce qui était décousu, aurait été le fait d'un lourd pédant. Hérodote ne l'a pas entrepris. Lui-même, s'il s'était interrogé, eût probablement reconnu les anomalies qui nous frappent. Dans l'amusante histoire des deux frères qui pillent le trésor de Rhampsinite (II 121), un vrai conte des *Mille et une Nuits*, il déclare un détail incroyable : la décision du roi de prostituer sa fille à tout venant, dans l'espoir qu'en interrogeant ceux qui la visiteront elle découvrira le coupable ; n'en concluons pas que, pour le reste, les pensées et les démarches des acteurs lui aient paru rationnelles. Quand il parlait d'événements lointains dans l'espace et la durée, Hérodote ne prétendait sans doute pas mériter autant de créance que lorsqu'il racontait Salamine et Platée ; le « plus vraisemblable » dont il se contentait alors pouvait être, à ses propres yeux, médiocrement vraisemblable.

Il est des cas où l'écrivain a une part plus grande de responsabilité personnelle. Au livre III chapitre 48, il prétend expliquer l'animosité des Corinthiens contre Polycrate de Samos par le ressentiment d'une injure que les Samiens avaient faite, une génération auparavant, à un tyran de Corinthe,

1. Certaines incohérences peuvent tenir à ceci : que plusieurs versions d'une même histoire, primitivement indépendantes, seraient, dans le récit que nous offre Hérodote, contaminées. Si, par exemple, la reine de Lydie s'offre si vite à Gygès, ce peut être parce que, suivant une tradition, Gygès, — de qui il est dit chez Hérodote qu'il fréquentait familièrement la reine, — était dès auparavant son amant ; si elle lui promet le trône, ce peut être parce que, dans une version dont le mot στασιῶται (chapitre 13) conserverait le souvenir, Gygès préparait de longue main le renversement de Candaule. Mais rien n'oblige à rendre Hérodote responsable de la contamination et du supplément d'invraisemblance qu'elle entraîne.

Périandre, en soustrayant à leur malheureux sort un lot de jeunes gens de Corcyre que Périandre expédiait en Asie pour y être faits eunuques. A cela, Plutarque[1] objecte que, du temps de Périandre au temps de Polycrate, la situation respective de Corinthe et de Samos avait changé ; les Corinthiens contemporains de Polycrate étaient affranchis de la tyrannie des Kypsélides ; ils ne devaient donc aucunement se soucier de venger les injures de Périandre ; et d'ailleurs eût-ce été les venger que d'aider les Samiens, tombés à leur tour sous le joug d'un tyran, à secouer sa domination ? Il me semble que, dans la circonstance, Plutarque ne raisonne pas mal. L'explication donnée par Hérodote ne vaut rien ; et lui-même paraît s'en être rendu compte, car il y ajoute quelques lignes plus loin une explication supplémentaire, tirée de l'hostilité séculaire entre Corinthe et Corcyre, qui ne vaut pas beaucoup mieux. L'attitude des Corinthiens pouvait être expliquée de façon suffisante par leur haine de la tyrannie. Mais, à présenter les choses d'une autre manière, l'écrivain trouvait l'avantage d'introduire dans sa narration l'épisode des jeunes Corcyréens, puis l'histoire de Périandre et de Lycophron. Il a estimé apparemment qu'il ne payait pas une transition trop cher en l'achetant au prix d'une explication fantaisiste. L'exemple n'est sans doute pas unique dans son ouvrage. Plutôt que méconnue, la vraisemblance psychologique est alors dédaignée, sacrifiée au souci de la composition.

Arrive-t-il qu'elle soit nettement méconnue, méconnue sans compensation ? A en croire Plutarque[2], Hérodote aurait énoncé une absurdité en disant que Léonidas retint auprès de lui, aux Thermopyles, le contingent thébain parce qu'il s'en défiait. La critique porte à faux. On a vu de tout temps des chefs militaires pousser face à l'ennemi, en les encadrant bien, des troupes d'un loyalisme douteux, plutôt que de les laisser à l'arrière, à proximité de leurs foyers. Trois cents Spartiates et sept cents Thespiens suffisaient pour encadrer quatre cents

1. *De Herodoti malignitate*, 22.
2. *Ibid.*, 31.

Thébains, à qui la disposition des lieux rendait également difficile et de battre en retraite sans y être autorisés et de faire défection. Il se peut que l'assertion d'Hérodote soit calomnieuse ; elle n'est pas absurde. Si un détail de son récit blesse la vraisemblance, ce n'est pas que Léonidas ait retenu les Thébains près de lui ; c'est que, dans le tumulte d'un ardent corps à corps, ceux-ci aient pu se faire écouter des Barbares et obtenir quartier ; Plutarque, qui s'en étonne, a cette fois raison ; mais le détail en question n'est pas du domaine de la psychologie. Est-ce une erreur de psychologie que d'avoir attribué à un grand seigneur perse, Otanès, des préférences pour le gouvernement populaire et le désir d'en doter son pays ? Hérodote nous apprend lui-même que bien des gens lui reprochaient ce trait comme incompatible avec l'état d'esprit d'un Perse et d'un grand seigneur (VI 43). Mais il est arrivé d'autres fois, en tout lieu et à toute époque, que des hommes se soient singularisés par des idées opposées à celles de leur milieu. Admettre qu'Otanès ait été une de ces exceptions n'était pas forcément admettre une sottise.

Des actes ou des intentions qui soient en eux-mêmes déraisonnables et inintelligibles, je ne crois pas qu'Hérodote, en dehors des parties de son histoire où il reproduit des récits légendaires, en attribue à ses personnages. Mais il n'est pas sans exemple que, d'un chapitre à un autre, tel ou tel personnage change de caractère et qu'il se présente ici et là sous des aspects différents, malaisément conciliables. Quelques incohérences de ce genre ont été signalées par anticipation au cours des précédents paragraphes : on a quelque peine à concevoir que Cléomène le fou et Cléomène le sage, Thémistocle le plus habile des Grecs et Thémistocle docile interprète de Mnésiphile, ne fassent chaque fois qu'un seul individu. Si nous essayions de tracer, d'après Hérodote, le portrait moral de Miltiade, de Pausanias ou de Leutychide, nous nous heurterions à des difficultés analogues. La raison en est évidente. On l'apercevra d'autant mieux, si l'on prend garde que les personnages dont la figure est le plus incertaine sont ceux-là mêmes sur lesquels l'historien pouvait être le plus copieusement informé. Il n'y a pas d'incohérence dans la présentation de Mardonios et d'Artabane, le mauvais ange et le bon ange de Xerxès ; c'est que, de l'un et de l'autre, l'écrivain avait probablement entendu dire peu de chose, et qu'alors il « brodait » sans contrainte sur de rares données concordantes. Il n'y en a pas non plus dans la présentation d'un Aristagoras ou d'un Histiée, personnages déjà anciens, dont les actes n'étaient plus discutés et sur lesquels avait dû se former une tradition unanime. Il n'en allait plus de même lorsqu'il s'agissait d'un Thémistocle, d'un Miltiade ou d'un Cléomène, dont tout le monde savait parler en Grèce et dont, je pense, beaucoup coutinuaient à parler. Autour des noms de ces hommes, Hérodote a juxtaposé tels qu'il les recueillait des détails, des épisodes, qui lui étaient fournis par plusieurs informateurs distincts, quelquefois animés de sentiments contraires et représentant des tendances divergentes. Son bon sens a pu lui en faire rejeter qui, considérés isolément, lui paraissaient incroyables. Il n'a pas poussé le travail plus avant ; il n'a pas effacé les disparates ; il ne s'est pas composé, il ne nous a pas proposé, de chacun des acteurs importants, une image une et précise. Honorable scrupule ? Volonté de ne rien dissimuler aux lecteurs qui pût les mettre en état de se faire à eux seuls une opinion ? Je croirais plutôt qu'Hérodote a reculé devant la tâche, dont peut-être, en un temps où il n'existait guère en fait de grandes œuvres narratives que des œuvres épiques, il ne concevait pas l'intérêt pour un narrateur d' « événements humains ». Toujours est-il qu'en n'accordant pas assez de soin à l'étude des caractères, qui exercent souvent sur le développement des faits une si grande influence, il s'est privé, dans la recherche du vraisemblable, d'un secours efficace.

DE LA SENSIBILITÉ MORALE D'HÉRODOTE ET DE SA « MALIGNITÉ »

On a mis en doute la sensibilité morale d'Hérodote ; on a prétendu qu'en dépit du ton de prédication qu'il lui arrive de prendre, et bien que tel ou tel passage de son histoire fasse l'effet d'un tableau de la morale en action, il était pour son compte indifférent, ou qu'il s'appliquait à le paraître [1]. C'est un paradoxe. Hérodote, nous l'avons constaté, sait que les notions morales n'ont pas une valeur absolue et universelle ; il sait que ce qui est bien aux yeux des Grecs peut être mal aux yeux d'autres nations, et inversement. Il n'en conclut pas que la distinction du bien et du mal, telle qu'on l'acceptait autour de lui, doive être dédaignée. Un seul passage de toute son histoire expose une thèse subversive : ce passage du livre III chapitre 72 : « Dans un cas où il est nécessaire de dire un mensonge, disons-le. Le désir est le même, de ceux qui mentent et de ceux qui disent la vérité : on ment quand on doit, en persuadant autrui par des mensonges, réaliser un gain ; on dit la vérité pour gagner en étant véridique et pour s'attirer une plus grande confiance. Ainsi, sans tenir la même conduite, nous nous attachons à la même chose. S'il n'y avait rien à gagner, on verrait indifféremment celui qui dit la vérité mentir, et celui qui ment dire la vérité. » De prime abord, cette justification « sophistique » du mensonge paraît être un défi aux opinions reçues ; défi d'autant plus agressif, que le « mensonge » qu'il s'agit d'absoudre pouvait sembler à beaucoup mériter à peine ce nom fâcheux et, plutôt qu'un mensonge, être une ruse de guerre mise au service d'une bonne cause ; que, d'autre part, Darius, qui prononce les paroles rapportées ci-dessus, n'aura pas l'occasion de mettre en pratique sa théorie ; il se proposait, pour obtenir d'être reçu dans le palais, de dire que, revenant de loin, il avait quelque chose à faire savoir au roi de la part de son père ; or, il est précisé plus bas que, par un heureux effet du hasard, les conspirateurs eurent la chance d'entrer sans que personne leur demandât rien à la porte. Mais peut-être l'inutilité même des considérations placées dans la bouche de Darius aide-t-elle à en comprendre l'origine et à déga-

1. Voir en particulier Howald, *Ionische Geschichtsschreibung,* dans l'*Hermes,* 1923, p. 113 et suiv.

ger la responsabilité d'Hérodote. Les Perses, à l'ordinaire, réprouvaient le mensonge comme la faute la plus honteuse (I 138). Si, dans la réalité, les conjurés pénétrèrent auprès du faux Smerdis grâce à un mensonge de Darius, les traditions orientales, auxquelles doit remonter en dernière analyse le récit d'Hérodote, avaient dû s'appliquer à pallier de leur mieux ce détail déplaisant ; l'une, en imaginant que Darius, servi par la fortune, n'eut pas d'explications — vraies ou fausses — à fournir aux gardes de la porte ; l'autre, plus hardie, plaidant que, vu les circonstances, la règle qui défendait de mentir admettait cette fois une exception. Chez Hérodote, les deux sont combinées. Tout ce qui peut incomber à notre auteur, c'est d'avoir donné à l'excuse du mensonge, probablement sous l'influence d'un casuiste grec contemporain, un tour trop général.

Aussi bien, quand on met en doute la sensibilité morale d'Hérodote, ne relève-t-on pas contre lui ce qu'il a pu dire ici ou là, mais une sobriété d'appréciations, une neutralité, qui serait significative. Il est vrai qu'il lui arrive de relater des traits de cruauté, de mauvaise foi, de lâcheté ou de cupidité du même ton que des actions louables, et de parler de gredins avec calme. C'est qu'il en est de sa réprobation comme de son incrédulité : il ne l'exprime pas aussi souvent que l'occasion s'en présente. Elle n'en existe pas moins ; et lui-même, quelquefois, nous permet de la discerner sous une impassibilité apparente. Ainsi, au livre IV chapitre 202, il raconte sans un mot de blâme l'effroyable vengeance que Phérétimè exerça contre les Barcéens ; mais poursuivons ; au chapitre 205, nous constaterons que ces atrocités lui inspiraient de l'horreur. Il n'y a pas non plus de blâme explicite au livre I chapitre 160 à l'adresse de ceux qui livrèrent Pactyas à ses ennemis moyennant la cession du territoire d'Atarneus ; mais, en ayant soin de rappeler que, durant de longues années, ils n'osèrent employer pour l'usage religieux rien qui provînt de ce territoire mal acquis, Hérodote laisse assez entendre ce qu'il pense de leur félonie. En dehors des histoires édifiantes auxquelles nous faisions allusion tout à l'heure, assez de jugements défavorables, assez d'épithètes vengeresses, stigmatisent au cours de ses récits des fautes d'un caractère profane ; et, comme contre-partie, il loue assez souvent en des termes formels la justice, la droiture, le désintéressement, pour qu'il soit impossible de le taxer d'amoralité. Qu'il ne juge pas, n'admire pas, ne classe pas tous les hommes dont il parle, simples particuliers et hommes d'état, hommes du commun et princes, d'après le seul critère de la vertu, rien de plus naturel, puisqu'il ne prétend pas faire constamment œuvre de moraliste. Rendre hommage à la largeur des vues politiques d'un Polycrate, « le premier qui, depuis Minos, ait recherché la maîtrise de la mer », à la fierté de ses ambitions, à sa magnificence que seuls parmi les Grecs les tyrans de Syracuse égalèrent, déclarer que sa fin misérable ne fut pas digne de lui, ce n'est pas oublier, encore moins pardonner, ses meurtres, ses violences, son cynisme, son machiavélisme [1] ; c'est changer de plan et passer d'un ordre à un autre.

Le plus qu'on puisse songer à reprocher à Hérodote au point de vue de la sensibilité morale serait une indulgence exagérée en face de quelques sortes de fautes. Encore ne convient-il de lui en faire grief que si cette indulgence outrepasse chez lui ce qu'elle était chez la majorité de ses contemporains. Or, je doute fort que ç'ait été le cas.

Nous n'avons pas, je pense, à l'excuser d'avoir représenté sans s'émouvoir des citoyens de marque gardant ouvertement rancune à leurs concitoyens des offenses qu'ils en avaient reçues, — comme Démarate [2], ou, — comme les Alcméonides, comme Isagoras, comme Nicodromos d'Égine, — faisant appel, au cours de discordes civiles, à l'intervention d'autres cités [3]. Personne ou presque personne, au ve siècle, n'était plus que lui ému de ces attitudes, qui aujourd'hui paraissent criminelles ; la plupart des hommes de ce temps

1. III 122, 125. Les côtés sombres de la figure de Polycrate sont nettement signalés aux chapitres 39 et 44.
2. VII 104, 239.
3. V 63, 70 ; VI 88.

distinguaient mal la patrie, être abstrait, de leurs compatriotes du moment ; et on admettait que la communauté de conceptions ou d'appétits politiques primât en certains cas celle de l'habitat. Hérodote ne prend pas la défense de traîtres comme Éphialte, comme les Érétriens Euphorbos et Philagros, qui livrèrent leur ville à l'ennemi, comme Timoxénos, qui pendant le siège de Potidée correspondait avec les assiégeants[1]. Son Démarate, qu'une rancœur légitime n'empêche pas de vanter à Xerxès les vertus des Lacédémoniens (VII 102, 104), était pour l'époque un parfait gentleman. Ira-t-on s'offusquer s'il rapporte, à l'éloge de capitaines samiens, les exploits accomplis par eux à Salamine contre les Grecs ; à l'éloge d'Artémise, princesse grecque, et de Démarate, Lacédémonien, les conseils qu'ils donnèrent à Xerxès pour briser la résistance des alliés ? s'il ne blâme pas plus durement l'égoïsme des Crétois, des Argiens, de Gélon et d'autres Grecs encore, qui se désintéressèrent de la lutte contre « l'ennemi national » ? s'il ne fait pas mystère des bonnes relations qu'il put avoir avec d'anciens partisans du Grand Roi, par exemple avec Thersandros d'Orchomène, un des cinquante Grecs invités par Attaginos, avant Platée, à un banquet en l'honneur de Mardonios[2] ? Ce serait se méprendre sur ce qu'était, au temps des guerres médiques et encore plus tard, le sentiment de solidarité hellénique. Dans un pays divisé en petites communautés hargneuses, sans cesse occupées à se chamailler, bien rares devaient être les hommes qui le possédaient réellement ; on le mettait en avant quand on y avait intérêt, tantôt pour déguiser sous un beau nom des ambitions impérialistes, tantôt pour motiver une demande de secours ; en dehors de ces occasions, on l'oubliait volontiers. Hérodote ne croyait pas sans doute faire injure aux Athéniens quand il rappelait qu'à l'époque de Clisthène, craignant d'avoir une guerre à soutenir contre Cléomène et les Spartiates, ils sollicitèrent

1. VII 213-214 ; V 101 ; VIII 188.
2. VIII 85 ; VIII 68, VII 235 ; VII 148 et suiv., 157 et suiv., 168, 169 ; IX 16.

l'alliance des Perses (V 73). Il n'a pas dû inventer que les guerres médiques apparurent à beaucoup de Grecs comme une querelle particulière d'Athènes avec le Grand Roi, querelle dont ils se mêlèrent non point parce qu'ils approuvaient rétrospectivement l'aide donnée par les Athéniens à l'Ionie révoltée, mais parce qu'ils craignaient d'être enveloppés eux-mêmes dans la ruine de ces imprudents : « Vous avez éveillé contre notre gré la présente guerre », fait-il dire par des députés spartiates au milieu de l'assemblée du peuple ; « à l'origine, le conflit n'intéressait que votre pays ; maintenant, il gagne toute la Grèce » (VIII 142). Un passage de son histoire est ici particulièrement instructif : celui où il expose, *d'après les Argiens*, les raisons qui les firent rester neutres : — désir de ménager leurs forces en vue d'une guerre possible contre Sparte, compétitions au sujet du commandement, — et où il conclut en ces termes : « Ainsi, les Argiens disent qu'ils ne voulurent point tolérer l'ambition des Spartiates et qu'ils aimèrent mieux obéir aux Barbares que de rien céder aux Lacédémoniens » (VII 149). Que de pareilles raisons aient pu être alléguées par les intéressés en personne, voilà qui en dit long sur le patriotisme hellénique des contemporains d'Hérodote. En se montrant lui-même peu enclin à l'intransigeance, il ne risquait pas de les scandaliser.

Une chose qui, aujourd'hui, frappe immédiatement les lecteurs, c'est la disposition que laisse voir l'écrivain en racontant un certain nombre de « bons tours ». Il admire franchement Artémise, qui trouva le moyen, à Salamine, d'échapper à un danger pressant et de mériter les louanges du roi en coulant sous ses yeux un navire de sa propre flotte, monté par quelqu'un qu'elle n'aimait pas. Il a tout l'air d'admirer Thémistocle, qui, sur la somme d'argent que lui avaient remise les Eubéens pour acheter ses collègues, sut prélever pour lui une grasse commission. Il ne voit rien de répréhensible dans la conduite du général perse qui prit les Barcéens au piège d'un traité fallacieux et trompa leur confiance d'une façon déloyale[1].

1. VIII 87-88 ; VIII 5 ; IV 201.

En un mot, l'habileté, même associée à l'indélicatesse, trouve trop facilement grâce devant lui. Trop facilement à notre gré. Mais n'oublions pas en quel temps et en quel pays Hérodote vivait et écrivait : au pays d'Hermès et de Loxias, où, depuis le subtil Ulysse jusqu'aux esclaves madrés de la Comédie Nouvelle, tous les habiles hommes jouirent dans l'estime publique d'une sorte d'immunité ; en un temps où l'on attribuait aux dieux, entre autres supériorités, une duplicité éminente, et où les leçons sévères des philosophes n'avaient pas encore refréné le penchant naturel chez le commun des hommes à applaudir au succès. L'opinion moyenne n'était alors, je crois, guère plus exigeante pour les personnages de l'histoire que pour les héros des contes, qui — voyez le conte de Rhampsinite — ne sont souvent que des coquins heureux. L'indulgence de l'écrivain à l'égard d'Artémise, de Thémistocle, du général perse, s'accordait avec elle.

Si nous passions en revue tous les compartiments de la morale, nous serions chaque fois invités à la même conclusion : Hérodote, qui n'a pas été un négateur, n'a pas été non plus un « latitudinaire ». Lorsqu'il s'émerveille de certains actes qui sont l'a b c de l'honnêteté, — revenir quelque part où l'on s'est engagé à revenir, comme le fit Skythès (VI 24) ; restituer un dépôt dont on pouvait s'emparer, comme le fit Cadmos (VI 164), — nous n'avons aucune raison de croire qu'il veuille recommander une conduite opposée, ni qu'il tienne pour elle son absolution toute prête. Il constate indirectement que la loyauté la plus élémentaire était alors une chose exceptionnelle ; rien de plus. Ce n'est certes pas à l'honneur de la société dont il faisait partie ; mais lui est hors de cause.

Il semble d'ailleurs avoir de l'espèce humaine en général une idée peu avantageuse. Sur le compte de la plus belle moitié de cette espèce, il accueille et répète volontiers des appréciations ou des anecdotes sarcastiques[1]. Je veux bien

1. I 4, II 111, VI 68.

ne voir là que docilité à une mode, aussi vieille que l'antagonisme des deux sexes, et plaisanterie sans importance. Voici qui est plus sérieux. Plutarque observe, en s'en indignant, qu'Hérodote est prompt à supposer aux actions de ceux dont il parle des motifs bas ou médiocres[1]. L'indignation de Plutarque est de trop; mais il y a du vrai dans sa remarque. Rappelons les passages que nous signalions un peu plus haut comme des exemples intéressants d'hypothèses psychologiques. Si Maiandrios laisse Charilaos en venir aux mains avec les Perses, ce n'est pas parce qu'il est sensible à l'accusation de lâcheté; c'est qu'il prévoit les sanglantes conséquences de cette folle équipée, et que, forcé d'abandonner Samos, il ne veut pas du moins la laisser prospère à un rival (III 146). Si les Spartiates conseillent aux Platéens de demander la protection d'Athènes plutôt que celle de Sparte, ce n'est pas par souci de leur intérêt bien compris; c'est dans l'espoir de créer entre Athènes et Thèbes une cause d'hostilité permanente (VI 108). Si les Phocidiens refusent de se ranger du côté de l'envahisseur, ce n'est pas par attachement à l'indépendance de la Grèce, c'est pour faire pièce à leurs vieux ennemis les Thessaliens, qui s'étaient ralliés aux Barbares (VIII 30). A ces passages, il serait aisé d'en joindre d'autres témoignant d'une égale méfiance en face des beaux semblants, d'une égale complaisance à dénoncer les hypocrisies, les calculs égoïstes, les arrière-pensées peu honnêtes. Un acte qui pourrait passer pour un acte de loyalisme, comme le châtiment infligé séance tenante par Artaphernès à Histiée, est expliqué par le désir du prétendu justicier d'éliminer un concurrent éventuel, un homme qui aurait pu reconquérir les bonnes grâces du roi (VI 30). Un mouvement de générosité comme celui de Syloson, donnant son beau manteau rouge à un garde du corps qui demandait à l'acheter, est présenté comme l'effet d'une impulsion divine; et, après y avoir cédé, Syloson se reproche sa sottise (III 139).

1. Πρὸς τὸ χεῖρον εἰκάζειν, Plut., *De Her. mal.*, 6 ; cf. *ibid.*, 18, 25, 35.

Au livre VII chapitres 163 et 168, Hérodote insiste sur le double jeu de Gélon et des Corcyréens. Au livre VIII chapitre 63, il précise qu'à son avis Eurybiade n'eut pas pour rester à Salamine d'autre raison que la crainte d'être abandonné par le contingent athénien. Au livre VIII chapitre 73, il déclare qu'en réalité les « neutres » étaient des partisans des Mèdes. Au livre VIII chapitre 87, il se demande si, en coulant le navire de Damasithymos, Artémise ne cherchait qu'à se tirer d'affaire ou si elle n'agissait pas avec l'intention délibérée de supprimer un ennemi personnel. Au livre VIII chapitre 103, il insinue que Xerxès ne demandait conseil que pour se faire conseiller le parti que d'avance il était décidé à prendre, — celui de s'en aller loin des combats, — et n'aurait tenu aucun compte des avis contraires qu'on aurait pu lui donner. Au livre IX chapitre 5, il émet l'hypothèse, sans aucune preuve à l'appui, que l'Athénien Lykidas, lorsqu'il proposa de prendre en considération les offres de Mardonios, le fit parce qu'il s'était laissé acheter. Au livre IX chapitre 8, il relève comment les Spartiates, qui tenaient à l'alliance d'Athènes tant qu'ils en eurent besoin, furent disposés à en faire bon marché lorsqu'ils crurent pouvoir s'en passer (même remarque, en sens inverse, au livre VIII chapitre 3). On trouve chez Hérodote, peu importe sans doute si c'est le plus souvent dans des morceaux où il laisse la parole à un personnage, un certain nombre de réflexions pessimistes et désabusées. « L'envie », fait-il dire à Otanès, « est innée chez les hommes » (III 80). Si vous recrutez des complices nombreux, déclare Darius aux seigneurs perses qui projettent d'assassiner Smerdis, il y aura parmi eux, inévitablement, un traître qui vous vendra (III 71). A Lycophron de Corinthe, qui refuse de frayer avec son père parce qu'il voit en lui le meurtrier de sa mère, une jeune fille bien intentionnée, la propre sœur de Lycophron, prêche non pas

1. Il arrive bien quelquefois, — par exemple au livre VII chapitre 220, — qu'Hérodote propose des événements qu'il raconte une version plus honorable pour les acteurs que la version communément admise. Mais ce sont des cas rares.

le pardon des injures, mais une réconciliation profitable : « Le point d'honneur est maladresse... ; à la justice beaucoup préfèrent la douceur... » (III 53). Si Alexandre de Macédoine se rebèque contre l'insolence des ambassadeurs perses, c'est qu'étant jeune il n'a pas encore l'expérience du malheur (V 19) ; les années et la vie ont enseigné à son père Amyntas ce qu'elles ont enseigné à beaucoup d'autres : la résignation veule, la couardise. Ainsi, on ne saurait nier qu'il y ait chez Hérodote une tendance marquée à ne pas voir l'humanité en beau. Hâtons-nous d'ajouter que, dans son cas, cette tendance n'a rien d'acrimonieux ; plutôt, elle s'accompagnerait de pitié. Sous la plume de notre auteur, les notions de faute et de malheur paraissent quelquefois se confondre : par exemple, dans l'histoire de Périandre (III 52), dans l'histoire de Cambyse (III 64), où le même mot συμφορή désigne à la fois l'une et l'autre. Au livre VII chapitre 152, voulant excuser les Argiens d'avoir été trop bien avec le Perse, l'écrivain déclare que, si tous les hommes apportaient au même lieu leurs maux (οἰκήια κακά) pour faire des échanges, chacun, après avoir jeté les yeux sur ceux de son voisin, reprendrait les siens volontiers. Le contexte indique bien que, par des « maux », il faut entendre ici de mauvaises actions; mais ces mauvaises actions dont les coupables voudraient se décharger, ces mauvaises actions qui leur pèsent, apparaissent en même temps à Hérodote comme des infortunes[1]. Pécher, pécher à qui mieux mieux, est donc à ses yeux une misère à laquelle les pauvres hommes sont condamnés par la loi de leur méchant destin.

Ce pessimisme moral me paraît être le principal trait dont est formé ce que Plutarque appelle la « malignité » (κακοήθεια) d'Hérodote[2]. Un autre trait, que Plutarque n'a pas manqué de signaler aussi, est un certain air d'indifférence à l'égard de la gloire, et même, par endroits, à l'égard de la liberté.

1. Même double sens du mot κακά, je crois, au livre III chapitre 31, à propos des extravagances de Cambyse.

2. Sur cette « malignité », voir *Mélanges Glotz*, p. 449 et suiv.

Nous avons déjà vu ce qu'Hérodote pensait des guerres de conquête, des guerres de magnificence[1]. Au livre IV chapitre 127, il donne certainement raison au roi des Scythes Idanthyrse, qui, tant qu'il n'a pas quelque chose de positif à défendre, ne veut pas se battre « pour l'honneur », et, au lieu de relever le défi de Darius, se dérobe devant lui. Dans le fond de son âme, partageait-il l'horreur qu'inspirait aux Grecs d'Europe la seule pensée d'admettre la suzeraineté lointaine du Grand Roi ? Désapprouvait-il les Milésiens, qui, seuls en Ionie, conclurent à l'époque de Cyrus un arrangement avec le nouveau maître (I 141) ? Applaudissait-il sans réserve à l'intransigeance des Phocéens, qui, menacés par Harpage, ne voulurent pas assurer la conservation de leur ville au prix de concessions de pure forme, qui n'auraient lésé aucun intérêt matériel (I 161) ? Estimait-il que, sous le gouvernement d'un Artaphernès ou d'un Mardonios, le sort des Ioniens, soumis aux Perses pour la seconde fois, fût douloureux et digne de pitié (VI 42-43)[2] ? Je n'oserais l'affirmer. En tout cas, la révolte tramée par Aristagoras et Histiée est surtout, à ses yeux, le signal d'une recrudescence de malheurs, succédant à un trop court relâche (V 28) ; ceux qui la tramèrent ne font pas chez lui, tant s'en faut, figure de champions d'une noble cause ; et l'envoi d'une escadre athénienne au secours des rebelles, geste somme toute généreux, premier acte d'un conflit où la Grèce devait recueillir tant de palmes, est appelé, — ni plus ni moins que, dans l'*Iliade*, le voyage à Sparte du ravisseur Pâris, — « origine de calamités » (V 97)[3]. Ailleurs, parlant des guerres que les Grecs

1. Voir ci-dessus, p. 105.

2. Au chapitre 10, la fin de non-recevoir opposée par les Ioniens révoltés aux offres des généraux de Darius lui apparaît comme une preuve de déraisonnable obstination (ἀγνωμοσύνη), qu'excuse toutefois à ses yeux leur honnête souci de ne pas se trahir les uns les autres.

3. Ἀρχὴ κακῶν. L'allusion au passage de l'*Iliade* (V 63 : νῆας ἀρχεκάκους, αἳ πᾶσι κακὸν Τρώεσσι γένοντο) est certaine, comme l'a vu Plutarque, qui, dans sa critique d'Hérodote (*De Her. mal.*, 24), lui attribue à lui-même l'emploi de l'adjectif ἀρχέκακος ; elle n'était pas flatteuse pour l'expédition athénienne.

eurent à soutenir pendant les trois règnes consécutifs de Darius, Xerxès et Artaxerxès, Hérodote met sur le même plan les luttes fratricides entre cités helléniques et les luttes menées en commun contre l'ennemi national, qui aboutirent au triomphe de l'hellénisme ; les unes et les autres lui semblent également déplorables[1].

De la gloire, il voit surtout l'envers ; et de la liberté, la rançon. Certes, au cours du récit qu'il fait des guerres médiques, il ne marchande pas l'admiration à des actes d'héroïque bravoure et de magnanime dévouement ; mais l'ensemble de ce récit ne décèle pas l'ardente sympathie qu'on est en droit d'attendre chez un historien grec de la campagne de Sardes, de Marathon, des Thermopyles et de l'Artémision, de Salamine, de Platée, de Mycale, écrivant quelques décades seulement après les événements qu'il raconte. Plutarque n'a pas tout à fait tort, quand il juge que, dans le compte rendu de ce qui s'est passé à Salamine, Hérodote s'occupe trop d'Artémise[2] ; sans éprouver l'émoi quasi religieux dont est pénétrée la relation d'Eschyle, Athénien et ancien combattant, il eût été naturel qu'Hérodote, lorsqu'il vient à parler d'une bataille où s'était joué le destin de la Grèce, en parlât d'un ton plus frémissant. Son tempérament, faut-il croire, ne le portait pas à l'enthousiasme[3].

1. VI 98.
2. *De Her. mal.*, 43.
3. Tels qu'ils sont présentés par notre auteur, quelques épisodes, quelques situations prêtent à rire : hésitations prudentes des flottes grecque et barbare, qui, stationnées très loin l'une de l'autre, celle-ci à Samos, celle-là à Délos, ne tiennent pas à se rapprocher (VIII 132) ; chassés-croisés répétés des contingents spartiate et athénien avant la bataille de Platée (IX 46); rodomontades d'Amompharètos, qui refuse, tant qu'on l'en presse, de se replier avec ses compagnons, et, quand ceux-ci prennent le parti de s'en aller sans lui, se décide fort bien à les suivre (IX 52-56). De ces épisodes, de ces situations, Hérodote percevait-il le comique ? et avait-il l'intention « maligne » d'amuser aux dépens de « héros » ? Je ne l'en crois pas incapable.

DES IDÉES D'HÉRODOTE SUR LES DIEUX ET SUR LA CONDITION HUMAINE

Sur la nature et le nombre des dieux, sur les rapports qu'ils ont avec les hommes, sur l'ordre du monde, Hérodote n'a pas d'idées originales, ni même, semble-t-il, d'idées bien arrêtées. Il refuse de croire que, dans un temple de Babylone, dans un temple de Thèbes d'Égypte, dans un temple de Patara, le dieu vienne la nuit pour avoir commerce avec une femme (I 182); mais il raconte sans marquer d'incrédulité l'histoire du héros Astrabacos et de la mère de Démarate (VI 69), et beaucoup d'autres histoires où des héros et des dieux se manifestent sous une apparence matérielle, de préférence sous une forme humaine. Un passage du livre I chapitre 131, où il rapporte que les Perses taxent de folie quiconque élève aux dieux des statues, des autels, des temples, et où il ajoute : « c'est, à mon avis, parce qu'ils ne croient pas, à la façon des Grecs, que les dieux soient faits comme les hommes », constate simplement une diversité de sentiments ; on aurait tort d'y voir la condamnation de l'anthropomorphisme. Quant aux expressions τὸ θεῖον, ὁ θεός au singulier, que notre auteur emploie assez souvent pour désigner la puissance divine intervenant dans les affaires de ce monde, elles ne supposent pas la croyance distincte à un dieu unique ; ces expressions peuvent avoir une valeur collective, ou correspondre à l'idée d'un dieu suprême régnant sur des dieux de second rang, ou tenir la place du nom d'un dieu en particulier lorsqu'il y a doute sur l'identité de ce dieu. Les opinions dissidentes d'Hérodote touchant les « choses divines », les hypothèses qu'il énonce à leur sujet, — surtout dans le livre II, — ne sont jamais d'ordre théologique, mais historique. Il soutient par exemple que le culte et les désignations de la plupart des dieux sont venus en Grèce de l'étranger (II 50). Il distingue deux Héraclès : l'un né dieu, très ancien, importé d'Égypte ou de Syrie ; l'autre, un homme, né de parents mortels ; et, dans les aventures de ce dernier, il relève des invraisemblances (II 43 et suiv.). A Pan et à Dionysos, il ne dénie nullement la qualité de dieux ; mais il suppose que les Grecs, n'ayant appris que tard à les connaître, placèrent leur naissance à l'époque où ils les connurent, et leur attribuèrent en conséquence des généalogies de fantaisie (II 145-146). Doit-on dire qu'en parlant de Protée comme il en a parlé aux chapitres 112 et suivants, il a fait du dieu marin d'Homère un simple roi d'Égypte ? Il n'est pas impossible que, dans sa pensée, il ait existé sous le nom de Protée, comme sous celui d'Héraclès, deux personnages différents ; l'histoire du séjour d'Hélène et de Ménélas à la cour de Protée roi d'Égypte se trouvait peut-être déjà chez Hécatée. Du silence que garde Hérodote sur le contenu de certaines légendes sacrées [1] ou sur le nom d'un personnage divin [2], on ne saurait conclure qu'il ait été choqué par des récits représentant des dieux associés à des grossièretés et à des indécences, ou sujets à la mort, pleurés, embaumés, mis au tombeau comme de simples humains. Si quelques expressions, — οὔ μοι ἥδιον λέγειν, οὐκ εὐπρεπέστερός ἐστι λέγεσθαι, — peuvent sembler répondre à une répugnance de ce genre [3], d'autres, — οὔ μοι ὅσιον λέγειν, οὐκ ὅσιον ποιεῦμαι, — expriment plutôt, je crois, un sentiment de discrétion religieuse. Sans nommer Osiris, Hérodote, au chapitre 132 du livre II, dit fort bien que celui qu'on pleurait à Saïs était un dieu (τὸν οὐκ ὀνομαζόμενον θεὸν ὑπ' ἐμέο) ; ce qui le retenait de nommer là Osiris, ce n'était donc pas qu'il lui coûtât de parler d'un dieu comme d'un mort ; c'était le souci d'éviter une allusion précise, explicite, à un ἱερὸς λόγος particulier. Dans la plupart des passages en question, il s'agit

1. II 46, 47, 48, 51, 62, 65, 81.
2. II 61, 86, 132, 170.
3. L'épisode visé au chapitre 47, — Typhon découvrant le cercueil d'Osiris au cours d'une chasse au sanglier, — n'a rien de particulièrement *inconvenant* ; dans ce passage, οὐκ εὐπρεπέστερός ἐστι λέγεσθαι doit signifier, sans plus, qu'il ne convient pas à Hérodote, qu'il ne lui plaît pas de donner des détails. Je ne pense pas que οὔ μοι ἥδιόν ἐστι λέγειν ait, ailleurs, une valeur plus précise.

d'ailleurs des choses d'Égypte ; en y taisant le nom d'un personnage divin ou un épisode de son histoire, Hérodote ne fait que se conformer à la règle qu'il a posée au début de son livre II et qu'il rappelle au chapitre 65 : parler le moins possible de la mythologie égyptienne. Nous avons déjà constaté que, s'il oppose de l'incrédulité à des récits d'interventions divines, cette incrédulité ne lui est pas inspirée par un scepticisme radical, mais par la défiance à l'égard des personnes ou des peuples de qui lui venaient ces récits. Il ne met pas en doute, comme on l'a supposé d'après les chapitres 187 et 191 du livre VII, l'efficacité des prières ; dans le premier des deux cas, c'est l'histoire tout entière des Athéniens demandant du secours à Borée qui lui semble sujette à caution ; dans le second, son incertitude est probablement motivée par le fait qu'il s'agit de prières adressées à des déités grecques et émanant d'étrangers, ennemis de la Grèce.

L'idée d'une Providence organisatrice apparaît nettement dans un passage du livre III chapitre 108, qui présente avec un passage du *Protagoras* de Platon, où la parole est à Protagoras, une frappante ressemblance. Elle est aussi au fond d'autres passages, probablement inspirés d'Hécatée sinon empruntés à Hécatée, qui supposent dans le plan général de l'univers des dispositions symétriques, ceux par exemple où il est dit que les produits les plus rares et les plus précieux se trouvent aux extrémités du monde (III 106). Elle est impliquée dans cette réponse de l'oracle aux Cnidiens : que, si Zeus avait voulu que leur pays fût une île, il en aurait fait une (I 174). Hérodote parle alors d'après autrui, peut-être sans exprimer une conviction raisonnée. Je ne vois pas chez lui la trace d'un effort pour choisir entre les conceptions opposées de destin et de dieux tout-puissants, de liberté humaine et de prescience divine, ou pour les accorder tant bien que mal. Il accueille indifféremment, avec le même air d'y croire, des histoires où un événement est présenté comme inéluctable : Candaule, Skylès, devaient « mal finir » ; Atys devait périr frappé par une pointe de fer ; l'entreprise d'Aristagoras contre les Naxiens devait échouer ; l'Attique continentale devait tomber tout entière entre les mains des Perses [1] ; — d'autres, où l'homme est à même d'opter entre plusieurs conduites et plusieurs destinées : si Léonidas meurt, Sparte sera sauvée ; s'il évite la mort, c'est elle qui périra ; Dorieus se perd et il perd son armée parce qu'il ne va pas directement occuper le pays que la Pythie lui avait désigné [2] ; — quelques-unes, où le plan arrêté par une volonté souveraine reçoit, du fait d'une intercession divine ou du fait d'une rébellion humaine, des amendements : Apollon obtient des Moires un répit de trois ans pour Crésus ; Mykérinos interrompt, à ses risques et périls, la période de cent cinquante ans de misère à laquelle l'Égypte était vouée [3]. Des réponses d'oracles, des songes qu'il rapporte, les uns annoncent péremptoirement ce qui sera ; les autres donnent des conseils ou des ordres, et disent ce qu'il est préférable de faire. De l'ensemble se dégage une certaine répugnance à considérer l'homme comme le jouet passif du destin ; le plus grand nombre des personnages qu'Hérodote nous montre condamnés d'avance à un fatal malheur pourraient du moins, par de sages précautions, en retarder l'échéance. Mais cette répugnance, qui de la part d'un Grec du ve siècle n'est rien de singulier, ne prend pas chez lui la forme d'une doctrine, surtout d'une doctrine qui lui appartienne en propre ; Hérodote n'a fait que refléter les croyances, peu précises, peu cohérentes, que la plupart de ses contemporains admettaient sans y réfléchir ; il n'avait pas la tête philosophique.

Dans plusieurs de ses récits, la divinité joue le rôle de gar-

1. I 7, IV 79 ; I 34 ; V 33 ; VIII 53. De même II 161, V 92 δ, VI 64, VI 135, IX 109. De ces exemples concrets on peut rapprocher des maximes telles que celles-ci : τὴν πεπρωμένην μοῖραν ἀδύνατά ἐστι ἀποφυγεῖν καὶ θεῷ (I 94) ; ...ὅτι ἐκκομίσαι ἀδύνατον εἴη ἀνθρώπῳ ἄνθρωπον ἐκ τοῦ μέλλοντος γίνεσθαι πρήγματος (III 43) ; ὅ τι δεῖ γενέσθαι ἐκ τοῦ θεοῦ, ἀμήχανον ἀποφυγεῖν ἀνθρώπῳ (IX 16).

2. VII 220 ; V 45.

3. I 91 ; II 133.

dienne des lois morales. Le plus frappant est l'histoire, racontée tout au long, de Glaucos de Chios, qui osa demander à Apollon s'il pouvait, moyennant un parjure, s'assurer la possession du bien d'autrui, et qui, malgré son repentir et ses prières, fut puni de ce méchant dessein par l'extinction de sa race (VI 86). Ailleurs, l'écrivain admet incidemment que les dieux ont châtié un coupable dans sa personne ou dans ses descendants : Phérétimè, qui, pour avoir sévi avec excès contre les Barcéens, est dévorée toute vive par les vers ; Panionios, que la justice divine livre aux mains d'une de ses victimes ; les Éginètes, à qui Déméter garde une si longue rancune d'un sacrilège qui était en même temps un acte de cruauté ; les Troyens, solidaires de Pâris, dont les dieux machinèrent la perte pour montrer aux hommes, par un exemple illustre, qu'ils proportionnent les châtiments aux crimes [1]. Mais, avec la notion d'un dieu juste et vengeur, une seconde coexiste chez Hérodote, de qualité moins haute : celle du dieu jaloux. « La divinité est toute jalousie », fait-il dire par Solon ; « elle aime à semer le trouble » ; et par Amasis : « Je sais que les dieux sont jaloux » ; et par Artabane : « La divinité aime briser tout ce qui s'élève... ; donne-t-elle à goûter quelque douceur dans la vie, à l'instant même on la trouve jalouse » [2]. Entre ces deux notions du dieu juste et du dieu jaloux, une conciliation pouvait être tentée : si l'homme heureux se laisse griser par la félicité et séduire par le péché d'orgueil, le courroux divin, en le frappant, accomplit un acte de justice. Aussi, dans beaucoup d'œuvres grecques dont les auteurs refusaient de considérer les dieux comme de méchants despotes, l'orgueil est-il le compagnon

1. IV 205 ; VIII 106, VI 91 ; II 120. Sans que les dieux soient nommés expressément, leur action était, je crois, admise par Hérodote à l'origine des τίσεις qui atteignirent, en la personne de son quatrième successeur, Gygès, assassin de son maître et usurpateur du trône de Lydie (I 13, 91), en leur propre personne, Oroitès, bourreau de Polycrate (III 126, 128), Leutychide, complice des intrigues qui aboutirent à la déposition de Démarate (VI 72).

2. I 32 ; III 40 ; VII 10, 46.

ordinaire et presque inévitable de la prospérité. Hérodote n'a pas manqué de présenter les choses de cette façon. Son Xerxès est un homme à qui Artabane juge bon de rappeler que les dieux ne permettent qu'à eux-mêmes d'avoir des pensées altières et qu'il est pernicieux pour un mortel de ne pas limiter ses désirs ; son Crésus provoque la vindicte divine en se croyant le plus heureux des hommes [1]. Mais je ne vois pas qu'il se soit appliqué à le faire avec une attention soutenue, qu'il se soit attaché fermement à montrer dans l'orgueil humain la cause première des grandes catastrophes, le véritable motif pour lequel des puissants de ce monde ont été par la divinité déposés de leurs trônes. Au livre VII, les songes envoyés à Xerxès atténuent fortement sa responsabilité ; s'il se conduit ensuite en prince insatiable de domination, comment les dieux peuvent-ils lui en vouloir, puisque ce sont eux qui l'y ont obligé ? L'idée, acceptable du point de vue antique, qu'ils voudraient punir en lui l'ambition immodérée de ses prédécesseurs, n'est exprimée nulle part. Crésus, de toute façon, payerait pour le crime de Gygès ; mais, puisqu'Hérodote déclare que lui-même a déplu aux dieux, nous pouvons observer que sa faute, telle qu'on nous l'expose, est plutôt une erreur de jugement qu'une manifestation d'orgueil ; il ne nous est pas dit que Crésus abusa de sa puissance, qu'il fut un mauvais roi, qu'il eut un appétit excessif de conquêtes ; la guerre qu'il fit à Cyrus nous est présentée expressément comme une guerre préventive, une guerre de défense (I 46) ; la présomption de Crésus n'a rien d'arrogant ni d'injurieux ; elle est naïve, inoffensive ; de la part d'un dieu juste, elle n'eût pas mérité une si dure leçon. Quant à Polycrate, qui, d'après le récit d'Hérodote, avait sur la conscience plus d'une peccadille, son désastre n'est aucunement rattaché à ses fautes ; le bonheur continu ne lui a pas tourné la tête ; il n'a même pas conçu, comme Crésus, une confiance exagérée dans sa fortune ; l'entreprise de l'homme qui sera l'instrument de sa chute, Oroitès, est appelée une

1. VII 16 ; I 34.

entreprise impie (III 120). A l'égard de Polycrate, la mauvaise volonté des dieux n'est, comme le lui écrivait Amasis, que jalousie; si, aux yeux de l'écrivain, elle s'inspirait en quelque mesure d'un sentiment de justice, il n'a pas cru utile de l'indiquer.

Soumis à la force aveugle du destin ou au caprice de dieux malveillants, l'homme traîne en ce bas monde une condition misérable. A elle seule, la brièveté de la vie est pour lui une source de tristesse. En voyant l'Hellespont couvert de ses vaisseaux, le rivage et la plaine d'Abydos remplis de ses soldats, Xerxès se prend à pleurer ; et à Artabane, qui lui demande la raison de ses larmes : « Je suis ému de pitié », répond-il, « quand je pense combien est brève toute la vie humaine, si de tant d'hommes que voici personne ne subsistera dans cent ans » (VII 46). Si du moins le bonheur que peuvent avoir les hommes, forcément éphémère, était stable ! Mais non. Sans cesse tourne la roue de la fortune et nul n'est assuré du lendemain ; jamais un jour ne ressemble aux jours qui l'ont précédé [1]. De là le conseil de Solon : ne tenir aucun homme pour heureux avant que la mort ait mis fin aux vicissitudes qui le menacent (I 32). Et voici, dans la bouche d'Artabane et du même Solon, des considérations encore plus désolantes : « Nous éprouvons au cours de notre vie des choses plus cruelles que la mort. Durant une carrière si brève, il n'est personne, ni parmi les hommes qui sont ici ni parmi les autres, qui soit assez heureux pour qu'il ne lui vienne pas à l'esprit, et non seulement une fois mais souvent, de vouloir mourir plutôt que d'être en vie. Les malheurs qui nous frappent, les maladies qui nous tourmentent, font trouver la vie longue malgré sa brièveté. Ainsi la misère de l'existence fait que la mort est pour l'homme le refuge le plus désirable » (VII 46) ; et la moralité de l'histoire de Cléobis et Biton, que Solon raconte à Crésus, est « qu'il est plus avantageux de mourir que de vivre » (I 31). Ces pensées affli-

1. I 207 ; 87 ; 32.

geantes avaient été, dès avant Hérodote, exprimées par nombre d'écrivains, dans l'épopée, dans la poésie lyrique et l'élégie, au théâtre [1]. Elles semblent avoir été de tout temps familières à l'esprit grec. Du vivant de notre auteur, un sophiste un peu plus jeune que lui, Prodicos de Kéos, se complaisait à passer en revue les maux qui sont sur terre le lot habituel de toutes les conditions, de tous les âges, et contait à son tour, pour en tirer les mêmes conclusions que le Solon du livre I, l'histoire des deux jeunes Argiens [2]. Personnellement, Hérodote était-il d'humeur sombre et enclin à la mélancolie [3] ? Les quelques passages signalés tout à l'heure, où il n'est pas certain que Xerxès, Artabane et Solon soient ses porte-parole, n'en fournissent pas des preuves indiscutables. Pas davantage le chapitre 4 du livre V où est rapportée, sans commentaire, l'étrange coutume des Trauses, peuple de Thrace : « A la naissance d'un enfant, les parents,

1. Qu'il suffise de rappeler ici quelques textes souvent cités et particulièrement significatifs. Sur la brièveté de la vie, Pindare, *Pyth.*, VIII, 95-97 : « Êtres éphémères ! Qu'est chacun de nous, que n'est-il pas ? L'homme est le rêve d'une ombre » (trad. Puech). Sur l'universelle misère des mortels et l'incertitude du lendemain, Homère, *Iliade,* XXIV, 534 : « Les dieux ont filé pour les pauvres humains une existence d'affliction » ; Solon, fr. 13 : « Aucun homme n'est heureux ; tous les mortels, autant qu'en voit le soleil, sont misérables » ; Bacchylide, fr. 37 Bl. : « Aucun mortel n'est heureux constamment » ; Eschyle, *Agamemnon,* 928 : « Celui-là seul doit être estimé heureux, dont la vie s'est achevée dans la douce prospérité » (trad. Mazon). Sur le malheur d'être né et l'avantage de mourir, Théognis, 425 et suiv. : « Le meilleur de tout, pour les habitants de la terre, serait de ne point naître, de ne pas voir l'éclat du vif soleil ; quand ils sont nés, c'est, le plus vite possible, de franchir les portes d'Hadès » ; Bacchylide, V, 160-162 : « Le mieux, pour les mortels, serait de n'être pas né, de ne pas voir la lumière du soleil » ; Eschyle, fr. 353 Weckl. : « Les hommes ont bien tort de détester la mort ; c'est le meilleur refuge contre la foule des maux. » C'étaient là, je crois, choses qu'on répétait sans y attacher autrement d'importance.

2. [Platon], *Axiochos,* 367 c.

3. Ainsi l'admit, au IVe siècle, le créateur de la plus célèbre effigie que nous ayons d'Hérodote, celle dont le double hermès de Naples (Hérodote et Thucydide) nous a conservé une réplique ; il va de soi que cette effigie n'a pas le caractère d'un véritable portrait.

assis autour de lui, gémissent sur tous les maux dont il devra être comblé maintenant qu'il est né, et ils énumèrent toutes les misères humaines ; au contraire, lorsque quelqu'un est mort, ils l'ensevelissent avec des plaisanteries et des marques de joie, ajoutant que le voilà affranchi de mille maux et au sein du bonheur. » Il y a un accent plus personnel dans une allusion faite en passant, livre III chapitre 33, aux nombreux malheurs qui accablent les hommes, et dans ces phrases du prooimion : « J'avancerai dans la suite de mon récit, parcourant indistinctement les grandes cités des hommes et les petites ; car, de celles qui jadis étaient grandes, la plupart sont devenues petites ; et celles qui étaient grandes de mon temps étaient petites autrefois ; persuadé que la prospérité humaine ne demeure jamais fixée au même point, je ferai donc mention également et des unes et des autres » (I 5). Mais ni le sentiment de la misère humaine ni la tristesse d'avoir à constater des déclins et des ruines ne semblent avoir troublé d'une façon durable le plaisir que donnaient à l'écrivain les aspects divers de ce monde et le spectacle varié des agissements des hommes. Il est digne de remarque que l'entretien de son Artabane et de son Xerxès, où s'échangent de si lugubres propos, ne s'achève point pourtant sur une note désespérée. « Artabane », dit Xerxès, « la vie humaine est telle que tu l'exposes ; n'en parlons plus ; ne pensons pas à des malheurs alors que présentement notre situation est prospère » ; et, avec son fidèle conseiller, il discute des chances de succès de l'expédition contre la Grèce et des mesures à prendre pour la mener à bonne fin. Pas plus que l'Héraclès de Prodicos, à qui il fait songer, la perspective des traverses fortuites, des συμφοραί, sur lesquelles l'homme n'a point de prise, ne le décourage de l'action et ne le détourne d'entreprendre.

DE LA MODÉRATION ET DE LA PRUDENCE D'HÉRODOTE

Des précédents paragraphes, il ressort qu'Hérodote n'a été ni un promoteur ou un zélateur d'idées nouvelles, ni un homme aux fortes convictions, aux partis pris tenaces, aux sentiments exclusifs. Il y a dans son œuvre peu de détails qui aient pu offusquer la masse de ses contemporains, même médiocrement cultivés, ou simplement les surprendre comme d'insolents paradoxes. L'exégèse rationaliste des mythes avait été pratiquée avant lui, en particulier par Hécatée, avec une hardiesse au moins égale à la sienne. L'apologie du mensonge profitable, présentée par Darius au livre III chapitre 72, était préparée par des distinctions casuistiques, dont un vers d'Eschyle [1] et un fragment de Sophocle [2] nous ont conservé le souvenir ; Eschyle excusait le juste mensonge ; Sophocle, le mensonge nécessaire ; mais, dans la circonstance, le mensonge profitable de Darius n'était-il pas l'un et l'autre ? Les observations ethnographiques contenues dans les périégèses ou recueillies dans des ouvrages spéciaux, en familiarisant les esprits avec des νόμιμα βαρβαρικά de tout genre, les avaient disposés à considérer la coutume, la loi en général, — ainsi qu'il est dit au livre III chapitre 106, — comme affaire de convention ; Hippias, peut-être, n'est pas le premier sophiste qui ait développé ce thème et qui l'ait popularisé. Aux termes d'une anecdote conservée par Plutarque, les magistrats de Thèbes auraient interdit à Hérodote, — comme un gymnasiarque d'Athènes, d'après l'*Éryxias* pseudo-platonicien (399 a), l'interdit à Prodicos, — de s'adresser aux jeunes gens [3] ; apparemment parce qu'ils redoutaient qu'il ne troublât leurs consciences et n'exerçât sur eux une influence pernicieuse. Si l'anecdote n'est pas controuvée, il faut en vérité qu'Hérodote ait été dans ses propos tout autre que dans ses écrits. Car l'Hérodote que ceux-ci nous laissent voir ne pouvait causer d'inquiétudes

1. Eschyle, fr. 301 Weckl. : ἀπάτης δικαίας οὐκ ἀποστατεῖ θεός. Un autre fragment d'Eschyle (302 Weckl.) est ainsi conçu : ψευδῶν δὲ καιρὸν ἔσθ' ὅπου τιμᾷ θεός.

2. Sophocle, fr. 325 : καλὸν μὲν οὖν οὐκ ἔστι τὰ ψεύδη λέγειν· ὅτῳ δ' ὄλεθρον δεινὸν ἀλήθει' ἄγει, συγγνωστὸν εἰπεῖν ἐστι καὶ τὸ μὴ καλόν.

3. Plutarque, *De Herodoti malignitate*, 31 : ...ἐπιχειρῶν τοῖς νέοις διαλέγεσθαι καὶ συσχολάζειν ὑπὸ τῶν ἀρχόντων ἐκωλύθη.

aux conservateurs les plus défiants. Sa sagesse est ordinairement la sagesse héritée des ancêtres, la bonne vieille sagesse des gnomiques. Sa piété s'affirme en maint endroit. S'il laisse voir que la mythologie, les attributs des dieux, leurs généalogies, ne sont pas à ses yeux choses révélées, mais créations de la pensée humaine (II 3, 53), nulle part Hérodote ne parle des cérémonies du culte, sacrifices, processions, consultations mantiques, autrement qu'avec déférence. Pas plus que la critique élevée par les Perses contre l'anthropomorphisme et les statues des dieux, il ne fait sienne celle qu'il a entendu formuler par des Scythes contre les « orgies » dionysiaques [1]. Lui-même s'était fait initier aux mystères de Samothrace [2], peut-être à ceux d'Éleusis. Il tance ceux qui refusent systématiquement de croire aux prophéties, aux oracles [3]. Il est dévot.

Dévot et prudent. Il a grand soin, lorsqu'il vient à parler d'une légende sacrée ou du programme d'une fête religieuse, — même s'il s'agit d'une fête ou d'une légende étrangère, — de ne point commettre d'indiscrétions qui pourraient sembler sacrilèges [4]. A plusieurs reprises, nous le voyons prendre des précautions pour éviter d'offenser les susceptibilités divines ou de scandaliser les croyants. Après avoir critiqué le récit invraisemblable des aventures d'Héraclès en Égypte, il clôt son développement par cette formule déprécatoire : « Puisse tout ce que j'ai dit sur ce sujet être accueilli avec bienveillance par les dieux et par les héros ! » (II 45). Ailleurs, il signale qu'à Platée, où la bataille se livra tout près d'un sanctuaire de Déméter, aucun Perse vivant ni mort ne fut trouvé sur le territoire sacré ; et, de ce fait surprenant, il propose une explication qui met en cause la déesse ; mais il ne s'y risque pas sans s'excuser de la liberté grande : « Je suis d'avis, *s'il faut avoir un avis concernant les choses divines* (εἴ τι περὶ τῶν θείων πρηγμάτων δοκέειν δεῖ), que la déesse

1. I 131 ; IV 79.
2. II 51, 171.
3. VIII 77.
4. II 46, 47, 48, 51, 61, 62, 65, 81, 86, 132, 170, 171.

elle-même ne les voulut pas recevoir, parce qu'ils avaient incendié son palais d'Éleusis » (IX 65). S'il distingue deux Héraclès, l'un divin de naissance, l'autre humain, il ne manque pas de rappeler, pour autoriser cette distinction, ce qui se passait dans certains pays de la Grèce, où l'on rendait à Héraclès un double culte, le culte réservé aux Immortels, aux Olympiens, et le culte propre aux héros (II 44). Ce qu'il dit de l'introduction en Grèce des noms des dieux, empruntés à un peuple barbare, est mis par lui au compte des prêtresses de Dodone (II 53) [1]. Peut-être est-ce avec intention que, lorsqu'il explique à sa manière les crues périodiques du Nil, après avoir critiqué plusieurs systèmes et en particulier celui d'Anaxagore, il affirme la divinité du soleil (II 24 : οὗτος ὁ θεός) ; Anaxagore, on le sait, tenait cet astre pour une simple masse embrasée ; Hérodote, qui vient de laisser voir la connaissance qu'il a de ses idées, ne voudrait pas qu'on crût qu'il partage celle-là ; il n'est pas homme à s'exposer de gaieté de cœur, comme l'ami de Périclès, à une accusation d'impiété.

Son œuvre, dans l'ensemble, donne l'impression d'un homme qui ne veut point d'affaires. Il est plaisant de l'entendre, partagé entre le désir de faire savoir qu'il est bien informé et celui de ne blesser personne, déclarer en plusieurs circonstances qu'il serait très capable, s'il le voulait, de nommer tels ou tels, — les Pythagoriciens, qui donnent pour leur invention propre une doctrine dérobée à l'Égypte ;

1. Affirmer le rôle prépondérant d'Homère et d'Hésiode dans la constitution du panthéon hellénique (II 53) n'était pas pour choquer des Grecs. Déclarer, à propos de la mythologie égyptienne, qu'on n'en parlera pas, « parce qu'en ces matières tous les hommes en savent autant » (II 3), pouvait être interprété comme une manifestation de nationalisme religieux : si tous les hommes en savent sur les dieux autant les uns que les autres, tous ont autant de chances d'atteindre la vérité ; en dépit de la science des Égyptiens et de la grande piété qui les distingue, il n'y a donc pas de raison pour préférer leur mythologie à la mythologie hellénique ; ce qui se dit, ce qu'on enseigne en Grèce, vaut bien ce qui se dit, ce qu'on enseigne en Égypte.

le Delphien, courtisan de Lacédémone, qui grava le nom des Spartiates sur une offrande de Crésus ; le Samien qui s'était approprié les trésors volés à Sataspès [1], — mais qu'il taira leurs noms volontairement. L'effort d'impartialité que nous avons constaté à son honneur a pu avoir chez lui pour adjuvant le souci de tenir entre les amours-propres rivaux la balance égale et de satisfaire tout le monde [2] ; on sait de reste qu'il n'y a pas réussi. Voici comment il introduit, au livre VII chapitre 139, l'énoncé de cette opinion, qu'au moment de l'invasion de Xerxès, aux temps de Salamine, les Athéniens furent les sauveurs de la Grèce : « Ici, je me trouve dans la nécessité d'exprimer une opinion qui sera odieuse à la plupart des hommes ; mais je ne me retiendrai pas de dire ce qui me paraît être vrai. » Il est tout étonné de son courage ! Excepté dans quelques cas dont nous reparlerons tout à l'heure, le ton des critiques d'Hérodote est ordinairement courtois et mesuré. Οὐ πιστὰ λέγοντες, οὐκ ὀρθῶς λέγοντες, se contente-t-il souvent de remarquer [3]. Il arrive même qu'en face de détails qui choquent le bon sens, il n'exprime aucune appréciation directe et n'invite ses lecteurs à douter qu'en affectant lui-même une très grande bonne volonté de croire ; ainsi au livre II chapitre 126 : « Chéops,

1. II 173 ; I 51 ; IV 43.

2. Un exemple de ce balancement. Au livre I chapitres 56-57, Hérodote confronte les titres de noblesse d'Athènes et de Sparte. Il reconnaît aux Lacédémoniens l'avantage d'être de race hellénique et d'avoir toujours parlé le grec, tandis que les Athéniens descendraient des Pélasges et que leurs ancêtres auraient parlé jadis un idiome barbare. Mais, pour rétablir l'équilibre, il a grand soin de noter que les Athéniens sont autochtones, que leurs aïeux ont habité de tout temps la même terre, et d'insister longuement sur les vagabondages des aïeux des Lacédémoniens.

3. II 73 121 ε, IV 5, 25, 42, V 86, VIII 119, 120 ; — II 134, III 2, 45, IV 109. Autres formules également courtoises : λέγοντες οὐ πείθουσι IV 105 ; ἐμοὶ μὲν οὐ πιθανός III 3 ; ἔμοιγε οὐκ ἀρεστά II 64 ; οὐκ οἰκότα V 10 ; οὐκ ἐνδέκομαι ἀρχήν IV 25 ; θῶμα δέ μοι καὶ οὐκ ἐνδέκομαι τὸν λόγον VI 121. Quelques-unes moins bénignes : ταῦτα δὲ λέγουσι φλυηρέοντες II 131 ; ὁ ματαιότερος λόγος III 56 ; οὗτος ὁ λόγος ἄλλως πέπαισται IV 77 ; οὐδὲ λόγος αἱρέει VI 124.

[m'ont dit les prêtres égyptiens], en vint à ce point d'infamie, qu'étant à bout de ressources il mit sa propre fille dans une maison de débauche, avec ordre de se procurer de l'argent jusqu'à concurrence d'une somme que je ne précise pas (ὁκόσον δή τι) ; car les prêtres n'en disaient pas le montant[1] » ; ou bien au livre VII chapitre 187 (après l'énumération des millions et des millions d'hommes qui auraient accompagné Xerxès) : « Aussi ne suis-je point surpris qu'il y ait des fleuves dont l'eau a fait défaut ; ce qui m'étonne davantage, c'est que les vivres aient suffi à tant et tant de myriades » ; et il suppute gravement ce qu'il fallait chaque jour de médimnes de blé pour rassasier tout ce monde. Une ironie discrète, si discrète qu'on peut douter parfois si on ne la prête pas à tort à l'écrivain, lui est plus coutumière que la violence d'expression. Quand il écrit par exemple, à propos des funérailles des rois de Sparte : « Lorsque périèques, ilotes, Spartiates, sont réunis au nombre de plusieurs milliers dans le même lieu, mêlés aux femmes ils se frappent le front à grands coups et poussent des gémissements infinis, *déclarant chaque fois que le roi qui vient de mourir le dernier, celui-là était le meilleur* » (VI 58), nous avons bien quelque raison de croire qu'il se moque ; mais nous ne saurions l'affirmer ; — ni que, au livre II chapitre 160, il entende insinuer, sous le couvert d'une opinion égyptienne, que les agonothétes éléens favorisaient à Olympie les athlètes de leur pays ; — ni qu'il veuille ridiculiser avec Mardonios,

1. Il y a dans le grec un γε, intraduisible, qui peut-être révèle l'intention de la phrase : cela, *du moins*, les prêtres n'avaient pas le front de l'énoncer ; ils n'allaient pas, dans l'invention d'une histoire abracadabrante, jusqu'à préciser ce détail. Je verrais volontiers aussi une invitation à douter dans la réflexion toute pareille du livre III chapitre 121 (à propos de la somme d'argent demandée par Oroitès à Polycrate, dont le refus, d'après la version la moins accréditée — οἱ ἐλάσσονες, — aurait causé la perte du tyran de Samos), et dans celle du livre I chapitre 160 (les Mytiléniens, dit Hérodote, convinrent de livrer Pactyas moyennant une certaine récompense ; et il ajoute : « en quoi eût consisté cette récompense, je ne puis pas le dire exactement ; car le marché ne reçut pas d'exécution »).

au livre VII chapitre 9, la façon dont les Grecs pratiquaient la guerre : « Lorsqu'ils se la sont déclarée, ils se rendent pour se battre dans la place la plus belle et la plus unie qu'ils aient trouvée ; en sorte que les vainqueurs ne se tirent d'affaire qu'avec un grand dommage ; des vaincus je ne parlerai même pas, car ils sont tout à fait détruits. » Dans des passages de ce genre, la satire, la critique, la raillerie, si elles existent, sont très enveloppées.

Tel étant Hérodote dans son œuvre, — œuvre qui ne parut pas de son vivant, œuvre rédigée à distance des événements qu'il raconte et des hommes qu'il met en cause, — nous sommes en droit de conjecturer que, dans les relations sociales, il fut souple et accommodant. Son origine l'y prédisposait ; et les conditions probables de son existence lui en firent, tout au moins pour un temps, presque une nécessité. Né sujet du Grand Roi, dans un pays gouverné par des princes, il n'avait pas sucé avec le lait, même si sa famille appartenait à l'opposition, l'amour de la παρρησία si prisée des Grecs indépendants, le besoin de proclamer à la face de tous, sans ménagements, à tort et à travers, ce qui lui passait par la tête, y compris des impertinences. Peut-être a-t-il fait du négoce ; on a cru discerner dans le choix de certains des renseignements qu'il donne des préoccupations d'ordre commercial ; on a supposé qu'il n'a pas accompli ses voyages lointains uniquement pour voir du pays et s'instruire, mais en même temps pour acheter et vendre ; s'il fut marchand, force lui fut d'apprendre l'égalité d'humeur et l'affabilité de commande, pour ne pas dire la dissimulation et l'obséquiosité. Plus tard, s'il se promena de ville en ville, à l'instar des sophistes, pour y faire des lectures publiques, il continua d'avoir des marchandises à placer, — ses conférences, — et d'être tenu de compter avec le public ; on n'ignorait pas à Corinthe, à Thèbes ou à Sparte ce qu'il avait dit à Athènes, et d'Athènes ; s'il voulait conserver l'oreille d'auditoires variés, il lui fallait mettre une sourdine à l'expression de ses sentiments personnels, sympathies ou antipathies. Ainsi, à l'école de la vie, Hérodote aurait pu devenir « ménageur ». Mais il l'était, je crois, naturellement. Son humeur peu combative le portait, semble-t-il, à écouter poliment plutôt qu'à contredire, à traiter les gens avec égards plutôt qu'à les regarder de haut. Lorsqu'il appelle « prêtres » les minces personnages qui lui servirent plus d'une fois de guides, est-ce pour se faire valoir, pour donner plus de poids à ce qu'il dit ? Je ne le pense pas ; il avait le respect des sacristains. S'il ne s'est pas toujours contenté, au cours de ses recherches, de ce qu'on lui racontait spontanément, s'il lui est arrivé de poser des questions, de réclamer des informations complémentaires, je doute qu'il ait fait part à ses informateurs de toutes les objections qui lui venaient à l'esprit ; le plus souvent, j'imagine, il dut garder pour lui ses réflexions.

Il est cependant une catégorie de personnes pour qui Hérodote a des sarcasmes et des duretés de langage : les écrivains ou les savants ses devanciers dont les opinions n'ont pas l'heur de lui plaire. « Il y a des gens parmi les Grecs qui, voulant se faire remarquer par leur savoir, ont proposé du mouvement de ces eaux (les eaux du Nil) trois sortes d'explications. De deux d'entre elles, je trouve qu'il n'y a pas même lieu de parler (οὐδ᾽ ἀξιῶ μνησθῆναι), si ce n'est pour les indiquer simplement... La seconde suppose plus d'ignorance (ἀνεπιστημονεστέρη ἐστί) que la précédente, et son seul énoncé stupéfie davantage... La troisième, qui est la plus spécieuse, est nettement mensongère (μάλιστα ἔψευσται) ; car c'est de nouveau ne rien dire (λέγει γὰρ δὴ οὐδ᾽ αὕτη οὐδέν) de dire que le cours du Nil est formé par la neige qui fond... Il y a beaucoup de preuves, pour un homme capable de raisonner sur de telles matières (ἀνδρί γε λογίζεσθαι τοιούτων πέρι οἵῳ τε ἐόντι), qu'il n'est pas même vraisemblable (οὐδὲ οἰκός) que le Nil soit formé par de la neige... Quant à celui qui a parlé de l'Océan, repoussant dans le domaine de l'inconnu son explication fabuleuse (τὸν μῦθον), il ne peut être discuté (οὐκ ἔχει ἔλεγχον)... » (II 20-23). « (Ceux qui attribuent à Rhodopis la pyramide de Mykérinos) m'ont tout l'air de parler sans même savoir (οὐδὲ εἰδότες) qui était Rhodopis » (II 134).

« Je ris (γελῶ) lorsque je vois que beaucoup déjà ont écrit des descriptions de la terre et qu'aucun n'en a rendu compte d'une façon sensée (νόον ἐχόντως) ; ils représentent l'Océan coulant tout autour de la terre, qui serait ronde comme l'œuvre d'un tourneur (ὡς ἀπὸ τόρνου)... » (IV 36). Ceux à qui s'adressaient les aménités de ce genre ne sont pas d'ordinaire désignés par leurs noms ; tout au plus par des termes vagues : Ἕλληνες, Ἴωνες. Un des plus fréquemment visés est un de ceux à qui Hérodote devait le plus : Hécatée. Il faut dire qu'Hécatée n'avait été lui-même guère plus aimable à l'égard de ses prédécesseurs ; et que les successeurs d'Hérodote ne devaient pas l'être pour lui davantage. Entre littérateurs et érudits, le ton acerbe, la pitié dédaigneuse, la sévérité pédantesque ont été, chez les Grecs, d'un usage courant ; Hérodote suivait la règle du jeu, — que de lointains épigones n'ont pas cessé d'observer.

ÉTENDUE DES CONNAISSANCES D'HÉRODOTE LIMITES DE SON ACTIVITÉ D'ESPRIT

Pas plus que les attitudes intransigeantes et les opinions dangereuses, Hérodote ne semble avoir aimé les grands efforts de pensée. Nous avons vu qu'en face des problèmes philosophiques dignes entre tous de provoquer la réflexion, il se dérobe, se contredit, se contente de suivre le vulgaire. Il montre peu de goût pour les idées générales, les spéculations ou discussions abstraites. Ce qu'on en trouve chez lui devait être associé d'avance aux faits ou aux acteurs de son récit : les considérations — d'ailleurs banales — sur la misère humaine, la malice des dieux, l'incertitude de l'avenir, à la visite de Solon chez Crésus, à l'histoire de Polycrate et d'Amasis, au rôle qu'une tradition attribuait à Artabane ; l'affirmation de la relativité des coutumes, l'apologie du mensonge profitable, au personnage de Darius, dont peut-être certains sophistes avaient fait leur porte-parole ; la comparaison des trois formes de gouvernement, à une délibération, historique ou légendaire, des conjurés vainqueurs du faux Smerdis ; la thèse que, pour une femme qui n'a plus ses parents, un frère est plus précieux qu'un mari et des fils, aux circonstances de la mort d'Intaphernès. Bon nombre des sentences qui émaillent le texte d'Hérodote, surtout le texte des discours, sont reprises d'écrivains antérieurs, principalement des poètes gnomiques ; quelques-unes, — par exemple ce qui est dit au livre VII chapitre 10 η des méfaits de la calomnie, sujet traité par Hippias, — ont pu être empruntées à des contemporains. Dans la peinture des trois gouvernements, dans l'exposé de leurs mérites et de leurs vices respectifs, beaucoup de traits, qu'on retrouve chez Euripide, chez Isocrate, ailleurs encore, viennent vraisemblablement de tracts ou pamphlets politiques. L'histoire de l'avènement de Déiokès, telle qu'elle est racontée au livre I chapitres 96-97, illustre à souhait cette idée, que l'usurpation du pouvoir par un seul est la conséquence et parfois le remède du désordre, de l'ἀνομία ; je doute que l'idée soit d'Hérodote ; le plus vraisemblable, à mon avis, est qu'il a reproduit une tradition mède, qui présentait les choses sous le jour le plus avantageux pour Déiokès et pour sa dynastie ; dans le détail, il a pu suivre, çà et là, un théoricien précurseur d'Aristote ; on a pensé discerner en plusieurs passages des chapitres en question des marques de provenance athénienne[1].

Nous savons d'autre part qu'Hérodote ne poussa pas très avant sa critique. Dans le monde des faits comme dans celui des idées, il lui arrive d'admettre l'incohérence et la contradiction. Lorsqu'il juxtapose des versions différentes, des opinions opposées, en laissant le choix au lecteur, le fait-il par pure honnêteté ? Son honnêteté, je crois, ne va pas sans quelque paresse. Volontiers, il s'abstient de prononcer si, oui ou non, une chose lui paraît croyable. « Pour ce

1. La question de l'origine des sentences et morceaux d'allure philosophique qu'on rencontre chez Hérodote est examinée dans un article de Schöll (*Philologus*, 1855, p. 78 et suiv.) et dans les travaux de Nestle mentionnés ci-après.

qu'on raconte de Salmoxis et de sa demeure souterraine, je ne refuse pas d'y croire et je n'y crois pas trop « (IV 96). Les Sigynnes, peuple voisin des Vénètes de l'Adriatique, prétendaient être une colonie des Mèdes ; Hérodote s'étonne de cette prétention : « Comment ces gens-là, » dit-il, « sont venus du pays des Mèdes, je ne peux pas me l'expliquer » ; ce qui ne l'empêche d'ajouter aussitôt : « mais tout est possible avec le temps « (V 9) ; comme on voit, il prend facilement son parti de l'inexpliqué [1]. Pour satisfaire la curiosité que nous avons définie au début de cette notice, Hérodote devait déployer, et il a déployé, plus d'activité physique que d'activité intellectuelle. Des trois opérations qu'il dit être à la base de son travail, — regarder, écouter, réfléchir (ὄψις, ἀκοή, γνώμη), — les deux premières sont celles qui, à coup sûr, l'ont occupé le plus. Mais la curiosité historique et géographique n'a pas été forcément toute sa curiosité ; ni les résultats de ses recherches (ἱστορίη), toutes ses connaissances. Si l'on veut estimer justement son activité d'esprit, il faut chercher à se faire une idée de sa « culture générale » [2] ; et il faut mesurer, autant que faire se peut, quelle peine il a prise dans l'accomplissement de sa tâche d'écrivain.

On trouve chez Hérodote des références expresses à un certain nombre d'ouvrages poétiques ; à l'*Iliade* et à d'autres poèmes racontant des combats livrés autour de Troie, notam-

1. Peut-être des formules de conclusion comme celles que nous lisons au livre I chapitre 140 (καὶ ἀμφὶ μὲν τῷ νόμῳ τούτῳ ἐχέτω ὡς καὶ ἀρχὴν ἐνομίσθη) et au livre II chapitre 28 (ταῦτα μέν νυν ἔστω ὡς ἔστι τε καὶ ὡς ἀρχὴν ἐγένετο) trahissent-elles la même disposition trop résignée à accepter les choses telles qu'on les voit sans vouloir en scruter ni le pourquoi ni le comment.

2. Sur les connaissances et les curiosités diverses d'Hérodote, sur ses rapports avec l'esprit nouveau, voir en particulier : Diels, *Die Anfänge der Philologie bei den Griechen*, dans les *Neue Jahrbücher* de 1910, p. 1 et suiv. ; Nestle, *Herodots Verhältniss zur Philosophie und Sophistik*, Progr. Schönthal 1908 ; du même, *Gab es eine ionische Sophistik ?* dans le *Philologus* de 1911, p. 244 et suiv. ; Wells, *Herodotus and the intellectual life of his age*, dans les *Studies in Herodotus* (1922), p. 183 et suiv.

ment aux *Chants Cypriens ;* à l'*Odyssée* ; à une épopée du cycle thébain, les *Épigones ;* à la *Théogonie* et à un autre poème qui avait cours sous le nom d'Hésiode ; à l'*Arimaspée* d'Aristéas de Proconnèse ; à une tragédie d'Eschyle ; à des poèmes d'Archiloque, de Solon, d'Alcée, de Sappho, de Simonide, de Pindare[1]. Ailleurs, sans références expresses, des emprunts de fond ou de forme se distinguent plus ou moins nettement. Malgré le dédain que l'historien affiche pour ce qu'avaient raconté les poètes, il y a lieu de croire qu'il ne s'est pas toujours interdit d'accepter d'eux quelques renseignements : ainsi, les commentaires qui accompagnent au livre V chapitres 59-60 le texte d'antiques dédicaces furent peut-être tirés de poèmes épiques où étaient exposées des légendes thébaines ; parmi les nombreuses allusions faites çà et là aux aventures de héros légendaires, aux guerres, aux migrations, aux voyages des temps fabuleux, il serait surprenant que l'une ou l'autre ne visât pas le récit qu'un poète en avait donné le premier. Ce qu'on lit au livre I chapitre 171 des inventions guerrières des Cariens coïncide d'une façon frappante avec des fragments, conservés par Strabon (XIV 2), d'Alcée et d'Anacréon. Peut-être est-ce uniquement par une pièce de Sappho qu'Hérodote connaissait la liaison de Charaxos et de Rhodopis et les conditions dans lesquelles celle-ci avait été affranchie[2]. Les raisons qui décidèrent Solon à s'absenter d'Athènes lorsqu'il eut promulgué ses lois sont probablement indiquées au livre I chapitre 29 d'après un passage, bien ou mal compris, d'une de ses élégies. Il se peut qu'il y ait dans le récit de

1. II 116, 117 ; II 120 (τοῖσι ἐποποιοῖσι), 117 ; IV 29, peut-être II 116 (si l'on conserve, en les transportant en tête de II 120 entre Ταῦτα μὲν Αἰγυπτίων οἱ ἱρέες ἔλεγον et ἐγὼ δὲ κτλ., la remarque ἐπιμέμνηται δὲ καὶ < Ὅμηρος > ἐν τῇ Ὀδυσσείῃ et la première des citations qui suivent) ; IV 32 ; II 53, IV 32 ; IV 14 ; II 156 ; I 12 (si ce n'est une interpolation) ; V 113 ; V 95 ; II 135 ; V 102 ; III 38.

2. II 135. Chez Sappho, la maîtresse de Charaxos était appelée Doricha (Strabon, 808 ; Athénée, 596 b) ; mais Rhodopis pouvait être un surnom, un nom de guerre de la même personne.

Salamine quelques détails qui viennent du récit d'Eschyle; dans quelques réflexions, un écho de maximes d'Épicharme. On trouve chez Hérodote des vocables épiques; on y trouve des formes grammaticales, dialectales, imitées de la langue d'Homère. On y trouve des tournures, des expressions empruntées à des poètes divers. Beaucoup de phrases d'une allure sentencieuse sont à rapprocher, pour la forme comme pour le fond, de vers de Théognis et autres élégiaques; peut-être un développement du livre III chapitre 82, qui nous a paru inspiré d'un libelle politique, est-il en même temps une paraphrase des vers 43-52 de Théognis. Dans ce qui est dit au livre VII chapitre 117 du géant Artachaiès (ἀπὸ γὰρ πέντε πήχεων βασιληΐων ἀπέλειπε τέσσερας δακτύλους), il y a presque certainement un souvenir de ces vers d'Alcée (fr. 50 Diehl): κτέννais ἄνδρα μαχαίταν βασιληΐων παλαίσταν ἀπυλείποντα μόναν ἴαν παχέων ἀπὺ πέμπων. Surtout, les réminiscences de l'épopée abondent. Tantôt des reprises textuelles ou presque textuelles: par exemple, III 14 ἐπὶ γήραος οὐδῷ (cf. *Il.* XXII 60, XXIV 487); III 182 la clausule οὐ γὰρ ἄμεινον (cf. *Il.* I 217); VII 159 le début de phrase ἦ κε μέγ' οἰμώξειεν (cf. *Il.* VII 125); VII 11 l'introduction d'un dilemme par la formule ἐπὶ ξυροῦ γὰρ ἀκμῆς ἔχεται ἡμῖν τὰ πρήγματα... ἤ... ἤ... (cf. *Il.* X 173). Tantôt des adaptations: par exemple, V 106 l'interrogation scandalisée κοῖον ἐφθέγξαο ἔπος, calquée sur ces interrogations de l'*Iliade* I 552 et de l'*Odyssée* I 64: ποῖον τὸν μῦθον ἔειπες; ποῖόν σε ἔπος φύγεν ἕρκος ὀδόντων; VIII 121 la promesse redondante οὔτε σε ἀνακρύψω οὔτε σκήψομαι, qui rappelle celle-ci, de l'*Odyssée* IV 350, τῶν οὐδέν τοι ἐγὼ κρύψω ἔπος οὐδ' ἐπικεύσω, d'autant plus qu'elle est suivie d'une autre locution homérique ἀλλ' ἀτρεκέως ...καταλέξω (cf. *Il.* X 413); V 97 la qualification de l'escadre qu'Athènes envoya au secours d'Aristagoras αὗται δὲ αἱ νέες ἀρχὴ κακῶν ἐγένοντο Ἕλλησί τε καὶ βαρβάροισι, manifestement inspirée de ces vers de l'*Iliade* V 62-63 νῆας... ἀρχεκάκους, αἳ πᾶσι κακὸν Τρώεσσι γένοντο. Les commentateurs modernes d'Hérodote, dans les notes de leurs éditions ou dans des études spéciales, ont institué entre le texte de notre auteur et des textes de poètes plus anciens une foule de rapprochements ; tous ces rapprochements n'ont pas la même valeur ; il en est qui, à mon avis, constatent des rencontres accidentelles ; d'autres, plus frappants, ne supposent pas nécessairement le contact direct avec tel ou tel poète, s'il y a apparence que le poète ait été déjà mis à contribution par un prédécesseur d'Hérodote, un écrivain du type d'Hécatée, chez qui Hérodote aurait puisé. Assez cependant méritent d'être retenus, pour qu'on soit en droit d'attribuer au « père de l'histoire » une connaissance étendue de la littérature poétique, qui formait encore de son temps la partie essentielle de la littérature écrite de la Grèce. Il faut y joindre la connaissance d'événements importants de l'histoire littéraire (composition par le Lycien Olen d'un hymne en l'honneur des vierges hyperboréennes ; invention du dithyrambe par Arion [1]) et de détails biographiques concernant des écrivains célèbres (Ésope, Aristéas, Arion, Solon, Anacréon, Phrynichos) [2]. Dans la première moitié du ve siècle, à Halicarnasse et à Samos, la lecture et le commentaire des poètes étaient sans doute le fondement de l'éducation libérale. Hérodote, appartenant à une famille distinguée, a reçu cette éducation. S'il était proche parent de Panyassis, qui fut à cette époque un des meilleurs représentants du genre épique, il trouva dans sa propre famille l'occasion d'étudier le répertoire de l'épopée. La poésie gnomique devait être pour les hommes de sa génération une sorte de catéchisme plus ou moins familier à tous. Plusieurs des auteurs dont il parle ou à qui il fait des emprunts, Arion de Méthymne, Alcée et Sappho de Mytilène, Anacréon de Téos, — sans parler du légendaire Ésope, qui aurait été esclave d'Iadmon de Samos, — jouissaient probablement dans la Grèce d'Asie, où Hérodote grandit, d'une célébrité particulière. A Athènes, où il vint ensuite, le précurseur des atthidographes ne pouvait manquer de lire, s'il ne les connaissait à l'avance, les poèmes de Solon ; l'historien

1. IV 35 ; I 23.
2. II 134 ; IV 13 et suiv. ; I 23 ; I 29, V 113 ; III 121 ; VI 21.

du soulèvement de l'Ionie et des guerres médiques ne pouvait ignorer la *Prise de Milet* et les *Perses*. En Grande Grèce, lorsqu'il fut devenu citoyen de Thourioi, il entendait sans doute citer souvent Épicharme, dont beaucoup d'expressions étaient passées en proverbes. En somme, ce que nous savons de la culture littéraire d'Hérodote ne témoigne pas d'une curiosité exceptionnellement éveillée.

On l'a appelé un « pionnier de la philologie ». Qu'a-t-il fait pour mériter ce titre ? A plusieurs reprises, il constate en passant que les langues de deux peuples diffèrent ou se ressemblent [1] ; c'était aussi naturel, dans des descriptions ethnographiques, que de signaler les singularités du costume, de la nourriture ou des mœurs ; réduites à ce qu'elles sont chez Hérodote, les constatations de ce genre étaient à la portée de tous, et n'importe qui, il me semble, aurait pu en avoir l'idée. La remarque du livre I chapitre 142 sur les quatre variétés du dialecte ionien est vraisemblablement d'Hécatée ; Hérodote, en écrivant que deux des quatre groupes d'Ioniens ne s'accordaient en rien au point de vue du langage (ὁμολογέουσι κατὰ γλῶσσαν οὐδέν), l'a outrée, ce qui n'est pas un signe d'esprit scientifique. Comme Hécatée l'avait fait avant lui, il a transcrit çà et là quelques mots étrangers [2] ; de plusieurs de ces mots, et de quelques noms exotiques, il a enregistré des traductions [3], — qui ne sont pas toujours rigoureusement exactes ; je ne puis voir dans ces rares détails l'expression d'un vif intérêt pour les

1. I 57, 171-172 ; II 105 ; III 98 ; IV 23, 24, 106, 108, 109, 117, 183 ; VII 70 (διαλλάσσοντες εἶδος μὲν οὐδὲν τοῖσι ἑτέροισι, φωνὴν δὲ καὶ τρίχωμα μοῦνον).

2. I 110 ; II 2, 30, 69, 77, 79, 81, 92, 94, 96, 143, 164 ; IV 27, 110, 155, 192 ; V 9 ; VI 98 ; VIII 98 ; IX 110.

3. I 110 ; II 2, 30, 143 ; IV 27, 110, 155, 192 ; V 9 ; VI 98 ; IX 110. L'observation du livre IV chapitre 155, d'après laquelle *Battos* ne serait pas un nom individuel, mais un titre, est d'un intérêt particulier. Appartient-elle en propre à Hérodote ? En dépit du δοκέω répété dont notre auteur l'accompagne, je n'oserais l'affirmer. Pareille observation aurait pu être faite à propos de *Syennesis*, peut-être à propos de *Candaulès*.

langues ; si Hérodote avait ressenti un pareil intérêt, il se serait, j'imagine, donné la peine d'apprendre, non pas sans doute les langues de tous les peuples chez qui il voyagea, mais du moins celle des Perses, la langue impériale de l'Asie ; et il ne semble pas qu'il l'ait sue [1].

L'une des manifestations de curiosité philologique qu'on a relevées à son compte est le goût des étymologies. Il ne faut pas vouloir découvrir de ce goût, chez Hérodote, plus de preuves qu'il n'y en a [2], ni se figurer que, pour le satisfaire, notre auteur ait jamais déployé beaucoup de perspicacité ou d'ingéniosité personnelle. Quand il raconte comment les Péoniens, entendant chanter le péan, crurent qu'on les hélait par leur nom (V 1), je ne pense pas qu'il veuille signaler entre Παιόνες et παιάν autre chose qu'une ressemblance fortuite ; ni, lorsqu'il dit et répète que le dieu Apis des Égyptiens, conçu d'un éclair, est l'Épaphos des Grecs (II 153, III 27), qu'il veuille, contrairement à l'opinion commune, dériver *Épaphos* de *Apis*. Ce qu'il dit, au livre IV chapitre 180, d'une déesse libyenne née aux bords du lac Tritonis, « qui est celle que les Grecs appellent Athèna », suggère aux lecteurs avertis une étymologie de *tritogeneia*, épithète consacrée de la patronne d'Athènes ; mais lui n'insiste pas, ne précise pas ; s'il avait eu à cœur de recommander cette étymologie, il eût été, je crois, plus explicite. En rappelant que Kypsélos fut ainsi nommé parce que, tout enfant, sa mère, pour le sauver de la mort, l'avait caché dans un coffre (κυψέλη, V 92 ε) ; que Démarate dut son nom à cette circonstance, que le peuple de Sparte (πανδημεὶ Σπαρτιῆται) avait prié les dieux pour obtenir sa naissance (ἀρὴν ἐποιήσαντο, VI 63) ; que le lieu de la côte magnésienne dit Aphétai reçut cette dénomination en mémoire du départ des Argonautes, qui de là avaient mis à la voile (ἔμελλον

1. Voir ci-dessus, page 75 et note.

2. Dériver le nom d'un peuple de celui d'un de ses anciens chefs, comme le fait souvent Hérodote (I 7, 94, 171, 173, al.), n'était pas, à proprement parler, faire œuvre d'étymologiste. C'était, d'ailleurs, une habitude chez les Grecs.

ἀφήσειν, VII 193), non seulement Hérodote n'invente rien, ne propose rien de neuf, mais très probablement il ne dit rien qui soit le fruit d'une recherche spéciale, rien qu'il n'ait appris en même temps que le gros des histoires de Kypsélos et de Démarate, ou qu'on ne rappelât sans en être prié lorsqu'on parlait d'Aphétai. L'observation du livre IV chapitre 189 concernant l'origine du mot αἰγίς peut fort bien s'être trouvée déjà chez l'écrivain à qui il empruntait la plus grande partie du Λιβυκὸς λόγος ; il n'en réclame pas la paternité, comme il paraît le faire, dans le même chapitre, pour l'observation relative à l'origine des ὀλολυγαί. Quant à l'étymologie du mot θεός énoncée au livre II chapitre 52 [1], elle a pu faire partie de ce qu'Hérodote avait entendu à Dodone ; ou bien il put l'apprendre de quelque philosophe, peut-être d'Anaxagore.

Quelques passages de son histoire nous le montrent préoccupé de critique littéraire, en particulier de critique homérique. Au livre II chapitre 53, il déclare qu'à son avis Homère et Hésiode ne vivaient pas plus de quatre siècles avant lui, et que les poèmes traitant des dieux qui passaient pour plus anciens que les leurs (ceux, je pense, d'Orphée, de Musée, de Linos) étaient en réalité moins anciens. On aimerait savoir de quels considérants il appuyait ces opinions. La façon dont il présente les deux poètes comme les créateurs de la théogonie hellénique, les organisateurs du monde divin, — alors qu'ils ne firent qu'exposer, l'un dramatiquement, l'autre didactiquement, des conceptions de leur temps, — manque d'ailleurs de rigueur ; mais cette confusion de l'inventeur et de l'interprète n'était pas, dans l'antiquité, chose rare. Au livre IV chapitre 32, il fait des réserves touchant l'attribution à Homère du poème épique Ἐπίγονοι ; nous ignorons ce qu'il pouvait y avoir, dans ce doute, de neuf et d'original. Au livre II chapitres 116-117, il allègue des vers de l'*Iliade* pour établir qu'Homère

1. Θεοὺς δὲ προσωνόμασάν σφεας (les Pélasges, qui, d'après Hérodote, ne parlaient pas le grec !) ἀπὸ τοῦ τοιούτου ὅτι κόσμῳ θέντες τὰ πάντα πρήγματα καὶ πάσας νομὰς εἶχον.

connaissait le passage de Pâris en Égypte ; et, pour confirmer que les *Chants Cypriens* ne sont pas du même auteur que l'*Iliade*, il relève entre les deux poèmes une contradiction de détail ; l'une et l'autre remarque, dont je veux croire que l'initiative revient à Hérodote, sont d'un critique avisé ; il est regrettable, pour la gloire du « pionnier de la philologie », que nous n'en connaissions pas de lui beaucoup de la même sorte.

En fait de philosophie, Hérodote connaît le dogme de la transmigration des âmes, emprunté, dit-il (II 123), à l'Égypte par des Grecs anciens et modernes, c'est-à-dire par Pythagore, Phérécyde de Syros, Empédocle, Philolaos ; mais il ne doit pas avoir eu du pythagorisme une science exacte ; autrement, aurait-il négligé de rappeler (au livre II chapitre 37) ce détail, bien fait pour le frapper, que, comme les Égyptiens, Pythagore défendait de consommer des fèves ? Il est instruit de prescriptions orphiques qui relèvent du rituel (II 81) ; il le pouvait sans que les doctrines de l'orphisme lui aient été familières. Les similitudes qu'on a relevées entre quelques phrases de son œuvre et des opinions de Xénophane de Colophon, d'Héraclite, ne prouvent certainement pas qu'il ait étudié de près et avec soin les systèmes de ces deux philosophes. Sa défiance à l'égard des hypothèses invérifiables, son penchant à ne considérer comme objet de connaissance que ce que l'expérience peut atteindre, sont choses qu'il n'a pas eu besoin d'emprunter au premier ; pas plus qu'il n'eut à apprendre du second que les fortunes humaines sont changeantes. La formule qu'avait donnée Héraclite de l'instabilité universelle (I 5 : οὐκ ἐν τωὐτῷ μένουσαν), l'image de la roue qui sans cesse tourne et tourne (I 207), étaient tombées dans le domaine public ; et aussi cette parole du même penseur, si souvent répétée, que « les yeux sont de meilleurs témoins que les oreilles » (I 8). Les emprunts directs qu'Hérodote a faits le plus vraisemblablement à des philosophes ont été faits à des hommes de son temps, qu'il a dû fréquenter, avec qui il a dû s'entretenir. Peut-être, disions-nous tout à l'heure, est-ce d'Anaxagore,

— présent à Athènes en même temps que lui, — qu'il tient l'étymologie du mot θεός donnée au livre II chapitre 52, étymologie qui suppose une conception téléologique du monde. Comme nous l'avons déjà suggéré [1], c'est, semble-t-il, à Protagoras, — à Protagoras qu'il a sans doute connu, sinon à Abdère, en tout cas à Athènes et en Italie, à Protagoras qui s'intéressa à la fondation de Thourioi, — qu'il doit l'idée d'un principe organisateur, d'une providence par qui les choses de la terre sont aménagées pour le mieux. L'opinion énoncée au livre III chapitre 54 sur le progrès et le déclin simultanés de l'âme et du corps paraît avoir été assez communément admise ; c'était celle d'Empédocle, qu'Hérodote put entendre en Occident. L'explication rationaliste des songes intercalée au livre VII chapitre 16 dans un discours d'Artabane est à rapprocher d'un fragment du même Empédocle, et aussi d'un passage d'Hippocrate. Ce qu'Hérodote sait de philosophie a très bien pu ne pas lui coûter d'autre peine que de prêter l'oreille à ce qui se disait autour de lui dans la conversation des personnes cultivées ; il ne l'a pas acquis en pâlissant sur des livres.

Les sciences de la nature étaient au ve siècle peu développées chez les Grecs. Hérodote, je pense, avait lu ce qui existait avant lui d'ouvrages de géographie. Il cite et discute plusieurs explications des crues du Nil, proposées par Thalès, Hécatée, Anaxagore (II 20 et suiv.) ; celle à laquelle il donne la préférence lui vient, — à cela près qu'il l'a compliquée et rendue plus inacceptable, — d'un sien contemporain, Diogène d'Apollonie. Ce qu'il dit de l'origine des vents, de l'influence de l'habitat sur le tempérament et sur le caractère des peuples, du danger des changements de température, de l'heureux climat de la Grèce, surtout de l'Ionie [2], et d'autres observations encore s'accordent d'une façon frappante avec des allégations d'Hippocrate [3], —

1. Page 133.
2. II 27 ; VII 102, IX 122 ; II 77 ; III 106, I 142.
3. Quelques-unes de ces concordances ont peut-être pour cause

d'Hippocrate né une vingtaine d'années après Hérodote lui-même dans un pays voisin d'Halicarnasse. Quelques détails ont paru indiquer que notre auteur se tenait au courant des études médicales, florissantes à Cos et à Cnide ; on n'en saurait conclure qu'il ait « fait sa médecine ».

En somme, Hérodote, semble-t-il, a eu « des lumières » de bien des choses. Mais il ne fut pas un savant, ni même un homme d'étude. Son savoir a été un savoir d'homme du monde, intelligent, ayant reçu une bonne éducation, que les circonstances mirent en rapport avec des personnes, des sociétés, des idées nombreuses et diverses, et qui en a fait son profit. Parler à propos de lui d'une grand soif d'apprendre, d'un vif désir d'étendre de plus en plus le cercle de ses connaissances, serait employer des expressions excessives. Disons plus modestement qu'il tint toujours ses yeux, ses oreilles, son esprit bien ouverts, et qu'il n'ignora volontairement rien de ce qu'il se trouva à portée de connaître. Contemporain de la première génération des sophistes, il les a rencontrés sur les chemins de la vie, eux, leurs disciples, leur influence, les manières de penser, de sentir, de parler qu'ils avaient mises à la mode ; et, bien qu'il ait été à tout prendre un homme de la veille plutôt que du lendemain, il ne s'est pas montré rebelle à l'esprit nouveau. Nous avons signalé des points de contact entre lui et Protagoras, Hippias, Prodicos ; nous avons constaté la présence dans son œuvre de morceaux qui, sans faire penser à tel sophiste en particulier, procèdent visiblement de la mentalité que l'on est convenu d'appeler sophistique. Les rapprochements pourraient être multipliés. On s'est demandé, par exemple, si, dans l'histoire d'Adraste le Phrygien, dans le pardon que lui accorde Crésus, il n'y aurait pas un écho des discussions concernant le meurtre involontaire (φόνος ἀκούσιος), auxquelles ont pris part Protagoras et le rhéteur Antiphon ; dans la réprobation des guerres entre Grecs,

qu'Hérodote et Hippocrate se seraient inspirés tous les deux d'Hécatée.

exprimée au livre VII chapitre 9 par la bouche de Mardonios, un écho des discours de propagande en faveur de l'union panhellénique dont l'*Oraison funèbre* de Gorgias ne fut sans doute pas le plus ancien en date ; dans l'affirmation de Solon, qu'aucun homme ne peut se suffire à lui-même, une critique des théories d'Hippias prêchant l'αὐτάρκεια ; dans les considérations développées auparavant, où s'opposent les mots ὄλϐιος εὐτυχής εὐδαίμων, un exemple des subtiles distinctions entre quasi-synonymes où excella Prodicos. On a observé qu'Hérodote emploie certains vocables dans les mêmes sens spéciaux que des sophistes leur ont attribués, les premiers ou avec prédilection : ἐρίζειν dans le sens de *discuter* (d'où le mot *éristique*) ; προτιθέναι, προκεῖσθαι dans le sens d'*exposer*, *être exposé* (en parlant d'un avis) ; καταϐάλλειν dans le sens de *discréditer* (un traité de Protagoras était intitulé Ἀλήθεια ἢ Καταϐάλλοντες) ; ἀντιλογίη, *controverse* (Ἀντιλογίαι était le titre d'un autre traité du même auteur) ; κατάστασις dans le sens de *situation*, *état* (un troisième traité avait pour titre Περὶ τῆς ἐν ἀρχῇ καταστάσεως). On a relevé dans son style, principalement dans le style des discours, isolés ou se faisant pendant, qu'il prête à ses personnages, des procédés, des figures de mots et de pensée, des artifices oratoires, des essais de langage périodique qui ont paru trahir l'imitation de Gorgias et des premiers rhéteurs. Faisons la part de l'exagération, où, presque inévitablement, on se laisse entraîner dans des recherches de ce genre. N'insistons pas sur les détails. Qu'Hérodote, lorsque l'occasion s'en offrait, ait écouté les voix des novateurs, qu'il ait retenu quelque chose de ce qu'il leur entendait dire, cela paraît hors de doute. Mais qu'il ait recherché leurs enseignements avec la frémissante avidité de l'Hippocratès de Platon [1], et que ces enseignements aient fait sur lui une impression profonde, durable, il n'y a pas apparence. Il a accueilli des idées, des développements portant la marque des sophistes, comme il accueillait des

1. Voir le début de *Protagoras*.

informations de sources différentes et de tendances opposées ; il a admis dans sa langue quelques éléments de leur vocabulaire comme il y laissait pénétrer, sous la pression de l'ambiance, des vocables attiques. En face de la rhétorique et de la sophistique, l'attitude d'Hérodote a été celle qui, au cours de son existence, lui fut le plus habituelle : une complaisante réceptivité.

DE L'EFFORT LITTÉRAIRE CHEZ HÉRODOTE

En langue vulgaire, cette conclusion revient à imputer à Hérodote un certain nonchaloir. L'imputation peut surprendre de prime abord, s'adressant à l'auteur d'un ouvrage aussi considérable. Je ne crois pas pourtant que ni la composition ni le style de cet ouvrage interdise de la maintenir.

Il y a certainement dans la composition de l'ouvrage d'Hérodote une part d'art conscient, de réflexion et de choix[1]. Il y en a dans la conduite du récit principal ; il y en a dans la mise en œuvre des éléments de toute sorte, narratifs, descriptifs, qui foisonnent autour de ce récit. Ce n'est pas sans raison qu'au commencement du livre VII l'engagement décisif entre Grecs et Barbares, le suprême assaut de l'Asie, est annoncé par un lever de rideau solennel : conseil des Perses, discours d'ouverture prononcé par Xerxès, harangues contradictoires (ἀγών)de Mardonios et d'Artabane, déclaration de guerre à laquelle tous les Achéménides des temps passés, évoqués par leurs noms, paraissent s'associer du fond de leurs tombeaux, revirement du roi, visions surnaturelles, songe prophétique. Alors que, dans les six premiers livres, les événements du récit principal sont présentés d'ordinaire suivant une seule ligne — celle de l'histoire des rois mèdes et perses — et dans l'ordre chronologique, ce n'est pas sans raison que

1. Nous examinerons, dans les introductions particulières aux différents chapitres, la composition de chacun et son adaptation au plan d'ensemble. Il ne s'agit pas pour le moment d'apprécier les mérites de l'œuvre, mais de mesurer l'effort de l'ouvrier.

la conquête de la Lydie par Cyrus est racontée, exceptionnellement, avant l'enfance de ce prince, avant l'histoire de ses parents, de son grand-père Astyage et des prédécesseurs de ce grand-père. Dans les trois derniers livres, où le récit principal suit tour à tour plusieurs lignes parallèles, la ligne perse et la grecque, ou bien la ligne des armées de terre et celle des armées de mer, ce n'est pas par hasard que l'écrivain passe d'une ligne à l'autre aux moments de l'action où il le fait. Ce n'est pas sans calcul qu'il amalgame au récit principal certains éléments géographiques ou ethnographiques, de telle sorte qu'ils ne l'interrompent point mais concourent au contraire à son progrès : ainsi, dans la première moitié du livre VII, la description de sites de l'Asie, de la Thrace et de la Macédoine, qui forment le décor de l'avance du Grand Roi ; ainsi, au livre III chapitres 17 et suivants, la peinture des mœurs des Éthiopiens, qui ressort du compte rendu d'une mission envoyée par Cambyse dans leur pays et des propos échangés au cours de cette mission entre les députés et le roi indigène. Ce n'est pas non plus sans intention que d'autres développements du même genre, — ainsi les développements sur Babylone et les Babyloniens, sur la Scythie et les peuples du Nord, sur la Libye et les peuples du Sud, — sont fractionnés et intercalés par morceaux entre des parties narratives ; que ce qui concerne l'histoire particulière d'une même cité grecque — Athènes, Sparte, Égine, Corinthe, Samos — avant les guerres médiques est divisé en plusieurs groupes, et divisé comme il l'est ; que des digressions annoncées à un certain endroit, ou qui auraient pu y trouver place, sont différées jusqu'à un certain autre : par exemple la digression sur les ancêtres des rois de Macédoine, annoncée au livre V chapitre 22, insérée seulement au livre VIII chapitres 137-138, ou la digression sur Sperchias et Boulis insérée au livre VII chapitres 133-137, qui se serait rattachée à une phrase du chapitre 32 aussi bien qu'à une phrase du chapitre 132 [1]. Il arrive qu'Hérodote

1. Il a pu arriver plus d'une fois qu'Hérodote ait hésité sur le choix de la place où il intercalerait une digression ; peut-être est-ce

s'ingénie à trouver des transitions, quelquefois aux dépens de l'exactitude historique et de la psychologie ; nous avons vu comment sont amenés au livre I chapitre 56 des chapitres de l'histoire athénienne et de l'histoire spartiate, au livre III chapitre 48 l'histoire de Périandre et de Lycophron, au livre V chapitre 67 celle de Clisthène de Sicyone, au livre IV chapitre 167 une énumération de peuplades libyennes, au livre IV chapitre 102 celle des peuples qui avoisinent les Scythes, au livre VII chapitre 128 la description de la Thessalie[1] ; d'autres combinaisons pourraient être citées : au livre IV chapitre 85, les mesures du Pont-Euxin et de la Propontide sont énoncées après que l'auteur nous a montré Darius contemplant, du sanctuaire de Zeus Ourios proche des Symplégades, l'immensité marine qui s'étend devant lui (πελαγέων ἀπάντων θωμασιώτατον) ; au livre VII chapitre 60, la revue des nations qui formaient l'armée de Xerxès est rattachée, de façon assez artificielle, au dénombrement de cette armée que le roi avait eu la fantaisie de faire : « les troupes dénombrées, on les disposa par nations (ἀριθμήσαντες δὲ κατὰ ἔθνεα διέταξαν) » ; au livre V chapitre 92, l'histoire des Bacchiades, de Kypsélos et Périandre, est placée dans la bouche d'un Corinthien qui veut détourner les Spartiates de rétablir les tyrans à Athènes ; c'est soi-disant une leçon par l'exemple. En pareils cas, l'effort de composition est indéniable[2].

à une hésitation de ce genre qu'est due la double présence, au livre I chapitre 175 et au livre VIII chapitre 104, de la note concernant l'étrange mésaventure des prêtresses d'Athèna à Pédasos.

1. Page 65. Voir aussi page 117.

2. Observons en passant que plusieurs des combinaisons ci-dessus sont copiées de réalités — ou du moins de données traditionnelles — qu'Hérodote connaissait sans doute puisqu'il les a consignées en d'autres passages de son histoire : l'hésitation de Crésus entre l'alliance d'Athènes et celle de Sparte, des démarches d'Aristagoras (V 38 et suiv., 55 et suiv.) ; la curiosité que Darius aurait manifestée à l'entrée du Pont-Euxin, Xerxès à l'embouchure du Pénée, de l'attitude qu'ils avaient eue d'autres fois, aux sources du Téaros (IV 91), aux lieux où avait été Troie (VII 43).

L'impression d'ensemble que laisse l'ouvrage d'Hérodote, même à des lecteurs avertis, n'en est pas moins tout autre que celle d'un ouvrage savamment et laborieusement composé. N'insistons pas sur quelques morceaux que rien ne prépare, qui ne se rattachent nullement à ce qui les précède, et dont la présence n'a d'autre raison d'être qu'une volonté entêtée de l'auteur de dire quelque part ce qu'il y dit : tels, pour nous en tenir au livre I, les chapitres 24 (aventure d'Arion), 92 (sur les offrandes de Crésus), 93-94 (sur les curiosités, mœurs et antiquités de la Lydie), 215-216 (sur les coutumes des Massagètes). Ces exemples de décousu sont, chez Hérodote, peu nombreux. Par contre, rien n'est plus ordinaire que de voir l'auteur s'abandonner aux mille suggestions de l'association des idées.

Il en est ainsi dans toutes les circonstances — et Dieu sait si elles sont nombreuses ! — où, au nom d'un homme, d'un peuple, d'un pays, d'une ville, d'un sanctuaire, d'un fleuve, d'une montagne, que le cours du récit amène sous sa plume, il accroche, si je puis ainsi dire, une digression biographique ou généalogique, historique ou géographique, ethnologique, archéologique : « J'ai dit de quel pays était le poète Aristéas ; je vais dire ce que j'ai entendu raconter de lui à Proconnèse et à Cyzique » (IV 14 ; suit l'histoire d'une disparition merveilleuse d'Aristéas pendant sa vie et d'une apparition de lui après sa mort) ; « Celui qui sacrifiait pour les Grecs était Tisamène fils d'Antiochos... C'était un Éléen de la race des Iamides, que les Lacédémoniens avaient fait leur concitoyen. En effet, un jour que Tisamène... » (IX 33 ; suit l'histoire de Tisamène, où s'intercale, à la faveur d'une comparaison, un épisode de l'histoire de Mélampous) ; « Les Grecs avaient comme devin Déiphonos fils d'Euènios d'Apollonie..., dont le père eut l'aventure que voici » (IX 92 ; suit l'aventure racontée tout au long) ; « Cyrus attaqua les Assyriens ; il y a en Assyrie... » (I 178 ; suit une description de Babylone) ; « Cambyse prépara une expédition contre l'Égypte... Les Égyptiens, avant le règne de Psammétichos, se croyaient les plus anciens des hommes... » (II 1-2 ; suit tout un λόγος sur l'Égypte) ; « Les Scythes, à Ascalon,.. pillèrent le temple d'Aphrodite Uranie. Ce temple... » (I 105 ; suit une note sur l'antiquité du temple d'Ascalon) ; « Cléomène... demanda l'expulsion de Clisthène et de beaucoup d'autres Athéniens, en désignant les Maudits (Ἐναγέας)... Voici dans quelles circonstances les Maudits avaient reçu ce nom à Athènes... » (V 70-71 ; suit un récit de la conjuration de Kylon). Des digressions de ce genre, les unes peuvent avoir de l'opportunité pour permettre de mieux comprendre les événements racontés ou d'en mieux apprécier l'importance, les autres non ; les unes peuvent tenir en quelques lignes, en quelques mots, les autres se développer en une longue série de chapitres, embrasser jusqu'à un livre entier (la digression sur l'Égypte) ; d'aucune, longue ou brève, utile ou superflue, l'introduction n'a coûté à l'auteur le moindre effort d'esprit, la moindre dépense d'ingéniosité.

Il faut porter, je crois, le même jugement sur d'autres digressions d'un caractère moins simple : sur celles, par exemple, que provoque la constatation d'une similitude ou d'un contraste : les Doriens de la Pentapole se réservent jalousement le sanctuaire du Triopion comme les Ioniens de la Dodécapole le sanctuaire du Panionion (I 144) ; Mélampous s'était fait payer par les Argiens les services qu'il leur rendait comme Tisamène se fit payer les siens par les Spartiates (IX 34) ; les Sybarites ne furent pas affectés par la prise de Milet comme les Milésiens l'avaient été par la prise de Sybaris ; mais les Athéniens furent bien loin d'imiter leur indifférence (VI 21) ; etc ; — sur certaines même dont l'attache n'est pas immédiatement évidente, et qui sont amenées par des intermédiaires. Au livre V chapitres 57 et suivants, Hérodote passe de la mention des Géphyréens, de qui descendaient les meurtriers d'Hipparque, à celle des Phéniciens qui avaient accompagné Cadmos en Béotie ; de la mention de ces Phéniciens, au rappel des connaissances qu'ils apportèrent en Grèce, en particulier de l'alphabet ; après quoi, il cite et commente d'antiques inscriptions en caractères « cadméens » qu'il a lues dans un temple de Thèbes. Au livre IV chapitres 32 et suivants, à la suite d'une énumération des peuples de l'extrême Nord, il conteste l'existence des Hyperboréens, rapporte ce que l'on disait d'eux, explique l'invention de ces fables par une fausse conception de la forme de la terre, oppose à cette conception la description du monde habité tel qu'il se le figure. Au livre III chapitre 98, il vient d'achever la liste des satrapies et des tributs que chacune payait au Grand Roi ; il annonce qu'il va expliquer comment les Indiens se procuraient la grande quantité de poudre d'or dont il a parlé précédemment ; mais, avant de tenir sa promesse, il donne des détails sur l'Inde et les Indiens en général (98-101) ; vient ensuite la description promise de la conquête de l'or (102-105), ayant pour préface celle des fourmis géantes qui le sortent du sol ; la description du chameau, qui coopère à cette conquête, n'est laissée de côté que parce que les Grecs connaissent l'animal ; Hérodote, toutefois, ne se retient pas de signaler des traits de sa structure qui sont, dit-il, généralement ignorés (103). La digression est-elle close ? Non pas. L'écrivain a dit (98) que les Indiens étaient, de tous les hommes, ceux qui habitaient le plus à l'Est ; cela le conduit à remarquer que les extrémités de la terre, les ἐσχατιαί, sont les pays d'où viennent les produits les plus rares et les plus précieux ; et, pour prouver cette affirmation, il promène ses lecteurs en Arabie, en Éthiopie, dans les régions mystérieuses du Nord et de l'Ouest de l'Europe ; il les fait assister à la récolte de l'encens, de la cannelle, du ladanum (106-116). Ce nouveau développement ne va pas lui-même sans incidente : l'arbre qui produit l'encens est défendu par des serpents ailés, des serpents ailés qui pulluleraient et rendraient le pays inhabitable, si la Providence n'avait eu le soin d'en régler la reprodution ; Hérodote célèbre la sagesse providentielle qui accorde la fécondité aux espèces inoffensives et la refuse aux espèces nuisibles ou féroces (108-109). Croira-t-on que, dans de tels morceaux, dans de tels ensembles de morceaux, l'enchaînement des motifs soit prémédité, que l'auteur ait fait naître délibérément l'occasion de parler de l'ancien alphabet phénicien et des inscriptions « cadméennes », des opinions différentes qu'on avait en son temps sur la figure de la terre, de l'Inde, des ἐσχατιαί, de la Providence ? Ce serait pousser à l'excès et en même temps fausser une idée juste : à savoir qu'Hérodote a voulu faire entrer dans son œuvre définitive le plus possible de ce qu'il savait, de ce qu'il avait pris en note, de ce qu'il avait déjà rédigé. Ce désir devait le conduire à admettre beaucoup de digressions ; mais non pas forcément à chercher pour chacune la meilleure place et à la lui assurer par de patients travaux d'approche. Aux places où ils se produisent, la grande majorité des écarts d'Hérodote sont des écarts spontanés.

La digression finie, il arrive qu'une phrase de transition amorce la reprise du récit principal : ainsi, après la digression sur Babylone, qui s'achève par des détails sur Nitocris : « C'est contre le fils de cette reine que Cyrus entra en campagne » (I 188) ; après le très long développement consacré à l'Égypte, qui aboutit à l'histoire d'Amasis : « C'est contre ce prince que marcha Cambyse » (III 1) ; — ou que l'auteur rappelle quel fut son point de départ : ainsi, après l'énumération des peuples de Libye : « Tels sont les peuples de Libye dont je peux dire les noms ; la plupart ne tiennent aujourd'hui et ne tenaient alors aucun compte du roi des Mèdes » (IV 197 ; cela répète la phrase qui sert d'introduction, à la fin du chapitre 167) ; — ou, du moins, qu'il mette le point final et annonce son retour à ce qui précédait : « Nous avons rapporté la vision qu'Hipparque eut en songe et l'origine des Géphyréens, dont étaient ceux qui l'assassinèrent ; il nous faut encore, cela dit, reprendre le récit que nous allions faire au commencement et raconter comment les Athéniens avaient été affranchis des tyrans » (V 62)[1]. Mais il arrive au moins

1. En pareils cas, Hérodote est rarement aussi explicite. Lorsqu'il prend le soin de clore une digression, il se contente d'ordinaire d'un ταῦτα μέν νυν ἐπὶ τοσοῦτον εἰρήσθω (IV 199) ou de quelque chose d'approchant ; s'il y ajoute l'annonce de la reprise d'un discours interrompu, il appelle ce discours τὸν πρότερον λόγον (I 141, VII 138), τὸν κατ' ἀρχὰς ἤια λέξων λόγον (IV 82), sans préciser davantage.

aussi souvent qu'Hérodote se dispense de toute formule de ce genre et que, sans crier gare, il reprenne les choses où elles en étaient avant la digression. Ainsi, au livre III chapitre 117, après le développement sur les ἐσχατιαί, surgit la description d'une plaine entourée de montagnes d'où le Grand Roi laisse, quand il le veut, l'eau fertilisante s'échapper dans les régions voisines par des portes et des écluses ; il faut un instant de réflexion pour comprendre que cette description se rattache, par-dessus les chapitres 98-116, à l'exposé des revenus royaux, et le complète ; car, pour accorder l'eau à qui la lui demande, le roi exige de grandes sommes d'argent qui viennent s'ajouter aux tributs (χρήματα μεγάλα πρησσόμενος... πάρεξ τοῦ φόρου). Puis, au chapitre 118, l'histoire des événements de la cour de Suse, interrompue depuis le chapitre 87 par le catalogue des satrapies, reprend *ex abrupto* avec l'épisode d'Intaphernès : « Intaphernès, un des sept Perses qui avaient conspiré contre le mage... »

L'agencement des parties du récit principal se fait ordinairement à peu de frais. Pour passer d'un groupe d'événements à un autre, Hérodote se contente parfois de signaler entre eux une relation de simultanéité : « Tandis que Cambyse marchait contre l'Égypte, les Lacédémoniens de leur côté firent une expédition contre Samos et contre Polycrate » (III 39) ; « Vers le temps où Cambyse tomba malade, voici ce qui arriva. Cyrus avait établi comme gouverneur de Sardes le Perse Oroitès... » (III 120 ; suit le récit des entreprises d'Oroités contre Polycrate) ; « A l'époque où l'expédition navale se mit en route pour Samos, les Babyloniens se révoltèrent » (III 150) ; « Voilà donc ce que fit Mégabyse. En ce même temps, il y eut un autre grand envoi de troupes contre la Libye » (IV 145). Un procédé dont il fait un très fréquent usage est le retour en arrière : au moment d'aborder un épisode, l'écrivain marque un temps d'arrêt ; et il expose en un récit intercalaire les antécédents de ce qu'il se prépare à raconter, quelquefois en reprenant les choses de bien plus loin que ne l'exigerait l'intelligence de ce qui va venir. Au livre III chapitre 139, pour expliquer l'intervention de Darius à Samos, retour sur ses anciennes relations avec Syloson ; au chapitre 142, pour expliquer les projets de Syloson, retour sur les faits et gestes de celui qui, alors, détenait le pouvoir à Samos, Maiandrios ; au livre IV chapitre 145, avant le récit de la campagne menée par les Perses contre Barkè à la requête de Phérétimè de Cyrène, retour sur l'histoire et la préhistoire de Cyrène, depuis l'arrivée en Laconie des Minyens qui plus tard devaient coloniser Théra, future métropole de la ville de Phérétimè ; au livre V chapitre 39, retour sur les événements qui avaient porté Cléomène au trône de Sparte ; au livre V chapitre 55, retour sur les circonstances de la chute des Pisistratides ; au livre V chapitre 82, retour sur les origines de la haine des Éginètes pour Athènes. Le procédé, sans doute, est légitime ; même, dans une œuvre aussi touffue que celle d'Hérodote, il était souvent nécessaire. Mais c'est aussi un procédé facile. Et, de ce procédé facile, Hérodote paraît avoir quelque peu abusé. En lisant son histoire, on est surpris de le voir mentionner çà et là dans de brèves incidentes rétrospectives des événements qui auraient mérité qu'on en parlât plus tôt et de façon plus expresse ; ainsi, au livre I chapitre 77, les alliances contractées par Crésus avec Amasis et le roi de Babylone ; au livre II chapitre 152, les antécédents et le premier exil de Psammétichos ; au livre VI chapitre 84, la démarche faite à Sparte par des députés scythes en vue d'une action concertée contre Darius, démarche dont il aurait été naturel de parler en rapportant celle d'Aristagoras ; au livre VI chapitre 92, la participation de navires d'Égine aux entreprises de Cléoméne contre la côte d'Argolide, racontées au chapitre 76 ; au livre VIII chapitre 3, les contestations entre les cités grecques pour le commandement de la flotte confédérée ; au livre VIII chapitre 132, la venue à Sparte d'ambassadeurs ioniens[1]. Trouver, pour por-

1. Il arrive aussi qu'un épisode important, assez longuement raconté, le soit avec un retard qui surprend, et non pas pour lui-même mais à l'occasion d'autre chose. Ainsi, au livre VII chapitres 172-173, l'envoi de troupes grecques pour défendre la passe de

ter plus tôt ces événements à la connaissance des lecteurs, une place convenable n'eût pas été, je suppose, au-dessus des moyens d'Hérodote; s'il y a renoncé, si, constatant des oublis, il ne les a pas réparés mieux et plus complètement, c'est qu'il n'a pas voulu s'en donner la peine.

Une raison de même ordre explique pour partie qu'on puisse se demander, après une lecture intégrale de l'œuvre d'Hérodote, quel en est le sujet, ce que l'écrivain a voulu faire, quelle a été son idée directrice [1]. Je sais bien qu'on ne peut pas attendre d'un auteur du milieu du ve siècle, de l'édificateur du premier grand monument en prose, une composition rigoureuse [2]. Je reconnais aussi que l'entreprise dans laquelle s'était engagé Hérodote, en voulant assembler en un seul corps une masse d'éléments dont beaucoup répugnaient à recevoir le joug de l'unité, était une entreprise où, sans la ressource moderne des notes, des appendices, des excursus, personne ne pouvait réussir parfaitement. Il me semble toutefois qu'Hérodote lui-même y aurait mieux réussi, s'il avait plus souvent pris le parti héroïque de procéder à une refonte complète de pages écrites à l'avance. Les historiens de sa pensée relèvent avec intérêt, dans la rédaction qui nous est parvenue, des traits où se conserve le souvenir de desseins antérieurs: il ne faut pas se dissimuler que ces traits, précieux pour qui veut reconstituer la genèse de l'œuvre, représentent presque tous des négligences [3].

Tempè. Dès le chapitre 128, nous avions vu Xerxès visiter en touriste cette passe, que les Grecs avaient déjà évacuée ; Hérodote ne rappelle le mouvement sur Tempè et la retraite qui suivit que lorsqu'il veut excuser l'attitude des Thessaliens.

1. Voir ci-dessous, p. 227 et suiv.

2. Voir p. 233.

3. Hérodote, dit-on, n'a pas achevé son œuvre ; s'il avait eu le temps d'y mettre la dernière main, toutes les aspérités auraient été aplanies, toutes les fissures aveuglées, tous les raccords seraient devenus invisibles. Peut-être. Il y a dans le texte que nous possédons un certain nombre de brefs développements qui, à l'endroit où nous les lisons aujourd'hui, paraissent tellement inopportuns, qu'on est tenté de les attribuer à des interpolateurs maladroits. Si ce sont, comme je le crois plutôt (du moins pour la plupart), des additions

Il nous reste à interroger le style.

Les détails d'expression qui décèlent de la recherche, si tant est que l'ouvrage d'Hérodote en contienne, y occupent en tout cas très peu de place. On rechercherait en vain dans ses neuf livres une image comme le « vautours, tombeaux vivants » de Gorgias. Plusieurs des métaphores les plus frappantes qui se rencontrent chez lui, « le seuil de la vieillesse », « l'Égypte présent du Nil », « l'année a perdu son printemps » (c'est-à-dire : l'armée grecque a perdu ses troupes les meilleures), sont des citations ou des emprunts[1]. La plupart sont d'une invention facile ; beaucoup devaient être usuelles. Quand il parlait d'affaires qui sont « sur le tranchant du rasoir », d'« abri » contre la guerre ou la crainte, d'« escarmouches » ou de « mêlée » de paroles, de circonstances qui « militent » en faveur d'une opinion, d'un projet, d'un parti, ou qui « engendrent » telles ou telles conséquences, d'un fléau « lancé » par les dieux contre des hommes comme une flèche ou comme la foudre, de « dévoiler » (littéralement : « mettre à nu ») un complot, d'un fleuve qui « vomit » (c'est-à-dire: « se décharge ») par quarante bouches, du « bouillonnement » de la jeunesse, d'une situation « gonflée » comme une tumeur ou comme des vagues agitées par le vent, de gens qui « s'égarent » (littéralement : « s'égarent *en naviguant* » ; naviguer était pour des Grecs un moyen ordinaire de faire route) hors de leur bon sens, de méchantes paroles que le vin, en descendant dans le corps, fait, comme un torrent qui arrache la boue de son lit, « remonter à la surface[2] »,

dues à l'auteur lui-même, j'aime à croire qu'il n'était pas dans ses intentions de les laisser où ils sont, qu'il les y avait placés provisoirement, et qu'il se réservait de les utiliser plus tard en des endroits plus convenables. Je suis bien loin de nier qu'Hérodote projetait un travail de revision. Mais jusqu'où ce travail se serait-il étendu ? Nul ne saurait le dire. Ce dont il nous est loisible de juger n'est que ce qui existe, non ce qui pourrait exister.

1. III 14 ; II 5 ; VII 162.

2. VII 11 ; I 143, VII 172, 215 ; VIII 64, 78, IX 26 ; VII 235, I 98, III 31, V 65 ; VII 10 ; I 105 ; I 126 ; I 202 ; VII 13 ; III 76, 127 ; III 155, VI 12 ; I 212.

Hérodote ne tentait rien d'extraordinaire. Peut-être l'assimilation d'une enceinte fortifiée à une cuirasse (θώρηξ I 131), d'une muraille protectrice à une tunique (κιθών VII 139) représente-t-elle ce qu'il y a chez lui, en fait de métaphores, de plus neuf et de plus hardi ; la hardiesse n'était pas grande[1]. Chez Hérodote, peu ou point de créations verbales. Peu ou point de mots composés qui, mis à la place de locutions analytiques, aient pu sembler prétentieux ; ce n'était pas le cas, je pense, pour des adjectifs ou des verbes tels que θωρηκοφόροι, κνημιδοφόροι, μιτρηφόροι, σισυρνοφόροι, πιθηκοφαγεῖν, φθειροτραγεῖν, ψηφιδοφόρος[2], etc. Φερέοικος (« porte-maison »), qu'Hérodote emploie en parlant des Scythes nomades, lesquels n'avaient ni villes ni murailles et à qui leurs chariots tenaient lieu de demeures (IV 46), se lisait déjà chez Hésiode, où il désignait l'escargot ; μιλτηλιφής (« enduit de vermillon »), employé en parlant de navires (III 58), — un *hapax*, — pouvait être un terme technique. Pas de périphrases qui ne soient consacrées ou que la situation ne suggère : Δήμητρος καρπός, dit du blé (I 193), appartenait à la langue courante ; ἀμπέλινος καρπός, dit du vin (I 212), convient mieux pour désigner une sorte de poison ou de philtre (φάρμακον) que ne conviendrait le terme propre οἶνος, et a en même temps, dans la bouche de Tomyris, quelque chose de méprisant. Pas de surabondance verbale, à moins qu'on ne veuille incriminer κλῶπες κακοῦργοι (I 41), où κακοῦργοι renchérit sur κλῶπες (des larrons qui pourraient devenir des meurtriers), et ἄπαις ἔρσενος γόνου, ἔρσενος καὶ θήλεος γόνου (I 109, VII 61, 205 ; VII 66), où les génitifs précisent la valeur de ἄπαις. Pas de substitutions arbitraires et forcées à la construction épithétique d'une tournure par le génitif (type τὸ φρόνιμον τῆς γνώμης pour ἡ φρόνιμος γνώμη, λόγων ὀρθότης pour λόγοι ὀρθοί[3]). Pas non plus de mots rares. de mots qui n'aient été,

1. D'autant moins grande, que le mot χιτών s'employait communément en grec en parlant d'enveloppes d'espèces très diverses.

2. VII 65, 92 ; VII 92 ; VII 62 ; VII 67 ; IV 194 ; IV 109 ; VI 109.

3. Τὰ σύντομα τῆς ὁδοῦ (I 185, IV 186), que l'on peut songer à

dans l'un ou l'autre des pays où vécut successivement l'auteur, familiers tout au moins aux personnes de la bonne société. Les expressions épiques qui émaillent le texte d'Hérodote ne sont pas employées, comme elles devaient l'être plus tard par des écrivains raffinés, en vue de produire aux endroits où elles sont employées des effets de surprise, des effets piquants, quelquefois voisins de la parodie ; ce sont des emprunts naïfs ; si leur présence se constate surtout dans les harangues, dans des exposés d'événements importants, il n'y a là rien que de naturel ; il aurait fallu qu'Hérodote fût étrangement dépourvu de tout sens artistique pour ne pas vouloir que son discours eût par moments plus d'éclat ; et, pour lui donner plus d'éclat, il devait recourir d'instinct aux mots, aux images, aux tournures de l'épopée, dont sa mémoire était pleine ; il arrive d'ailleurs que des réminiscences poétiques apparaissent sans opportunité, et détonnent ; ce qui semble indiquer de la part de l'auteur plus de laisser-aller que de calcul.

On a relevé minutieusement tout ce qui, dans l'élocution d'Hérodote, peut paraître s'apparenter aux doctrines et aux procédés des stylistes de son époque, des Thrasymachos et des Gorgias [1]. Sur la plupart des points, ces utiles enquêtes ont abouti à des conclusions négatives. Hérodote a usé largement de l'antithèse, il n'en a pas abusé ; l'antithèse, chez lui, n'est jamais une simple combinaison verbale, ni l'expression d'un contraste futile ; elle naît de la pensée, elle traduit une opposition réelle qui mérite d'être notée. On a épilogué sur quelques cas ; on a dit, par exemple, que, lorsque Démarate, outragé par une question impertinente, déclare :

objecter, n'est pas, me semble-t-il, tout à fait de même sorte. Cette expression dit quelque chose de plus que ne dirait ἡ σύντομος ὁδός : ce sont « les voies abrégées pour faire le trajet, les raccourcis du chemin, la route *la plus* courte » (συντομώτατον, est-il dit en pareil cas au livre VII chapitre 121).

1. Voir Kleber, *Die Rhetorik bei Herodot,* Löwenberg 1889 ; Nieschke, *De figurarum quae vocantur* Γοργίεια σχήματα *apud Herodotum usu,* Münden 1891 ; Wundt, *De Herodoti elocutione cum sophistarum comparata,* Leipzig 1903.

« Cette question sera pour les Spartiates l'origine de mille misères *ou de mille prospérités* » (VI 67), l'alternative est artificielle, le second terme ajouté pour amener un cliquetis de mots ; mais, si Démarate pouvait prévoir que son ressentiment allait engager Sparte dans de périlleuses aventures, il ne pouvait être sûr que de ces aventures résulteraient pour elle seulement des misères ; il en pouvait résulter tout aussi bien de la gloire, de la prospérité, si la Fortune souriait à la vaillance incontestée des Spartiates. L'alternative est parfaitement légitime ; et l'antithèse qui l'exprime n'a pas été inspirée par le goût du vain ornement. L'examen des autres passages incriminés prouverait que celles qu'ils contiennent ne l'ont pas été davantage. Quant à l'affectation de symétrie, à la recherche des membres de phrase se contrebalançant par leur ampleur et leur contexture (ἰσόκωλα), des groupes finissant par le même son (ὁμοιοτέλευτα), des allitérations (παρηχήσεις), des accumulations de mots de même racine (παρονομασίαι), qui, dans des textes du ve siècle, s'étale de façon indiscrète, je n'en reconnais point chez Hérodote de traces incontestables. Tout ou presque tout ce qu'il y a chez lui de semblables détails, si ce n'était pas nécessaire, indispensable, pour l'expression exacte de ce que l'auteur voulait dire, peut, à mon avis, être dû au hasard. Dans un groupe comme celui-ci : καὶ χρήματά τοι οὐκ εἶναι κατὰ τὰ φρονήματα (III 122), ou comme cet autre : ὃς χρηστῶς μὲν τὴν σεωυτοῦ πατρίδα ἐπετρόπευσας, εὖ δὲ τῷ πατρὶ τῷ ἐμῷ συνεβούλευσας (III 36), je doute fort que la *paréchèse* χρήματα -φρονήματα ou l'*homoioteleuton* ἐπετρόπευσας-συνεβούλευσας, produits par des mots d'un usage courant qui venaient d'eux-mêmes à l'esprit, aient été voulus ; le fréquent retour de désinences pareilles, inévitable en grec, ne pouvait manquer d'entraîner, sans la volonté expresse des écrivains, sinon contre leur gré, des assonances de ce genre [1]. Dans un groupe comme ἐπὶ χρήμασι

1. Ajoutons que quelques-unes des *paréchèses* ou *paronomases* les plus frappantes qu'on trouve chez Hérodote (παθήματα-μαθήματα I 207 ; λιμόν-λοιμόν VII 171 ; τῷ κακῷ τὸ κακόν III 53) étaient traditionnelles.

ἄδικον δίκην ἐδίκασε (VII 194), je ne vois rien de plus qu'une rencontre fortuite de deux locutions anodines : δίκην δικάζειν, exemple de la vulgaire « figure étymologique », et ἄδικος δίκη, traduction la plus simple de l'idée de « sentence inique ». Je ne vois pas non plus d'artifice dans des phrases telles que les suivantes : ἢν μὴ ὄρνιθες γενόμενοι ἀναπτῆσθε ἐς τὸν οὐρανόν, ὦ Πέρσαι, ἢ μύες γενόμενοι κατὰ τῆς γῆς καταδύητε ἢ βάτραχοι γενόμενοι ἐς τὰς λίμνας ἐσπηδήσητε... (IV 132) ; καὶ δὴ ὑμῖν ἐπισκήπτω... εἴτε δόλῳ ἔχουσι αὐτὴν (τὴν ἡγημονίην) κτησάμενοι, δόλῳ ἀπαιρεθῆναι ὑπὸ ὑμέων, εἴτε καὶ σθένεΐ τεῳ κατεργασάμενοι, σθένεϊ κατὰ τὸ καρτερὸν ἀνασώσασθαι (III 65), en dépit d'une évidente symétrie ; si Hérodote avait attaché du prix à cette symétrie, il pouvait aisément la rendre plus parfaite (en déplaçant ὦ Πέρσαι, en intervertissant ἀναπτῆσθε et ἐς τὸν οὐρανόν, en rapprochant δόλῳ de κτησάμενοι, en supprimant κατὰ τὸ καρτερόν, en évitant le changement de sujet entre ἀπαιρεθῆναι et ἀνασώσασθαι) ; elle lui a été en quelque sorte imposée ; c'est pour y échapper qu'il aurait dû s'ingénier. Cela est encore plus évident pour des phrases moins amples. Lorsqu'Hérodote écrit : ἐν μὲν γὰρ τῇ οἱ παῖδες τοὺς πατέρας θάπτουσι, ἐν δὲ τῷ οἱ πατέρες τοὺς παῖδας (I 87 ; il compare l'état de paix et l'état de guerre) ; ou : οἱ δὲ ἔφασαν ... τὴν μὲν προτέρην ἡμέρην πάντα σφι κακὰ ἔχειν, τὴν δὲ τότε παρεοῦσαν πάντα ἀγαθά (I 126 ; les Perses font la différence entre une rude journée de labeur et une douce journée de ripaille) ; ou : καὶ τά τε ἀπ' ὑμέων ἡμῖν χρηστῶς ὁδοῦται καὶ τὰ ἀπ' ἡμέων ἐς ὑμέας ἐπιτηδέως ὑπηρετέεται (IV 139 ; Histiée répond aux Scythes qui lui conseillaient d'acculer au désastre Darius, leur ennemi et l'oppresseur de l'Ionie), comment exprimerait-il d'une façon plus naturelle des pensées plus exemptes de subtilité ? Quelques « anaphores » peuvent surprendre. Exemples : ἔπαιζε ἐν τῇ κώμῃ ταύτῃ ἐν τῇ ἦσαν καὶ αἱ βουκολίαι [αὗται], ἔπαιζε δὲ μετ' ἄλλων ἡλίκων ἐν ὁδῷ (I 114) ; πέμψας Καμβύσης ἐς Αἴγυπτον κήρυκα αἴτεε Ἄμασιν θυγατέρα, αἴτεε δὲ ἐκ βουλῆς ἀνδρὸς Αἰγυπτίου (III 1) ; ... τὸν Σάλμοξιν τοῦτον ἐόντα ἄνθρωπον δουλεῦσαι ἐν Σάμῳ, δουλεῦσαι δὲ Πυθαγόρῃ τῷ Μνησάρχου .. (IV 95) ; δολεροὺς μὲν τοὺς ἀνθρώπους ἔφη εἶναι, δολερὰ δὲ αὐτῶν τὰ εἵματα (III 22). On estimera sans doute que, dans les trois premiers cas, il n'y aurait eu aucun inconvénient à supprimer le second ἔπαιζε, le second αἴτεε, le second δουλεῦσαι ; que, dans le quatrième cas, une phrase comparative où l'épithète n'eût figuré qu'une fois (« les vêtements de ces hommes sont trompeurs comme eux-mêmes ») aurait convenu tout aussi bien. C'est exact. Mais n'en concluons pas que les reprises des mots ἔπαιζε αἴτεε δουλεῦσαι δολερούς(-ά) aient été dans l'intention d'Hérodote des élégances, des nouveautés recherchées. Tout au contraire ; elles font partie d'un groupe de détails de style où se manifestent sa défiance à l'égard des développements complexes, sa préférence marquée pour la coordination plutôt que la subordination, son habitude de n'avancer dans l'exposé des idées et des faits que lentement, par petites étapes, à coup sûr [1] ; bref, son attachement à une phraséologie archaïque.

L'euphonie, le rythme, qui, dans l'antiquité, ont fait de la part de certains prosateurs l'objet de tant de soins, ne semblent pas avoir beaucoup préoccupé Hérodote. Les appréciations des critiques anciens, meilleurs juges que nous en la matière, sont ici tout particulièrement intéressantes. Qu'il suffise de rappeler celles de Cicéron : « Herodotus... numero caruit, nisi quando temere et fortuito... Si quae veteres illi, Herodotum dico et Thucydidem totamque eam aetatem, apte numeroseque dixerunt, ea non numero quaesito, sed verborum collocatione ceciderunt [2]. » Il est digne de remarque que, d'un manuscrit d'Hérodote à un autre, assez souvent l'ordre des mots varie. Peut-être a-t-il été quelquefois modifié délibérément par les éditeurs ou les copistes en vue d'obtenir des combinaisons plus harmonieuses. La libre façon dont ils en ont usé garantit en tout cas qu'à leur sens Hérodote n'était pas un de ces minutieux virtuoses du langage dont la phrase méritât au point de vue musical d'être attentivement respectée.

1. Voir ci-dessous, p. 243.
2. *Orat.*, 186, 219.

A tout prendre, les seuls détails où s'aperçoit de l'étude sont, je crois, quelques essais de style périodique, le plus souvent maladroits, tâtonnants, aboutissant à des anacoluthes, et quelques essais de discours indirect dont plusieurs vite interrompus par la reprise des première et seconde personnes chères aux primitifs ; les uns et les autres clairsemés. Ces détails sont intéressants, parce qu'ils nous montrent une fois de plus Hérodote accessible aux influences ambiantes ; ils contribuent à donner à son style l'aspect d'un style de transition, où se mêlent à d'antiques moyens d'expression l'emploi accidentel de procédés nouveaux et la soumission intermittente à de nouvelles disciplines ; leur présence n'empêche pas que la caractéristique dominante de ce style soit, comme on l'a répété cent fois depuis des siècles, la simplicité.

Cela ne veut pas dire nécessairement qu'Hérodote ait écrit sans effort. Pour savoir de façon certaine ce qu'a coûté de peine à un écrivain la rédaction de son œuvre, il faut avoir reçu de lui des confidences, — des confidences sincères, — ou avoir pu inspecter ses brouillons. Théoriquement, la simplicité d'Hérodote pourrait être le fruit d'une application laborieuse. Je ne crois point qu'en réalité elle le soit. L'époque où il vivait n'était pas assez raffinée, assez blasée en matière littéraire, pour qu'un auteur songeât à affecter le ton simple. Si, dans la plus grande partie de son histoire, le style d'Hérodote se rapproche si fort du langage parlé, du style lâche de la conversation et des narrations familières, c'est que, sans intention ni recherche, il écrivait comme il aurait parlé, comme il aurait raconté de vive voix, comme il entendait raconter. Beaucoup des contes, nouvelles, récits semi-historiques et semi-légendaires que nous lisons chez lui avec délices devaient, avant qu'il les recueillît, circuler de bouche en bouche sous une forme très arrêtée ; plus d'une fois peut-être, il n'a guère fait autre chose que de rédiger pour ainsi dire sous la dictée ou d'après des souvenirs tout frais ; ce n'en est pas moins un beau succès, d'avoir conservé aussi bien qu'il l'a fait, à la chose écrite, la saveur, l'animation, le mouvement de la chose parlée. Ce succès,

Hérodote dut le réaliser non point par une prouesse de l'art, mais grâce à un heureux don de sa nature. L'aptitude qu'il me semble apercevoir en lui à reproduire avec fidélité, avec candeur, la parole de récitateurs populaires, est l'indice d'un génie facile. La constater donne une raison de croire que l'air de spontanéité qui règne dans son élocution, malgré les diversités d'allure, d'accent, de coloris, commandées par les circonstances, n'est pas une apparence décevante.

*
* *

Nous avons fait le tour de la personnalité d'Hérodote. Des traits épars que nous avons relevés, quelle image d'ensemble se compose ? Un buste fameux [1] représente l'écrivain sous l'aspect d'un personnage grave, au front barré de trois profondes rides, d'un homme que l'on devine accoutumé à la contention intellectuelle, au recueillement de la vie intérieure, au tête-à-tête avec sa pensée. Je me figure Hérodote autre, et moins imposant. J'aime à croire qu'il fut un honnête homme ; je crois très volontiers qu'il fut un homme aimable, de bonne compagnie, agréable causeur ; il fut certainement, nous en avons des preuves, un homme de bon sens, fin, raisonnant juste sur bien des choses. Ces qualités moyennes ne faisaient pas de lui un grand esprit ni un grand caractère, ni, pour le dire d'un mot, une forte individualité. Elles ne l'auraient guère élevé au-dessus du commun des mortels. Ce qui l'a porté à la haute place qu'il occupe, et qui lui est due, dans l'admiration de la postérité, c'est d'une part l'heureux choix qu'il a fait d'une matière intéressante par elle-même ; ce sont d'autre part des mérites d'ordre exclusivement littéraire, des mérites littéraires naturels. Miroir toujours offert aux spectacles du monde et merveilleusement apte à en recevoir l'impression, ses peintures

1. Le buste adossé à celui de Thucydide dans le double hermès de Naples. Il est reproduit en tête de l'édition Fritsch. Sur ce buste et les autres images antiques d'Hérodote, voir l'article de Kekule von Stradonitz dans le Γενεθλιακόν en l'honneur de Buttmann.

semblent douées, comme les peintures d'Homère, d'une immortelle jeunesse, d'une inaltérable fraîcheur. Plus ce dont elles gardent le souvenir reculera dans le lointain des âges, plus elles auront de charme. Et j'emploie ici le mot charme dans son sens plein. Il faut prendre sur soi, réagir contre une enveloppante séduction, pour lire l'ouvrage d'Hérodote comme un livre d'histoire et de géographie. On a quelque scrupule à examiner ces récits, ces tableaux attachants, avec les lunettes de l'érudit en quête d'exactitude et de vérité vraie. La chatoyante diversité de l'ensemble, le pittoresque, le romanesque, l'humour, la gaillardise, la touchante familiarité, le tragique, l'héroïque, le merveilleux, qui, tour à tour, s'expriment dans les parties, la vie répandue partout, désarment la critique. On est tenté de trouver suffisante cette espèce de vérité seconde dont l'auteur s'est souvent contenté, et, renonçant à savoir ce que furent en réalité les choses, les hommes, les événements, d'accepter en place l'image plus ou moins déformée, plus ou moins fantaisiste, qui en survivait à Sardes et à Samos, à Milet et à Olbia, à Athènes et à Sparte, à Thèbes et à Delphes, à Cyrène et à Syracuse, à Memphis et à Babylone [1]. L'œuvre d'Hérodote est délicieuse. Elle est de celles qu'on lit et qu'on relit sans jamais se lasser ; la saurait-on par cœur, on y prendrait encore du plaisir, comme les enfants à écouter des contes dont ils connaissent d'avance jusqu'au moindre détail et prévoient chaque mot. Il est bien naturel de désirer savoir ce que fut l'ouvrier de cette œuvre. Si nous sommes amenés à conclure qu'il ne fut pas un « grand homme », le désappointement que nous en pourrons ressentir ne doit pas altérer notre joie ni diminuer notre reconnaissance.

1. Les recherches et découvertes modernes aboutissent d'ailleurs en maintes circonstances, en plus de circonstances qu'on ne l'aurait pensé *a priori*, à constater qu'Hérodote a dit vrai. Tout récemment encore, M. Radet en faisait la remarque à propos des invasions des Scythes en Asie (*Revue des Études Anciennes*, 1931, p. 266).

II

SUR L'ÉTABLISSEMENT DU TEXTE D'HÉRODOTE ET SUR LA PRÉSENTE ÉDITION

Nous disposons, pour établir le texte d'Hérodote, de trois sortes de documents :

— manuscrits du Moyen-âge et de la Renaissance ;

— papyri des premiers siècles de notre ère ;

— citations d'auteurs grecs, gréco-romains, byzantins.

VALEUR DES CITATIONS ANTIQUES

Les citations, — qui sont indiquées dans la grande édition de Stein[1], entre le texte grec et les notes critiques, — ne concernent qu'un petit nombre de passages. Et elles ne doivent être utilisées qu'avec discernement. Quand Plutarque nous dit que, de son temps, la phrase liminaire de certains manuscrits donnait comme ethnique de l'écrivain Θουρίου (et non pas Ἁλικαρνησσέος), il n'y a nul motif pour refuser de le croire. Quand nous lisons dans les scholies d'Aristophane (*Plutus,* 388), à propos du mot ἀπαρτί : Κέχρηται δὲ αὐτῷ Ἡρόδοτος λέγων· « ἀπὸ τούτου εἰσὶ στάδιοι ο' (lire ω') ἀπαρτί », et, dans le lexique de Pollux, au milieu d'une énumération de coiffures (X 163) : Ἡρόδοτος δὲ καὶ κίταριν, nous sommes en droit d'affirmer que l'auteur de chacune de ces

1. *Herodoti historiae,* rec. H. Stein, Berlin, Weidmann, 1869-1871.

remarques, — Didyme très probablement pour la première, et peut-être aussi pour la seconde, — lisait ω' ἀπαρτί au livre II chapitre 158 au lieu de χίλιοι que donnent les manuscrits, et le mot κίταρις quelque part, vraisemblablement, ainsi que l'a conjecturé Larcher, au livre VII chapitre 90, dans la description de l'équipement des Cypriotes, à la place du mot κιθών, qui surprend. Mais de ce qu'Aristote, citant le début du prooimion, a écrit ἥδ' ἱστορίης ἀπόδεξις, au lieu de ἱστορίης ἀπόδεξις ἥδε qui est la lecture de tous les manuscrits, on ne saurait conclure qu'il avait sous les yeux un exemplaire où ἥδε précédait ἱστορίης ἀπόδεξις ; il est plus probable que, dans la circonstance, il ne tenait pas à reproduire fidèlement l'ordre des mots, et qu'il citait de mémoire. De même, on aurait tort de voir dans cette phrase d'Eustathe (1158, 38) : Ἰστέον δὲ καὶ ὅτι ἐν τοῖς Αἰλίου Διονυσίου φέρεται καὶ ὡς Ἀττικὰ μὲν τὸ εἶτα καὶ ἔπειτα, τὸ δὲ εἶτεν, φησί, καὶ ἔπειτεν Ἰακά· διό, φησί, καὶ παρ' Ἡροδότῳ κεῖνται, une preuve péremptoire qu'Ailios Dionysios avait relevé chez Hérodote l'adverbe εἶτεν, que nous n'y trouvons point, ni sous cette forme, ni sous les formes εἶτε εἶτα ; Ailios Dionysios, je pense, ne s'intéressait qu'à la désinence -εν ; il se rappelait — ou croyait se rappeler — l'avoir rencontrée chez l'historien, au lieu de la désinence -α à la fin de certains adverbes ; il a pu citer de confiance, sans avoir vérifié, εἶτεν auprès de ἔπειτεν ; son témoignage est précieux à recueillir pour l'emploi de la désinence -εν ; il n'a pas de valeur probante pour l'emploi du vocable εἶτεν (ou εἶτε ou εἶτα). D'une façon générale, beaucoup des citations d'Hérodote, comme beaucoup d'autres citations qui se lisent chez des auteurs anciens, paraissent avoir été faites sans le souci d'une exactitude intégrale. Aussi n'offrent-elles d'intérêt qu'à des points de vue particuliers, variables d'un cas à l'autre, pour attester tantôt qu'Hérodote s'est servi de tel mot, tantôt qu'il a parlé de telle chose, émis telle opinion, employé telle forme grammaticale. Il faut les prendre chaque fois pour ce qu'elles sont, pour ce qu'elles veulent être, et ne pas en attendre plus qu'elles ne peuvent donner.

PRINCIPAUX MANUSCRITS

Les manuscrits reconnus les meilleurs pour l'établissement du texte d'Hérodote, — on trouvera de presque tous une description plus détaillée dans la préface de l'édition de Stein[1], — sont les suivants :

— le Laurentianus LXX 3 (A), rédigé avec soin au xe siècle par deux scribes successifs ; le texte y a été accompagné dès l'origine, en marge, de sommaires et de quelques débris de scholies ; plus tard se sont ajoutées, surtout pour le livre I, des notes marginales ou interlinéaires le plus souvent sans valeur ;

— un manuscrit du xie siècle, très proche parent du précédent, appelé tantôt Passioneus, du nom du cardinal Passionei qui en fut le propriétaire, tantôt Angelicanus, du nom de la bibliothèque romaine dont il fait partie maintenant (B) ; les sommaires qui figurent dans A s'y retrouvent, mais en moins grand nombre ; il contient aussi, écrits de plusieurs mains, des débris de scholies, et des annotations plus récentes. Le premier quaternion et la plus grande partie du second sauf les feuillets extrêmes, ayant été perdus, ont été remplacés par un texte du xive siècle qui embrasse les chapitres 1-35 du livre I jusqu'à ἐμωυτοῦ ἀέκων et 42-68 depuis πρήσσοντες ἱέναι jusqu'à ὑπὸ δὲ ἀπιστίης (b) ;

— le Vaticanus 2369, du xiie ou du xie siècle, provenant de la bibliothèque de Muret (D). Il est rédigé tout entier de la même main, assez négligemment çà et là, surtout vers la fin ; plusieurs feuillets manquent, qui contenaient les chapitres 1-5 du livre I jusqu'à Ἕλληνας τοῦτον, les chapitres 38-73 depuis ἐπὶ τῆς ἐμῆς jusqu'à Ἀστυάγεα γὰρ τὸν Κυαξάρεω, les chapitres 197-205 depuis δεύτερος δὲ jusqu'à καὶ πύργους.

1. Voir aussi, pour plusieurs, celle de l'édition de Hude (dans la *Scriptorum classicorum Bibliotheca Oxoniensis*, 3e édition, 1926). Les apparats critiques des éditions Stein et Hude ont servi de base à mon travail.

Étudié par Dilthey, qui en avait fait une collation pour le livre I[1], ce manuscrit fut ensuite égaré pendant un demi-siècle : c'est seulement dans la troisième édition de Hude (1926) qu'il a été pleinement mis à profit ;

— le Vaticanus ou Romanus 123, du xive siècle (R) ; c'est un manuscrit composite, contenant d'abord deux traités de Dion Chrysostome et des sentences tirées de l'Anthologie, puis l'histoire d'Hérodote, à l'exception du livre V ; des sommaires accompagnent le texte, assez nombreux et semblables à ceux de A et B pour les deux premiers livres, différents ensuite et de plus en plus rares ;

— le Sancroftianus, ainsi nommé du nom de l'archevêque Sancroft qui le posséda autrefois, appartenant aujourd'hui à la bibliothèque d'un collège de Cambridge (S) ; lui aussi est du xive siècle ;

— le Vindobonensis LXXXV, également du xive siècle (V) ; beaucoup de lectures sont communes soit à DRSV soit à deux ou trois d'entre eux, surtout à DR et à SV, — S étant celui dont le témoignage, quand il est isolé, mérite le moins de confiance. Les quatre sont nettement apparentés par la façon dont y est abrégé le livre I : d'amples morceaux, qui ralentissent le cours du récit principal ou qui paraissaient susceptibles de choquer la pudeur, ont été retranchés et remplacés parfois par des phrases de raccord. Au même groupe se rattachent, pour la qualité du texte :

— le supplément b de l'Angelicanus, dont nous avons parlé précédemment ;

— le manuscrit 88 d'Urbin (U), du xive siècle, dont les lectures, dans les apparats critiques de Stein et de Hude, remplacent au livre V celles du Romanus, défaillant.

Trois autres manuscrits occupent entre le groupe AB et le groupe DRSV une situation intermédiaire :

— un Laurentianus du fonds des *Conventi soppressi*, provenant d'un monastère de Bénédictins de Florence, n° 207 (C) ; il date du xie siècle et semble avoir été rédigé hâtivement ;

1. Publiée par Weber, *Analecta Herodotea*, dans le *Philologus*, XII[er] Supplementband, p. 133 et suiv.

les feuillets 9 à 14 (I 14 παρέχων πᾶσαν - I 73 πεπονθότες), sont d'une autre écriture, qui paraît être du xve siècle (c);

— un manuscrit de Paris *Suppl.* 134, qui, avec des extraits de Plutarque et de Diogène Laërte, contient des extraits d'Hérodote[1] (E); le manuscrit lui-même date du xiiie siècle; la comparaison qu'on en a faite avec un manuscrit du mont Athos datant de la même époque a engagé à croire que les extraits furent tirés d'un manuscrit du xe; le texte du modèle paraît avoir été reproduit assez fidèlement dans les extraits des premiers livres; moins exactement par la suite;

— le Parisinus 1633, manuscrit très soigné du xive siècle[2] (P); il contient en marge ou entre les lignes beaucoup de corrections et additions de première main;

les deux premiers de ces trois manuscrits s'accordent d'ordinaire avec AB; les concordances avec DRSV y sont relativement rares; elles sont, au contraire, fréquentes dans le troisième.

PAPYRI

Voici maintenant un relevé des papyri, — relevé, espérons-le, provisoire[3]:

d'abord une série de papyri d'Oxyrhinchos:

— tome I n° 18, du iiie siècle, contenant des parties de I 105-106;

— tome I n° 19, du iie ou du iiie siècle, contenant une partie de I 76;

— tome IV n° 695, du iiie siècle, contenant des parties de V 104-105;

— tome VIII n° 1092, du iie siècle, contenant des parties de II 154, 158-165, 167, 169, 170, 175;

1. Cf. Hude, praef., p. vi-vii.
2. D'après Omont et Hude; Stein le croyait du xiiie.
3. Les papyri d'Oxyrhinchos 18 19 695 1092 1244, le papyrus de Münich, le papyrus Ryland, le papyrus 1109 du British Museum, le papyrus Amherst, ont été réunis et étudiés ensemble par Viljoen dans une dissertation doctorale: *Herodoti fragmenta in papyris servata*, Groningue, 1915.

— tome X n° 1244, du commencement du IIe siècle, contenant des parties de I 105-108 ;

— tome XI n° 1375, du Ier ou plutôt du IIe siècle, contenant des parties de VII 166-167 ;

— tome XIII n° 1619, de la fin du Ier siècle, contenant des parties de III 26-27, 29-30, 32-36, 39, 49, 52-60, 64, 68, 70-72 ;

— tome XVII n° 2095, du IIe siècle, contenant des parties de I 9, 11 ;

— tome XVII n° 2096, de la fin du IIe siècle, contenant des parties de I 58, 85, 87, 91, 118, 132, 160, 191, 209-214 ;

— tome XVII n° 2097, du IIIe siècle, contenant des parties de I 64-65 ;

— tome XVII n° 2098, de la fin du IIe siècle, contenant des parties de VII 168-173 ;

— tome XVII n° 2099, du début du IIe siècle, contenant des parties de VIII 22, 23 ;

autres papyri :

— un papyrus de Münich (*Archiv für Papyrusforschung*, I, p. 471 et suiv.), du Ier ou du IIe siècle, contenant des parties de I 115-116 ;

— un papyrus Ryland (*Catalogue of the greek papyri in the John Rylands library*, I, p. 180 et suiv.), du IIe siècle, contenant des parties de II 96, 98, 107-108 ;

— le papyrus du British Museum n° 1109 (*Greek papyri in the British Museum*, III, p. 57 = Milne, *Catalogue of the literary papyri in the British Museum*, n° 102), du Ier ou du IIe siècle, contenant des parties de V 78, 80, 82 ;

— un autre papyrus du British Museum (Milne, *o. l.*, n° 103), du IVe siècle, contenant quelques bribes de V 77-79 ;

— le n° 15 des papyri des collections russes et géorgiennes, publié par Zereteli (*Pap. Ross. Georg.*, fasc. I, p. 95-101), du IIIe siècle, contenant des parties de I 196, 201-203 ;

— joignons-y un papyrus Amherst (*Amherst Papyri*, II, p. 3, n° 12), du IIIe siècle, contenant quelques bribes d'un commentaire d'Aristarque sur les chapitres 193, 194, 215 du livre I.

UNITÉ APPARENTE DE LA TRADITION

Disons-le aussitôt : manuscrits et papyri ne nous font certainement pas connaître toutes les formes sous lesquelles, dans l'antiquité, on lisait le texte d'Hérodote. Nous le savions dès longtemps par quelques citations. Nous en avons maintenant une preuve de plus, et de grande conséquence, dans une note du papyrus 1092 d'Oxyrhinchos. Auprès d'une rédaction de quelques lignes de II 162 presque identique à celle des éditions modernes : ὡς δ]ὲ ἀπικέσθαι [αὐτὸν πρὸς τὸν Ἀπρ]ίην οὐκ ἄ[γοντα τὸν Ἄμασιν, ο]ὐδένα λό[γον ἑωυτῷ δόντα ἀλ]λὰ περιθύ[μως ἔχοντα προστά]ξαι περιτα[μεῖν αὐτοῦ τά τε ὦτα κ]αὶ τὴν ῥῖ[να, ce papyrus notait comme variante — ο(ὕτως) ἔ(ν) τ(ισιν) ἄ(λλοις) — une autre rédaction d'une syntaxe toute différente : [ἀπικομένου δὲ] τούτου καὶ οὐκ ἄ[γοντος τὸν Ἄμασ]ιν Ἀπρίης οὐδέ[να λόγον ἑαυτῷ δοὺς] ἀλλὰ περιθύ[μως ἔχων λέγεται προστά]ξαι περιταμεῖν [αὐτοῦ τήν τε ῥῖνα] καὶ τὰ ὦτα[1]. D'un jour à l'autre, une nouvelle découverte peut faire surgir de l'oubli un texte qui s'écartera sensiblement du texte traditionnel ; ce serait, pour les éditeurs d'Hérodote, une révolution ; ce ne serait pas tout à fait une surprise.

Parmi les divergences que l'on constate entre les rédactions connues jusqu'à présent, beaucoup n'atteignent que la surface du texte : divergences orthographiques, dialectales, divergences dans l'ordre des mots. Celles-là peuvent s'être produites, indépendamment de toutes autres, sous l'influence de préoccupations d'un caractère spécial. On conçoit qu'un grammairien imbu de certaines théories sur le dialecte ionien ait voulu « corriger », pour les mettre d'accord avec ces théories, les désinences, le vocalisme, les formes verbales d'Hérodote, tout en respectant, — ou, du moins, en ayant l'intention de respecter, — quant au reste, le texte sur lequel

1. La restitution n'est pas certaine de tout point, notamment en ce qui concerne la place à attribuer à λέγεται ; mais le génitif τούτου et le nominatif Ἀπρίης garantissent la coupe de la phrase.

il s'exerçait; qu'un styliste soucieux d'élégance rythmique ait limité son travail d'éditeur à faire disparaître, par des interversions de mots voisins, des hiatus ou de mauvaises cadences qui offensaient son oreille. Je fais abstraction pour le moment de ces divergences superficielles et ne considère que les autres.

Dans la quantité de ces autres, en est-il qu'on ne puisse expliquer par des déformations d'un seul et même archétype, mais qui supposent, entre les modèles immédiats ou lointains des manuscrits actuels, une diversité irréductible? Il ne me semble pas. Je ne puis, ici, entrer dans le détail. J'indiquerai seulement l'opinion à laquelle j'ai été amené en dressant l'apparat critique de la présente édition, et à laquelle, j'aime à le croire, l'examen de cet apparat conduira les lecteurs attentifs, — opinion qui, je m'empresse de le dire, n'est point neuve: à l'origine des divergences, il n'y a le plus souvent que des erreurs de copistes, erreurs de la main, des yeux ou de l'esprit; quelquefois, des corrections de reviseurs; rien qui doive empêcher de croire à l'unité de la tradition manuscrite. Précisons que les papyri, — sous réserve de la variante dont nous avons parlé, laquelle est expressément présentée comme une variante, — contiennent peu de lectures nouvelles, et n'en contiennent aucune qui s'éloigne gravement des lectures de nos manuscrits. Ajoutons que, dans le seul cas où nous possédions par les papyri deux rédactions d'un même passage, — il s'agit de la fin de I 105, donnée par le n° 1244 d'Oxyrhinchos (commencement du IIe siècle) et par le n° 18 (IIIe siècle), — il y a accord entre les deux. Manuscrits et papyri semblent dériver tous, pour ce qui concerne le fond du texte, d'une même recension, d'une même édition antique, qui, dès les premiers siècles de notre ère, devait être la plus répandue; ils n'en sont, si je puis employer une expression moderne, que des « tirages » plus ou moins exacts et plus ou moins soignés. Seules, les citations, interrogées prudemment, permettent de jeter de loin en loin un coup d'œil en dehors de cette édition, et au delà.

Qui avait établi l'édition en question? Nous sommes fort empêchés de le dire. Car l'histoire du texte d'Hérodote dans l'antiquité nous est à peu près inconnue. Un écrivain d'une si grande importance, dont la biographie fut étudiée de bonne heure et les opinions âprement contestées, dont le style était cité comme type d'un genre d'élocution[1] et la langue comme type d'un dialecte[2], dont le buste avait sa place dans la bibliothèque de Pergame, cet écrivain occupa sans nul doute les philologues. Mais les travaux qu'ils durent lui consacrer ont disparu presque sans laisser de souvenirs. Une note d'un scholiaste de Sophocle (*Phil.*, 201), où il est dit ὅτι Ἑλλάνικός ποτε ἀναγινώσκων τὰ Ἡροδότου κτλ., ne prouve point que le grammairien Hellanicos, le « chorizonte », disciple d'un disciple de Zénodote, contemporain probablement aîné du fameux Aristarque, se soit intéressé à Hérodote autrement qu'en passant. Le papyrus Amherst nous a révélé qu'Aristarque lui-même avait composé sur Hérodote un ὑπόμνημα, c'est-à-dire un commentaire. En même temps que ce commentaire, avait-il publié une édition critique? C'est possible, ce n'est nullement sûr. En tout cas, plusieurs circonstances déconseillent de croire que l'édition de laquelle dérivent nos manuscrits ait été l'œuvre d'Aristarque. Celui-ci, savons-nous, proposait de lire au livre I chapitre 215 ἄμιπποι au lieu de ἄνιπποι ; or, ἄμιπποι n'est donné par aucun manuscrit. Aristarque, d'autre part, ignorait encore l'attribution aux livres d'Hérodote des noms des Muses : Ἀριστάρχου Ἡροδότου Α ὑπόμνημα, dit simplement le papyrus Amherst ; les noms des Muses figurent au contraire dans plusieurs manuscrits, accompagnés parfois d'indications qui paraissent remonter à l'archétype. Cet archétype, antérieur aux plus anciens papyri, c'est-à-dire à la fin du premier siècle de notre ère, serait donc postérieur à l'époque d'Aristarque. Plusieurs des

1. Comme type de la λέξις εἰρομένη par Aristote, *Rhét.*, III 9 p. 1409 a ; cf. ci-dessous, p. 240.

2. Comme type de l' Ἰάς en général par Denys d'Halicarnasse (*Ad Pomp.*, 3), d'une Ἰὰς ποικίλη par des grammairiens ou rhéteurs plus précis (p. ex. Hermogène, Περὶ ἰδ., p. 411 Rabe).

philologues gréco-romains qui se sont occupés d'Hérodote [1], — nous savons les noms d'un certain Apollonios, qui avait composé un lexique (γλῶσσαι Ἡροδότου, ἐξήγησις Ἡροδότου γλωσσῶν), d'Alexandre de Cotyaion et d'un certain Philémon, auteur de Σύμμικτα περὶ Ἡροδοτείου διορθώματος, d'Eirénaios et de Héron fils de Cotys d'Athènes, auteurs d'*hypomnemata* ; — plusieurs, dis-je, ont peut-être vécu durant le laps de temps ainsi délimité [2] ; rien n'engage à attribuer à aucun d'entre eux la paternité d'une édition. Jusqu'à nouvel ordre, l'édition qui est la base de notre connaissance du texte d'Hérodote reste anonyme.

FAMILLE ROMAINE ET FAMILLE FLORENTINE

Les meilleurs manuscrits par le moyen desquels nous pouvons et devons essayer d'en reconstituer le primitif aspect se répartissent en deux groupes que, — d'après le Laurentianus LXX 3 (A), principal représentant de l'un, et le Vaticanus 123 (R), principal représentant de l'autre jusqu'à l'entrée en scène du manuscrit de Muret, — on appelle couramment la famille florentine et la famille romaine. Le problème capital qui se pose aux éditeurs d'Hérodote est le suivant : convient-il d'accorder à l'une des deux familles une préférence systématique ? et, si oui, à laquelle ?

Je ne crois pas que, pour résoudre ce double problème, on doive attacher grande importance à certaines particularités de présentation matérielle. Les « livres », dans les manuscrits de la famille florentine, sont encadrés plus régulièrement entre des formules plus complètes, titres et subscriptions ; mais titres et subscriptions ne sont pas des parties intégrantes du texte. Nous avons dit que, dans les manuscrits de la

1. Cf. Jacoby, *Real-Encyclopädie*, s. v. *Herodotos*, col. 514-515.

2. Le « sophiste » Saloustios, auteur d'un *hypomnema* εἰς Ἡρόδοτον, le « philosophe et sophiste » Tibérios, qui avait écrit περὶ Ἡροδότου, sont de plus basse époque et n'entrent pas ici en ligne de compte.

famille romaine, d'amples coupures ont été pratiquées à différents endroits du premier livre, et que l'abréviateur, pour maintenir la continuité du récit, s'est quelquefois permis des raccords de son crû ; mais un abréviateur ne choisit pas nécessairement, pour y pratiquer des coupures, un texte de qualité inférieure ; et la liberté qu'il se donne d'en supprimer des morceaux n'implique point qu'en transcrivant le reste il en prendra à son aise.

On a fait valoir en faveur de la famille florentine l'avantage de l'ancienneté ; et sans doute, si on ne pouvait opposer au Laurentianus A, manuscrit du xe siècle, — peut-être du début du xe siècle, — que le Vaticanus R et l'Urbinas, le Sancroftianus et le Vindobonensis, manuscrits du xive, la différence d'âge serait grande. Même dans ce cas, cependant, elle ne fournirait pas, à mon avis, un argument péremptoire. Nous serions en droit d'objecter que les représentants des deux familles sont l'aboutissement de deux déformations, de deux corruptions parallèles, qui ne sont pas allées nécessairement du même pas ; que les manuscrits RSVU, bien que beaucoup plus récents, peuvent être séparés du commun archétype par moins d'intermédiaires que les manuscrits A et B ; qu'une lecture du xe siècle fut peut être en son temps une jeune erreur, une lecture du xive étant au contraire, quatre cents ans plus tard, une vénérable vérité. D'ailleurs, la question ne s'est jamais posée exclusivement, et elle ne se pose plus du tout aujourd'hui, entre des témoignages du xe siècle et des témoignages du xive. Dès longtemps, quelques lectures de la famille romaine étaient connues dans le manuscrit C, du xie siècle, et dans des citations faites par des écrivains dont plusieurs (Denys d'Halicarnasse, Plutarque, etc.) appartiennent au premier siècle de notre ère. Aujourd'hui, c'est la grande masse de ces lectures que le manuscrit D atteste pour le xiie ou pour le xie siècle ; en outre, quelques-unes figurent dans les *Excerpta Parisina* (E) ; d'autres, en plus grand nombre, dans les papyri.

Ceux-ci sont des témoins de premier ordre. A la différence des citations, dont il faut se défier, ils s'appliquent à donner un texte exact d'Hérodote. Et leur date les recommande tout particulièrement à l'attention ; l'intervalle de temps qui les sépare des plus anciens manuscrits n'est plus simplement, comme celui qui sépare les représentants des familles florentine et romaine, de quelques siècles, quelques siècles de Moyen-âge ; il est de sept ou huit cents ans ; ils ont été écrits à une époque où la philologie antique était encore florissante ; ils ne sont pas très loin de l'archétype. Sans doute, ils contiennent déjà des erreurs ; parfois même des erreurs que les manuscrits ne contiennent pas [1] ; mais, lorsqu'ils se séparent de tous les manuscrits à la fois, c'est d'ordinaire pour présenter un texte qui est nettement ou qui paraît préférable [2]. Dans ces conditions, il est intéressant de constater avec laquelle des deux familles ils concordent le plus souvent. C'est avec la famille florentine ; même, dans quelques-uns des plus anciens, l'accord se fait exclusivement avec elle. Vu le peu d'étendue de ces derniers papyri et des papyri en général, il ne faut pas exagérer la portée d'une telle constatation ; elle constitue du moins, en faveur de la famille florentine, une présomption qui n'est point négligeable.

L'examen direct et la comparaison des textes des deux familles paraissent justifier cette présomption. Tous les deux sont parsemés de fautes évidentes ; mais, si l'on se donne la peine de dresser, pour des groupes de chapitres pris au hasard dans l'œuvre d'Hérodote, les listes des fautes de cette espèce propres à la famille romaine ou à la florentine, on

1. Ainsi : I 11 προσκειμένην au lieu de προκειμένην (après ἀναγκαίην ἀληθέως) ; I 212 τῆσδε omis (devant τῆς χώρης) ; II 98 σχεῖν au lieu de ἔχειν (avant ἀπὸ τοῦ Δαναοῦ) ; VIII 23 μέσον au lieu de μέσου (entre μέχρι et ἡμέρης).

2. Ainsi : I 107 ὑπερθέμενος au lieu de ὑποθέμενος : I 116 ἐλευθεριωτέρη au lieu de ἐλευθερωτέρη ; I 132 τε intercalé entre πᾶσι et Πέρσῃσι ; I 196 οἵδε au lieu de ὧδε, διεξέλθοι au lieu de οἱ ἐξέλθοι ; I 213 τε omis entre ἐλύθη et τάχιστα ; II 98 Αἰγύπτιόν γε au lieu de γε Αἰγύπτιον ; II 170 omission de καὶ ἐργασμένη (ou ἑρμασμένη), c'est-à-dire d'une glose ; II 175 οἷα au lieu de οἱ (devant ἐξεποίησε) ; III 32 omission probable de τοὺς σκύλακας (après οὕτω δή), c'est-à-dire d'une glose ; III 59 τῆς intercalé devant ἐν Αἰγίνῃ.

s'apercevra que la liste concernant la famille romaine est presque toujours la plus longue. C'est dans cette famille que sont le plus nombreuses les omissions flagrantes ; que les noms propres sont le plus souvent défigurés ; que se répètent avec le plus d'assiduité des négligences d'écriture telles que la confusion de l'*omicron* et de l'*oméga*, d'un *lambda* simple ou d'un *lambda* redoublé. C'est aussi dans la famille romaine qu'on trouve le plus fréquemment des groupes de mots dont on se passerait et qui ont l'air de gloses explicatives incorporées au texte ; des mots d'usage courant ou de vogue relativement récente au lieu de mots rares ou anciens (par exemple : au livre II chapitre 85, εὐθηνία au lieu de εὐέστω, que donnent les manuscrits de la famille florentine et un papyrus d'Oxyrhinchos ; au livre I chapitre 215, φαρέτρας, qui est hors de propos, au lieu de ἄρδις) ; des prépositions, des négations employées de la façon la plus ordinaire au lieu de constructions moins banales (par exemple : au livre VI chapitre 2, ὑπό avec le régime d'un verbe passif au lieu de πρός ; au livre VI chapitre 9, μή au lieu de οὐ dans une proposition conditionnelle) ; etc. Ces statistiques ne peuvent manquer de jeter quelque discrédit sur l'ensemble du texte de la famille romaine. Elles ne font pas toutefois apparaître du côté de l'autre famille une supériorité écrasante. Entre les leçons florentines et romaines, lorsqu'elles sont en elles-mêmes également admissibles, nous conservons au total une assez grande liberté de choix.

OPPORTUNITÉ DE L'ÉCLECTISME

Les manuscrits dont il a été question jusqu'ici sont, avons nous dit, les meilleurs. Il n'en est pas moins vrai, que, dans quelques cas particuliers, d'autres peuvent et doivent leur être préférés. Ces autres ne présentent pas toujours, comme tend à le faire croire le nom de manuscrits « mixtes » qui leur est souvent appliqué, une contamination des textes romain et florentin, amendée par le rédacteur d'après ses conjectures personnelles. Ils peuvent se rattacher à des « tirages » de l'archétype commun indépendants de ceux qui sont à l'origine de ces deux textes, et conserver mieux çà et là des lectures de cet archétype. La comparaison avec les citations et les papyri en apporte quelquefois la preuve. Ainsi, au livre I chapitre 9, après μὴ φοβέο μήτε ἐμέ, les manuscrits des deux familles donnent unanimement ὥς σεο πειρώμενον (à l'accusatif, s'accordant avec ἐμέ) ; le Laurentianus C et le Parisinus 1633, manuscrits « mixtes », donnent le nominatif πειρώμενος, que réclame la suite de la phrase ; une citation faite par Denys d'Halicarnasse montrait qu'il sont dans le vrai ; le papyrus d'Oxyrhinchos n° 2095, du IIe siècle, où le *sigma* final est encore visible, le confirme. Au livre II chapitre 158, le Laurentianus C est seul à donner τῇ δὴ (et non pas τῇ δὲ) ἐλάχιστον κτλ., que semble aussi donner le papyrus n° 1092 et qui paraît être la bonne lecture. Un autre Laurentianus de qualité inférieure, le Laurentianus LXX 6, donne seul, au livre II chapitre 159, ἄρξας τὰ πάντα, que le même papyrus donnait probablement ; et, au livre I chapitre 210, d'accord avec le n° 2096, ἀμείβεται (et non ἀμείβετ' οἱ ou ἀμείβεταί οἱ). De semblables constatations invitent à l'éclectisme.

Est-il besoin d'ajouter que l'éditeur d'Hérodote n'est pas tenu de faire un choix entre les seules lectures que donnent les manuscrits, ni même d'accepter docilement toutes celles qu'ils donnent à l'unanimité ? Dans l'ensemble, — abstraction faite de la morphologie, — la tradition fournit pour Hérodote les éléments d'un texte, sinon authentique[1], du moins correct et plausible. Elle n'est pas, cependant, impeccable ; et, çà et là, le champ reste ouvert à la critique. Plusieurs conjectures de philologues modernes ont été confirmées par des papyri ; celles qui n'ont pas été confirmées ne sont pas, pour autant, condamnables ; car, entre l'édition originale et les papyri les plus anciens, cinq siècles s'étaient écoulés. Je crois n'avoir adopté ou proposé des corrections

1. Voir plus haut, p. 185.

qu'avec modération et prudence. En particulier, j'ai répugné souvent à supprimer du texte, comme gloses ou interpolations, des mots qui paraissent inutiles, des développements qui, là où ils se lisent, semblent inopportuns ou sont en désaccord avec ce qui les entoure. La redondance est un des caractères du style d'Hérodote. La trame de son discours est peu serrée. La logique ne règle pas toujours la disposition, l'ordre de succession de ses phrases et des pensées qu'elles expriment. Et il ne faut pas perdre de vue que son ouvrage n'a sans doute pas été amené par lui, dans toutes les parties, à une forme définitive ; tel passage, où nous sommes tentés de reconnaître la main d'un interpolateur, est bien, si l'on veut, une interpolation, mais une interpolation provisoire, une annotation de la main de l'auteur, qui se réservait de lui choisir une meilleure place[1] ou de modifier d'après elle sa précédente rédaction. En face d'étrangetés de ce genre, j'ai été très conservateur. La seule sorte de corrections que j'aie le sentiment d'avoir pratiqué peut-être avec quelque brutalité est la substitution d'un certain nombre de ὅδε τάδε τοιόσδε ὧδε à des οὗτος ταῦτα τοιοῦτος οὕτω, ou inversement. Dans la très grande majorité des cas, Hérodote emploie ces deux groupes de mots suivant la règle classique : les premiers pour annoncer ce qui va suivre, les seconds pour rappeler ce qui vient d'être dit. La méconnaissance de cette règle a été de tout temps assez fréquente en ce qui concerne les adverbes ὧδε et οὕτω ; moins, en ce qui concerne les pronoms. On peut donc se demander si, lorsqu'elle se constate chez Hérodote, elle remonte à l'écrivain lui-même, si elle n'est pas plutôt le fait de copistes distraits. On le peut d'autant mieux qu'entre ὅδε et οὗτος, τόδε et τοῦτο, τάδε et ταῦτα, τοιόσδε et τοιοῦτος, les manuscrits se partagent plus d'une fois[2], et qu'il arrive qu'un

1. Voir plus haut, p. 161, note.

2. Exemples d'infractions à la règle d'usage qui ne sont pas communes à tous les manuscrits : I 125 ταῦτα ABC ; II 66 τὰ (= τάδε ?) P¹DRSV ; II 116 οὕτω ABC ; II 172 ὧδε ABCP ; III 81 τάδε C ; III 84 τούτου DRSV ; IV 15 αἵδε DRSV ; IV 47 οἵδε ABCP ;

papyrus donne à l'encontre d'eux tous le pronom réclamé par la règle[1]. Une négligence d'Hérodote semble surtout difficile à admettre dans les cas où deux pronoms du même type, deux τάδε par exemple ou deux ταῦτα, l'un correctement employé et l'autre non, sont rapprochés l'un de l'autre et mis en opposition[2].

CORRUPTION DIALECTALE DU TEXTE D'HÉRODOTE

Je passe à la question, réservée jusqu'ici, du dialecte et de la morphologie. A ce point de vue, une grande confusion règne dans les manuscrits d'Hérodote. Non seulement il arrive très souvent qu'ils soient en désaccord entre eux. Mais il s'en faut de beaucoup que, dans chacun pris en particulier, les mêmes mots se présentent toujours sous le même aspect. Et, parmi les formes qu'on y relève, il en est qui paraissent n'avoir jamais pu exister dans la langue réelle, ou n'avoir pas existé à l'époque où écrivait Hérodote.

Deux causes principales doivent être à l'origine de ce désordre. D'une part, des scribes négligents ont pu substituer à des formes qui ne leur étaient pas familières, formes surannées, formes dialectales, des formes appartenant à leur langage habituel : peut-être, au cours des premiers siècles de la transmission, des formes ioniennes nouvelles aux formes plus anciennes qu'avait employées l'écrivain ; certainement, à des formes ioniennes, des formes attiques ou de la langue commune (κοινή). Inversement, des éditeurs pleins de zèle,

IV 150 τάδε PDRSV ; V 8 αἵδε PDSVU ; V 18 τάδε DVU ; VI 10 τάδε ABC ; VI 31 τοῦτον PDRSV ; VI 92 τοιῷδε DRSV ; VI 130 τούτου DRSV ; VII 5 τοῦδε ABC ; VII 60 τοῦτον RSV ; VII 136 τάδε C ; VII 234 τάδε R ; VIII 49 τοῦτον DRSV ; VIII 111 τάδε D²RSV ; VIII 140 α οὕτως tous les manuscrits sauf C.

1. Ainsi, au livre I chapitre 115 ligne 13, le papyrus de Munich donne correctement τούτου au lieu de τοῦδε qui se lit dans tous les manuscrits. Voir à ce sujet les observations de Viljoen, *o. l.*, p. 13-14.

2. Par exemple : I 137 *in*.

mais mal informés, ont pu avoir l'idée d'amender le texte qu'ils publiaient et le vouloir rétablir dans son état d'origine, en y remplaçant des formes qui coïncidaient avec celles de la κοινή par d'autres plus exquises, qu'ils estimaient répondre mieux aux intentions supposées de l'auteur ; d'où une surabondance d'archaïsmes, des « hyperionismes », des monstruosités. Et il a pu arriver quelquefois que les deux néfastes actions se soient exercées tour à tour au détriment d'un même mot, concourant à le défigurer : qu'en place de la vraie forme ionienne du ve siècle (par exemple λεώς, διπλή) un premier malfaiteur, de l'école négligente, ait mis une forme vulgaire (λαός, διπλῆ) ; puis, qu'à cette forme vulgaire, un second malfaiteur, celui-là de l'école réfléchie, ait substitué un archaïsme de fantaisie (ληός) ou un hyperionisme (διπλεή).

DIFFICULTÉ DE REMÉDIER A CETTE CORRUPTION

Sous tant d'altérations, pouvons-nous espérer retrouver le texte primitif? J'en doute. Et pour plusieurs raisons.

La première est que nous ne savons pas exactement dans quelle langue Hérodote a entendu rédiger son histoire. Si nous étions certains que ce fût dans le pur ionien, dans le pur milésien de son temps, la tâche de l'éditeur resterait malaisée ; du moins serait-elle précise et bien définie. Mais nous n'avons pas cette certitude ; et l'opinion contraire n'est point invraisemblable. Les passages de critiques de l'époque impériale où il est dit que, à la différence d'Hécatée, Hérodote n'a pas fait usage d'un ionien sans mélange (τῇ διαλέκτῳ ἀκράτῳ Ἰάδι) mais d'une langue composite et diverse (μεμιγμένῃ, ποικίλῃ) [1], et qu'il est tout pénétré d'Homère (ὁμηρικώτατος) [2], ne prouvent pas, je l'accorde, que le mélange de formes ioniennes et épiques, frappant dans le texte que nous offrent les manuscrits, date de la primitive rédaction ;

1. Hermogène, Περὶ ἰδ., p. 411 Rabe.
2. [Longin], Περὶ ὕψ., 13.

d'abord, parce qu'ils peuvent viser le vocabulaire et des détails de style plutôt que la morphologie ; ensuite, parce que le travestissement dialectal d'Hérodote, si travestissement il y eut, l'assimilation partielle de son langage au langage d'Homère, considéré à tort comme le modèle de l' « ionien ancien » (παλαιὰ Ἰάς), aurait eu tout le temps de se produire entre le ve siècle et l'époque des Antonins, de telle sorte que les jugements en question ne porteraient pas sur le véritable Hérodote, mais déjà sur un Hérodote travesti. Il reste que, si l'écrivain n'avait pas invité lui-même, par quelques particularités de sa langue, à en poursuivre l' « homérisation », on conçoit mal pourquoi pareille idée serait venue à l'esprit d'éditeurs. Hérodote a inauguré un genre littéraire, un genre qui, sous plus d'un rapport, continuait en prose l'épopée. Est-il hors des probabilités qu'il se soit composé une langue autre que celle dont s'étaient contentés Hécatée et les philosophes naturalistes, autre que celle dont se servait autour de lui au temps de sa jeunesse la société — la bonne société — ionienne, une langue teintée de poésie, d'archaïsme ? et qu'il ait emprunté à Homère, en même temps que des mots, des groupes de mots et des tours de phrase, un certain coloris dialectal ? D'autre part, est-il inadmissible qu'ayant voyagé, séjourné en des régions diverses du monde grec, Hérodote ait retenu çà et là, en fait de morphologie comme en fait de vocabulaire [1], quelque chose de leurs parlers ? Ainsi s'explique tout naturellement que, dans les manuscrits, d'assez nombreux noms propres, — noms de dieux, de personnes ou de lieux, — et des noms communs désignant soit des magistrats locaux (ναύκραροι athéniens, ἔφοροι lacédémoniens) soit des catégories de citoyens (ἀγαθοεργοί de Sparte, γαμόροι de Syracuse) soient écrits à la mode dorienne, éolienne ou attique ; en dehors de ces cas particuliers [2], on aurait tort, je crois, de décréter

1. Voir les listes de vocables non ioniens relevés chez Hérodote par Aly, *Glotta*, XV, p. 84 et suiv. (*Herodots Sprache*).

2. Où le maintien de formes étrangères fut vraisemblablement, de la part d'Hérodote, conscient et délibéré.

d'emblée qu'une forme est imputable à la négligence des copistes et mérite d'être bannie pour cette seule raison qu'elle est d'apparence vulgaire et qu'elle ne présente pas les caractéristiques de l'ionien. Évidemment, θαυμάζω θαυμαστός, donnés deux seules fois à titre de variantes à côté de formes en θωμ- (ou θωυμ-), qui sont légion ; une douzaine de πολύς (-ύ, -ύν) noyés au milieu de près de cent cinquante πολλός (-όν) ; la variante καθᾶραι accompagnant quelquefois καθῆραι, alors qu'en Attique même cette forme ne paraît qu'à partir du milieu du IVe siècle, — je ne cite que quelques exemples, — peuvent être sans témérité tenus pour autant de lapsus. Mais quand les manuscrits, qui dans la très grande majorité des cas donnent γούνατα (-ατος, -ασι) μοῦνος οὖρος, donnent toujours ou presque toujours δόρατα (-άτων, -ασι) κόρη ὅλος, que devons-nous penser ? Sont-ce là des fautes d'écriture ? ou des atticismes qu'Hérodote lui-même a accueillis ? ou des formes qui, de son temps, avaient droit de cité en Ionie ? L'hésitation est permise.

Autre source d'indécision : nous ne pouvons nous flatter d'avoir de toutes les formes usitées en ionien, plus particulièrement de toutes les formes ioniennes usitées à l'époque d'Hérodote, une science précise et complète. Sur plusieurs points déjà, des découvertes épigraphiques sont venues donner tort aux défiances des philologues. Dans une édition qui n'est pas vieille d'un demi-siècle, des nominatifs et des accusatifs tels que προνοίη ἀληθείην étaient condamnés ; ils apparaissaient à l'éditeur comme des hyperionismes, où l'*èta* ionien, qui correspond normalement à l'*alpha* long attique dans ἡμέρη χώρη, etc., eût été introduit hors de propos à la place d'un *alpha* bref ; aujourd'hui, des formes toutes pareilles sont connues par des inscriptions. Δυνέαται ἐπιστέαται ἐδυνέατο ἠπιστέατο ἐπιμπλέατο ἀπιστέαται ἀπιστέατο, autres formes suspectes, ont pour équivalent, dans une inscription de Milet, κιρνέαται. Εἰδέω, dans une inscription d'Halicarnasse, εἰδέωσι. Δυνεώμεθα δυνέωνται ἐπιστέωνται sont moins déconcertants que le βουλέωνται d'une inscription de Téos. A vrai dire, les inscriptions en question ne remontent pas toutes au ve siècle. Il demeure donc possible que l'une ou l'autre des formes qu'elles garantissent n'ait été en usage que postérieurement à Hérodote. Il est possible aussi que ces formes n'aient jamais été reçues dans la langue littéraire, que ce soient des façons de parler populaires, vicieuses, empruntées au langage des rues par des lapicides ou des scribes peu lettrés, mais que notre auteur, quelque peu puriste qu'on le suppose, n'aurait pas voulu employer. Du moins ne doivent-elles plus être considérées comme des inventions de grammairiens ; nous avons la preuve qu'à un moment donné elles ont appartenu au dialecte parlé. Peut-être en sera-t-il de même un jour ou l'autre pour quelques-unes des formes qui continuent à nous paraître absurdes ou tout au moins inquiétantes : θωῦμα, construit sur le modèle de ἐμωυτοῦ σεωυτοῦ ἑωυτοῦ ; διπλέη, sur le modèle de ἀργυρέη χρυσέη ; αὐτέων τουτέων, au masculin et au neutre, sur le modèle de génitifs féminins ; δικαιεῦσι ἐδικαίευν et autres formes verbales similaires, où ευ tient la place d'une diphtongue ου de la langue commune née de οου ou οο, sur le modèle de ποιεῦσι ἐποίευν, où ευ représente la contraction de εου ou εο ; ἀγέαται κηδέαται ἐβουλέατο ὑπεδεκέατο ἐγενέατο ἀπικέατο, sur le modèle des pluriels en -αται -ατο dont nous parlions tout à l'heure. Peut-être quelques-unes de ces formes recevront-elles à leur tour, par la grâce de l'épigraphie, un brevet d'authenticité. Ce sont autant de créations de la fausse analogie ; or, la fausse analogie ne séduit pas et n'égare pas seulement les demi-savants superficiels ; elle joue dans le développement spontané du langage un rôle dont l'ampleur déconcerte parfois les plus audacieuses prévisions.

Enfin, troisième embarras : jusqu'à quel point sommes-nous autorisés à attendre d'Hérodote de la constance en matière de morphologie ? Il vivait en un temps où la grammaire et la science du langage n'existaient pas encore, où par conséquent les dialectes n'étaient pas rigoureusement fixés, où il n'y avait pas de strictes règles d'orthographe ; il avait sous les yeux l'exemple des poètes, qui, pour satisfaire aux exigences du mètre, admettaient côte à côte des formes différentes ; il n'était pas un homme qui, en quoi que ce fût, eût des opinions arrêtées et s'y tînt fermement. Une bonne part de la bigarrure qui étonne dans les manuscrits peut être de son fait ; le difficile est de délimiter cette part, et, en face de chaque anomalie, de savoir s'il faut l'y comprendre.

Dans ces conditions, quels que soient les principes adoptés par un éditeur moderne, — que, partant de la connaissance du dialecte, il tâche de traduire en ionien sincère du ve siècle le texte des manuscrits, ou que, s'attachant à ce texte, il s'efforce de le présenter sous la forme la plus ancienne que la tradition permette d'atteindre, — il ne doit pas se dissimuler que le choix des formes dialectales mises par lui au compte ou sous le nom d'Hérodote sera, dans une large mesure, arbitraire ; trop souvent, les critères certains font défaut. Les observations qui vont suivre visent moins à justifier les partis que j'ai cru devoir prendre qu'à les signaler au lecteur pour qu'il les soumette à son contrôle.

QUELQUES PARTIS ADOPTÉS DANS LA PRÉSENTE ÉDITION[1]

Unification partielle des formes divergentes. — En dépit de ce que je disais tout à l'heure, je n'ai pas respecté toujours aveuglément la variété de formes que paraissent recommander les manuscrits.

Chaque fois que j'ai pu discerner — ou supposer — sous

1. Il va de soi que j'ai utilisé les travaux de mes devanciers concernant la morphologie d'Hérodote, en particulier ceux de Bredow (*Quaestionum criticarum de dialecto herodotea libri IV*, Leipzig 1846), Merzdorf (dans les *Curtius Studien*, t. VIII, p. 125 et suiv. et t. IX, p. 201 et suiv.) et Fritsch (*Zum Vokalismus des herodoteischen Dialektes*, Hamburg, 1888). Mais j'ai refait moi-même ou vérifié beaucoup de dépouillements. Je n'ai connu la publication de l'article de M. F. Hartmann, *Ueber die Grundlagen für die Beurteilung von Herodots Dialekt* (dans la *Kuhnszeitschrift*, 1932, p. 69 et suiv.) qu'au moment où j'achevais la correction des épreuves. Il m'a donc été impossible d'en tirer aucunement parti.

une apparente incohérence un principe quelconque de discrimination, je me suis attaché à ce principe, qu'il fût tiré de la nature des mots (simples ou composés), de la différence des voix, modes et temps, de la position de l'accent par rapport à la syllabe incertaine, du vocalisme des syllabes voisines susceptible d'exercer une attraction, d'emprunts faits au vocabulaire homérique, ou de toute autre particularité. J'ai volontiers admis qu'entre vocables de même catégorie il y ait eu, sans autre explication possible qu'un caprice de l'habitude, inégalité de traitement : par exemple, que l'*epsilon* se soit substitué à l'*alpha* du radical devant des désinences comportant un son ο dans quelques verbes en -άω mais non dans tous, ou même dans quelques formes de quelques verbes et non dans toutes ; que βοη- soit devenu βω- dans βώσω βώσας et soit resté tel quel dans βοηθέω ; que -έειν se soit contracté dans δεῖν et ne se soit pas contracté dans θέειν πλέειν, etc. ; que l'augment temporel ait figuré en tête de certains verbes alors qu'il ne figurait pas en tête de certains autres dont la syllabe initiale est la même ; que des noms propres en -άσπης -άτης -άνης -άρης se soient déclinés suivant la première déclinaison, d'autres suivant la troisième ; que le datif de γῆρας ait été γήραϊ, et celui de κέρας κέρεϊ ; etc.

J'ai hésité davantage lorsque les formes disparates se présentent franchement comme des doublets. Qu'en transcrivant des noms propres attiques, éoliens ou doriens, Hérodote leur ait tantôt laissé leur consonance locale et tantôt les ait « ionisés », rien d'étonnant à cela. Mais est-il vraisemblable que, dans deux phrases toutes pareilles, il ait employé une fois la forme δημιουργοί (ou δημιοργοί), l'autre fois la forme δημιοεργοί ? qu'il ait écrit tantôt ἔδεε, tantôt ἔδει ? tantôt κέεται, tantôt κεῖται ? tantôt ὁρῶσι, tantôt ὁρέουσι ? tantôt τρέπουσι et tantôt τράπουσι, tantôt τρέπονται et tantôt τράπονται ? ici ηὔηνε ηὐτομόλησε ηὔξετο ηὔξηντο et là αὐάνθη αὐτομόλεον αὔξετο αὔξηται ? ici περικαθέατο et là περιεκαθέατο ? ici κατίσας et là ὑπείσας ? ici ἀράμενος et là ἀειράμενος ? ici ἐπαντεῖλαι et là ἐπανατείλαντος ? ici ἀπέργει et là ἀπείργει ?

ici ἦρι et là ἔαρι ? ici ἥλωκα et là ἑάλωκα ? ici περιδεέας et là καταδέα ? ici βορέης et là βορῆς ? ici ἔοικα et là οἴκατε ? ici ἥγηνται et là ἡγέαται ? ici ζωόντων et ailleurs ζώντων ? ici τέρατος τέρατα et là τέρεος τέρεα ? ici Ξέρξην, là Ξέρξεα ? qu'il ait introduit la description des mœurs babyloniennes par ces mots : Νόμοι δὲ αὐτοῖσι ὧδε κατεστέασι, et qu'il l'ait conclue en ces termes : Νόμοι μὲν δὴ... οὗτοι κατεστᾶσι ? qu'il ait employé à quelques lignes d'intervalle ποιεύμενος et ποιεόμενος, ὠφελεύμενος et ὠφελεόμενος, ἀποδεικνύουσι et ἀποδεικνῦσι, ζευγνύων et ζευγνύς, πόλιας et πόλις, πιεζόμενος et πιεζεύμενος, ἀμπαύονται et ἀναπαύονται, etc. ? Dans plusieurs de ces cas et dans des cas semblables, je me suis risqué à unifier[1]. Si c'est à tort, c'est sans grave dommage. L'unification, dans une édition sans apparat critique, peut induire les lecteurs à croire que la tradition manuscrite est plus homogène qu'elle ne l'est ; la présence d'un apparat critique prévient cet inconvénient.

Une revue complète de toutes les questions qui se posent excèderait la mesure de cette note ; plusieurs seront abordées lorsque le texte en fournira l'occasion ; j'indiquerai seulement à l'avance comment j'ai répondu à quelques-unes, qui intéressent un grand nombre de mots.

Maintien de formes non contractes non ioniennes. — Un des traits qui contribuent le plus à donner à la langue des manuscrits d'Hérodote sa physionomie propre est l'abondance des formes non contractes. Dans la quantité, il en est qui

1. Même lorsqu'il s'agit de doublets, je n'ai pas procédé à l'unification avec une rigueur inflexible : des disparates qui subsistent dans la présente édition, il en est que j'ai laissé subsister sciemment. Par exemple, bien que le papyrus de Munich donne la forme εἵνεκεν à un endroit où tous les manuscrits donnent εἵνεκα (I 115), et ainsi invite à penser que εἵνεκεν fut, dans les éditions — disons : dans *des* éditions antiques d'Hérodote, — d'un usage plus étendu que dans les textes dont nous disposons aujourd'hui, je n'ai pas substitué partout cette forme à εἵνεκα, mais lui ai simplement donné la préférence chaque fois que l'occasion s'en offrait. Encore moins ai-je voulu, en considération des rares passages où se lit ἔπειτε, substituer partout cette forme à ἔπειτα. J'ai laissé alterner, devant une voyelle, μέχρι et μέχρις.

n'ont pas appartenu au langage ionien, mais sont empruntées à Homère ou calquées sur des formes homériques : tels νόος πλόος ῥόος et leurs composés, ainsi que les composés finissant en -πνοος -θροος -χοος ; tels que les pluriels du type de πλήρεες εὐτυχέες ; tels des substantifs ou adjectifs féminins du type de κυνέη χρυσέη ou des masculins du type de Βορέης ; telles les formes en -εε -έει -έειν -έεται -έετο -έεσθαι -έῃ de verbes en -έω. La présence de ces formes dans le texte d'Hérodote est certainement très ancienne ; des papyri probablement antérieurs à la mode archaïsante de l'époque antonine en contiennent déjà de caractéristiques : ἐδόκεε συνοίκεε δοκέεις δοκέει συνοικέειν καλέεται δέεσθαι [1]. N'étant pas absolument sûr, pour la raison que j'ai donnée plus haut, que l'introduction de ces formes au milieu de formes ioniennes ne remonte pas à Hérodote lui-même, je les ai, — comme d'ailleurs presque tous les éditeurs, — conservées.

Voici quelques remarques sur la place que j'ai faite à certaines diphtongues et à certaines contractions.

Ευ *pour* εο εου. — La diphtongue ευ apparaît dans les manuscrits d'Hérodote au lieu de εο ou de εου au génitif des pronoms personnels, indéfinis ou interrogatifs, dans des désinences de la voix moyenne, dans la déclinaison de πλέων, dans la conjugaison des verbes en -έω, dans des formes de futurs dits « attiques » ; et, dans la plupart de ces catégories de mots, elle alterne de façon déconcertante avec εο ou εου. Il est probable qu'entre εου et ευ il n'y avait pas, à l'époque d'Hérodote, de différence de prononciation appréciable ; des inscriptions et monnaies ioniennes où se lisent, dès la fin du ve siècle ou la première partie du IVe, βασιλεός (pour βασιλεύς) κοπρεόων φεόγει et φεογέτω εὀργέτην λεοκοῖς Εὀνομίδης, permettent de supposer d'autre part qu'entre ευ et εο la différence de prononciation pouvait dès lors être faible. Il s'agit donc surtout d'une question d'orthographe. Or, avant le IVe siècle, l'épigraphie ionienne n'offre pas, que je sache,

1. Je tire ces exemples de papyri attribués au Ier siècle ou à la première partie du IIe : le papyrus 1109 du British Museum, les papyri d'Oxyrhinchos 1244 et 1609, le papyrus Ryland.

d'exemples de ευ pour εου ; de ευ pour εο, les exemples, s'il y en a qui datent d'une époque aussi reculée, sont très rares ; et les cas qu'ils concernent sont différents de ceux qui nous intéressent en ce moment[1]. Peut-être, alors, ne se tromperait-on pas en admettant que là où, dans les manuscrits d'Hérodote, ευ tient la place de εο ou εου, on est en présence d'une graphie postérieure à la rédaction primitive, introduite après coup par des scribes, et en la faisant disparaître. Mais il se peut aussi que l'évolution orthographique, commencée dès le ve siècle, ait atteint d'abord d'autres formes que celles où la font voir les incriptions, et que, dans certaines de ces formes, Hérodote ait admis la nouvelle écriture.

Ευ est donné à l'exclusion de εο dans les futurs attiques à la suite d'un *iota*[2] ; il est à peu près constant dans les mots θηεύμενος ἐθηεῦντο[3] ; il est beaucoup plus fréquent que εο ou εου dans les formes de ποιέω[4], au moins aussi fréquent dans celles de νοέω et de ses composés, tandis que, dans les formes de verbes en -έω dont le radical finit par une consonne, εο et εου dominent sans contredit. D'après cela, il ne paraît pas invraisemblable qu'en maintenant ou en rétablissant l'écriture ευ de préférence à εο ou εου après les voyelles ι η ο et la diphtongue οι, et en la proscrivant partout ailleurs, on soit

1. Ce sont surtout des finales de génitifs dans lesquelles -ευς est substitué à -εος, et des noms propres où les groupes initiaux Θεο- Κλεο- Νεο- sont remplacés par Θευ- Κλευ- Νευ-. Dans les manuscrits d'Hérodote, une forme comme 'Εχεκράτευς (V 92 β ABC) est rarissime. Quant à Λευτυχίδης, qui y paraît souvent, la première syllabe de ce nom, dérivé d'un vocable laconien, n'a rien à voir avec Λεο- ni Λεω- ; la forme commune du nom, Λεωτυχίδης, exprime une erreur étymologique.

2. Quelques formes, où, au lieu de ευ, les manuscrits donnent ου, sont à corriger.

3. 'Εθηέοντο seulement VIII 25 dans les seuls manuscrits DSV.

4. Ne convient-il pas de remarquer que, dans un papyrus du IIe siècle (Ox. 1902) où καλευμένην écrit de première main est corrigé en καλεομένην, ποιεύμενοι est maintenu tel quel ? Ce détail peut sembler favorable à la distinction proposée ci-dessus. Il est vrai qu'un autre papyrus, et l'un des plus anciens, le papyrus Ryland, donne ποιέονται en un passage où tous les manuscrits s'accordent à donner ποιεῦνται.

d'accord avec ce qu'a voulu Hérodote. Ainsi ai-je fait, — puisque, aussi bien, il fallait prendre un parti.

Ει *pour* εε εει. — La contraction de εε ou de εει en ει n'est pas, dans les manuscrits d'Hérodote, bannie de toutes les formes verbales. A la fin des infinitifs aor. II, -εῖν est d'un usage courant ; les formes en -έειν que les manuscrits des deux familles présentent çà et là ont été calquées par des copistes distraits sur les infinitifs présents non contractés des verbes en -έω ; elles sont à corriger. Au futur dit attique, la diphtongue ει apparaît constamment, comme la diphtongue ευ, à la suite de la voyelle ι ; à la suite d'une consonne, elle est donnée rarement, et sans doute par erreur.

Dans la conjugaison des verbes en -έω [1], auprès d'une multitude de formes non contractes, les manuscrits en contiennent un petit nombre où, suivant les lois de l'ionien, de l'attique et de la langue commune, la contraction en ει est effectuée. De ces dernières, celles qui, — comme par exemple ζητεῖς εὐφημεῖν ἠπόρει θάρσει, — appartiennent à des verbes quelconques, pour lesquels un traitement particulier n'aurait eu aucune raison d'être, sont sans doute de simples lapsus, qu'il convient de réparer [2]. Quelques-unes méritent plus d'attention.

— Tous les manuscrits donnent à plusieurs reprises ἐθηεῖτο [3], jamais ἐθηέετο ; tous, au livre VIII chapitre 65, μυεῖται ; tous, en une quinzaine de passages [4], ἐξιεῖ ἀπιεῖ ἀνιεῖ μετιεῖ [5], —

1. Je comprends sous cette rubrique les formes de verbes en -μι empruntées à ladite conjugaison.

2. Les formes contractes sont proportionnellement plus nombreuses dans des formes d'impératif qu'à l'indicatif et à l'infinitif ; c'est, je crois, par un effet du hasard.

3. Ἐθηεῖτο est donné à l'unanimité I 68, IV 85, VII 44, 56, 100, 208 ; au livre I chapitre 10, on a ἐθηεῖτο dans A, ἐθηῆτο (ce qui revient au même) dans RSVb.

4. Ἐξιεῖ I 6, 180, 191, II 17, 70, VI 20, 62, VII 124 ; ἀπιεῖ II 96, V 42, VI 62 ; ἀνιεῖ II 113, III 109, IV 28 ; μετιεῖ VI, 37, 59.

5. Car je pense qu'il faut accentuer ainsi. Ces formes d'indicatif présent, où les flexions de la conjugaison en -έω sont transportées dans la conjugaison en -μι, résultent d'une contraction de εει, comme les imparfaits correspondants d'une contraction de εε.

à cela près qu'une fois (VI 62) ABC ont admis, sans doute par erreur, la forme vulgaire ἀπίησι ; — tous, par trois fois[1], les imparfaits ἀνίει ἀπίει, la forme non contracte ἀνίεε n'apparaissant qu'une fois dans un quatrième passage à titre de variante (IV 125) ; tous, au livre II chapitre 162, donnent ἀγνοεῖν ; et, cette fois, au témoignage unanime des manuscrits, s'ajoute celui d'un papyrus (Ox. 1092) ; κατανοεῖν se lit une fois dans tous les manuscrits à l'exception de C (II 93) ; une autre fois dans les manuscrits de la famille romaine (II 28), ainsi que εὐνοεῖν (IX 79) ; ἐπενόει et διανοεῖσθαι, une fois chacun (II 152, VI 86 δ), dans ceux de la famille florentine ; εὐνοεῖ, une fois (VII 237) dans presque tous. Mais on a au livre VII chapitre 38 νοέεις, au livre I chapitre 155 et au livre VIII chapitre 103 ἐνόεε, au livre I chapitre 27 et au livre III chapitre 31 ἐπενόεε, au livre II chapitre 121 δ διανοέεσθαι, au livre VII chapitre 117 ἐτυμβοχόεε, tous donnés sans variante ; et, d'un bout à l'autre de l'ouvrage, à de très rares exceptions près, ποιέει ποιέεις ἐποίεε ποιέεται ποιέεσθαι ἐποιέετο. La discrimination entre les formes contractes et non contractes des verbes en -έω, lorsque les groupes εε εει sont précédés d'une voyelle, paraît donc se faire ainsi qu'il suit : admise après η ι υ, la contraction en ει ne l'est pas, dans le verbe ποιέω, après οι ; ni, je crois, malgré le témoignage d'un papyrus, après ο dans νοέω et ses composés[2].

— Après une consonne, les groupes εε εει restent d'ordinaire non contractés. Toutefois, tandis que les imparfaits ἔδεε ἐτίθεε sont plus fréquents que ἔδει ἐτίθει[3], la contraction est presque toujours effectuée à l'indicatif présent et à l'infinitif du verbe δεῖν[4] ; elle l'est dans tous les cas où τιθεῖ est

1. Ἀνίει IV 152 ; ἀπίει IV 157, V 107.

2. La succession οεε est donnée par tous les manuscrits au livre VII chapitre 28 dans ἀκηκόεε et rétablie par les éditeurs au livre VIII chapitre 79, où les manuscrits ont προακήκοε.

3. Quinze fois ἔδεε contre sept fois ἔδει ; trois fois προετίθεε contre une fois περιετίθει.

4. Trois fois seulement δέει (III 127, VIII 68, 143), une seule fois δέειν (VIII 62).

employé au lieu de τίθησι[1] ; et, au livre VII chapitre 39, en face de ἐμπιπλέει que donne la famille romaine (au lieu de ἐμπίπλησι, comme si la racine était -πλε-), la famille florentine donne ἐμπιπλεῖ. Fallait-il corriger δεῖ δεῖν τιθεῖ en δέει δέειν τιθέει ? Je n'ai pas osé le faire, à l'encontre de la tradition. Sans comprendre pourquoi Hérodote a pu retenir dans ces formes, par exception, le vocalisme ionien de son temps [2], j'ai conservé τιθεῖ, donné la préférence à δεῖ δεῖν ; et, si je croyais qu'il fallût choisir entre ἐμπιπλέει et ἐμπιπλεῖ[3], je préférerais ἐμπιπλεῖ.

Des verbes en -έω rapprochons un verbe dont certaines formes ont été quelquefois assimilées aux leurs. On lit dans les manuscrits d'Hérodote κέεται κέεσθαι ἐκέετο ; la première de ces formes y est même plus fréquente que κεῖται. Le papyrus d'Oxyrhinchos 1092, datant de la fin du IIe siècle, présente lui aussi un exemple de κέεται ; le papyrus 2095, probablement plus ancien de quelques décades, un exemple de κεῖται ; l'un et l'autre, d'accord chaque fois avec les manuscrits, ce qui diminue fort l'intérêt de leurs témoignages. Il ne me paraît point nécessaire de lier dans une édition d'Hérodote la fortune de formes aussi déconcertantes que κέεται κέεσθαι ἐκέετο à celles de formes qui n'ont en elles-mêmes rien de choquant telles que ποιέεται ποιέεσθαι ἐποιέετο. Les premières peuvent avoir été introduites après coup, sous les auspices des secondes, par des grammairiens à qui le κέονται homérique fournissait un point de départ ; j'ai conservé ou rétabli κεῖσθαι κεῖται ἔκειτο.

H *pour* εη, οι *pour* εοι. — A côté des formes non contractes en εε εει, devons-nous admettre, dans la conjugaison des verbes en -έω, des formes non contractes en εη telles que δοκέῃ οἰκέῃ ἐξηγέηται, etc., également contraires à l'usage ionien ?

1. Τιθεῖ I 113 ; προτιθεῖ I 133 ; ἐπιτιθεῖ V 95, VII 35 ; παρατιθεῖ IV 73 (-τίθησι dans ABCP).

2. Il peut sembler que, dans la conjugaison d'un verbe à radical monosyllabique comme le verbe δεῖν, il devait être particulièrement sollicité d'adopter les formes non contractes.

3. Cf. ci-dessous, p. 212.

Lorsque le radical finit par une consonne, elles sont, dans les manuscrits, au moins aussi nombreuses que les formes contractes. Encadrées entre des formes d'optatif en εοι telles que δοκέοι οἰκέοιεν ἐπικαλέοιτο, qui sont régulières en ionien et ont pour elles nettement la majorité, et les formes d'indicatif, d'impératif, d'infinitif en εε εει que nous avons retenues, ces formes non contractes en εη paraissent acceptables ; c'est à elles que j'ai donné la préférence.

Par contre, au subjonctif et à l'optatif de ποιέω, la statistique est plutôt en faveur des formes contractes ποιῇ ποιῆται ποιοῖεν ποιοῖτο ; ces dernières ont aussi pour elles qu'elles font pendant aux formes en ευ du même verbe ; je les ai adoptées et généralisées. Si l'on pense que, dans les composés de ἵημι, l'assimilation aux verbes en -έω s'étend au subjonctif singulier, il conviendrait d'ajouter que les manuscrits ne donnent jamais ἀπιέῃ παριέῃ ἐπιέῃ, mais uniquement ἀπίῃ (IV 190) παρίῃ (III 72) ἐπίῃ (VII 161), dont il faudrait alors corriger l'accentuation en ἀπιῇ παριῇ ἐπιῇ.

Successions de trois sons vocaliques. — En dehors des verbes en -έω, les manuscrits d'Hérodote présentent parfois la succession de trois sons vocaliques là où l'épigraphie ionienne l'évite : par exemple, dans les génitifs tels que νεηνιέω Πακτυέω θυσιέων ὀργυιέων. J'ai retenu les formes de cette nature lorsque la tradition leur était favorable[1]. Elle ne m'a pas paru l'être dans les cas où la succession eût été de deux ε suivis d'une troisième voyelle. Nulle part les manuscrits n'offrent d'exemple d'un génitif masculin de la première déclinaison en -εέω ou d'une seconde personne du singulier

1. Il ne faut pas s'étonner que deux sons vocaliques soient maintenus après un ι ou un υ dans νεηνιέω θυσιέων Πακτυέω tandis qu'ils sont contractés dans ἀνίει καταγιεῖν χαριεῖσθαι μυεῖται ; car ces sons ne sont pas les mêmes de part et d'autre : ici εε ou εει, là εω. Il peut paraître plus surprenant qu'après un ι deux sons de la même catégorie soient contractés dans un mot comme κομιεύμεθα et ne le soient pas dans νεηνιέω θυσιέων ; peut-être la différence des traitements s'explique-t-elle alors par la différence des positions : dans κομιεόμεθα, le groupe des trois sons vocaliques se trouverait au milieu d'un mot ; dans νεηνιέω θυσιέων, il se trouve à la fin.

en -έεο. On y lit περιδέεας (V 44), mais ἀκλεᾶ ἐνδεᾶ καταδεᾶ ἀκλεῶς ἀδεῶς ; deux fois γενεέων (de γενεή : II 42, VI 98), mais ἀδελφεῶν (de ἀδελφεή) αἰγέων συκέων, etc. On a une fois διαιρέεαι, une fois δέεαι dans les manuscrits de la famille florentine (XVII 50, 161) ; mais sept autres fois la forme en -έεαι (προθυμέεαι ἐπαινέεαι εὐφρανέεαι ἀποθανέεαι διαιρέεαι φοβέεαι bis) n'est donnée que par un manuscrit saus autorité, le Parisinus P ; et, une dixième fois, elle ne l'est par aucun [1]. Dans tous ces cas, l'un des deux ε doit disparaître.

Disparaître par aphérèse, ou par contraction avec la voyelle ou diphtongue qui suit? L'aphérèse, attestée pour des formes telles que φοβέαι φοβέο Βορέω, me paraît devoir être admise pour les adjectifs et adverbes précités, que j'accentuerais περιδέας ἀκλέα ἀδέα καταδέα ἀκλέως ἀδέως. Je suis tenté de l'admettre aussi, de préférence à une contraction de -έων en -ῶν, aux génitifs pluriels des deux substantifs oxytons ἀδελφεή γενεή, qui s'accentueraient à ce compte ἀδελφέων γενέων. Peut-être, dans deux formes de futur « attique » où le groupe -έεαι suivrait un *iota*, le mieux serait-il d'écrire également, au lieu de χαριῇ κομιῇ ou χαριεῖ κομιεῖ que donnent les manuscrits (I 90, II 121 γ), χαριέαι et κομιέαι ; la succession ιεαι ne devait pas être plus choquante pour une oreille ionienne que la succession ιεα dans ὑγιέα (I 8, III 130 bis, 133, 234), que personne ne réprouve.

Formes hétéroclites de verbes en -άω. — Dans la conjugaison des verbes en -άω, à côté de formes où αο αω αου sont contractés en ω, les manuscrits [2] en donnent un certain nombre où, devant ο ω ου, l'*alpha* du radical est remplacé par un *epsilon* : εἰρώτεον ὁρμεόμενος τολμέω ὁρέων φοιτέουσι etc. L'épigraphie ionienne n'offre, je crois, rien de tel ;

1. C'est à la fin de I 41. Les manuscrits RSV donnent ἀπολαμπρύνεται, qui n'a point de sens ; les autres, ἀπολαμπρύνεαι ; mais un futur est nécessaire ; il faut donc lire, en déplaçant l'accent, ἀπολαμπρυνέαι.

2. Et les papyri. On trouve dans l'un d'eux, — le papyrus 19 d'Oxyrhinchos, — une forme hétéroclite qui ne figure dans aucun manuscrit : ἐπειρέοντο pour ἐπειρῶντο (I 76).

mais cette substitution de l'*epsilon* à l'*alpha* se constate çà et là chez Homère (ἤντεον μενοίνεον ὁμόκλεον etc.), chez Archiloque, chez Anacréon (ἐρέω, pour ἐράω) et autres écrivains ioniens. Il n'est aucunement invraisemblable en soi qu'Hérodote, lui aussi, l'ait admise. Ce qui peut en faire douter, c'est d'abord la rareté des cas où elle est attestée par tous les bons manuscrits à la fois [1], et la façon capricieuse dont chaque manuscrit pris à part l'atteste pour un verbe déterminé ou même pour une forme déterminée d'un verbe. Ajoutons qu'à considérer les choses en gros les manuscrits réputés les meilleurs (le Laurentianus A, l'Angelicanus B) paraissent accuser une préférence pour les formes régulières de la conjugaison en -άω, tandis que les formes en εο εου sont préférées dans le Parisinus P, de qualité inférieure ; sans être impérative, l'indication ne manque pas d'intérêt. Peut-être une autre raison de se défier est-elle fournie par la présence, fréquente dans le Laurentianus C, clairsemée dans les autres manuscrits, de formes où coexistent l'*oméga* représentant αο αου contractés et l'*epsilon* des verbes en -έω (ἐφοιτέων ὁρέωντες ὁρμεώμενος τιμέωσι etc.). On considère ordinairement ces formes comme le résultat d'une espèce de contamination : un scribe aurait eu sous les yeux un manuscrit où, par exemple, au-dessus de ἐφοίτων le reviseur avait inscrit un *epsilon*, pour conseiller de lire ἐφοίτεον ; comprenant mal la note, il aurait intercalé l'*epsilon* dans le mot auprès de la lettre qui en était surmontée ; d'où la forme bâtarde ἐφοιτέων. L'explication, sans doute, est acceptable. Ne peut-on, toutefois, concevoir les choses autrement? La succession de voyelles εω paraît avoir

1. Ἐπιτιμέων une fois (sur 3) : VI 39 ; — εἰρώτεον 2 fois (sur 4) : I 158, IV 131 ; — καταμαργέων une fois (sans contre-partie) : VIII 125 ; — ἐμηχανέοντο une fois (sur 5) : VIII 7 ; — ὁρέω une fois (sur 6) : I 10 ; — ὁρέων 18 fois (sur 38) : I 68, 80, 85, 88, 111, 123, 206, II 78, 141, III 128, 145, V 19 (bis), VI 62, 69, 129, VII 116, IX 53 ; — ὁρέοντες 3 fois (sur 38) : I 190 (C : εω), II 37, VI 14 (C : εω) ; — ὁρμεόμενος 2 fois (sur 33) : I 41, 167 (C : εω) ; — τολμέω une fois (sans contre-partie) : VIII 77 ; — ἐφοίτεον une fois (sur 6) : VII 126 ; — φοιτέοντες 5 fois (sur 16) : I 37 (bis), 60, 73, VI 125.

plu aux Ioniens : témoin des formes anormales telles que le βουλέωνται d'une inscription de Téos, forme empruntée, croyons-nous, au parler populaire. Et cette prédilection n'avait pas échappé aux éditeurs et copistes d'Hérodote, qui s'en autorisèrent pour lui attribuer des formes fantaisistes comme ταξιαρχέων ἱππέων (de ἵππος) γλουτέων ἀλωπεκέων χιλιαδέων ἀνδρέων ἀνδρεωθέντι. N'aurions-nous pas, en ἐφοιτέων ὁρέωντες· ὁρμεώμενος ὁρέωσι, des formes issues directement de ἐφοίτων ὁρῶντες ὁρμώμενος ὁρῶσι, formes populaires introduites par des scribes ioniens [1], ou hyperionismes imaginés par des hommes qui connaissaient mal le dialecte ? et les formes ἐφοίτεον ὁρέοντες ὁρμεόμενος ὁρέουσι, ne seraient-elles pas autant de corrections dues à des reviseurs que choquaient ces monstruosités [2] ? A vrai dire, les manuscrits que nous possédons ne nous font pas connaître en chaque circonstance, à côté de la forme εο εου qui serait à ce compte le terme d'une évolution, la forme correspondante en εω qui l'aurait précédée et préparée ; — celle-ci manque très souvent, en particulier, pour le verbe εἰρωτάω à côté de εἰρώτεον εἰρωτέοντι εἰρωτέοντας ; — mais il arrive aussi, inversement, qu'un ou plusieurs manuscrits donnent quelque part une forme en εω sans qu'aucun donne la forme en εο ou εου ; l'examen de la tradition manuscrite laisse, il me semble, le champ libre à l'hypothèse énoncée ci-dessus. Dans l'ensemble, les formes de verbes en -άω où l'*alpha* du radical est remplacé par un *epsilon* me paraissent, chez Hérodote, suspectes. Si celles qui présentent les successions εο εου suivant les lois de la conjugaison en -έω y ont été introduites par l'intermédiaire de formes vicieuses en εω, seules pourraient remonter au texte primitif des formes présentant la succession εω en conformité avec ces lois [3] ; et je crois

1. Comme c'est le cas, je crois, pour δυνεώμεθα (IV 97 ABC), δυνέωνται (VII 163 R), ἐπιστέωνται (III 134 tous les manuscrits).

2. Il est à noter que dans le manuscrit P, où elles abondent, χρέωμαι χρέωνται font très souvent place à χρέομαι χρέονται ; probablement, ces deux formes ont été considérées par le rédacteur du manuscrit comme étant de même nature que ἐφοιτέων ὁρέωντες ὁρμεώμενοι, et condamnées par lui du même coup.

3. Première personne singulier de l'indicatif présent ; nominatif

volontiers que ce texte en contenait effectivement de telles, dont la présence a pu donner le branle à l'introduction arbitraire des autres [1]. De celles-là, et de celles-là seulement, j'ai admis quelques-unes, dans la conjugaison de quelques verbes où les manuscrits invitaient à le faire ; — car rien n'oblige à penser que tous les verbes en -άω aient jamais été, sous ce rapport, soumis à un même régime ; en conservant ou en rétablissant τολμέω ὁρέω ὁρέων ἐπιτιμέων καταμαργέων φοιτέων εἰρωτέων ὁρέωσι (au subjonctif) μεμνεώμεθα, j'ai le sentiment d'être allé peut-être déjà trop loin [2].

Extension de la conjugaison en -έω. — Les formes hétéroclites de verbes en -άω dont il vient d'être question ne sont pas les seules, dans les manuscrits d'Hérodote, où les flexions de la conjugaison en -έω soient adoptées d'une façon suspecte ou tout au moins discutable. Il n'y a pas lieu, je crois, de s'arrêter à μαχεόμενος ἐπειρεόμενος ἐνδυνέουσι ἐνείχεε ὤφλεε ἤψεε, que l'on peut corriger sans scrupule. Χρέεσθαι χρέεται ἐχρέετο, bien que χρέεσθαι soit donné trois fois par tous les manuscrits (I 99, 157, 171), ne méritent pas plus de créance ; ces formes ont été déduites des formes χρέομαι χρέονται χρεόμενος, substituées elles-mêmes à χρέωμαι χρέωνται χρεώμενος par des reviseurs malavisés. Les formes du type οἰκηιεῦνται ἐδικαίευ ἀνδρευμένῳ (au lieu de οἰκηιοῦνται ἐδικαίου ἀνδρουμένῳ) m'apparaissent, dans l'ensemble, comme imaginées par des copistes, qui introduisaient aveuglément chez un écrivain ionien ευ à la place de ου, sans prendre garde

masculin singulier du participe présent ; première personne singulier, première et troisième personnes pluriel du subjonctif présent.

1. L'introduction des formes vicieuses en εω, si elle est due à des éditeurs « hyperionisants », a pu être encouragée aussi par le voisinage de formes telles que χρέωνται χρεώμενος ἐπιδέωμεν ἀποστέωσ δυνεώμεθα δυνέωνται ἐπιστέωνται, formes de verbes à radical en α, où, pour des raisons diverses, on trouvait la succession εω.

2. Il n'y a pas lieu de discuter les formes ἀρτέοντο (V 120) παραρτέοντο (VIII 76), toutes les formes du verbe auquel elles se rattachent étant ou pouvant être, chez Hérodote, tirées de ἀρτέω. Peut-être ferions-nous la même observation pour καταμαργέων, si le texte de notre auteur nous fournissait d'autres exemples de ce verbe.

que, dans des formes de verbes en -όω, ου représentait autre chose que dans des formes de verbes en -έω. Restent [1] :

— ἐκπηδέειν, donné VIII 118 par tous les manuscrits de la famille romaine ;

— ἐμπιπλεῖ ou ἐμπιπλέει donné VII 39 par tous les manuscrits ; ἐμπιπλέετο, donné III 108 par les manuscrits de la famille romaine ;

— σινέεσθαι ἐσινέετο ἐσινέοντο σινεόμενος, donnés à plusieurs reprises par les manuscrits de la famille romaine (IV 123 ; IX 13, 49, 73, 87, 123) ; les manuscrits de la famille florentine donnent une fois ἐσικνέοντο, qui paraît une déformation de ἐσινέοντο (V 81) ;

— πιεζεύμενος, donné une fois par les manuscrits de la famille romaine (IX 21), trois fois par presque tous les manuscrits qui comptent (III 146, VI 108, VIII 142) ;

— μαστιγέων, donné I 114 par tous les manuscrits.

Aucune de ces formes n'est un indéfendable barbarisme : il a existé en ionien, à côté de πιέζω, un verbe πιεζέω [2] ; il a pu exister, à côté de σίνομαι, un verbe σινεόμαι ; à côté de μαστιγόω, un verbe μαστιγέω ; à côté de πίπλημι ayant pour radical πλα-, un doublet ayant pour radical πλε- ; πηδέω au lieu de πηδάω n'a rien de plus choquant que ἀρτέομαι au lieu de ἀρτάομαι, qui est d'usage courant chez Hérodote. Mais toutes sont contredites, dans l'ensemble de la tradition, par d'autres formes, aussi nombreuses ou plus nombreuses, régulièrement

1. 'Επεμαρτυρέοντο (V 93) n'a rien d'extraordinaire, non plus que διαδυνέονται (IV 71) ; il s'agit seulement de savoir si on maintiendra ces formes en face de ἐπιμαρτυρόμεθα (V 92 η) et de διαδύνεται (II 96), si on les corrigera en ἐπεμαρτύροντο et διαδύνονται, ou si on écrira au contraire ἐπιμαρτυρεόμεθα et διαδυνέεται. De même, des formes tirées de ῥιπτέειν sont d'aussi bon aloi que des formes tirées de ῥίπτειν (cf. Bechtel, *Ion. Dial.*, p. 183). L'examen des manuscrits suggère ici cette discrimination : seraient empruntées à ῥίπτειν les formes dont la désinence est ε ou ει (ῥίπτει III 41, IV 61, IV 168 ; ἔρριπτε V 92 ζ) ; à ῥιπτέειν, celles dont la désinence comporte soit un *omicron* soit la diphtongue ου (ῥιπτεῦσι IV 94 RSV ; ῥιπτέουσι IV 188 ; ἀναρριπτέοντες VII 50 ; ἐρρίπτεον VIII 53).

2. Cf. Bechtel, *Ion. Dial.*, p. 183.

tirées de πιέζειν σίνεσθαι πηδᾶν[1] μαστιγοῦν ἐμπιπλάναι (à cela près que ce dernier verbe, chez notre auteur, devait emprunter certaines flexions à la conjugaison de τιμάω, comme τίθημι à celle de φιλέω et δίδωμι à celle de δηλόω) ; en particulier, au livre IX chapitre 21, quelques lignes avant le passage où les manuscrits de la famille romaine donnent πιεζεύμενος, tous donnent πιεζόμενος, qui est aussi la lecture unanime au livre IX chapitre 61. D'autre part, pour plusieurs des formes en question, le fait qu'elles se trouvent seulement ou surtout dans les manuscrits de la famille romaine ne constitue pas une recommandation. Ces manuscrits présentent plus souvent que ceux de la famille florentine des ε intercalés à tort et à travers[2] ; peut-être σινέεται ἐσινέετο ἐσινέοντο σινεόμενος, — et aussi πιεζεόμενος, dont πιεζεύμενος tient la place, — ne valent-ils pas mieux que ἀπικέεσθαι ἐσβαλέοντας μαχεόμενοι. Ou bien, les formes assimilées à celles de verbes en -έω seraient-elles des formes ioniennes populaires, introduites par des copistes très anciens et que les manuscrits de la famille romaine auraient plus fidèlement conservées ?

Deux verbes où, si l'on en croit les manuscrits, le mélange des formes serait porté au plus haut degré méritent une mention particulière : ξυρῶ et σταθμῶ. Auprès de formes de ces verbes qui peuvent appartenir soit à la conjugaison en -άω soit à la conjugaison en -έω, comme ξυρήσας ἀποξυρήσας ἐξυρημένος σταθμησάμενος, on en trouve dans les manuscrits qui ne peuvent appartenir qu'à la première : ξυρῶντες ξυρῶνται σταθμώμενος ; d'autres qui ne peuvent appartenir qu'à la seconde : ξυρεῦνται ξυρέονται σταθμεύμενος σταθμεόμενος ;

1. 'Εκπηδᾶν I 24.

2. Exemples : αὐτέων et τουτέων au masculin et au neutre ; γλουτέων Σολιέων σιτοποιέων ναυηγιέων ἀνδρέων ταξιαρχέων ταρασσομενέων ἀπικέεσθαι μενέω (pour μενω) μενέειν (pour μένειν) ἐσβαλέοντας διεπειρεᾶτο. La famille florentine n'est pas, elle non plus, exempte de semblables bévues ; elle a même, je crois, le monopole de perles comme αὐτέοισι αὐτέους τουτέοισι ; mais les bévues y sont en moins grand nombre.

d'autres qui se rattachent à la conjugaison en -όω : ξυροῦντες ξυροῦνται [1] σταθμώσασθαι. Bien que ces dernières ne soient pas en majorité, il ne m'a pas semblé trop audacieux d'opérer l'unification autour d'elles. Ξυρεῦνται σταθμεύμενος ont pu prendre la place de ξυροῦνται σταθμούμενος par le fait de la même erreur, de la même prédilection aveugle pour la diphtongue ευ, qui a causé l'introduction des formes οἰκηιεῦνται ἐδικαίευ ἀνδρευμένῳ, dont nous parlions tout à l'heure ; et ξυρέονται σταθμεόμενος, être déduits ensuite de ξυρεῦνται σταθμεύμενος par des amateurs de formes non contractes. Quant à ξυρήσας ἐξυρημένος σταθμησάμενος ξυρῶνται ξυρῶντες σταθμώμενος, formes appartenant aux verbes σταθμάω ξυρέω, d'un usage courant chez les Attiques, ou ξυράω, employé de préférence chez des écrivains postérieurs, leur présence peut être due soit à des copistes nonchalants qui écrivaient comme ils auraient parlé soit à des scrupuleux mal inspirés à qui ξυρώσας ἐξυρωμένος σταθμωσάμενος ξυροῦνται ξυροῦντες σταθμούμενος apparaissaient comme des barbarismes ; animé d'un pareil scrupule, l'éditeur de l'Aldine corrigeait au livre I chapitres 67 et 82 ἑσσοῦντο en ἑσσῶντο et ἑσσουμένους en ἑσσωμένους. Ξυροῦν et σταθμοῦσθαι étaient, je pense, ioniens au même titre que ἑσσοῦσθαι [2].

Ζώουσι *et similia*. — On trouve dans les manuscrits d'Hérodote quelques très rares formes qui ne peuvent appartenir qu'au verbe ζῆν (ζῆν dans tous les manuscrits au livre V chapitre 6 et dans PDRSV au livre VII chapitre 46 ; ἐπέζησε dans CP au livre I chapitre 120) ; d'autres, plus nombreuses, qui ne peuvent appartenir qu'à ζώειν (ζώει ζώουσι ἔζωον ἐπέζωσε ζώειν ζώοντα ζωόντων ζώουσι ζώοντας) ; d'autres enfin, plus nombreuses encore, surtout au participe, qui sont susceptibles d'une double interprétation : ζῶσι διέζων

1. Je ne crois pas, en effet, que ξυροῦνται ξυροῦντες aient été substitués à ξυρέονται ξυρέοντες ou à ξυρεῦνται ξυρεῦντες. Les contractions attiques ou de la langue commune en ου au lieu de εο ou ευ sont très rares dans les manuscrits d'Hérodote ; il serait étrange que le hasard les eût accumulées dans des formes du verbe ξυρῶ.

2. Pour σταθμοῦσθαι, cf. Bechtel, *Ion. Dial.*, p. 199.

ζῶντα ζῶντι ζῶντες ζώντων ζῶσι ζῶντας ζῶσα ζῶσαν [1]. On considère ordinairement ces formes comme déduites, par voie de contraction, des formes pleines de ζώειν (ζῶσι pour ζώουσι, διέζων pour διζέωον, etc.); et alors la question se pose, de savoir ce qu'il faut préférer, du type contracté et du type non contracté. Je reconnais que la présence, dans les manuscrits de la famille romaine et aussi dans le papyrus Amherst, de ζώς pour ζωός [2] paraît être en faveur de cette interprétation. Mais ne peut-on songer tout aussi bien à considérer les formes dont il s'agit comme appartenant au verbe ζῆν ? A ce compte, il y aurait apparence que, formes attiques, formes vulgaires, elles se seraient substituées dans le texte à des formes ioniennes, et seraient à éliminer au même titre que ζῆν et ἐπέζησε. J'ai cru pouvoir rétablir, où les manuscrits ne les donnent pas, les formes pleines de ζώειν.

Δεικνύουσι *et similia.* — Les manuscrits contiennent un certain nombre de formes, toutes de la voix active, où, à des verbes en -μι, sont attribuées, après un υ, des désinences de la conjugaison en -ω. Ce sont des formes d'indicatif présent (2e et 3e pers. sing., 3e pers. pl.), d'indicatif imparfait (3e pers. sing. et pl.), de participe présent masculin (nominatif sing. et pl.). Il n'est aucunement invraisemblable que plusieurs de ces formes, qui ont des analogues chez des auteurs d'époques très diverses, remontent à Hérodote ; mais ce qui est vrai de plusieurs ne l'est pas nécessairement de toutes. J'ai retenu les formes en -ύεις -ύει -υε [3], que donnent tous les manuscrits et auxquelles ne s'oppose, chez notre auteur, aucun exemple contraire. J'ai donné la préférence, partout où des manuscrits les présentent, aux formes de la 3e personne du pluriel en -ύουσι, mieux attestée que les autres dans l'ensemble de la tradition ; et j'ai remplacé par

1. Sur la répartition de ces deux dernières catégories de formes, voir Hoffmann, *Ion. Dial.*, p. 364.

2. Au livre I chapitre 194. Ailleurs, ζωός est donné par tous les manuscrits (Hoffmann, *o. l.*, p. 504).

3. Προσαπολλύεις I 207 ; προδεικνύει VII 37 ; ἐδείκνυε IV 150, ἀπεδείκνυε I 112 et III 82, διεδείκνυε II 162, ἐζεύγνυε IV 89.

des formes de même type les formes en -ῦσι ou -ύασι ; sous la plume de copistes à qui était familier l'usage attique ou l'usage de la *koinè*, celles-ci, semble-t-il, ont pu se substituer d'autant plus facilement à des formes en -ύουσι, qu'une confusion d'écriture était aisée entre ου et α, et que le groupe -υουσ- pouvait passer pour une dittographie du groupe -υσ-. Au contraire, la forme d'imparfait ἐπεζεύγνυον, donnée par tous les manuscrits au livre VII chapitre 36 mais isolée en face de plusieurs exemples de ἐδείκνυσαν[1], les formes de participes ζευγνύων et δεικνύοντες, données par tous les manuscrits au livre I chapitre 205 et au livre III chapitre 79, ἀποδεικνύοντες que donnent au livre VI chapitre 86 β les manuscrits de la famille romaine, isolées en face de nombreux exemples de δεικνύς ζευγνύς ὀμνύς σβεννύς στορνύς[2], ne m'ont pas paru devoir être conservées.

Désinences -αται -ατο à la 3e personne du pluriel. — Les désinences verbales -αται -ατο à la troisième personne du pluriel sont, dans les manuscrits d'Hérodote, très répandues. Je ne les ai conservées nulle part à l'indicatif présent, imparfait ou aoriste II des verbes dont le radical finit par une consonne (κηδέαται ἀγέαται ἐσινέατο ἐβουλέατο ἀπικέατο ἐγενέατο etc.), pas même quand tous les manuscrits, comme cela arrive, s'accordent à les donner. Une aussi grande extension de ces désinences n'est jusqu'à présent autorisée par aucun témoignage épigraphique ; le serait-elle, j'hésiterais encore à l'admettre dans un texte littéraire.

Les formes où -αται -ατο sont incontestablement à leur place, et où les manuscrits les donnent d'ailleurs presque sans exception, sont d'une part les optatifs tels que βουλοίατο γενοίατο πειρῴατο ἀπικνεοίατο δυναίατο τισαίατο δεξαίατο ; d'autre part, les parfaits et plus-que-parfaits de verbes dont le radical finit par une consonne tels que τετάφαται ἀποδε-

1. I 30 (ἐπ-), II 143 et IX 80 (ἀπ-).

2. I 90, 114, 136, II 78, 136, 142, 143 (bis), V 49, 94, VI 86 β (ABCP), VIII 124, IX 82 ; I 206, IV 89 ; I 153 (ὀμοῦντες doit être une erreur pour ὀμνύντες), II 118 ; I 87 ; VII 54.

δέχαται κεχωρίδαται κατεστράφατο ἐτετάχατο παρεσκευάδατο ; et, du verbe κεῖμαι, les formes κέαται ἐκέατο. Dans les parfaits et plus-que-parfaits des verbes dont le radical finit par une voyelle, -αται -ατο se trouvaient déjà chez Homère (κεκλήαται εἰρύαται δεδμήατο κεχολώατο etc.) ; on en a des exemples chez Simonide d'Amorgos, chez Hipponax, chez Anacréon, chez Hécatée ; nul doute qu'Hérodote, à qui les manuscrits les attribuent souvent (ἡγέαται ὑμνέαται εἰρέαται ἱδρύαται προαιδέατο ἐκεκοσμέατο ἐδεδέατο etc.), en ait aussi fait usage ; il ne faut pas songer à les exclure ; mais je ne crois pas qu'il faille non plus les introduire partout, à l'encontre de la tradition, ni même les conserver partout où les manuscrits, — seraient-ce tous les manuscrits, — les présentent. Chaque verbe a pu avoir à ce point de vue, lui et ses composés, sa fortune. J'ai effectué l'unification pour chacun en particulier dans le sens indiqué par une statistique individuelle ; de verbe à verbe, j'ai laissé subsister la différence.

En dehors des cas précités, -αται -ατο sont donnés par tous les manuscrits avec persévérance au présent et à l'imparfait de δύναμαι, ἐπίσταμαι et ἐξεπίσταμαι, ἵσταμαι et ses composés. On ne peut donc guère refuser de croire que les formes δυνέαται ἐδυνέατο ἐπιστέαται ἠπιστέατο ἱστέαται ἱστέατο, — analogues au κιρνέαται d'une inscription milésienne, — ont été admises par Hérodote ; joignons-y ἐπιμπλέατο, donné sans variante au livre III chapitre 88, qui appartient aussi à un verbe dont le radical est en α. En ce qui concerne τιθέαται ἐτιθέατο, la tradition est moins nette ; entre ces formes et τίθενται ἐτίθεντο, les manuscrits se partagent ; τιθέαται ἐτιθέατο offrent avec ἱστέαται ἱστέατο une ressemblance de son qui me les a fait préférer. Quant à διδόαται, donné une seule fois par le seul Laurentianus C (II 47), et à ἐδεικνύατο, donné une seule fois par tous les manuscrits (IX 58) alors qu'en plusieurs autres passages tous donnent δείκνυνται ἐδείκνυντο, — et aussi πήγνυνται, — je les ai relégués dans les notes.

Accusatifs en -εα au lieu de -ην. — J'en ai fait autant pour les accusatifs en -εα attribués par les manuscrits à beaucoup de noms propres masculins de la première déclinaison en -ης (génitif -εω) et aux trois noms communs κυβερνήτης[1] δεσπότης ἀκινάκης, comme si les noms en question se rattachaient au type τριήρης. La répartition de ces formes hétéroclites est tout à fait capricieuse. Plus nombreux dans les manuscrits de la famille romaine, les accusatifs en -εα sont cependant très loin de leur appartenir en propre : si certains ne se trouvent, ou peu s'en faut, que dans ces manuscrits, — tels κυβερνήτεα Εὐρυβιάτεα Ἀμύντεα Μουρυχίδεα Λεωνίδεα Λυκίδεα Εὐαλκίδεα Ξέρξεα[2], — certains leur sont complètement, ou presque complètement, étrangers, — tels Ἐπιάλτεα Ἱπποκλείδεα Λυσαγόρεα Μιλτιάδεα[3]. D'autre part, si l'on confronte le groupe des noms personnels dont l'accusatif est toujours en -εα, celui où il est toujours en -ην, celui où il est tantôt en -ην et tantôt en -εα, il est impossible d'apercevoir aucune raison qui motive ces traitements divers. L'unification, qui paraît ici opportune, ne doit pas s'arrêter aux accusatifs de chaque nom considéré à part ; il faut l'étendre aux accusatifs de tous les noms en cause.

Les formes en -εα, dont l'épigraphie ne fournit pas d'exemples, ont été sévèrement jugées ; on a suggéré que des grammairiens, encouragés par la confusion des génitifs en -εω et en -εος dont témoignent des inscriptions, les avaient inventées de toutes pièces, et en avaient orné le texte d'Hérodote pour le rendre « plus ionien ». Mais il me semble qu'en ce cas ils auraient remplacé du même coup des génitifs réguliers en -εω par des génitifs hétéroclites en -εος ; or ces derniers sont extrêmement rares dans l'ensemble de nos manuscrits[4]. Et pourquoi, parmi les noms communs, les seuls

1. Κυβερνήτεα se lit deux fois au livre VIII chapitre 118, mais dans les seuls manuscrits de la famille romaine.

2. Ξέρξεα est donné une seule fois par tous les manuscrits (VII 4) ; il l'est plus de vingt fois par les seuls manuscrits de la famille romaine.

3. Un seul exemple de Μιλτιάδεα — sur sept — dans tous les manuscrits à la fois (VI 39).

4. Au livre III chapitres 70 71 84 88, Ὀτάνεος est donné par presque tous les manuscrits auprès du vocatif Ὀτάνη (72) et du datif Ὀτάνῃ (84) ; Ὀτάνεος est de même la lecture presque unanime au livre VII chapitre 82. Au livre IV chapitre 80, on a Σιτάλκεος auprès

mots κυβερνήτης δεσπότης et ἀκινάκης auraient-ils fait l'objet d'une ionisation de fantaisie? Je suis porté à croire que δεσπότεα ἀκινάκεα κυβερνήτεα Καμβύσεα Ξέρξεα Μιλτιάδεα et autres accusatifs en -εα que présentent les manuscrits ont, à un moment donné, fait partie de la langue parlée. Resterait à savoir si ce fut du vivant d'Hérodote, et si ces formes, en admettant qu'il les ait entendu prononcer, n'étaient pas pour lui des formes incorrectes qu'il aurait refusé d'écrire. Les cas où tous les manuscrits s'accordent à donner un accusatif en -εα sont beaucoup moins nombreux que ceux où, unanimement, ils donnent un accusatif en -ην; les noms dont l'accusatif est toujours en -εα, beaucoup moins que les noms dont il est toujours en -ην [1]. A ces constatations tirées des manuscrits, les papyri permettent d'en ajouter une autre, qui a de l'importance : nulle part ces documents des premiers siècles de notre ère ne donnent, malgré les occasions qui y sont offertes, d'accusatif en -εα; trois d'entre eux, en quatre passages où tous les manuscrits donnent un accusatif de ce type, donnent au contraire la forme en -ην (I 11 Κανδαύλην, δεσπότην; I 211 'Αράξην; III 34 Καμβύσην); et, deux fois sur quatre, il s'agit de noms dont l'accusatif, dans

du datif Σιτάλκῃ (Σιτάλκεω VII 137). Au livre VI chapitre 62, tous les manuscrits donnent ἀκινάκεος. Outre ces génitifs en -εος, les manuscrits présentent quelques autres formes des mots dont il s'agit empruntées à la troisième déclinaison ; elles aussi sont très rares ; je ne trouve à citer que ἀκινάκεας III 128 (RSV), VII 67 (RSV), IX 80 (S), Πέρσεϊ IX 7α (R) et Κυαξάρεϊ I 73 et 74 (tous les manuscrits sauf B2). Nous avons d'ailleurs dans les manuscrits quelques exemples de la confusion inverse, je veux dire de l'attribution à des noms du type τριήρης de désinences de la première déclinaison : 'Αρσάμεω VII 224 (PRSV) ; 'Υστάσπεω V 30 (PSVU) ; Πρηξάσπεω III 74, 75, 78 (S) ; 'Αρτεβάρεω I 114 (S) ; 'Υστάσπῃ I 209 (AB) ; 'Αρταφρένῃ VI 4 (ABC) ; Κλεισθένῃ VI 126 (RSV) ; 'Αστυάγην VII 8 α, IX 122 (tous les manuscrits).

1. Je n'en trouve que cinq, qui sont tous des noms propres : Κανδαύλης (3 cas) ; 'Αλυάττης (3 cas) ; 'Ορέστης (1 cas) ; Καμβύσης (19 cas) ; Μιτροβάτης (4 cas). Pour un sixième nom propre, 'Οροίτεα est donné 9 fois par tous les manuscrits, 'Οροίτην une seule fois.

tous les manuscrits, est constamment en -εα (Κανδαύλεα Καμβύσεα). Les accusatifs en -εα m'apparaissent comme des formes qui ont pu avoir cours en Ionie, que des copistes ioniens introduisirent de bonne heure par négligence dans le texte d'Hérodote, et qui, dans les différents « tirages » de ce texte dont les manuscrits nous gardent la mémoire, se sont inégalement maintenues.

Génitifs pluriels de la 1re déclinaison. — J'ai dit qu'au génitif pluriel de la première déclinaison je conservais, avec les manuscrits, la forme non contracte en -έων après une voyelle (θυσιέων ὀργυιέων etc.). Je n'ai pas, comme Stein, étendu cette désinence aux génitifs des participes en -μένη. Mais j'ai admis un génitif féminin τουτέων.

Datifs pluriels de la 2e déclinaison. — Le datif pluriel des première et seconde déclinaison est chez Hérodote en -ῃσι -οισι. Par exception, les manuscrits, sans distinction de famille, donnent couramment τοῖσδε au lieu de τοισίδε ; j'ai conservé cette forme, qui se trouve déjà chez Homère. Mais, bien que, pour l'article, l'épigraphie ionienne présente très tôt la forme abrégée τοῖς, je ne l'ai substituée en aucun cas, contre la tradition, à la forme τοῖσι.

Accusatifs pluriels en -ις et -υς. — L'accusatif pluriel des noms de la 3e déclinaison dont le radical se termine par un ι est, dans les manuscrits, tantôt en -ις (πόλις) tantôt en -ιας (πόλιας). Considérées en elles-mêmes, les deux formes sont admissibles dans un ouvrage écrit en ionien. Mais il est peu vraisemblable qu'Hérodote les ait employées tour à tour, surtout pour le même mot. Si j'ai préféré la forme en -ις, c'est en raison de l'observation que voici : alors que, pour des mots d'usage courant comme πόλις ὄφις τάξις μάντις κατάβασις ὑπόκρισις πανήγυρις πρόφασις, l'accusatif en -ιας alterne avec l'accusatif en -ις ou même prédomine, l'accusatif en -ις se trouve employé exclusivement ou presque exclusivement pour des mots rares ou exotiques : pour le nom de la ville de Sardes ; pour le nom de l'ibis, oiseau inconnu en pays grec ; pour le mot ἄρδις désignant une pointe de flèche, — mot qui a tellement déconcerté le scribe de l'archétype de la famille romaine qu'il le remplaça par φαρέτρα ; — pour les mots καλάσιρις κυλλῆστις, noms d'un vêtement égyptien et d'une sorte de pain qu'on fabriquait en Égypte, σάγαρις, nom d'une arme barbare. Or, c'est évidemment dans les mots de cette seconde sorte que la désinence primitive avait le plus de chance de se maintenir. Un copiste ionien vivant à une époque, dans un pays, où la désinence -ιας était préférée à l'autre, pouvait être tenté d'introduire dans le texte qu'il transcrivait, à la place d'accusatifs en -ις, des formes telles que πόλιας τάξιας μάντιας, qu'il entendait employer et employait lui-même tous les jours ; en face de mots qu'il n'avait l'occasion ni d'employer ni d'entendre, cette tentation n'existait pas pour lui.

A l'accusatif pluriel des noms dont le radical se termine par un υ (accentué ou non accentué), la tradition est nettement en faveur de la désinence sans *alpha* (ἰχθῦς ἴτυς etc.) ; il n'y a d'exception qu'en ce qui concerne Λίβυας.

Mon intention n'étant pas d'examiner la langue d'Hérodote sous tous ses aspects, mais seulement d'annoncer les solutions que j'ai adoptées en face de quelques grands problèmes, de quelques groupes de formes particulièrement nombreuses et « voyantes », je n'ajouterai plus aux observations qui précèdent que deux mots.

Omission du ν éphelkystique. — Le premier, au sujet du ν éphelkystique. D'un usage courant dans les fragments des lyriques ioniens et dans les inscriptions ioniennes, il est extrêmement rare dans les manuscrits de la famille florentine : dans les manuscrits RSV il figure d'ordinaire devant un mot commençant par une voyelle ; mais dans le manuscrit de Muret (D), de la même famille que RSV et plus ancien, le copiste, qui l'avait d'abord admis au cours des premiers chapitres du livre I, l'a le plus souvent effacé, et, à partir du chapitre 15, l'a omis à peu près partout. Plusieurs papyri, — le papyrus Zereteli, les papyri d'Oxyrhinchos n°s 18 1092 2095 2096, — en contiennent des exemples ; mais, dans l'un d'eux (Ox. 2096), il a été, comme dans le manuscrit de Muret, supprimé par le reviseur. D'une façon générale, la tradition n'est donc pas favorable au maintien du ν éphelkystique, encore moins à son introduction là où aucun manuscrit ne le donne ; je me suis conformé à ce qu'elle indiquait, sans méconnaître ce qu'il y a d'étrange dans l'abstention supposée d'Hérodote.

En particulier, il ne m'a pas semblé qu'il convînt d'admettre, auprès de ὕπερθε κατύπερθε πρόσθε ἔμπροσθε ἔνερθε ὄπισθε, les formes ὕπερθεν κατύπερθεν πρόσθεν ἔμπροσθεν ἔνερθεν ὄπισθεν, que donnent assez souvent les manuscrits, surtout ceux de la famille romaine, et dont un papyrus d'Oxyrhinchos nous présente un exemple [1]. Ces formes, qu'une assimilation injustifiée avec des formes telles que ἀνέκαθεν πάντοθεν πανταχόθεν πατρόθεν contribua à développer [2], permettaient aux poètes d'éviter l'hiatus ou l'élision lorsque le mot suivant avait pour initiale une voyelle. Dans les manuscrits d'Hérodote, il n'est pas rare qu'elles se trouvent devant une consonne ; et il arrive que, devant une voyelle, tous unanimement donnent une forme en -θε. Je ne crois pas que, jusqu'à présent, les formes en -θεν soient garanties par l'épigraphie ionienne. Je m'en suis tenu, en ce qui les concerne, à l'opinion de Bredow, qui les proscrivait du texte de notre auteur.

Il ne m'a pas semblé non plus qu'il convînt d'introduire nulle part ἔπειτεν. Nous avons vu que, d'après Eustathe, Ailios Dionysios, grammairien du IIe siècle, disait avoir trouvé cette forme chez Hérodote [3] ; on l'y cherche en vain aujourd'hui ; nos manuscrits offrent seulement, auprès d'un très grand nombre d'exemples de ἔπειτα, 5 exemples de ἔπειτε, forme qui se rencontre dans une inscription de Milet

1. Πρό]σθεν devant une voyelle au livre I chapitre 11, dans le n° 2095.

2. Par l'effet d'une assimilation inverse, on trouve dans les manuscrits mêmes d'Hérodote ἀνέκαθε VI 128 (tous les manuscrits), πάντοθε VII 225 (C).

3. Voir ci-dessus page 180. La citation faite par Eustathe n'oblige pas à croire que, d'après Ailios Dionysios, ἔπειτεν eût été d'un usage constant chez Hérodote ; il disait simplement qu'on l'y trouvait.

et mérite d'être conservée. Le témoignage d'Ailios Dionysios ne m'inspire que peu de confiance; il s'est trompé, nous l'avons déjà dit, en attribuant à Hérodote l'emploi du mot εἶτεν, qui ne figure chez notre auteur ni sous cette forme ni sous les formes εἶτε ou εἶτα; il a pu se tromper aussi en lui attribuant ἔπειτεν, qu'il se rappelait sans doute avoir trouvé chez quelque autre écrivain ionien [1].

Confusion orthographique entre ι et ει. — Enfin, je dois prévenir qu'entre ι et ει, tant à la fin que dans le corps des mots, j'ai plus d'une fois choisi sans me sentir lié par le témoignage des manuscrits. Favorisée par une confusion phonétique qui se produisit de bonne heure, la confusion entre ces graphies est fréquente sous la plume des copistes anciens; cela laisse aux éditeurs modernes, quand ils ont quelque raison de se croire mieux informés, une grande liberté de décision [2].

1. Peut-être chez Hippocrate, où ἔπειτεν se trouve 4 fois (dont 3 fois devant une voyelle); cf. Bechtel, *Ion. Dial.*, p. 331.

2. Mon ami M. Antoine Meillet, qui a bien voulu lire les pages précédentes, me communique les observations ci-après, que je suis heureux de reproduire :

« Les indications de M. Legrand conduisent à supposer que, toute troublée qu'elle soit, la tradition n'est pas, d'une manière essentielle, infidèle à l'édition originelle de l'ouvrage d'Hérodote.

« L'absence du ν éphelcystique ne se laisse expliquer ni par l'influence de l'attique, ni par celle de la langue épique, ni par les usages ordinaires de l'ionien asiatique. En revanche, il n'aurait rien de surprenant dans le parler courant d'une cité anciennement dorienne, puis ionisée, comme Halicarnasse. Le fait que la convention avec Lygdamis offre couramment le ν éphelcystique (μνήμοσιν εἰδέωσιν etc.) illustre le fait connu que l'ionien des inscriptions ioniennes d'Asie ne tient pas compte des différences locales entre les parlers qu'Hérodote lui-même a signalées (I 142), et ne prouve rien pour l'usage courant dans le parler d'Halicarnasse. Si, sur un point aussi important, la tradition conserve un trait de l'édition originelle, on doit tenir compte des autres singularités qu'elle présente.

« Or, dans un cas tel que celui de l'opposition entre ἐθηεῦντο et ἐκαλέοντο, l'état de choses offert par la tradition est plausible. Un double hiatus comme celui qu'offrirait ἐθηέοντο est choquant en soi, et il était naturel de chercher à l'éviter. Or, d'autre part, la contraction n'est pas l'un de ces changements phonétiques qui sont régis par

DIVISION DE L'OUVRAGE D'HÉRODOTE EN NEUF LIVRES

Je dois maintenant m'expliquer sur la façon dont j'ai « découpé » le texte d'Hérodote. Il nous est parvenu divisé

des lois inflexibles. Dans des conditions pareilles, un même groupe de voyelles peut être prononcé en deux syllabes ou contracté suivant la rapidité et suivant le soin avec lesquels on prononce. Ainsi Archiloque a pu, dans un même poème (fr. 66) et à quelques vers de distance, recourir à ἔχευ ἀλέξευ à l'intérieur du vers, à ἀγάλλεο ὀδύρεο à la fin (-εο comptant pour ◡◡).

« Cela posé, même des contradictions du texte traditionnel qui paraissent au premier abord invraisemblables pourraient provenir de l'édition originelle. Sans doute, on ne s'attend pas à voir, d'une part, γούνατα, de l'autre, δόρατα, comme le donne la tradition. Mais Archiloque a écrit trois fois dans un distique (fr. 2) δορί, assuré par le vers, de même qu'il a κόρης (fr. 120), aussi assuré par le mètre. Du reste, Bechtel (*Gr. Dial.*, III, p. 74) donne des exemples analogues chez d'autres poètes ioniens : ξένοισι et δέρην chez Anacréon, καλούς (avec α bref) chez Mimnerme, et καλόν (également avec α bref) dans une inscription métrique archaïque de Délos, très mutilée mais où ἄγαλμα καλόν semble sûr ; voir du reste Hoffmann, *Gr. Dial.*, III, p. 315 et suiv., sur la coexistence de καλός avec α long et καλός avec α bref chez les poètes ioniens. Si Bechtel enseigne fermement (*Gr. Dial.*, III, p. 15 et suiv.) que, dans le texte d'Hérodote, ὅλος δόρατα et κόραι sont des atticismes, ce n'est qu'en se fondant sur une affirmation a priori : « Niemand wird geneigt sein, für « Herodot eine andre Stammform vorauszusetzen als für andre « ionische Schriftsteller. » Tout ce qui est établi, c'est que, en regard de l'attique, qui constamment a κόρη γόνατα ὅλος καλός avec α bref, l'ionien a ordinairement κούρη γούνατα οὖλος καλός avec α long. Mais c'est une question de fait de savoir si les prononciations κόρη γόνατα ὅλος καλός avec α bref n'ont pas aussi existé. Dans un dialecte où coexistent les scansions de πατρός avec première syllabe longue et avec première syllabe brève, on ne voit pas pourquoi οὖλος et ὅλος n'auraient pas aussi coexisté. Dans δόρυ, qui s'emploie souvent au singulier et où l'o du nominatif-accusatif δόρυ exerçait par suite une forte action, les conditions ne sont pas les mêmes que dans γόνυ, où la forme la plus usuelle est celle du pluriel, γούνατα ; or, si deux traitements de -ορϜ- -ονϜ- étaient possibles, le traitement ionien -ουν- devait s'imposer dans γούνατα en vertu des exigences du rythme, qui, en grec, tendait à proscrire les suites de trois brèves, tandis que δόρατα était soutenu

en neuf livres, qui, dans plusieurs manuscrits, portent chacun, outre un numéro d'ordre, le nom d'une des Muses. L'attribution aux neuf livres des noms des Muses est attestée pour la première fois, d'une façon formelle, par Lucien[1]; il est vraisemblable qu'elle fut imaginée sensiblement plus tôt, au cours du dernier siècle avant notre ère[2]. La division elle-même ne remonte pas à l'auteur. Lorsqu'Hérodote parle d'une partie de son œuvre, il le fait en des termes qui ne supposent rien de tel[3]; une seule fois, il se sert d'un numéro d'ordre et, renvoyant à un passage de l' « Histoire de Crésus », il appelle cette histoire πρῶτος λόγος[4]; mais l' « Histoire de Crésus » ne remplit pas le livre I tout entier, elle n'en est que la première partie; et un λόγος n'est pas un « livre » au sens où l'on entend ce mot depuis longtemps[5].

par δόρυ. Le contraste entre κόρας κόραι (IV 33, 34) et κουριδίας (I 135, V 18) κουριδιέων (VI 138) a chance de répondre à une réalité linguistique. Si l'on a souvent ὅλος, et non οὖλος, c'est que ὅλος est un mot semi-accessoire, et, comme tel, prononcé plus vite qu'un mot principal de la phrase. En somme, la tradition fournit des formes plausibles, et dont l'intérêt est grand au point de vue linguistique. »

1. Lucien, *Herod.*, 1 ; *De hist. conscrib.*, 42.

2. Au cours de ce siècle, Aurelius Opilius donna les noms des Muses aux neuf livres d'un de ses ouvrages (Suétone, *De gramm.*, 6; Aulu-Gelle, I 25 17) ; Tullius Lauréas, affranchi de Cicéron, établit dans une épigramme (AP VII 17) une relation entre le nombre des Muses et celui des livres de Sappho; l'épigramme anonyme IX 160, où il est dit que les Muses laissèrent à Hérodote, qui les avait reçues, chacune un livre en présent, est d'une inspiration voisine et date peut-être du même temps. Pour plus de détails sur cette question, voir une note d'Aly dans le *Rheinisches Museum*, 1909, p. 593-594, note 2.

3. Tantôt il désigne cette partie par un titre particulier (Ἀσσύριοι λόγοι, Λιβυκοὶ λόγοι) ; tantôt il dit tout simplement « ailleurs » (ἐν ἄλλῳ λόγῳ, ἐν ἑτέροισι λόγοισι, ἑτέρωθι τοῦ λόγου), « plus haut » (πρότερον), « plus loin » (ἐν τοῖσι ὄπισθε λόγοισι).

4. V 36. Il renvoie à une phrase du livre I chapitre 92.

5. Au livre VII chapitre 93, pour renvoyer à un passage du livre I qui n'appartient plus à l' « Histoire de Crésus » (chapitre 171), Hérodote dit, en employant le pluriel : ἐν τοῖσι πρώτοισι τῶν λόγων ; le livre I contient plusieurs λόγοι. Au livre VI chapitre 39,

La division en neuf livres doit être le fait d'un éditeur. D'un éditeur très ancien. Nous savions par Diodore de Sicile qu'elle était en usage à l'époque d'Auguste[1]. La chronique du temple de Lindos, le papyrus Amherst nous prouvent aujourd'hui qu'elle l'était déjà auparavant. Dans la chronique de Lindos, une référence à un passage de notre livre II est présentée en ces termes : ἐν τᾷ β̄ τᾶν ἱστοριᾶν. Dans le papyrus Amherst, le fragment conservé du commentaire d'Aristarque est suivi de cette subscription : Ἀριστάρχου Ἡροδότου ᾱ ὑπόμνημα ; les remarques présentées les dernières concernant les derniers chapitres de notre livre I, il en résulte que, dans l'édition commentée par Aristarque, le livre I coïncidait avec celui des manuscrits et de nos éditions modernes ; on est en droit de penser que la concordance se poursuivait pour les livres suivants, d'un bout à l'autre de l'ouvrage. Le plus probable est que la division traditionnelle fut établie par les Alexandrins[2]. Quel principe l'a inspirée? On ne le discerne pas bien. D'une part, les neuf livres sont de volume fort inégal. D'autre part, s'il arrive que la fin d'un livre, — du livre I par exemple, — coïncide avec celle d'une section de l'ouvrage, — dans la circonstance, avec la fin de l' « Histoire de Cyrus », — il s'en faut que ce soit la règle : de par leur contenu, les 27 premiers chapitres du livre V, qui forment l'épilogue de l'expédition de Darius en Scythie

un détail qui sera donné dans la suite du même « livre » (chapitre 103) est annoncé comme devant figurer ἐν ἄλλῳ λόγῳ.

1. Diod., XI 37 6 (ἐν βίβλοις ἐννέα).

2. On peut toutefois se demander si, pendant longtemps, certaines éditions ne continuèrent pas à l'ignorer. Pausanias, quand il cite Hérodote, ne renvoie pas à l'un de nos neuf livres ; s'il ne dit pas simplement Ἡρόδοτος ou Ἡρόδοτος ἐν τοῖς λόγοις, il désigne une section de l'ouvrage en en indiquant le sujet : ἐν τῷ λόγῳ τῷ εἰς Κροῖσον (III 2 3), ἐν τῇ Λυδίᾳ συγγραφῇ (III 25 7). Dans le papyrus Zereteli, les chapitres 200-203 du livre I figuraient au verso du chapitre 196 ; le contenu du *volumen* auquel appartenait ce fragment ne devait donc pas coïncider avec celui du livre I ; car alors la quasi totalité du livre aurait été inscrite au recto d'une bande de longueur démesurée, et le verso de cette bande fût demeuré presque tout entier sans emploi ; ce qui n'est point vraisemblable.

et de ses entreprises d'Europe, se rattachent plus naturellement à une partie du livre IV qu'à la suite du livre V, c'est-à-dire au récit des intrigues d'Aristagoras et de la révolte de l'Ionie[1] ; plus loin, les 42 premiers chapitres du livre VI complètent le récit de cette révolte, poussé seulement au livre V jusqu'à la mort d'Aristagoras, qui ne met pas le point final à la malheureuse aventure ; et ainsi de suite. En somme, la division traditionnelle en neuf livres satisfait assez mal l'esprit. Il ne saurait cependant être question de la remplacer par une autre ; son ancienneté commande le respect ; et ce serait un intolérable pédantisme de compliquer, au nom d'une conception personnelle et peut-être erronée, le maniement de la présente édition. Nous l'avons donc conservée, ainsi que la subdivision usuelle en chapitres. Mais nous y avons juxtaposé une division en sections ou parties, plus logique, qui nous a paru répondre mieux aux intentions probables de l'auteur.

QUEL EST LE SUJET DE L'OUVRAGE D'HÉRODOTE?

Interrogeons le prooimion : « Hérodote de Thourioi expose ici ses recherches, pour empêcher que ce qu'ont fait les hommes, avec le temps, ne s'efface de la mémoire, et que de grands et merveilleux exploits accomplis tant par le Grecs que par les Barbares ne cessent d'être renommés ; en particulier ce qui fut cause que Barbares et Grecs sont entrés en guerre les uns contre les autres ». Cela est peu précis. Il s'en dégage toutefois une idée ; une idée que suggère l'opposition Ἕλλησι-βαρβάροισι et qu'expriment les mots ἐπολέμησαν ἀλλήλοισι : celle d'un conflit, ou d'une série de conflits, entre Grecs et Barbares. Par le fait, les livres VII VIII IX sont consacrés, abstraction faite de quelques digressions, au récit de la seconde guerre médique. Les livres V (à partir du

1. Les tout premiers chapitres du livre V font suite aux chapitres 143-144 du livre précédent.

chapitre 28) et VI, en dépit de digressions plus nombreuses et plus longues, peuvent être considérés comme contenant l'histoire de deux conflits antérieurs : la révolte de l'Ionie, la première guerre médique. A l'autre extrémité de l'ouvrage, dans la première partie du livre I, nous voyons également des Grecs, — ce sont cette fois des Grecs asiatiques, – aux prises avec des Barbares, qui ne sont pas encore les Perses comme plus tard, mais les Lydiens : quelques phrases des chapitres 14 et 15 commémorent les entreprises de Gygès et d'Ardys ; les chapitres 16 à 22 traitent avec plus de détail de celles de Sadyatte et d'Alyatte, en particulier de la guerre de douze ans qu'ils firent aux Milésiens ; le chapitre 26 rapporte la conquête de l'Ionie par Crésus, annoncée aux chapitres 5-6 ; le chapitre 27 rappelle ses projets contre les Grecs des îles, projets qui n'eurent pas de suite. C'est peu, quantitativement ; du moins, l'idée d'un conflit entre Grecs et Barbares est, là, nettement accusée. Mais ensuite ? Le chapitre 141 et les chapitres 152-153 mettent en présence Cyrus et les députés ioniens, porteurs d'offres de soumission, Cyrus et l'ambassadeur spartiate qui vient lui interdire au nom de Sparte de faire tort à aucune cité grecque ; une phrase du chapitre 143 signale l'accord intervenu entre Cyrus et Milet ; les chapitres 161-162 164-165 168-169 nous font assister à la réduction de l'Ionie par Mazarès et Harpage. Après, il faut attendre, pour retrouver des Barbares faisant la guerre à des Grecs, jusqu'aux premiers chapitres du livre V (1, 2, 26), où l'on voit Mégabyze, puis Otanès, subjuguer des villes de l'Hellespont, du littoral thrace, de la Troade, ainsi que Lemnos et Imbros ; car l'intervention des Perses à Samos, narrée au livre III chapitres 144 et suivants, se produit à la demande d'un Samien et n'est pas un acte de conquête. Aux récits des conflits déclarés, militaires ou diplomatiques, joignons ceux des « prospections » opérées en pays grecs par des émissaires perses, jusqu'en Grande Grèce avec Démokédès (III 135 et suiv.), en Macédoine à la cour d'Amyntas (V 18 et suiv.) ; nous n'obtiendrons, pour la seconde partie du livre I, les livres II III

IV et le commencement du livre V, qu'un total de bien peu de pages, nous pourrions presque dire : de peu de lignes. Il s'en faut, et de beaucoup, que l'exposé de luttes entre Grecs et Barbares remplisse l'ouvrage d'Hérodote.

Aussi bien n'est-ce pas seulement l'exposé de telles luttes que promet le prooimion. Même, cet exposé n'y est pas promis de façon explicite ; la promesse en est sous-entendue. Ce à quoi l'écrivain s'engage en termes exprès, c'est à faire savoir pour quelle cause (δι' ἣν αἰτίην) Grecs et Barbares sont entrés en conflit. Ces mots δι' ἣν αἰτίην me semblent être d'une importance capitale. On a admis qu'ils servaient simplement à introduire les quelques chapitres qui suivent aussitôt, où nous voyons les deux camps, à propos des enlèvements d'Io, de Médée et d'Hélène, se rejeter la responsabilité des premières injures et des provocations initiales. Je crois que c'est une erreur. A mon avis, les mots δι' ἣν αἰτίην annoncent tout autre chose : la mise en évidence de la cause profonde du conflit. Reportons-nous au commencement du livre VII, où sont données les raisons qui décidèrent Xerxès à attaquer la Grèce. Il y en a d'accidentelles et de particulières : les excitations de Mardonios, des Aleuades et des Pisistratides, les encouragements d'Onomacrite, le ressentiment de l'incendie de Sardes, le désir de venger l'échec de Marathon. Mais il en est une autre, foncière, permanente, sur laquelle Hérodote, au début du discours qu'il attribue au roi, insiste fortement : « Comme je l'ai appris des anciens, depuis que Cyrus a renversé Astyage et que nous avons succédé aux Mèdes dans l'hégémonie dont nous jouissons aujourd'hui, jamais nous n'avons été inactifs ; un dieu nous conduit dans cette voie ; et, à le suivre, nous trouvons souvent notre avantage. Quels peuples Cyrus, Cambyse et Darius mon père ont soumis et annexés à leurs domaines, vous le savez, il n'y a pas à vous le dire ; pour moi, depuis que j'ai hérité de ce trône, je me demandais comment je ne resterais pas au-dessous de ceux qui m'ont précédé dans le rang où je suis, et comment je procurerais aux Perses un non moins grand accroissement de puissance » (VII 8 α).

L'appétit de conquêtes et de gloire hérité par Xerxès de ses prédécesseurs, la passion des expéditions guerrières qui, au chef d'un empire tel que l'empire des Achéménides, s'imposait comme une sorte de fatalité, voilà l'*αἰτίη* véritable de la seconde guerre médique; telle avait été auparavant la véritable cause des expéditions de Mardonios et de Datis, l'intention de châtier Érétrie et Athènes n'en ayant été que le prétexte (VI 44, 94); telle, la cause unique de démarches comminatoires et de projets d'agression antérieurs à toute offense reçue. Mais de cet appétit, de cette passion fatale, les entreprises des Perses contre les Grecs d'Europe n'avaient été ni les seules ni les premières manifestations; d'autres avaient précédé, qui les annonçaient et qui les préparaient: les guerres de Cyrus, de Cambyse, de Darius, auxquelles fait allusion une phrase de Xerxès et que Mardonios rappellera après lui (VII 9 *in.*). Pour entreprendre quelques-unes d'entre elles, ces princes avaient pu avoir, comme en eut Xerxès à son tour, des raisons secondaires, des prétextes; leur vrai mobile avait été le même. Ce qu'en pense Hérodote apparaît clairement çà et là, par exemple dans le récit qu'il fait de l'expédition de Cyrus contre les Massagètes, dans l'entretien qu'il imagine entre Atossa et Darius avant la campagne de Scythie[1]. Raconter les conquêtes ou essais de conquêtes de Cyrus, de Cambyse, de Darius, leurs conflits avec des peuples divers, Mèdes, Lydiens, Babyloniens, Massagètes, Égyptiens, Éthiopiens, Scythes, c'était donc illustrer l'*αἰτίη* des conflits entre Grecs et Barbares; c'était, par conséquent, tenir la promesse du prooimion. La Grèce devait être attaquée après que tous les peuples plus voisins de la Perse, quelques-uns même qui n'étaient pas plus voisins, avaient été soumis ou que, tout au moins, les rois de Suse avaient essayé de les soumettre, le jour où ce fut elle qui se

1. I 204 et suiv.; III 134. Au livre VII chapitre 9, Mardonios déclare explicitement que les Perses ont asservi les Saces, les Indiens, les Éthiopiens, les Assyriens et beaucoup d'autres peuples sans avoir à venger aucune injure, mais par simple désir d'accroître leur empire (δύναμιν προσκτᾶσθαι βουλόμενοι).

trouva s'opposer, comme une barrière, à l'avance des Achéménides poursuivant la conquête du monde : « Si nous subjuguons les Athéniens et leurs voisins qui habitent le pays de Pélops le Phrygien, nous rendrons l'empire de la Perse limitrophe du ciel de Zeus ; le soleil ne verra plus de pays qui soit limitrophe du nôtre ; de tous, avec votre aide, je ne ferai qu'un seul, parcourant toute l'Europe. Car j'apprends que les choses sont ainsi : ceux dont j'ai parlé mis hors de combat, il n'y a plus d'état chez les hommes, plus de peuple, capable d'entrer en lutte avec nous. Ainsi, et ceux qui sont coupables envers nous et ceux qui ne le sont pas porteront le joug de l'esclavage » (VII 8 γ). Bref, pour répondre à l'intention d'Hérodote, il nous faut considérer son ouvrage comme une « Histoire des guerres médiques, précédée d'une histoire de leurs antécédents, de leur préparation et de leurs lointaines origines ».

Même par rapport à ce titre compréhensif et complaisant, maints développements, dont quelques-uns copieux, font à nos yeux figure de digressions. Mais cela n'est pas pour infirmer l'interprétation du prooimion qui vient d'être proposée. Hérodote lui-même, par la formule τά τε ἄλλα καὶ, prévenait les lecteurs qu'ils trouveraient chez lui « un peu de tout ». L'abondance dans son œuvre des digressions ou prétendues digressions s'explique de deux manières.

D'abord, par la genèse probable de cette œuvre. On en a beaucoup discuté. Nous n'avons pas à reprendre ici toute la question. Une chose paraît certaine : à savoir que l'auteur n'avait pas conçu dès l'origine le projet de l'ouvrage qu'il a laissé, qu'il n'a pas écrit toutes les parties de cet ouvrage en vue de la place qu'elles y occupent aujourd'hui. Beaucoup de détails en portent témoignage, que nous relèverons en d'autres lieux : contradictions, redites, présentation « à neuf » de personnages dont il a déjà été parlé, descriptions de sites ou de sanctuaires retardées sans avantage d'aucune sorte jusqu'à la deuxième ou la troisième mention qui en est faite. Très vraisemblablement, Hérodote projeta d'abord une œuvre du même genre que la Περίοδος γῆς d'Hécatée. Peut-être, — je n'y crois pas pour ma part, — projeta-t-il à un moment donné une œuvre historique de vastes dimensions, mais dont le centre aurait été la Perse, des Περσικά comme en avait écrit Dionysios de Milet[1]. En tout cas, pendant une période de sa vie qui fut sans doute assez longue, pour consigner les résultats de ses recherches, pour en faire part dans des lectures publiques à des auditeurs avides d'instruction ou de divertissement, il dut rédiger nombre de λόγοι de dimensions restreintes, les uns ethnographiques (Περσικοί, Μηδικοί, Λυδιακοι, Σκυθικοί, Λιβυκοί, Ἀσσύριοι, Αἰγύπτιοι λόγοί), décrivant l'aspect d'un pays, les mœurs des habitants, les monuments anciens qui s'y trouvaient, donnant des détails sur son passé, sur les princes qui y avaient régné, sur les événements considérables dont il avait été le théâtre, les autres racontant la vie d'un personnage illustre, narrant un beau fait d'armes, une guerre, une conspiration, une révolution politique, ou relatant une anecdote piquante. Lorsque l'idée lui vint d'édifier un grand ouvrage d'ensemble, qui serait une « Histoire des guerres médiques, de leurs antécédents et de leurs lointaines origines », il n'eut pas le courage de sacrifier tout ce qui, à bien prendre les choses, devait être laissé en dehors du programme de cet ouvrage. Certains morceaux, peut-être, furent abrégés pour y être introduits (je croirais volontiers que ce fut le cas, par exemple, pour le récit de la guerre d'Apriès contre Cyrène, qui, d'après une phrase du livre II chapitre 161, devait être, dans les Λιβυκοὶ λόγοι, développé amplement, et qui, au livre IV chapitre 159, n'occupe que quelques lignes) ; ou bien leur incorporation fut tant et si bien ajournée qu'en fin de compte elle ne se fit pas (ainsi peut-on songer à expliquer que les Ἀσσύριοι λόγοι, promis au livre I chapitres 106 et 184, et le récit des circonstances de la mort d'Éphialte, annoncé au livre VII chapitre 213, ne figurent nulle part dans ce que nous lisons). Plus souvent, Hérodote ne put prendre sur lui

1. Voir De Sanctis, *La composizione della storia di Erodoto,* dans la *Rivista di filologia,* 1926, p. 289 et suiv.

de jeter au panier des λόγοι dont le fond était neuf ou qu'il trouvait bien venus ; au risque de faire éclater le cadre de son histoire, il les admit où ils n'avaient que faire, sans toujours se donner la peine de les ajuster tant bien que mal à la place qu'il leur assignait. Si ce n'est là de sa part une faiblesse pardonnable, c'est du moins une faiblesse qui se comprend.

D'autre part, nous devons tenir compte de ceci : toutes les époques, toutes les sociétés n'ont pas eu au point de vue de l'unité de sujet les mêmes exigences, ni en fait de composition les mêmes goûts. On sait ce que pensèrent et professèrent à ce propos les coryphées de l'alexandrinisme, ennemis déclarés du « long poème continu [1] ». A l'époque d'Hérodote, en particulier dans la société ionienne où il grandit et où son esprit se forma, le grand public n'était certainement pas instruit à réclamer d'une œuvre aussi complexe, aussi ample que l'« Histoire des guerres médiques et de leurs antécédents » une homogénéité rigoureuse, une contexture serrée impliquant la subordination de toutes les parties à une même idée directrice. Qui le lui aurait enseigné ? Et de qui l'écrivain aurait-il pu recevoir des leçons de composition ? Les *Descriptions de la terre*, les *Généalogies*, étaient des agrégats de notices où l'ordre des éléments était prescrit par la géographie ou la chronologie, où leur nombre et leurs proportions pouvaient être quelconques ; les Περσικά, Λυδιακά, etc. étaient des monographies, où l'attention n'avait pas à se partager entre plusieurs objets. L'épopée offrait de meilleurs termes de comparaison ; et aussi un autre genre plus humble, avec lequel l'histoire d'Hérodote a une inconstestable parenté : le conte. Or, ce n'est ni à l'école de l'épopée ni à l'école du conte que notre auteur et ses contemporains pouvaient apprendre, lui à respecter, eux à exiger l'unité. L'épopée aime les lenteurs, les détours, les brillants épisodes, les ἀριστεῖαι successives. Les récits des conteurs, auxquels les

1. Sur la parenté, au point de vue de la composition, entre l'histoire d'Hérodote et certaines œuvres alexandrines, voir *Hermes*, 1923, p. 137-138 (Howald).

Grecs, surtout les Grecs d'Asie, prenaient plaisir comme leurs voisins d'Orient, affectaient souvent la forme d'une narration principale sans cesse interrompue par des narrations incidentes, tout à fait indépendantes l'une de l'autre. A Athènes, Hérodote aurait eu l'occasion de s'initier, s'il l'eût voulu, à une discipline plus sévère. Il demeura fidèle à l'esprit d'Ionie. D'après Denys d'Halicarnasse, ce serait de propos délibéré qu'il mit de la « diversité » dans son œuvre [1], — autrement dit, qu'il y intercala tant de développements étrangers au thème fondamental. On est tenté d'être de cet avis lorsqu'on entend Hérodote déclarer (au livre IV chapitre 30) que « depuis le commencement de son récit, il a été en quête d'additions » (προσθήκας γὰρ δή μοι ὁ λόγος ἐξ ἀρχῆς ἐδίζητο). Ce qu'il appelle « additions » est bien ce que nous appellerions des digressions, des hors-d'œuvre : dans la circonstance, c'est une observation relative à l'Élide, où, malgré la douceur du climat, il ne s'engendre pas de mulets ; elle se place à la suite de remarques concernant le climat glacé de la Scythie, qui empêche les bœufs d'avoir des cornes. Mais le mot προσθήκη, non plus que le mot παρενθήκη dont Hérodote fait usage ailleurs en pareil cas [2], ne contient rien de péjoratif, n'exprime aucune idée d'inopportunité. Quant à ἐδίζητο, le sens en est précis, non moins précis que ne serait le sens de ἐζήτησε, donné par plusieurs manuscrits : il ne s'agit pas de « tolérer », d'« admettre », mais bien de « rechercher ». Résignons-nous à le reconnaître : jusqu'à un certain point, ce qui nous apparaît comme une imperfection était aux yeux d'Hérodote un avantage ; ce qui pour nous est de l'incohérence était pour lui une divertissante abondance [3]. Ce n'est

1. *Ad Pomp.*, 3 : ποικίλην ἐβουλήθη ποιῆσαι τὴν γραφήν, Ὁμήρου ζηλωτὴς γενόμενος.

2. VII 171 : Ἀλλὰ τὰ μὲν κατὰ Ῥηγίνους τε καὶ Ταραντίνους τοῦ λόγου μοι παρενθήκη γέγονε.

3. Y a-t-il l'intention de s'excuser dans la phrase citée à la note précédente (VII 171) ou dans des phrases comme celles-ci : II 35 Ἔρχομαι δὲ περὶ Αἰγύπτου μηκυνέων τὸν λόγον ὅτι πλεῖστα θωμάσια ἔχει καὶ ἔργα λόγου μέζω παρέχεται πρὸς πᾶσαν χώρην... ; III 60 Ἐμήκυνα δὲ περὶ Σαμίων μᾶλλον ὅτι σφι τρία ἐστὶ μέγιστα ἁπάντων

pas seulement dans la première partie de son histoire, là où la matière était plus éparse et l'intérêt dramatique moins pressant, qu'il s'égare hors du droit chemin ; c'est aussi dans les derniers livres VII VIII IX, où le drame se précise, où la scène se resserre, où la voie était toute tracée pour une exposition sobre et ferme. Le récit de la marche de Xerxès depuis l'Hellespont jusqu'à la Thessalie est surchargé de détails géographiques, ethnographiques, archéologiques, capables de distraire l'attention de ce qui, semble-t-il, devrait la retenir tout entière : l'imminence grandissante du danger qui menace la Grèce. Plus loin, le récit même des hostilités décisives n'est pas net de semblables détails ni de προσθῆκαι qui excèdent la mesure de renseignements donnés en passant : par exemple, aux moments les plus pathétiques, le narrateur marque un temps d'arrêt pour énumérer les différentes races qui peuplent le Péloponnèse, pour raconter l'histoire des ancêtres de Gélon de Syracuse ou d'Alexandre de Macédoine, pour donner la biographie du devin Tisamène, du devin Hégésistratos, du père du devin Déiphonos[1], etc.

PLAN D'UNE DIVISION RATIONNELLE

Recherche systématique de la ποικιλία, désir d'utiliser le plus possible des matériaux recueillis, c'en est assez pour rendre intelligible qu'Hérodote ait pu à la fois et se tracer le programme que nous lui avons attribué et ne s'y pas enfermer. Conséquemment, sous réserve des observations

Ἑλλήνων ἐξεργασμένα (le tunnel, le môle, l'Héraion, qui sont ensuite décrits et célébrés) ? Je ne le crois pas. La première de ces trois phrases clôt tout simplement une parenthèse. Les deux autres n'excuseraient en tout cas que la longueur des digressions dont il s'agit, et non leur existence. Celle qui annonce les nombreuses merveilles de l'Égypte est faite pour allécher le lecteur. Celle qui suit l'exposé d'un chapitre des affaires samiennes introduit un supplément de digression.

1. VIII 74 ; VII 153-156 ; VIII 137-139 ; IX 32-34 ; IX 36 ; IX 92-93.

que nous présenterons au fur et à mesure dans les préfaces des différentes parties, l'œuvre paraît pouvoir se diviser ainsi :

I 1-5 — Prooimion ; premiers conflits entre les Grecs et les Barbares d'Asie.

I 6-94 — Première section : Grecs et Lydiens ; histoire de Crésus.

I 95-216 — Deuxième section ; Fondation et premiers progrès de l'empire perse ; histoire de Cyrus.

II 1-III 66 — Troisième section : Cambyse ; conquête par les Perses de l'Égypte ; campagnes contre les Éthiopiens, les Ammoniens.

III 67-160 — Quatrième section : Avènement de Darius et consolidation de sa puissance ; les Perses à Samos ; première menace contre les Grecs d'Europe.

IV 1-V 27 — Cinquième section : Entreprises ultérieures des Perses sous Darius en Scythie, en Libye, en Thrace, sur l'Hellespont ; la Grèce menacée,

V 28-VI 42 — Sixième section : Révolte de l'Ionie.

VI 43-140 — Septième section : Darius contre la Grèce ; la première guerre médique.

VII 1-VIII 96 — Huitième section : Xerxès contre la Grèce ; la seconde guerre médique, l'invasion.

VIII 97-IX 121 — Neuvième section : Xerxès contre la Grèce ; la seconde guerre médique, le reflux des Barbares.

Estimera-t-on que cette table des matières convient à une « Histoire de Perse » aussi bien, sinon mieux, qu'à une « Histoire des guerres médiques, de leurs antécédents et de leurs lointaines origines », et que l'intention d'Hérodote fut de composer des Περσικά ? Si l'on n'envisage que les sections II à V ou même à la rigueur II à VII, l'idée peut sembler acceptable, séduisante [1]. Mais elle est contredite par les par-

1. Les détails, toutefois, ne manquent pas dans ces sections mêmes, d'où il ressort qu'aux yeux de l'écrivain les relations des Perses avec les Grecs ne se présentaient pas sur le même plan que leurs relations avec d'autres peuples quelconques. On peut remarquer par exemple comment il souligne, au livre III chapitre 137, que la mission envoyée par Darius à la requête d'Atossa fut la première

ties suivantes, où l'intérêt est transporté le plus souvent du camp perse dans le camp grec [1]. Elle l'est, plus nettement encore, par l'ordre de succession des histoires de Crésus et de Cyrus. Dans des Περσικά, il n'eût été parlé de Crésus et de la Lydie, comme de Babylone et des Massagètes, qu'au moment où Cyrus les attaqua, c'est-à-dire après le chapitre 130 du livre I ou après le chapitre 140. Si Hérodote en a parlé plus tôt, avant de rappeler les origines de l'empire perse et de raconter la jeunesse de Cyrus, la raison est que les Lydiens se heurtèrent à des Grecs avant les Perses et que Crésus fut le premier Barbare qui soumit des Grecs à ses lois. Cela revient à dire : la raison est que, dans le vaste drame qui se joua entre les Grecs et les Barbares d'Asie, l'acte gréco-lydien précéda les actes gréco-perses. Depuis le règne de Cyrus jusqu'à la campagne de Xerxès, exception faite pour le choc en retour que fut la révolte de l'Ionie, l'unité de vues et la volonté d'agression se trouvaient exclusivement du côté des Perses [2]. Du côté des Grecs, l'histoire était morcelée

entreprise des Achéménides du côté de la Grèce non asiatique. Peut-être convient-il d'observer également comment, au chapitre 32 du livre VI, Hérodote insiste sur ce fait, qu'après la révolte d'Aristagoras les Ioniens furent asservis pour la troisième fois, l'ayant été déjà une première fois par les Lydiens et une seconde fois par les Perses (I 169). Il ne fait pas de remarque de ce genre en rapportant la répression par Xerxès des Égyptiens révoltés (VII 7) ; il n'en fait pas de si explicite lorsqu'il rapporte la deuxième prise de Babylone (III 159). En insistant comme il fait au chapitre 32 du livre VI, Hérodote a voulu, je crois, bien marquer que la révolte de l'Ionie avait, dans le plan général de son ouvrage, une tout autre importance que celles de Babylone ou de l'Égypte, et que le principal de son sujet était l'exposé des conflits successifs entre Grecs et Barbares d'Asie.

1. Dans une « Histoire de Perse », la répression de l'Égypte par Xerxès ne serait pas mentionnée seulement en quelques mots, comme elle l'est au début du livre VII (chapitre 7).

2. L'expédition des Lacédémoniens à Samos, à propos de laquelle Hérodote fait cette remarque : « Ce fut la première expédition que firent en Asie les Doriens de Lacédémone » (III 56), n'était pas dirigée contre les Perses ; bien qu'elle se fît en Asie, c'était une affaire entre Grecs.

entre un grand nombre de cités qui avaient chacune son humeur et sa politique, qui poursuivaient des buts différents, et dont aucune ne songeait à porter ses armes en Asie. Il était dès lors inévitable que, pour cette période, l'historien prît comme cadre de son récit ses Περσικοὶ λόγοι, comme trame l'exposé des affaires de Perse. Le fait que l'exposé des affaires de Grèce n'est pas inséré dans ce récit d'un seul bloc, comme ce qui est dit de l'histoire d'autres peuples, mais en plusieurs tronçons, me paraît significatif. Cette dispersion exprime, je crois, un effort pour mener de front l'histoire des deux partis qui, à la fin de l'ouvrage, vont se livrer un combat décisif; elle prouve que, dès avant ce combat, les deux sont, aux yeux de l'historien, également dignes d'intérêt.

SUR LA TRADUCTION

Hérodote n'est pas un écrivain avec qui des traducteurs puissent se sentir en règle dès lors qu'ils ont exprimé en leur langue, le plus exactement possible, en respectant nuances et détails, le sens de ce que lui a exprimé en grec. On voudrait retenir dans la traduction quelque chose de la forme du texte, qui n'est rien moins que banale. Hérodote est le plus ancien prosateur dont l'œuvre soit conservée; pour quiconque, en traduisant cette œuvre, songe à ce que fut après lui la prose grecque entre les mains de Thucydide, de Xénophon, de Platon, des orateurs, la tentation est forte d'affecter l'archaïsme. Ainsi fit un traducteur qui était à la fois homme de goût et bon helléniste: Paul-Louis Courier[1]. Mais lui-même nous apprend que ses amis ne l'en approuvèrent pas: « Lebrun trouve dans mon Hérodote un peu trop de vieux français, quelques phrases traînantes. Béranger pense de

1. Courier n'a traduit que des fragments des livres I III VIII et IX. Le premier fragment, accompagné d'une préface, fut publié en 1823, comme échantillon d'une traduction complète, qui ne parut jamais.

même[1]..... » J'estime que, dans la circonstance, Bérenger et Lebrun étaient sages. Sans doute, pour les générations qui ont suivi Hérodote, pour celles déjà qui l'ont suivi de très près, sa langue avait quelque chose de suranné; lui-même peut-être, si les formes épiques dont nous avons parlé remontent à sa rédaction, a voulu qu'il en fût ainsi dès l'origine[2]. Mais pouvons-nous nous flatter de donner en français l'équivalent de cet archaïsme? De quelle époque de notre propre langue essaierons-nous de présenter un pastiche, — en admettant que nous soyons en état de soutenir la gageure? Ou bien suffirait-il de saupoudrer un texte bâtard de quelques vieilles expressions, *oncques, ains, voire, si, moult, pour ce* et *pour ce que, y ayant*, et autres ornements à bon marché? Ce serait, il me semble, un jeu parfaitement puéril. J'y ai donc renoncé. Le vocabulaire, les formes grammaticales, la syntaxe dont il est fait usage dans la présente traduction sont la syntaxe, les formes grammaticales, le vocabulaire d'aujourd'hui. J'ai seulement pris soin d'éviter deux catégories d'expressions : d'une part, les termes pompeux; d'autre part, ceux qui établiraient entre les choses antiques et les choses modernes une assimilation trop étroite. Les premiers seraient en contradiction avec la bonhomie ordinaire d'Hérodote, qui n'a rien d'un historien de cour; certes, les événements qu'il raconte ne se sont pas tous déroulés au milieu de mœurs patriarcales et d'une société primitive; certains des personnages qu'il met en scène ont été, en leur temps, entourés de faste et d'étiquette; mais il parle d'eux sur un ton simple; et c'est de cela seul que nous devons tenir compte[3]. Quant aux

1. *Livret de Paul-Louis, vigneron* (mars 1823).

2. C'est ce qu'admettait Paul-Louis Courier : « Il ne faut pas croire qu'Hérodote ait écrit la langue de son temps commune en Ionie... »

3. Personne n'a plus aujourd'hui l'idée de déguiser les personnages d'Hérodote en seigneurs à perruque et en dames à falbalas. Ainsi firent d'anciens traducteurs, de qui Courier se moque dans l'amusant passage que voici : « Hérodote, chez Larcher, ne parle que de princes, de princesses, de seigneurs et de gens de qualité; ces princes montent sur le trône, s'emparent de la couronne, ont une

expressions « modernisantes », quelques-uns estimeront peut-être qu'en en faisant usage, en parlant par exemple de « cuirassiers » quand Hérodote dit θωρηκοφόροι ou de « croiseurs » quand il dit κέλητες ou μακραὶ νέες, on donnerait à la traduction plus de vie ; je doute, pour ma part, que le procédé soit vraiment efficace, et les résultats auxquels il aboutit, heureux et de bon aloi ; moderniser à l'excès un ancien, c'est une façon de le travestir ; un faux air d'actualité confine à la mascarade.

Plus que le caractère du vocabulaire d'Hérodote et le coloris de sa langue, ce qu'un traducteur peut et doit essayer de rendre sensible à des lecteurs modernes, c'est sa phraséologie. Le style de notre auteur est appelé par Aristote[1] λέξις εἰρομένη, style « lié », par opposition au style « tressé », λέξις κατεστραμμένη. Cette désignation en exprime bien la nature.

C'est tout d'abord un style où la plus grande partie des éléments se succèdent en une seule série continue, en ligne, comme les anneaux d'une chaîne ou les mailles d'un collier, au lieu de s'entrelacer comme les brins d'une corde. Les « périodes », dans lesquelles des propositions subordonnées, ayant à leur tour des dépendances, se groupent en un tout harmonieux, selon les lois d'une hiérarchie savamment calculée, autour d'une proposition principale, sont, nous avons eu déjà l'occasion de le dire, à peu près inconnues d'Hérodote. Chez lui, dominent de beaucoup les phrases indépendantes, — ou, ce qui au point de vue de la syntaxe revient à peu près au même, les successions de phrases reliées par de

cour, des ministres et des grands-officiers, faisant, comme on peut croire, le bonheur des sujets, pendant que les princesses, les dames de la cour, accordent leurs faveurs à de jeunes seigneurs. » Larcher « modernisait » à la mode de son temps.

1. *Rhét.*, III 9, page 1409 a. L'auteur du traité Περὶ ἑρμηνείας (§ 12) appelle ce type de style, par opposition au style périodique, λέξις διῃρημένη et le définit en ces termes : ἡ εἰς κῶλα λελυμένη οὐ μάλα ἀλλήλοις συνηρτημένα. Ç'avait été, dit-il, le style d'Hécatée et, d'une façon générale, de tous les plus anciens écrivains (καὶ ὅλως ἡ ἀρχαία πᾶσα).

simples relatifs, — phrases de peu d'ampleur, que n'escortent qu'un très petit nombre de propositions subordonnées, ou qui n'ont point du tout de semblable cortège. Il est intéressant de comparer, par exemple, combien de fois une relation causale est indiquée à l'aide d'une conjonction du type de ἐπεί ὅτι ὡς ἐπειδή, combien de fois à l'aide de γάρ ; les γάρ sont en immense majorité ; et cela non seulement lorsque la phrase explicative suit celle qu'elle doit expliquer, mais aussi lorsqu'elle la précède, ce qui est loin d'être rare. Un devoir primordial du traducteur d'Hérodote est de conserver partout où cela est possible, au besoin en ouvrant des parenthèses, ce caractère essentiel de la λέξις εἰρομένη : la prédominance, en matière syntaxique, de la simple juxtaposition.

Ajoutons ceci : il ne faut pas vouloir marquer dans la traduction mieux qu'il n'est fait dans le texte les relations logiques des parties du discours. Il arrive souvent chez Hérodote que des rapports de toute sorte, rapports de causalité, rapports conditionnels, rapports concessifs, rapports consécutifs, demeurent inexprimés, que les propositions entre lesquelles de semblables rapports existent dans la pensée ne soient reliées par aucune conjonction expressive mais seulement par une particule des plus insignifiantes (un τε, un καί, un δέ), ou qu'elles ne le soient point du tout et que, de l'une à l'autre, il y ait asyndète ; ainsi, il arrive à Hérodote d'écrire : ὥρα ἀναγκαίην ἀληθέως προκειμένην ἢ τὸν δεσπότην ἀπολλύναι ἢ αὐτὸν ὑπ' ἄλλων ἀπόλλυσθαι· αἱρέεται αὐτὸς περιεῖναι (I 11) ; ἄλλως μὲν οὐδαμῶς εἶχε ἅτε τῶν ὁδῶν φυλασσομένων· ὁ δὲ ἐπιτεχνᾶται τοιόνδε (I 123) ; οὐκ ὦν ἐθελήσεις ὑποθήκῃσι τῃσίδε χρᾶσθαι..., σὺ δὲ... μόχθον τὸν ἔχεις ζευγνὺς τὸν ποταμὸν ἄφες (I 206) ; ὁ δὲ ἄπαρνός ἐστι μὴ μὲν νοσέειν. οἱ δὲ οὐ συγγιγνωσκόμενοι ἀποκτείναντες κατευωχέονται (III 99) ; αἱ δὲ τῶν Αἰγυπτίων (κεφαλαὶ) οὕτω δὴ ἰσχυραί (εἰσι), μόγις ἂν λίθῳ παίσας διαρρήξειας (III 12). En pareils cas, ce serait trahir l'écrivain que d'être en son nom plus explicite qu'il n'est ; pour le traduire fidèlement, il faut sous-entendre comme il l'a fait lui-même un « vu que » ou un « donc », un « si » ou un « alors », un « bien que », un « en sorte que ».

Un autre trait de l'élocution d'Hérodote qu'on aurait tort d'atténuer est la prudente lenteur, quelquefois la gaucherie naïve avec laquelle il passe en mainte circonstance d'un développement à un autre, ou simplement d'un moment au moment suivant d'un récit. Τῷ δὲ δυωδεκάτῳ ἔτεϊ... συνηνείχθη τι τοιόνδε γενέσθαι πρῆγμα... (I 19) ; καὶ ὅτε δὴ ἦν δεκαέτης ὁ παῖς, πρῆγμα ἐς αὐτὸν τοιόνδε γενόμενον ἐξέφηνέ μιν... (I 114) ; ποιέω δὲ ὧδε... (I 117) ; ὁ δὲ ἐπιτεχνᾶται τοιόνδε... (I 123) ; διζήμενος δ' εὕρισκε τόδε... (III 41) ; ὧδε δὲ γαμέει... (VI 62) ; de telles formules d'introduction surabondent chez notre auteur. Plus abondantes encore sont les formules de conclusion ou de récapitulation du genre de celles-ci : κατὰ μὲν τὸν πρὸς Μιλησίους τε καὶ Θρασύβουλον πόλεμον Ἀλυάττῃ ὧδε ἔσχε (I 22) ; οὕτω μὲν ταῦτα ἐπαύσθη (V 94) ; οὕτω μὲν δὴ τὴν τρίτην ἐσηγάγετο γυναῖκα ὁ Ἀρίστων (VI 63) ; οὕτω Σπαρτιῆται τὰ περὶ Κλεομένην λέγουσι (VI 83). Ces formules ne sont pas employées seulement pour conclure et récapituler un groupe de phrases précédentes. On les rencontre aussi assez souvent dans le corps d'une même phrase, servant à rappeler, à résumer, les éléments déjà énoncés de cette phrase ; ainsi : εἰ δὲ ἡ στάσις ἤλλακτο τῶν ὡρέων, καὶ τοῦ οὐρανοῦ κτλ..., εἰ ταῦτα οὕτως εἶχε... (II 26) ; ἀποπεμφθέντος δὲ Ἰητραγόρεω κατ' αὐτὸ τοῦτο καὶ συλλαβόντος δόλῳ Ὀλιάτον... καὶ ἄλλους συχνούς, οὕτω δὴ ἐκ τοῦ ἐμφανέος ὁ Ἀρισταγόρης ἀπεστήκεε (V 37). Rien de plus fréquent, en particulier, que de voir, après une proposition circonstancielle, le début de la principale souligné par un adverbe ou par un groupe adverbial : οὕτω et οὕτω δή, ἐνθαῦτα et ἐνθαῦτα δή, ἐνθεῦτεν et τὸ ἐνθεῦτεν, τότε, ἐν τούτῳ, μετὰ ταῦτα, δεύτερα.

Autres habitudes de style d'Hérodote procédant du même désir de clarté et de cohésion :

— l'enchaînement de deux phrases successives par la reprise en tête de la seconde, au participe, du verbe de la première ou d'un verbe équivalent : οὗτος δὴ ὢν ὁ Κανδαύλης ἠράσθη τῆς ἑωυτοῦ γυναικός, ἐρασθεὶς δὲ ἐνόμιζε... (I 8) ; ἐδίζητο ἐπ' ᾧ ἂν μάλιστα τὴν ψυχὴν ἀσηθείη ἀπολομένῳ τῶν κειμηλίων, διζήμενος δ' εὕρισκε τόδε... (III 41) ; γυναῖκας ταύτας...

ἄφετε λούσασθαι, λουσαμένας δὲ ὀπίσω προσδέκεσθε (V 20);

— la reprise par un participe du verbe d'une proposition circonstancielle : ἐπείτε δὲ Σπαρτιήτας ἄγων ἀπίκετο ἐπὶ ποταμὸν Ἐρασῖνον..., ἀπικόμενος ὦν ὁ Κλεομένης ἐπὶ τὸν ποταμὸν τοῦτον... (VI 76) ; ὡς προσεφέρετο πρὸς τὸν Ὀνήσιλον ὁ Ἀρτύβιος ἐπὶ τοῦ ἵππου κατήμενος, ὁ Ὀνήσιλος... παίει προσφερόμενον αὐτὸν... (V 112) ; ou, inversement, la reprise d'un participe par une proposition circonstantielle comportant le même verbe : ἀπικομένου δὲ τοῦ στρατοῦ ἐπὶ τὸν Σκάμανδρον..., ἐπὶ τοῦτον τὸν ποταμὸν ὡς ἀπίκετο Ξέρξης... (VII 43) ;

— la reprise, dans la même phrase, d'un substantif par un pronom : ...ἄνδρας ξείνους ἐόντας..., τούτους... (V 91) ; ...τοὺς δὲ Ἀκρισίου γε πατέρας..., τούτους δὲ... (VI 53) ; ...ἀπὸ δὲ Αἰνείης..., ἀπὸ ταύτης... (VII 123) ;

— la répétition du verbe principal, soit en tête de plusieurs groupes de régimes de même nature ou de nature diverse : ἔπαιζε ἐν τῇ κώμῃ ταύτῃ..., ἔπαιζε δὲ μετ' ἄλλων ἡλίκων ἐν ὁδῷ (I 114) ; αἴτεε Ἄμασιν θυγατέρα, αἴτεε δὲ ἐκ βουλῆς ἀνδρὸς Αἰγυπτίου (III 1) ; ...Βυζαντίους τε εἷλε καὶ Καλχηδονίους, εἷλε δὲ Ἄντανδρον..., εἷλε δὲ Λαμπώνιον, λαβὼν δὲ παρὰ Λεσβίων νέας εἷλε Λῆμνόν τε καὶ Ἴμβρον... (V 26) ; ...δουλεῦσαι ἐν Σάμῳ, δουλεῦσαι δὲ Πυθαγόρῃ τῷ Μνησάρχου (IV 95) ; soit après une série d'incidentes : ὁ δὲ συννήσας πυρὴν μεγάλην ἀνεβίβασε ἐπ' αὐτὴν τὸν Κροῖσον..., ἐν νόῳ ἔχων εἴτε..., εἴτε..., εἴτε... τοῦδε εἵνεκεν ἀνεβίβασε ἐπὶ τὴν πυρὴν... (I 86) ; συνέσπετο δὲ Δωριέϊ... Φίλιππος ὁ Βουτακίδεω..., ὅς..., ψευσθεὶς δὲ..., ἐκ ταύτης δὲ ὁρμώμενος συνέσπετο (V 47) ;

— la répétition d'un participe : ἐσθέμενοι τέκνα καὶ γυναῖκας καὶ ἔπιπλα πάντα, πρὸς δὲ καὶ τὰ ἀγάλματα... χωρὶς ὅ τι..., τὰ δὲ ἄλλα πάντα ἐσθέντες... (I 164) ;

— la répétition ou le rappel du sujet : ...Ἀλκμεωνίδαι..., ἐνθαῦτα οἱ Ἀλκμεωνίδαι... (V 62) ; Ξέρξην δὲ λέγεται εἰπεῖν... Ταῦτα δὲ ἔχοντα ἔλεγε..., δοκέων ὁ Ξέρξης... (VII 130).

Tout cela ne peut être rendu exactement en français. Le traducteur doit essayer du moins d'en conserver tout ce qu'il est possible d'en conserver sans tomber dans le charabia ; il ne doit pas vouloir que ses phrases marchent d'une allure plus dégagée ni plus diverse que les phrases de son modèle ; mieux vaut, à mon avis, adopter franchement un style çà et là hésitant et embarrassé, que le retour assidu de certaines formules de certaines coupes, peut rendre par endroits monotone.

SUR LES NOTICES ET LES NOTES

En tête de chacune des sections dont le tableau d'ensemble a été donné un peu plus haut, figurera une notice. Toutes les notices servant à introduire les différentes sections ne seront pas composées, rigoureusement, sur un plan uniforme. Toutefois, je m'attacherai de préférence à présenter chaque fois quelques remarques sur la composition de la section de l'œuvre que la notice introduit, sur les rédactions qui ont pu précéder celle que nous lisons, et sur les sources où l'auteur paraît avoir puisé les renseignements dont il a fait usage.

Les notes explicatives, vu le peu de place qui leur est concédé, seront forcément brèves ; les multiples problèmes que le texte soulève, — problèmes de géographie, d'histoire, d'archéologie, — ne sauraient y être traités en détail ni même résumés ; quelques-uns tout au plus y seront signalés. D'une façon générale, ces notes ne viseront pas à faire savoir si Hérodote a eu raison ou tort de dire ce qu'il a dit, mais à préciser ce qu'il a voulu dire et, en cas de besoin, à justifier la traduction proposée. Quelques indications historiques et géographiques aideront à situer dans le temps et l'espace les événements racontés et les choses décrites.

TABLE DES MATIÈRES

I. — SUR LA VIE ET LA PERSONNALITÉ D'HÉRODOTE.

II. — SUR L'ÉTABLISSEMENT DU TEXTE D'HÉRODOTE ET SUR LA PRÉSENTE ÉDITION.

CHARTRES. — IMPRIMERIE DURAND, RUE FULBERT (11-1932).

KV-383-006

PLATON

OEUVRES COMPLÈTES

TOME VIII — 2e PARTIE

Il a été tiré de cet ouvrage :

200 exemplaires sur papier pur fil Lafuma numérotés à la presse de 1 à 200.

COLLECTION DES UNIVERSITÉS DE FRANCE
publiée sous le patronage de l'ASSOCIATION GUILLAUME BUDÉ

PLATON
OEUVRES COMPLÈTES

TOME VIII — 2e PARTIE

THÉÉTÈTE

TEXTE ÉTABLI ET TRADUIT

PAR

AUGUSTE DIÈS

Professeur aux Facultés catholiques de l'Ouest.

PARIS
SOCIÉTÉ D'ÉDITION « *LES BELLES LETTRES* »
95, BOULEVARD RASPAIL
1924

Conformément aux statuts de l'Association Guillaume Budé, ce volume a été soumis à l'approbation de la commission technique, qui a chargé MM. Albert Rivaud et Louis Lemarchand d'en faire la revision et d'en surveiller la correction en collaboration avec M. Auguste Diès.

THÉÉTÈTE

NOTICE

I

LE PROLOGUE ET LES DATES

Le prologue. Le *Théétète* est un dialogue non plus narré, mais lu. La conversation qu'il raconte eut lieu, à la veille du procès de Socrate, entre Socrate, Théodore de Cyrène, qui professait alors la géométrie à Athènes, et un jeune élève de Théodore, Théétète. Elle fut redite par Socrate à Euclide de Mégare. Celui-ci la transcrivit de mémoire et profita de chacune de ses visites à Athènes pour se faire préciser les points où ses souvenirs étaient en défaut, puis, rentré chez lui, corriger et compléter sa transcription. Ainsi le dialogue de Socrate avec Théodore et Théétète se trouva, finalement, reconstruit par Euclide avec une fidélité parfaite. Le dialogue, et non le récit qu'en avait fait Socrate ; car transcrire les formules de récit eût été complication gênante : Euclide les a donc supprimées. Cette conversation de Socrate avec Théétète, ainsi reproduite par lui sous forme de dialogue direct, une occasion s'offre à Euclide aujourd'hui d'en donner lecture à Terpsion, qui l'a entendu souvent mentionner par Euclide et a toujours eu l'idée de demander quelque jour à en prendre connaissance. Théétète, en effet, vient de passer à Mégare. On l'emporte de Corinthe à Athènes, gravement atteint et des blessures reçues à la bataille et de la maladie contractée au camp. Les deux amis se reposeront en écoutant la lecture que fera l'esclave d'Euclide : ils retrouveront ainsi, dans le jeune Théétète du dialogue, la merveilleuse nature dont Socrate avait tout de suite eu la divination, et les promesses que l'âge mûr a si glorieusement remplies.

Les dates. Les discussions qu'a soulevées ce prologue intéressent directement la chronologie du *Théétète*.

1. A quelle bataille fait-il allusion ? Il n'y a eu, du vivant de Platon, que deux batailles de Corinthe : la bataille de Némée, au début de la guerre de Corinthe (juin ou juillet 394) ; les combats de l'année 369 dans l'isthme, lorsqu'Athènes envoya tous ses hoplites, avec Iphicrate, au secours de Sparte contre les Thébains. Zeller a vigoureusement défendu la première date [1]. Campbell la regardait comme la plus probable, sans exclure la possibilité « d'une date incertaine entre 390 et 387 (les limites de la guerre de Corinthe) » [2]. Munk fut le premier, en 1857, à supposer la date de 369 et fut suivi par Ueberweg, Ed. Meyer, C. Ritter dans son *Platon* (1910), enfin tout récemment par U. von Wilamowitz (1919).

2. Campbell, même en acceptant la date de 394 pour le combat visé par le prologue, était loin de placer, avec Zeller, la composition du prologue et du dialogue entre 392 et 390. Il regardait le dialogue comme très postérieur à cette date et, vraisemblablement, postérieur à la *République*. Mais, à ceux qui regardent le dialogue comme composé après 369, Zeller, et, à sa suite, Schultess, Susemihl objectent : comment Terpsion peut-il demander à Euclide de lui raconter un dialogue qui eut lieu il y a trente ans ? Or Terpsion ne demande pas un récit : il sait qu'Euclide a transcrit le dialogue, et cette transcription même prouve que le prologue a été composé longtemps après la date du dialogue supposé entre Socrate et Théétète. Dès lors, en effet, que Platon avait résolu de faire faire par Euclide la transmission de ce dialogue, cette transmission aurait pu être une narration directe si elle avait eu lieu peu d'années après la mort de Socrate. Rien ne s'opposait à ce que, entre 392 et 390, Euclide racontât de vive voix la rencontre survenue entre Socrate et Théétète. La fiction d'un dialogue écrit par Euclide était alors totalement inutile. Si, au contraire, c'est au bout de trente

1. *Phil. d. Gr.*, II, 1, 4e éd. p. 406, note 1.
2. *The Theaetetus of Plato* (1883), introd., p. LXII.

ans que doit parvenir au lecteur la narration des entretiens entre Socrate et Théétète, Platon n'avait plus le choix qu'entre deux moyens de transmission : ou une narration par plusieurs intermédiaires, comme celle du *Parménide* ; ou la lecture, au bout de ces trente ans, d'une transcription faite immédiatement après l'événement. Nous avons vu à quelles formules compliquées le *Parménide* devait avoir recours pour que le lecteur ne perdît point la sensation de cette chaîne d'intermédiaires. Si l'on voulait se dégager de telles complications, il fallait assurer, avec un intermédiaire unique, à la fois la vraisemblance et la fidélité d'une transmission si lointaine : ainsi nous comprenons la transcription faite sitôt après le récit de Socrate, les corrections faites presque sous sa dictée. Le prologue, tel que nous l'avons, ne se comprend donc parfaitement qu'écrit à une date tardive et les raisons qu'il donne de la transcription en dialogue direct ne deviennent pleinement intelligibles qu'après le *Parménide*. Étant donnée la nécessité de le placer après l'une des deux batailles de Corinthe, le prologue ne peut avoir été écrit qu'après 369.

3. Mais le prologue n'a-t-il pas été ajouté après coup ? Le *Théétète* n'a-t-il pas été d'abord écrit comme dialogue simplement dramatique ? C'est une possibilité contre laquelle on ne peut *a priori* rien dire. Cependant une telle hypothèse ne peut s'appuyer sur la mention faite, par le Commentaire anonyme, d'une rédaction différente du prologue, rédaction que l'auteur du Commentaire estime, d'ailleurs, inauthentique. Cette rédaction avait, en effet, la même étendue, à peu près, que la rédaction actuelle. Elle contenait, elle aussi, mention expresse d'une transcription du dialogue, puisqu'elle débutait par les mots : « Apportes-tu, jeune homme, le dialogue qui concerne Théétète[1] ? ». Le *magistellus* qui écrivit ce Commentaire n'apparaît point, d'ailleurs, avoir fondé, sur l'existence de ce doublet, son hypothèse (ἔοικε δέ) d'une rédaction primitive sous forme simplement dramatique. Quelques modernes seuls, et l'on regrette d'y compter Apelt, ont commis cette confusion logique[2]. Cette double rédaction du prologue, même supposée authentique, n'a rien en soi qui

1. *Anon. Komm. zu Platons Theaetet* (Diels-Schubart), page 4, ligne 34-36.
2. O. Apelt, *Platons Dialog Theaetet* (1911), p. 148.

suggère ou qui confirme l'hypothèse d'un dialogue simplement dramatique auquel serait venue s'adjoindre, en préface, la dédicace à Euclide. L'hypothèse n'a pour elle que l'aspect indépendant, parfaitement isolable et valant par soi, du dialogue qui suit cette dédicace. Mais cet aspect isolable du dialogue se comprend tout aussi bien s'il rentre dans un même plan de composition que la dédicace, si la dédicace a été voulue, soit immédiatement après le dialogue construit, soit même avant qu'il fût construit. A quelle date, d'ailleurs, supposera-t-on composé ce dialogue purement dramatique ? Si c'est après le *Parménide,* ce n'est guère rien dire de plus que ce truisme : Platon a dû penser le problème et bâtir la discussion avant d'imaginer les détails de l'encadrement. Si c'est avant le *Parménide,* il faut supposer que l'allusion à la rencontre de Parménide et de Socrate a été introduite après coup. Mais les critères stylistiques, au moins aussi probants qu'une telle hypothèse, nous interdisent de reporter très haut avant le *Parménide* le dialogue dramatique en sa forme stylistique actuelle et l'hypothèse d'un *Théétète* écrit dans un autre style que le *Théétète* présent n'est ni explicable ni explicative de quoi que ce soit[1]. Le mieux est donc de prendre le *Théétète* que Platon a voulu.

Pourquoi, dans ce cas, la dédicace à Euclide, entraînant,

1. Que les critères stylistiques nous interdisent de placer le *Théétète* dans un groupe chronologiquement très antérieur au *Parménide*, c'est une des conclusions qu'a renouvelées et affermies le travail de C. Ritter sur la chronologie du *Phèdre* (*Die Abfassungszeit des Phaidros,* Philologus, Bd LXXIII, Heft 3, avril 1915, p. 321-373). Au point de vue stylistique, C. Ritter regarde comme de plus en plus justifiée la délimitation du groupe moyen établie par Campbell. Dans la série *République, Phèdre, Théétète, Parménide,* c'est seulement sur la place du *Phèdre* par rapport au *Théétète* et au *Parménide* que les critères stylistiques sont insuffisants par eux-mêmes à imposer une décision. Je me sépare de C. Ritter en plaçant le *Parménide* avant le *Théétète,* mais je me réjouis de voir acceptées, dans son article (p. 355 et suiv.), les raisons internes que j'avais présentées, dans ma *Transposition Platonicienne* (Annales de l'Institut Supérieur de Philos. de Louvain, II, 1913, p. 267-308), en faveur de l'antériorité du *Phèdre* par rapport au *Théétète*. Pas plus dans ce dernier article (p. 372) que dans son *Platon* (I, p. 248 et suiv.), C. Ritter n'accepte l'hypothèse d'une double rédaction du *Théétète.*

pour éviter la narration à trente ans de distance, la transcription immédiate et, pour éviter les formules narratives, même directes, dont la dernière partie du *Parménide* s'est déjà totalement déchargée, la transcription en simple dialogue dramatique? Nous avons tout lieu de penser, avec U. von Wilamowitz, qu'Euclide a vraiment salué au passage et amicalement assisté Théétète blessé[1]. Mais la dédicace au fondateur de l'École Mégarique, ami des anciens jours que l'on ne veut point confondre avec des adversaires qui sont plus ou moins de ses entours, n'a rien qui ne se comprenne au lendemain du *Parménide*, où l'on s'est défendu contre la « gauche » zénonienne du Mégarisme, où l'on s'est ingénié à rabaisser Zénon et à faire sien celui que le *Théétète* regardera comme l'unité transcendante de l'Éléatisme : « ἕνα ὄντα Παρμενίδην [2]».

II

L'INTRODUCTION A LA DISCUSSION SUR LA SCIENCE

Le Théétète et le Charmide.

L'introduction du *Théétète* (143 d-151 d) ne saurait mieux se comparer qu'à celle du *Charmide*[3]. A la présentation du beau Charmide fait pendant la présentation du jeune Théétète, qui n'est beau que de la beauté de l'âme ; au rôle de médecin ne soignant point le corps sans l'âme, qui est le travesti dont Socrate se déguise pour ne point effaroucher le modeste Charmide et l'amener doucement à une discussion philosophique, répond, pour le Socrate du *Théétète*, le rôle d'accou-

1. *Platon* (1919, 1re éd.), Bd I, p. 511.
2. *Théét.*, 183 e.
3. *Charm.*, 153a-161b, éd. A. Croiset. *Œuvres complètes de Platon, tome II* (p. 52-62). Cela ne peut faire objection contre la date tardive du *Théétète* qu'aux yeux des critiques pour qui chaque période de la pensée platonicienne et, dans chaque période, chaque dialogue formerait comme un vase clos. Platon s'est relu, et lui, dont l'art transpose incessamment la pensée et la manière d'autrui, n'a point négligé de se transposer lui-même. Le *Cratyle* nous le prouvera pour le *Théétète* en attendant qu'il nous le prouve pour le *Sophiste*.

cheur des esprits, qui encouragera Théétète à mettre progressivement au jour les pensées dont son âme est pleine ; aux définitions de la sagesse que le jeune Charmide essaie inutilement par lui-même avant de retomber sur une thèse de Critias, sont parallèles les tâtonnements de Théétète, qui propose une série de formules inhabiles avant de songer à l'exemple des « puissances », fruit de l'enseignement de Théodore, et d'arriver à une définition qui traduit la thèse même de Protagoras. La scène, dans les deux cas, se passe dans un gymnase et nous entrevoyons, à l'arrière-plan, la jeunesse qui l'anime. Mais, si le cadre et les situations générales sont les mêmes, l'esprit est plus élevé dans le *Théétète* ; les méandres mêmes de cette discussion préliminaire sont moins souples ; le ton de la conversation est plus didactique et plus sec. Au lieu d'un Socrate rentrant de Potidée, aussi jeune encore, aussi vibrant que le fougueux Critias et que les plus fervents amateurs de beauté, nous avons ici un Socrate vieillard conversant avec un autre vieillard ; et celui-ci est un professeur, qui fait le portrait de son élève avec le cœur, mais aussi avec les mots et sur le ton d'un professeur.

Le portrait de Théétète.

C'est que ce portrait de Théétète est un modèle et un symbole. Platon enseigne encore en le dessinant et en a pris les éléments dans cette nature idéale du philosophe que traça le sixième livre de la *République*. C'est l'heureux et rare équilibre entre l'esprit vif, mais léger, et l'esprit pondéré, mais « nonchalant et lourd d'oubli ». Ici, entre la République et le *Théétète*, le parallélisme est minutieux et souvent textuel [1]. Modèle offert aux jeunes élèves de l'Académie, symbole du vrai philosophe, et symbole aussi de l'homme qui, pour Platon, incarne la philosophie, Théétète est la jeune doublure de Socrate. Nous avons vu, dans le *Parménide*, un jeune Socrate tout plein de l'enthousiasme dialectique, un peu semblable par avance à ce logicien tout frais initié que décrira le *Philèbe* : le merveilleux imbroglio de l'un et du

1. *Rép.*, 503 c/d. Nous retrouverons le parallèle dans l'explication physiologique de la mémoire (*Théétète*, 194 c et suiv.), et Aristote l'utilisera (*De Memoria*, 450 b).

multiple excite son ardeur critique ; il n'a de cesse qu'on ne lui ait montré, jusque dans les formes suprasensibles, cet entrelacement de contradictions ; lui aussi ne rêve que d'attirer tout le monde, et jeunes et vieux, dans ces impasses logiques; il s'y embarrasse tout le premier[1]. Ici c'est un jeune Socrate d'un modèle plus technique et pour ainsi dire plus livresque : c'est l'apprenti philosophe qui, formé d'une façon précise aux diverses sciences préparatoires que décrivait la *République*, aborde, bien guidé, les problèmes généraux de la science. A mesure que Platon entre plus avant dans son entreprise de synthèse critique et dans sa revue historique des systèmes anciens, il semble que le Socrate qu'il a connu fasse place, dans sa curiosité, au Socrate qu'il peut seulement imaginer, plus proche par son âge de ce lointain passé. Le Socrate de Platon est comme en voie de se dédoubler. Nous avons ici Théétète, qui est, au physique et au moral, le portrait de Socrate; dans le *Théétète* encore, dans le *Sophiste* et surtout dans le *Politique*, le jeune homonyme de Socrate, qui devait, dans le *Philosophe*, où se serait achevé le dédoublement, servir de répondant au vieux Socrate.

Le Théétète historique. Du Théétète de son dialogue, Platon a eu bien soin de ne point faire un élève de Socrate. Il est élève de Théodore. Celui-ci enseignait à Cyrène, où Platon le visita, au dire de Diogène[2]. Il est représenté, dans le dialogue, à la fois comme ami de Socrate et comme ami de Protagoras, plus attaché de cœur à sa mémoire que capable de défendre sa doctrine. Il a quitté très tôt la dialectique abstraite pour les mathématiques. Comme mathématicien, il est cité dans le catalogue d'Eudème après Hippocrate de Chios. Cet entourage et ses études l'ont fait passer pour Pythagoricien : il figure, en effet, comme tel dans la liste de Jamblique (V. P. 267). En tout cas, il est parti de la découverte pythagoricienne sur l'incommensurabilité de la diagonale et du côté du carré pour étudier les racines de 3, 5... jusqu'à 17 et les a, nous dit Platon, « construites » devant son élève Théétète. Cet

1. *Philèbe*, 15 e-16 a. Comparer avec *Rép.* 539 b.
2. Diog. La. (ed. Cobet), III, 6.

enseignement est censé être donné à Athènes même et Théodore est donc supposé y avoir fait séjour. Les sources diverses qui se sont réunies dans Suidas, entraînant au passage des souvenirs mal compris du dialogue de Platon, ont fait de ce Théétète, élève de Théodore, un double personnage, élève et de Socrate et de Platon : « Théétète, Athénien, astrologue, philosophe, élève de Socrate, enseigna à Héraclée. Il construisit le premier les cinq solides (de Platon) comme on les appelle. Il vécut après la guerre du Péloponnèse. Théétète, d'Héraclée dans le Pont, philosophe, auditeur de Platon[1]. » Théétète n'a guère pu être élève de Platon, mais, après avoir enseigné à Héraclée, il a pu revenir à Athènes, professer les mathématiques à l'Académie et porter ainsi, dans la tradition, le titre d'auditeur de Platon dans les mêmes conditions que le porte Eudoxe. C'est la combinaison à laquelle parvient Mlle Eva Sachs qui, d'ailleurs, ponr préciser la date vague donnée par Suidas, accepte la chronologie supposée par notre dialogue et place la naissance de Théétète aux environs de 415[2]. Platon ne s'est peut-être point demandé, en imaginant cette rencontre, si Théétète était, en 399, d'âge à soutenir avec Socrate une telle conversation. Mais que Théétète soit mort en 369, c'est l'hypothèse plus que probable imposée par notre dialogue. Or nous sommes forcés de le supposer, à cette date, en sa pleine maturité, car il laissait derrière lui des travaux considérables.

Proclus a inséré, dans son *Commentaire à Euclide*, un catalogue des mathématiciens, dressé par Eudème, où, à côté de Léodamas de Thasos et Archytas de Tarente, Théétète est compté comme un de ceux qui « augmentèrent le nombre des théorèmes et en firent un ensemble plus scientifique[3] ». Nous avons vu que Suidas dit qu'il a construit, le premier, les cinq solides, c'est-à-dire les cinq polyèdres

1. Voir ces textes de Suidas dans E. Sachs, *De Theaeteto Atheniensi Mathematico* (Berlin, 1914), p. 10. Les mots entre parenthèses sont addition de E. Sachs, s'appuyant sur le scholie 1 au livre XIII d'Euclide « τὰ λεγόμενα Πλάτωνος ε̄ σχήματα » (*Euclidis Elementa*, ed. Heiberg, V [1888], p. 654).

2. E. Sachs, *op. cit.*, p. 30, note 4.

3. Proclus, *in Euclidem comment.* (Friedlein, 1873), p. 66, 16. La traduction est de Tannery (*Géométrie Grecque*, p. 68).

réguliers. En combinant cette donnée de Suidas avec le passage de l'introduction (147 a-148 b) où « Théétète, encore tout jeune, est représenté par Platon comme s'élevant au concept général de la ligne racine carrée incommensurable d'une aire rationnelle », Tannery acceptait déjà de « regarder Théétète comme le fondateur de la théorie des incommensurables, telle qu'elle est exposée dans le livre X d'Euclide, avec une terminologie, toutefois, quelque peu modifiée ». D'autre part, Tannery considérait le fond du livre XIII comme emprunté par Euclide, non pas à Eudoxe, mais à Théétète. « On a de la sorte, concluait-t-il, un ensemble de travaux qui peuvent n'avoir point l'importance de ceux d'Eudoxe, mais suffisent pour placer Théétète au rang que lui assigne le résumé historique de Proclus[1]. » Les travaux récents sur l'histoire des mathématiques n'ont fait que confirmer le jugement de Tannery. Zeuthen a même attribué à Théétète les livres VII et VIII d'Euclide[2]. Enfin Hultsch a, le premier, attiré l'attention sur le scholie n° 1 au XIIIe livre d'Euclide : « dans ce livre, le XIIIe, sont construits les cinq corps dits de Platon. Ils ne sont point de lui : trois de ces cinq corps sont des Pythagoriciens, à savoir le cube, la pyramide, et le dodécaèdre ; l'octaèdre et l'icosaèdre sont de Théétète. La dénomination « solides platoniciens » est venue de la mention qu'en a faite Platon dans le *Timée*. Le nom d'Euclide figure en tête du présent livre, parce que, de cette partie aussi, c'est à Euclide qu'est due la rédaction en *Éléments* [3] ». La part prépondérante qu'a eue Théétète dans la fondation de la théorie des irrationnelles a été éclairée par des rapprochements nouveaux entre le scholie de Proclus à la proposition 9 du Xe livre d'Euclide, la version arabe du commentaire de Pappus à ce livre d'Euclide et le traité

1. *Géométrie Grecque*, p. 100. Cf. aussi, pour un exposé très clair de la question des irrationnelles, G. Milhaud, *Les Philosophes Géomètres de la Grèce* (1900), p. 159-164.

2. Zeuthen, *Constitution des livres arithmétiques d'Euclide* (*Comptes Rendus de l'Acad. des Sciences de Danemark*, 1910, p. 395 et suiv.) ap. E. Sachs, p. 13.

3. Hultsch ap. Pauly-Wissowa-Kroll, article *Euclide, col.* 1022. Heiberg (Norden-Gercke, *Einleitung in die Altertumswissenschaft*, II, 427) attribue ce scholie à Pappus.

pseudo-aristotélicien sur les « lignes insécables[1] ». Enfin le dernier historien de Théétète, Mlle Eva Sachs, a pu soutenir que Théétète était, non seulement le fondateur de la théorie des irrationnelles, mais aussi le créateur de cette stéréométrie qui, au moment où Platon écrivait le VIe livre de la *République,* était encore à sa naissance[2].

Je ne puis que laisser à de plus compétents que moi le jugement sur le fond de ces questions d'histoire des mathématiques. Mais nous avons vu que l'argumentation, d'apparence purement dialectique, de la seconde partie du *Parménide,* s'inspire souvent de préoccupations de cet ordre mathématique. Peut-être ne sont-elles point totalement étrangères au *Sophiste* lui-même, qui, au non-être, qualifié d'irrationnel (ἄλογον), reconnaît, pour la première fois, une réalité sur laquelle se fonde la distinction des êtres et l'intelligibilité de leurs rapports. Dans le *Théétète,* la troisième définition de la science entraîne une discussion où le débat porte encore sur l'opposition entre « l'irrationnel » inconnaissable, fond de la réalité, et le tout, finalement « exprimable », dont cet irrationnel est le mystérieux et nécessaire élément. Il serait bien étrange que Platon n'eût pas vu et n'eût pas voulu ces correspondances. Soit adresse littéraire à créer, entre des questions mutuellement étrangères, une continuité de formules et de style, soit plutôt puissance de synthèse d'un esprit pour qui le problème de la connaissance est un et identique dans tous les ordres de recherche, Platon a vraiment rattaché le contenu propre de ce drame philosophique à la personne et aux découvertes de celui à qui ce drame est consacré en souvenir pieux[3].

La maïeutique. L'art avec lequel Platon sait rétablir la continuité et maintenir l'équilibre entre les parties diverses d'un vaste ensemble s'affirme encore dans

1. La version arabe du commentaire de Pappus a été traduite en français par Woepke (*Mém. présentés à l'Acad. des Sciences de Paris,* XIV, 1856).

2. E. Sachs, *Die fünf platonischen Körper* (Berlin, 1917), p 88-119.

3. U. v. Wilamowitz (*Platon,* Bd I, p. 509) estime que la discussion philosophique n'a, dans ce dialogue, rien à voir ni avec la personne ni avec les études du Théétète historique.

la liaison de ce large exposé sur la maïeutique avec le reste du dialogue. Les dernières paroles de Socrate en reprendront, en un vif raccourci, les idées maîtresses pour achever, par la conception de la science dont la maïeutique est le symbole, l'encadrement de cette immense discussion. Le Socrate accoucheur des esprits, dont le rôle n'est point d'introduire du dehors dans l'âme une vérité toute faite, mais de l'amener à découvrir la vérité en elle-même originellement présente, est campé ici, dans un relief puissant, comme une antithèse et comme une réponse anticipée à tous les « merveilleux esprits d'aujourd'hui et d'autrefois » qui viendront, l'un après l'autre, au cours de la discussion, apporter leur solution au problème de la science. Cette description de la maïeutique recueille et concentre toute une série de traits dispersés au cours des précédents dialogues, et Campbell en a déjà noté les pièces diverses[1]. Le mot de maïeutique et tout le cortège de termes relatifs aux fonctions de la « délivreuse » apparaissent ici pour la première fois. Mais le discours de Diotime avait montré l'universel instinct qui pousse toute vie vers la génération de la vie atteignant son but le plus haut dans l'enfantement intellectuel, dans la conception de la vérité et de la vertu au contact de l'éternelle beauté[2]. La *République* avait décrit l'élan progressif de l'Amour continuant son ascension jusqu'à l'union avec « l'être qui est » et s'achevant dans la génération de l'Intellect et de la vérité[3]. La *République* aussi avait proclamé que le véritable enseignement n'est point introduction dans l'âme d'une connaissance à elle extérieure, mais réorientation de l'âme, à la fois aversion et conversion de tout son être, loin de l'ombre où s'agite le devenir, vers la lumière où resplendit la Forme du Bien[4]. Le *Phèdre,* enfin, avait opposé, à toutes les rhétoriques savantes en procédés, l'enseignement qui est ensemencement dans les âmes de pensées qui vivront et sauront se défendre elles-mêmes[5]. Ce n'est pas inutilement que la maïeutique du *Théétète* recueille ici tous ces souvenirs et nous

1. Campbell, *ad locum,* p. 30, 8.
2. *Banquet,* 206 c et suiv.
3. *Rép.*, VI, 490 b et suiv.
4. *Ib.*, 518 b.
5. *Phèdre,* 277 e-278 b.

laisse entrevoir, avant les discussions sur la science, la réminiscence du *Ménon* et du *Phédon*. Platon sait que la conclusion de ces discussions sur la science sera purement négative. Il l'a voulue telle. On ne définit pas plus la science qu'on ne définit l'être, dans une philosophie où la science vraie n'est que le contact de l'Intellect avec l'être, où l'Intellect ne naît, à vrai dire, qu'avec et par ce contact. Mais on peut décrire les procédés de cette « psychagogie », qui oriente l'âme vers un contact de plus en plus intime avec l'être, après l'avoir purifiée de toutes ses attaches avec ce qui n'est que l'ombre ou la contrefaçon de l'être.

III

LA DISCUSSION SUR LA SCIENCE

Les grandes divisions sont nettement données par les trois définitions successives de la science : la science est la *sensation* (151 e-187 b) — la science est l'*opinion vraie* (187 b-201 d) — la science est l'*opinion vraie accompagnée de raison* (201 e-210 a).

Première définition. Exposé.

La discussion de la première définition est de beaucoup la plus dramatique et aussi la plus abondante, car elle tient 36 pages d'Henri Estienne contre 14 et 9 pour les deux autres. Elle se divise naturellement en une partie d'exposition (151 e-160 e) et une partie critique (163 a-187 b), séparées par un petit entr'acte (161 a-162 c), qui commencera d'engager Théodore dans la discussion.

L'exposition se fait en trois étapes. La réponse de Théétète : la sensation est la science, est, en effet, successivement assimilée :

1° A la thèse de Protagoras : l'homme est la mesure de toutes choses (151 e-152 c). Celle-ci est développée en partant des formules du *Cratyle* (386 a-386 e) et sera discutée avec des arguments esquissés dans ce dialogue. Mais le *Cratyle* ne faisait que traduire la formule de l'homme-mesure en formule de valeur individuelle absolue de la δόξα : ce qui semble à chacun lui est tel qu'il lui semble. Ici « paraître » est assimilé à « être senti » et, dans tout le domaine sensible, la sensation, identique à la représentation affirmative qui la traduit spontanément (φαντασία), est qualifiée science et science infaillible.

2° A la thèse dont cet enseignement public de Protagoras n'est que la formule exotérique : rien n'est, tout devient (152 a-155 c). Translation et friction sont le seul fond du devenir et de l'être apparent. Génération du feu et de la chaleur, qui sont source et foyer de vie ; santé du corps et progrès intellectuel ; équilibre vital et branle éternel de la nature, symbolisé par la « chaîne d'or » d'Homère, dévoilent, sous l'être apparent, la continuité de ce devenir mobile. Application directe à la théorie de la connaissance : relativité de la sensation. La couleur, par exemple, n'appartient ni au sujet qui la localise ni à l'objet où il la localise : elle n'est que croisement essentiellement instable, individuellement original, entre les deux mouvements dont objet et sujet ne sont que les points de départ momentanés [1].

3° A la forme d'absolue relativité que prend cette thèse de la mobilité chez les « parfaits initiés ». Les non-initiés sont réalistes de rude écorce qui ne reconnaissent l'être qu'à ce que leurs yeux voient et que leurs mains étreignent : une action, une génération, cela, comme tout ce qui ne se voit point, n'a point de part à l'être. Nous nous rappellerons que, d'après le *Cratyle* (386 e et suiv.), les πράξεις, les actes sont une forme déterminée de réalité (ἕν τι εἶδος τῶν ὄντων) ; que la détermination permanente et originale des natures d'actes se fonde sur la détermination stable et propre de chaque nature d'être ou forme et l'éternelle valeur d'exemplaire de

1. La logique du sens commun est facilement embarrassée par l'exploitation éristique de ce mobile devenir : l'exemple des osselets et celui des changeantes relations d'âge, de taille ou de volume nous ramènent aux subtilités éristiques du *Parménide* et même du *Phédon*. Noter la première amorce, très intentionnelle, de la grande digression sur le philosophe, dont l'avantage le plus immédiatement visible sera le loisir : ὡς πάνυ πολλὴν σχολὴν ἄγοντες (154 e). L'étonnement de Théétète et le mot sur la curiosité admirative, mère du savoir, fournit comme un éclair de repos avant le troisième exposé. Mais Thaumas, Iris, et le γενεαλογεῖν sont comme les premières notes de ce grand couplet d'allure cosmogonique.

la forme en soi (αὐτὸ ὃ ἔστιν κερκίς, 389 b). Les « générations » ne sont, dans ce petit couplet-rappel du *Théétète*, que la forme passive de ces actes. Le mot « corps » n'apparaît pas ici. Dans le *Sophiste* seulement, les « Fils de la Terre » définiront naturellement la réalité comme corps, parce que l'opposition corporel-incorporel sera nécessaire pour introduire la définition de l'être, précisément par l'action et la passion. Dans le *Théétète*, les non-initiés, incapables de comprendre les mystères profonds du mouvement universel, en restent à un sensualisme statique et massif.

Les initiés, plus « raffinés », transposent en métaphysique les cosmogonies et généalogies antiques. A l'origine, rien que mouvement. Deux grandes formes, dont la dualité se répète à l'infini : sexualités opposées, pourrait-on dire, dont la puissance active et la puissance passive se rencontrent. Leur « friction » est génératrice d'une dualité nouvelle et pareillement infinie, pareillement inséparable : le sensible, la sensation[1]. Ces rejetons jumeaux sont, comme ceux des généalogies hésiodiques, pour une part distingués par des noms d'une variété infinie, pour l'autre part, infinité anonyme. Donc un premier mouvement, que sa lenteur même localise, et que son action répétée sur un même patient, soumis de façon durable à « ses approches », fait générateur. Puis, par un jeu de mots hardi sur le verbe « porter », le passage de la gestation à la translation : les produits engendrés sont, comme tels, portés par ce mouvement d'essence plus rapide qu'est la translation. Le *Cratyle* avait déjà posé (412 c) le principe de ces distinctions de vitesse dans le mouvement foncier de l'être. Donc la rencontre de deux de ces « mouvements lents », l'œil et quelque objet approprié, engendre simultanément la blancheur et la vision. Mais la translation de cette blancheur et de cette vision, qui sont mouvements encore et non qualité ou acte stables, ne s'achève que lorsque la vision, venant s'appliquer à l'œil, l'a fait, non plus vision, mais œil voyant, et lorsque la blancheur, venant s'appliquer à ce que nous appelons objet, l'a fait, non plus blancheur, mais blanc, et tel blanc, à savoir bois blanc ou pierre blanche.

1. Le terme « friction » a été employé pour la première fois à l'occasion du feu (153 a) et relie ce troisième exposé au second.

Ni les supports ni le sens de cette relation action-passion ne sont quelque chose de fixe. Rien n'est agent par soi, mais seulement dans sa relation et durant sa relation avec un patient ; et si, entre deux termes donnés, le sens de la relation n'est point dit réversible, il l'est au moins dès que l'un des termes change. Agent ici, patient là, le support n'est pas un « être » dont le fond puisse porter successivement des relations opposées. Il n'est même pas, il devient sans arrêt l'infinité mouvante de ces relations contraires. Le langage qui voudrait traduire correctement ce flux incessant devrait réussir à bannir totalement le mot « être ». Ainsi non seulement l'organe et la qualité, mais les agrégats dont sont faites ces apparences de réalités concrètes, homme, pierre, se résolvent en jeux de relations. Alors que les non-initiés ne voient que la chose et nient la relation, les initiés divisent et mobilisent la chose en un flux de relations dont l'orientation même varie incessamment. Qu'il ait trouvé la thèse achevée ou l'ait, soit construite, soit aidée à se construire dans cette forme rigoureuse, Platon l'expose avec une complaisance visible. Il s'en souviendra plus tard et saura l'utiliser, dans le *Timée*, par exemple, pour sa théorie de la vision[1].

Un rappel bref de la maïeutique (157 c/d). Après quoi l'on fait ressortir les avantages de la thèse contre les objections vulgairement opposées à l'infaillibilité de la sensation : les songes, la maladie et la folie, toutes les illusions des sens. Il ne faut point dire qu'en un même sujet deux sensations contradictoires ne peuvent être vraies. Il n'y a point un sujet, mais, en chacun, une série infinie de sujets qui ne subsistent que par et que durant cette relation avec l'objet. Sujet, objet n'ont leur être qu'en cette relation mutuelle. La nécessité qui les noue l'un à l'autre ne les noue à rien d'autre, et ne noue même pas chacun d'eux à soi-même (160 b/c).

On conclut donc ce triple exposé en identifiant une dernière fois les trois formules d'Héraclite, de Protagoras et de Théétète : le flux universel, l'homme-mesure, la sensation-science (160 e).

1. *Timée*, 45 b-46 a. Cf. J.-I. Beare, *Greek theories of elementary cognition*, Oxford, 1906, p. 44 et suiv.

Discussion. La critique est beaucoup plus développée que l'exposition. Elle se divise en quatre essais successifs, assez régulièrement séparés par des entr'actes. Un mot de Socrate, à la fin de la pause précédente, n'est pas sans nous faire prévoir que ces essais de critique n'auront ni la même origine ni la même valeur : « Aucun argument ne sort de moi ; je ne fais que recevoir ce qu'invente la sagesse d'autrui. »

1° Le premier essai (161 c-168 c) est fait d'arguments populaires ou éristiques, variantes diverses d'une formule qui jouera un grand rôle dans ce dialogue : est-il possible de ne pas savoir ce qu'on sait [1] ? La réponse est la grande *Apologie de Protagoras* (166 a-168 c). Oui, il est possible que le même homme sache et ne sache pas le même objet. L'impression actuelle est, en effet, tout autre que le souvenir d'une impression passée. Le sujet, surtout, n'est jamais le même : il est une infinité successive d'individus différents. Pour chacun de ces individus successifs, chaque sensation est individuelle et individuellement vraie. Et cela ne détruit point les différences entre les hommes ; car, s'il n'y a point différences de vérité, il y a différences de valeur. L'état d'une pensée, comme celui d'une plante, n'est pas plus vrai que l'état d'une autre : il est seulement plus sain et plus utile. Le sage, laboureur ou médecin ou orateur, est celui qui sait opérer l'inversion des états, substituer, à des dispositions, sensations et opinions pernicieuses, des dispositions, sensations et opi-

1. Les arguments populaires s'adressent directement à Théodore. Si tout homme est mesure, pourquoi pas le pourceau ? Si chaque individu est norme du vrai, à quoi bon enseigner ? Rhétorique et dialectique deviennent également ridicules. Et quelle extravagance que cette égalité de tous les hommes entre eux et du premier homme venu avec les dieux ! Théodore se soustrayant au débat, c'est Protagoras qui va répondre dans une petite « apologie ». De tels arguments mêlent à la question les dieux, et, de leur être ou non-être, lui ne parle ni n'écrit. Ils ne se fondent que sur la vraisemblance : la science de Théodore et de Théétète serait plus exigeante (162 e). Les arguments qui suivent sont nettement caractérisés comme venant de disputeurs de métier : audition d'une langue étrangère, lecture de lettres inconnues ; exemple de l'homme qui, les yeux fermés, se souvient de ce qu'il a vu ou de l'homme à qui on ferme un œil et qui, donc, voit et ne voit pas.

nions salutaires. Pour la cité comme pour l'individu, le plus de vérité d'une opinion ne veut dire que son plus de valeur. Cette théorie de l'inversion des états se donne ici comme un écho direct de la pratique éclairée, soit des agriculteurs, soit des médecins. L'Eryximaque du *Banquet* a, sur le rôle du médecin, la même théorie : il doit savoir d'abord discerner, puis invertir[1]. Il n'y a qu'à parcourir Littré pour percevoir le rôle que jouait la μεταβολή et l'ἀντιμεταβολή dans la pratique et la littérature médicales ; le *Traité du Régime dans les Maladies aiguës* polémique à chaque instant contre certaines manières de comprendre ce « changement » que doit produire le médecin[2]. Mais peut-être Platon s'est-il beaucoup moins servi de la littérature médicale que de la littérature des Iatrosophistes : l'Apologie de Protagoras a sa source la plus probable dans les écrits même de Protagoras[3]. Cette Apologie se termine par une exhortation à pratiquer plus honnêtement la discussion dialectique, si l'on veut que les gens qu'elle réfute s'en prennent, non à celui qui la conduit, mais à eux-mêmes : allusion directe à l'*Apologie de Socrate* (143 c/d) et rapide indication des effets salutaires de la réfutation, dont profitera largement le *Sophiste* (230)[4].

2° Le second essai (170 a-172 b, 177 d-179 c) discute la thèse de l'homme-mesure. La discussion portera, non sur la vérité absolue de toute sensation, mais sur la vérité absolue de toute opinion. C'est la δόξα qui vient au premier plan.

a) La croyance commune est que la sagesse est pensée vraie (τὴν μὲν σοφίαν ἀληθῆ διάνοιαν), et que l'ignorance est opinion fausse (ψευδῆ δόξαν). Accepter la thèse de l'homme-mesure est donc dire que mon opinion est vraie pour moi et fausse pour les autres (170 e). *b*) Si la multitude pense, sur le principe de Protagoras, le contraire de Protagoras, autant le nombre de ses contradicteurs surpasse celui de ses partisans, autant de fois sa Vérité est inexistante. *c*) Protagoras, par son principe, accorde que l'opinion de ceux qui contredisent la sienne est vraie ; eux regardent son opinion comme

1. *Banquet,* 186 d : ὁ διαγιγνώσκων... καὶ ὁ μεταβάλλειν ποιῶν.
2. Voir Hippocrate (Littré) II, 279, 303 et tout le traité, p. 214 à 377.
3. Cf. *Revue de Philologie,* XXXVII, 1, p. 68-69.
4. Cf. aussi *Protagoras,* 336 b.

fausse, leur opinion comme vraie : donc la Vérité de Protagoras n'est vraie, ni pour les autres, ni pour lui-même (171 c). L'appel à la distinction commune entre sages et non-sages, renouvelé ici du premier essai, était déjà dans le *Cratyle* (386 c/d). Le dernier argument nous est donné, par Sextus (*adv. math.* VII, 389-391), comme commun à Platon et à Démocrite, « dans leurs objections à Protagoras ». D'ailleurs Plutarque (*adv. Colot.* 4, p. 1108 F) nous parle des « nombreuses et convaincantes objections » que Démocrite aurait « écrites » contre Protagoras. L'*Euthydème* de Platon a déjà dit (286 c) que soutenir, avec Protagoras, l'impossibilité de dire faux, c'est « en renversant tous les autres, se renverser soi-même ». Platon laisse d'ailleurs assez bien entendre l'origine composite de cette réfutation, et l'idée que Démocrite serait, ici et dans l'*Euthydème*, une de ses sources au moins indirectes, n'est nullement absurde en soi [1]. Mais la réfutation n'est point regardée comme également valable en toutes ses parties. On en retient que, d'après tous, il y a sages et non-sages ; que le premier venu n'est point son propre médecin ; que, si, à chaque cité, ce qu'elle décrète juste est juste, ce que chaque cité croit et décrète utile ne lui sera pas nécessairement utile (172 b).

Au moment où s'amorce cet argument sur le « futur », la remarque sur la longueur de la discussion et l'observation de Théodore « nous avons loisir [2] » introduisent la grande digression sur le Philosophe en face des sages de ce monde (172 c-177 c). Les sarcasmes de Calliclès dans le *Gorgias* contre la vie inutile et impuissante des philosophes (482 c-486 d) sont ici transposés en éloges de la vie philosophique. D'un dialogue à l'autre, les deux couplets s'opposent et se balancent même pour leur étendue matérielle. Mais nous retrouverions, dispersés dans la *République*, à peu près tous les détails que Platon assemble dans cette grande antithèse du *Théétète* : la gaucherie du philosophe, qui el rend ridicule dans les cours de justice et dans toutes autres réunions publiques (*Rép.* 517 d), l'élévation de sa pensée au-dessus du cercle étroit de la cité (496 b), les âmes « tordues et rabougries » que produit l'habitude des sciences et techniques vulgaires (495 d/e),

1. Cf. Brochard, *Protagoras et Démocrite* (*Etudes...*, p. 32 et 33).
2. *Théétète*, 172 c.

l'opposition des deux paradigmes (500 d/e). Les expériences personnelles de Platon ont dû nourrir le fond de pensées d'où sortent ces oppositions du sage aux habiles de ce monde. Mais le point de départ historique en est toujours le procès malheureux de Socrate. Il n'est pas juste de dire que le présent épisode manque à produire tout son effet parce que Platon a attendu la fin du dialogue pour nous mettre en présence de l'accusation de Mélétos : depuis les premières lignes du prologue, la pensée de la mort prochaine de Socrate plane sur cette libre causerie de philosophie entre Socrate et Théétète sans en troubler ni la sérénité ni le tranquille « loisir »[1]. Mais U. von Wilamowitz a raison quand il conjecture que le dialogue « *Le Philosophe* » eût achevé la peinture du sage qu'esquisse l'épisode du *Théétète*,[2] et peut-être est-il permis de penser que ce dialogue, où Socrate serait venu, au lendemain de son procès, nous donner la définition du philosophe, eût été, sur le plan nouveau où nous place la tétralogie, comme le pendant du *Phédon*.

La discussion ne pouvait se renouer sans un bref résumé. L'affirmation que toute opinion individuelle est vraie ne peut plus se soutenir quand on considère le futur. De ce qui est, chacun a le critère en soi-même. Mais de ce qui sera, le compétent est le seul juge : médecin, musicien ou cuisinier ou, comme Protagoras, maître de « persuasion judiciaire ». Reste donc l'impression individuelle actuelle, source et des sensations et des opinions, contre laquelle, sitôt qu'elle est, on n'a plus guère de prise. Il faut donc faire l'examen de cet être fuyant.

3° Le troisième essai de critique (179 c-184 b) portera donc sur la thèse du mouvement universel. C'est l'occasion d'un large parallèle historique. *a*) Les tenants les plus vigoureux de cette thèse sont les Héraclitiens. Hermogène se plaignait déjà que Cratyle ne voulût jamais donner de réponse ferme et n'employât, comme procédé de discussion, que l'ironie (384 a). Le Socrate du même *Cratyle* rattachait déjà cette philosophie de la mobilité, acceptée « par la plupart des

1. U. von Wilamowitz trouve que la mention du procès est « soudainement jetée dans cette conversation, dont on ne nous a point di[illegible] par ailleurs, à quel moment elle se tient ». (*Platon,* Bd II, 23[illegible] Mais cf. *Théétète,* 142 c.

2. *Ibid.*, p. 235.

sages d'à présent » (441 b), aux cosmogonies antiques. Rhéa, Kronos, l'Océan et Téthys, étaient les sources mythiques de ce flux universel. Homère, Hésiode, Orphée en étaient les premiers chantres (402 b/c). Les philosophes qui le prônaient étaient dépeints comme attirés eux-mêmes dans le « tourbillon » où ils précipitaient les êtres (439 c). Platon ramasse ici, dans le raccourci puissant de ce troisième essai, et ces formules éparses et la sinueuse discussion du *Cratyle*. *b*) Contre cette mobilité essentielle, prônée par des gens qui n'ont pas plus d'arrêt dans leur pensée qu'ils n'en admettent dans les êtres, se dressent les Mélisse et les Parménide. Pour eux, « tout est un et se tient immobile en soi-même, n'ayant pas de place où se mouvoir ». Parallèle qui se donne comme l'amorce d'une discussion exhaustive. Mais la suite immédiate montrera qu'il n'est ici que pour achever le cadre historique et pour marquer les points d'attache de la discussion présente aussi bien avec le passé qu'avec l'avenir. La discussion de l'éléatisme n'est que différée : elle se fera dans le *Sophiste*. On ne réfute ici que la thèse de la mobilité.

Le mouvement est altération ou translation. Or, quand on dit que tout se meut, et qu'on entend par là écarter de l'être tout ce qui le stabiliserait de quelque manière que ce soit, on est bien obligé de dire que tout se meut de ces deux espèces de mouvements à la fois. L'être qui se déplacerait sans s'altérer garderait encore, en son fond intime, une stabilité. Donc l'altération doit être aussi universelle, aussi continue que la translation. Or, s'il n'y avait que celle-ci, on pourrait encore dire que ce qui s'écoule s'écoule tel ou tel. Mais toute qualité, couleur ou autre, étant elle-même mobilisée, rendue incessamment fluente et fuyante, il n'y a plus nulle part d'objet ; et, dans le sujet, divisé lui-même en une infinité de consciences instantanées, aucune sensation n'a le temps de se poser qu'elle est déjà devenue autre. Dire que la sensation est science est ne plus rien dire. Ne rien dire est d'ailleurs la seule ressource, car dire « ainsi », dire « pas ainsi » serait poser un état là où il n'y a qu'un flux. Un mot vague, « pas même ainsi », traduirait peut-être cette indétermination essentielle.

Avant le quatrième essai, un entr'acte (183 c-184 b): Socrate ne se rendra point à la prière de Théétète et ne discutera point la thèse de Parménide. Plus que tous autres partisans de l'unité immobile, Parménide est vénérable et redoutable.

C'est le souvenir qui reste à Socrate de la conversation qu'il eut, jeune, avec le vieillard Parménide. A vouloir pénétrer ses « profondeurs sublimes », on risquerait de n'en comprendre ni la lettre ni surtout le sens. Discuter sa thèse serait s'exposer à une « irruption turbulente d'arguments », sous laquelle disparaîtrait la question présente, déjà si complexe. On ne pouvait mieux rappeler « l'océan d'arguments » du *Parménide,* ni la difficulté de cette argumentation dialectique.

4° Le quatrième et dernier essai (184 b-186 e) est encore introduit par un rappel de la maïeutique : Platon multiplie ainsi les fils qui relient, à cette discussion toute négative, sinon sa définition positive de la science, au moins sa conception de la vérité présente à l'âme. Ici, précisément, quelque chose de positif est atteint par la considération du pouvoir synthétique de l'âme. Les sensations ne sont point assises en nous, une par une, comme les guerriers d'Homère dans le cheval de bois. Il y a, en nous, un centre, dont les sens ne sont que les instruments ou organes, et dont la fonction est de percevoir les sensations isolées transmises par chaque organe, de les comparer, d'en dégager les caractères communs [1]. Être et non-être, ressemblance et dissemblance, identité et différence, unité et tout nombre, tous ces « communs » n'ont point, comme les sensibles, d'organe propre : c'est l'âme qui les perçoit, les compare et en tire les inférences nécessaires. Les impressions sont communes à l'homme et à la bête. Mais « les raisonnements sur les impressions en leur rapport à l'être et à l'utile » ne se forment qu'en l'âme. Encore tous n'en sont-ils point capables : il y faut temps, labeur et « éducation ». La considération de l'utile relie ce quatrième essai aux deux premiers et spécialement à l'argument sur le futur. Ce concept de l'utile a été, au moins une fois, dans le second essai, subordonné au concept général de bien (177 d). Aussi voyons-nous ici reparaître, sous le nom de « communs », la double série qui apparaissait dans le *Parménide* sous le

1. Sur les rapports de ce passage du *Théétète* avec la théorie aristotélicienne du *sensus communis,* cf. J. Beare, *Greek theories of elementary cognition,* p. 260-263. Les objets de ce sens commun sont, chez Aristote, « exactement parallèles aux κοινά de Platon » et le passage du *Théétète* « a très bien pu suggérer à Aristote l'idée de cette faculté spéciale » (p. 262).

nom de formes : d'une part concepts de valeur comme le beau et le laid, le bien et le mal (*Théét.* 186 a, *Parm.* 130 b) ; d'autre part concepts proprement dialectiques ou métaphysiques, être, ressemblance, différence. Ce sont de tels « communs » que l'âme directement considère et compare en son raisonnement, se demandant ce qu'ils sont et quel est leur rapport mutuel. Les impressions ne sont que l'occasion de cette confrontation. Ce n'est donc point en elles qu'est la science : l'âme n'y touche jamais à l'être ni à la vérité (186 d) ; elle n'y touche que dans cette perception et cette comparaison des « communs », car là elle travaille directement sur les réalités (περὶ τὰ ὄντα, 187 a). Reste à savoir comment doit s'appeler cette opération de l'âme[1].

Seconde définition.

Si Théétète traduit tout de suite cet acte de l'âme par *juger* (δοξάζειν) et définit spontanément la science par l'opinion vraie, c'est qu'il se réfère naturellement à la croyance commune, dont la formule était, dès le début du second essai : la sagesse, c'est la pensée vraie, et l'ignorance, c'est l'opinion fausse (170 b). Bien que le rapport de la pensée et de l'opinion doive être l'objet, dans la présente définition, d'une fine analyse qui posera les bases psychologiques de la théorie logique du « dis-

1. Même pour qui voudrait lire, dans cette page du *Théétète*, une solution définitive du problème de la science, cette solution serait donc assez mal traduite dans la phrase de Lutoslawski : « La connaissance n'est plus conçue comme simple intuition d'idées préexistantes, mais comme un produit de l'activité de l'esprit » (*Plato's Logic*, p. 375). Ces idées ou formes ou réalités préexistantes n'étaient atteintes, dans le *Phédon*, que par un travail de l'esprit, τῷ τῆς διανοίας λογισμῷ (79 a), et l'âme, ici, travaille encore sur des réalités qu'elle ne découvre qu'au prix d'un long effort et dont elle s'efforce de dégager les relations mutuelles. Cette page du *Théétète* ne donne ni n'exclut la traduction métaphysique du travail de l'âme sur les « communs ». D'ailleurs cette description du travail direct de l'âme sur les réalités n'est, si profonde qu'elle soit, qu'un moyen. Elle a prouvé subjectivement, du point de vue de la connaissance, ce que le troisième essai avait prouvé objectivement, du point de vue de l'être : la sensation n'est pas la science. Mais elle s'est arrêtée à l'aspect discursif de la connaissance, pour que le jeune Théétète pût traduire cette « discursion » en δόξα.

cours », la δόξα garde encore ici son sens de connaissance de pure opinion. Le δοξάζειν ici défini n'a point rompu ses attaches avec les nombreux δοξάζειν de la première partie. Nous le traduisons en français par *juger*, faute de hardiesse à revenir au sens foncier de notre mot *opiner*[1]. Mais il n'y a aucune raison de ne pas garder, à la δόξα, son sens d'*opinion*. C'est en ce sens, d'ailleurs, que sera pris nettement le δοξάζειν produit, dans l'esprit des juges, par l'éloquence purement persuasive, nullement instructive, du rhéteur plaidant : *opinio ex auditu* se substituant à la *scientia de visu*. Comme la définition n'a été prise qu'à la croyance commune, il n'y a pas besoin de faire appel, pour la réfuter, à d'autres critères que le sens commun et l'expérience commune (201 b/c). Il est donc assez inutile de penser que Platon accorde ici une valeur toute nouvelle à l'expérience, ou même de dire, avec Apelt, que Platon contredit ici ou, tout au moins, néglige la démonstration faite par lui que la science n'est pas la sensation[2]. Si l'on se donne peu de peine pour réfuter la seconde définition de la science, c'est qu'elle est peu profonde et qu'elle n'est, à vrai dire, amenée que pour permettre de poser le problème de l'erreur. C'est, en effet, la discussion de ce problème qui constitue l'objet propre de cette seconde section. Celui qui définit la science par l'opinion vraie doit au moins pouvoir dire en quoi consiste et comment se produit l'opinion fausse[3].

1. Arnaud, dans sa lettre au P. Mersenne, emprunte à saint Augustin sa distinction entre *entendre, croire* et *opiner*, et emploie encore ce dernier mot dans son sens actif. Cf. *Œuvres de Descartes* (Adam-Tannery), IX, p. 168.

2. *Platons Dialog Theaëtet*, p. 182.

3. La négation de cette possibilité de « juger faux » était incluse dans la thèse de l'homme-mesure, dont la traduction ordinaire était, dans notre première partie : toute opinion individuelle est vraie. Le *Cratyle* connaissait cette négation comme une théorie très répandue et très vieille (429 d) et s'en était servi, dès le début, pour introduire la thèse de Protagoras (385). Elle s'appuyait sur le principe : on ne peut dire sans dire ce qui est (429 e-431). Les sophistes de l'*Euthydème* avaient manié l'objection sous deux formes : on ne peut parler sans dire quelque chose de déterminé, donc quelque chose qui est, et qui dit l'être ou les êtres dit vrai ; ce qui n'est pas ne peut être l'objet d'aucun acte, donc ne peut faire l'objet d'aucune proposition logique. Socrate ne répondait alors que par l'objection présentée

La division est indiquée ici par les deux points de vue successifs auxquels se place la discussion. On peut considérer l'erreur dans ce que nous appellerions la pensée claire : on négligera le fait d'apprendre et d'oublier, donc on laissera de côté tout ce qui est pensée inférieure ou confuse et l'on posera qu'entre savoir et ne pas savoir, il n'y a pas d'intermédiaire. Alors 1° subjectivement, on ne pourra confondre une chose qu'on sait avec une chose qu'on sait, ni une chose qu'on ignore avec une chose qu'on ignore, ni une chose qu'on sait avec une chose qu'on ignore ou inversement (188 a-188 c) ; 2° objectivement, on ne peut confondre ce qui est ni avec ce qui n'est pas, car penser ce qui n'est pas, c'est ne pas penser du tout ; ni avec ce qui est, auquel cas l'erreur serait substitution d'être à être dans l'opinion (allodoxie). La pensée n'est, en effet, qu'un dialogue, une discussion de l'âme avec elle-même, et l'opinion n'est que le formulé d'arrêt de ce débat (190 a). Que deux termes soient présents simultanément dans ce champ de conscience claire de l'âme que représente le débat intérieur de la διάνοια, jamais l'opinion à laquelle aboutit ce débat ne pourra prendre l'un pour l'autre. Encore moins si l'un seulement des termes est présent. L'opinion fausse ne

comme populaire dans notre premier essai (*Théét.* 161 e) : pourquoi donc enseignez-vous ? (*Euthyd.* 284 a-287 a). Mais les deux sophistes donnaient déjà, du savoir, une définition qui sera corrigée ici : savoir, c'est avoir la science (277 b). Enfin leur question : apprend-on ce qu'on sait ou ce qu'on ne sait pas ? (276/277 a/b) contenait en germe la fameuse difficulté : peut-on ne pas savoir ce qu'on sait ? Nous l'avons vue se répéter sous diverses formes dans le premier essai (*Théét.* 163-166). Ce sont les mêmes difficultés, objectives (être et non-être), ou subjectives (savoir et non-savoir), que nous retrouverons ici. Mais les difficultés sur le non-être ne seront discutées bien à fond que dans le *Sophiste*. Bien que groupant ces difficultés objectives d'une façon plus complète et plus claire que l'*Euthydème* ou le *Cratyle*, le *Théétète* développera surtout les difficultés subjectives, et le motif conducteur de cette longue discussion sera toujours la fameuse question : peut-on savoir ce qu'on ne sait pas et ne pas savoir ce qu'on sait ? Ce débat sur l'erreur dans le *Théétète* a fait l'objet de maintes dissertations. Mais nulle part la teneur essentielle n'en a été dégagée plus clairement ni la portée logique et métaphysique plus sobrement définie que dans la thèse du maître français, Brochard (*De l'Erreur*, 2e éd. Paris, 1897, p. 16-20).

peut donc être définie comme méprise, allodoxie ou hétérodoxie (188 d-190 e).

Mais on peut aussi considérer l'erreur dans une âme où l'on a de nouveau introduit la mémoire et l'oubli. On se représentera alors la conservation du souvenir par deux images successives. 1° Le bloc de cire et ses empreintes passeront dans la littérature courante de la psychologie, mais les premiers livres à nous connus qui les utilisent sont le *De Anima* et le *De Memoria* d'Aristote[1]. Que ceci soit une satire, le cliquetis des oppositions multipliées entre chose qu'on sait ou qu'on ne sait pas, sensation actuelle et empreinte, sensation conforme à l'empreinte ou non conforme à l'empreinte nous le prouverait tout seul (192-194). La description des cœurs velus, des cœurs secs et des cœurs humides n'est certainement pas moins satirique, encore qu'une longue accoutumance à ces explications matérielles nous rende la satire moins sensible (194 a-195 b.) Platon en affirme d'ailleurs nettement la provenance étrangère (194 c). Le gain qu'elles permettraient serait de pouvoir dire que l'opinion fausse « n'est ni dans les sensations en leur rapport mutuel, ni dans les pensées, mais bien dans l'ajustement de la sensation à la pensée » (195 c). Alors on ne devrait pas pouvoir confondre entre eux deux objets connus seulement par la pensée. C'est pourtant ce qu'on fait quand on se trompe dans les nombres. 2° Puisqu'on est contraint, même dans ce moment où l'on veut définir la science et où l'on ignore ce qu'elle est, de se servir continuellement du mot « science », on va corriger la formule vulgaire (φασίν) : savoir est avoir la science, formule qui était celle des sophistes de l'*Euthydème* probablement parce qu'elle était courante. On va dire que savoir est posséder la science. Une fois acquise, on la possède à l'état de souvenirs qui voltigent dans la mémoire comme des colombes dans un colombier. Quand on les veut reprendre pour les avoir, on se trompe : on prend à la volée un souvenir pour un autre. Mais les conséquences de cette explication sont absurdes. Si l'erreur vient d'une substitution de science à science, c'est la présence de la science qui nous fait errer.

1. Application de la théorie des empreintes aux qualités de la mémoire : *De Mem.* 449 b 30-450 a 32. Simple comparaison de la sensation avec l'empreinte d'un sceau : *De Anima* 424 a 19.

Si, pour éviter que l'effet de la science soit de nous faire ignorer, nous mettons, dans le colombier, à côté des sciences, des non-sciences, nous nous engagerons dans une voie sans fin : ces sciences et non-sciences seront objets de sciences nouvelles, qu'il faudra pourchasser en quelque nouveau colombier. Puisque, d'ailleurs, l'expérience journalière des tribunaux montre que l'opinion vraie se produit sans la science, la seconde définition ne peut tenir.

Troisième définition.

Platon n'a point oublié de nous dire que les bruits des discussions philosophiques venaient souvent troubler, dans son gymnase, les études géométriques de Théétète. Celui-ci connaissait les questions habituelles de Socrate sur la science, s'était essayé souvent à les résoudre lui-même, en avait ouï donner des solutions qui ne l'avaient jamais satisfait (148 e). Puisque les définitions qu'il a présentées, d'ailleurs sans dogmatisme bien assuré (187 b), ne peuvent tenir, il proposera une autre définition, qui lui revient maintenant en mémoire : la science est *l'opinion vraie accompagnée de raison*. Le lecteur habituel de Platon s'attend presque ici à voir Théétète sourire en regardant Socrate, comme souriait Charmide en regardant Critias ; car Platon n'a pas ignoré à combien de passages de ses dialogues une telle définition ferait penser. Il veut pourtant paraître l'ignorer, et les formules discutées ici côtoieront parfois de si près les siennes que beaucoup de critiques ont cru à une palinodie, mais il les démolit avec entrain sans jamais avoir l'air de sentir qu'il s'attaquerait à ses propres principes.

La théorie particulière ici exposée regarde, en fait, la « raison » comme une explication analytique. On peut fournir la raison d'un tout en le décomposant en ses constituants premiers. On ne pourrait fournir pareille raison de ces constituants premiers qu'en les considérant, à leur tour, comme des touts dont on sait retrouver les parties composantes. S'ils sont absolument premiers, ils sont la limite où toute analyse s'arrête. Ils sont donnés et non pas simplement postulés, car la sensation les atteint. Ils sont distingués les uns des autres, car ils sont nommés. Mais ce nom est leur seule marque distinctive : aucune détermination logique, même celle d'être, ne leur convient. Bien que reconnaissables, ils sont donc inconnaissables, inexprimables en une raison, car la raison ne naît que par l'agencement de plusieurs noms. Ils sont des éléments, des lettres dont se forment les composés ou syllabes. Celles-ci, par contre, sont connaissables, exprimables, et c'est l'opinion vraie qui exprimera leur raison. Il était facile à Platon de jouer avec les sens multiples du mot λόγος. Nous n'avons guère, en français, d'autre mot qui puisse se prêter, sans qu'on le torture par trop, à toutes ces combinaisons de sens, que le mot « raison » au sens général où l'emploient les philosophes et surtout les mathématiciens du XVIIe siècle. La raison est ici, manifestement, « la manière dont une chose en contient d'autres ». A l'état développé, reproduisant le nombre et l'arrangement des composants, elle est raison encore ou définition, toujours λόγος, et, comme ces composants n'ont que leurs noms pour marques, ne sont que des noms, la raison est un entrelacement de noms (202 b). Ainsi la langue philosophique et la langue mathématique demeurent mêlées en cet exposé, qui présente les éléments comme dépourvus de raison ou irrationnels (ἄλογα) et les syllabes comme pourvues d'une raison développable, donc comme exprimables (ῥηταί).

Il est difficile de ne pas se rappeler ici que le Socrate du *Cratyle* avait exposé une tout autre conception et du λόγος et de la connaissance dont sont susceptibles les éléments ou στοιχεῖα. Il avait bien commencé (385 c) par ne considérer, comme partie élémentaire du λόγος, que le nom ou ὄνομα et reconnaître même, à cet élément, une possibilité de vérité ou fausseté que le *Sophiste* n'acceptera plus. Mais il n'avait point laissé de se corriger en établissant plus loin (425 a) que le λόγος, raison, définition ou discours, était composé, non seulement du nom, mais aussi du verbe ou prédicat (ῥῆμα) : c'est sous cette forme que l'utilisera le *Sophiste* pour montrer la possibilité de l'erreur dans le discours. D'autre part il avait vu que l'explication étymologique remonte forcément à des noms qui sont comme les éléments des autres noms et du discours et que l'on ne peut plus considérer comme composés d'autres noms (422 a). Mais, de ces noms élémentaires, il cherchait et trouvait encore une explication, une raison. Pour cela, il les décomposait, à vrai dire, en de nouveaux éléments ou lettres. Mais ces lettres, indécomposables et derniers éléments, avaient encore, chacune, une vertu propre et connaissable. On ne la déterminait que par un détour, par le recours à la puissance imitative du geste. La vertu propre de ces éléments leur venait donc de leur nature mimétique : chaque lettre devenait comme un « mime vocal », et le rôle de l'r, de l'l, de l's était étudié avec un humour auquel se mêlait beaucoup de sérieux (422-427). Enfin les syllabes paraissent bien, dans notre exposé, n'être exprimables qu'à la condition de posséder une raison exacte et « de nombre à nombre ». Or le Théétète devant qui on réfutera cette théorie est celui qui a introduit, dans la mathématique contemporaine de Platon, l'idée que certaines grandeurs incommensurables sont encore exprimables : elles ont une raison que notre XVIIe siècle appellera « sourde »[1]. Que Platon ait trouvé le présent exposé tout fait chez Antisthène ou chez tout autre, ou bien qu'il l'ait reconstruit avec une certaine liberté, la théorie qui s'y présente devait, en tous cas, être envisagée par lui comme retardataire aussi bien en sa conception de l'irrationnel qu'en sa conception du rapport de l'élément à la syllabe.

Dans sa teneur générale, elle est réfutée par un raisonnement dialectique où Platon reprend les distinctions subtiles du *Parménide* (145-147, 157 b-158 b) sur le tout-somme, le tout unité résultante, la partie et la totalité des parties. Ces distinctions reviendront souvent dans Aristote, et Sextus Empiricus les utilisera jusqu'à épuisement[2]. La syllabe est ou bien la simple somme des éléments, ou une forme unique résultant de leur assemblage. Si forme unique, elle doit être indivisible. Elle ne sera donc pas plus connaissable que les éléments. D'ailleurs l'expérience prouve que, dans la grammaire, dans la musique et dans toutes autres sciences,

1. Cf. *Théét.* 147 c-148 b, et comparer, par exemple, le scholie à la prop. II du livre X d'Euclide (*Euclidis Elementa*, Heiberg, V, p. 439-442) avec *Nouveaux Eléments de Géométrie*, Paris, Savreux, 1667, p. 23. Le mot *surdus* est employé, dès la fin du XIIe siècle, par Gérard de Crémone (P. Tannery, dans *Encyclopédie des Sciences mathématiques*, I (1904), p. 138, note 22).

2. Cf. pour la solution donnée ici par Platon, Arist. *Met.* 1043 a, 29 — 1044 a, 15 ; pour les apories sur partie et tout, *Phys.* 185 b, 11 ; *Top.* 150 a, 15-21 etc ; Sextus. *Adv. math.*, IX, 331-358, *Hypotyp.*, III, 98-101, etc.

les éléments doivent être appris avant la syllabe ou le composé, et que l'élément est plus connaissable que le composé (202 e-206 c).

Mais la théorie qui définit la science par l'opinion vraie accompagnée de raison a négligé de nous dire ce qu'elle entend exactement par ce mot « raison ». 1° Cette raison ne peut être évidemment la simple expression vocale. Tous ceux qui peuvent parler peuvent donner l'expression de leur opinion droite. Si cette expression purement vocale est raison, si l'adjonction de cette raison à l'opinion droite la fait science, l'opinion droite ne sera plus jamais séparable de la science. 2° Cette raison ne peut être le parcours complet, l'énumération exacte des éléments ; car l'enfant qui écrit correctement un nom n'en connaît toutes les lettres composantes que par opinion droite et n'a point encore la science. 3° Cette raison ne peut être la différence caractéristique. L'opinion ne peut être droite qu'à la condition de porter déjà sur cette différence caractéristique : la nouvelle raison qui s'y ajoutera ne sera donc qu'une doublure inutile. Si, en demandant que la raison s'ajoute à l'opinion droite, on veut que cette raison ne soit plus opinion, mais connaissance, c'est là définir la science par l'opinion droite plus la science de la différence. On enferme ainsi le défini dans le définisseur.

Ainsi la science n'est ni la sensation, ni l'opinion droite, ni l'opinion droite à laquelle viendrait s'ajouter, par surcroît, la « raison ». Socrate termine en montrant à Théétète le bienfait de sa maïeutique et en donnant, à Théodore et lui, rendez-vous pour le lendemain. Pour l'instant il doit se rendre au Portique du Roi, où l'attend son accusateur Mélétos.

IV

LES PROBLÈMES HISTORIQUES DU *THÉÉTÈTE*

La composition du Théétète.

1° *Les dates.* — Nous avons déjà vu que le prologue, d'une part, et, d'autre part, la date tardive supposée par les caractères stylistiques du dialogue, permettaient de regarder la composition du *Théétète* comme postérieure à l'année 369. La façon dont nous avons compris les indications du prologue nous autorise peut-être à utiliser ainsi, au point de vue chronologique, le combat près de Corinthe, malgré les objections formulées par Th. Gomperz[1]. Cela nous dispense en revanche d'entrer dans les discussions sur l'allusion aux panégyriques royaux composés du temps de Platon (174 a-175 b). En tout cas, les récents travaux sur Isocrate n'ont point déplacé la date limite, 370, fixée jusqu'ici pour l'*Évagoras*, qui fut, d'après Isocrate, le premier panégyrique en prose à l'adresse d'un contemporain[2]. Drerup a répondu aux doutes émis par U. von Wilamowitz et repris par H. Raeder sur le bien-fondé de cette prétention d'Isocrate ; l'allusion du *Théétète* aux panégyriques de rois ne pourrait donc que confirmer les conclusions tirées du prologue[3]. La plaisanterie contre les gens qui se vantent de leurs vingt-cinq aïeux (175 a/b) ne se prête guère à une utilisation chronologique, et Rohde n'a pas été suivi dans son effort pour l'interpréter en allusion, soit à Agésilas de Sparte (371), soit à son fils Archédamos (361). Mais, une fois admis que le *Théétète* est postérieur à 369, resterait à savoir s'il a précédé ou suivi le second voyage de Sicile (367). La question, parfois si dogmatiquement résolue, ne peut être regardée actuellement comme tranchée. Si le *Théétète* a dû être conçu, en sa forme littéraire actuelle, peu après 369, aucune raison décisive ne s'oppose à ce qu'il ait été achevé et publié seulement après le voyage de Sicile[4].

2° *Le mode de composition.* — On ne peut s'empêcher d'être frappé par la différence qui existe, au point de vue drama-

1. Th. Gomperz, *Les Penseurs de la Grèce* (trad. *A. Reymond*), II, p. 577, note 1.

2. Th. Gomperz, *ibid.*; Isocrate, *Or.* IX, 58; Münscher, *Isokrates*, dans *Real. Encycl.*, IX, 2 (1916), *col.* 2191.

3. E. Drerup, *Isocratis Opera*, I, p. CXLIII.

4. L'état d'esprit que suppose l'épisode du *Théétète* (172 c-177 c) a été interprété et utilisé en des sens très opposés. Pour Lutoslawski, le découragement qui s'y manifeste fait écho à l'échec de Platon en Sicile. Pour Th. Gomperz, Platon ne pouvait, après ce second voyage, manifester un tel mépris pour la politique sans qu'un démenti si prompt à cette dernière entreprise l'exposât à la raillerie.

tique, entre la première définition et les deux autres. Ce contraste a conduit U. von Wilamowitz à l'hypothèse suivante. Le dialogue tout entier aurait été, d'abord, bâti à l'état d'esquisse : la discussion entière était construite, dans cette esquisse, sur le plan et dans la forme de style que nous montre encore la seconde partie. Discussion purement doctrinale, d'ailleurs ; schème approfondi au point de vue pensée, mais attendant encore la vie que lui donnerait la transformation en dialogue dramatique. Il est naturel que Platon ait pu ou dû bâtir de pareils schèmes avant même de songer à en faire une œuvre pour le public. La mort de Théétète survint, qui valut au dialogue ses personnages et aussi la beauté dramatique de toute la première partie. Mais Platon n'eut pas le temps de finir ce travail littéraire : pressé de partir pour la Sicile, il laissa la seconde partie à son état d'esquisse et publia le tout. Au point de vue dramatique, le dialogue eût été complet si Platon l'avait coupé à 187. Mais il tenait à donner toute la discussion sur la science[1]. Une telle hypothèse est certainement séduisante. Mais on a cru, pour de pareilles raisons, que le *Parménide* actuel était une œuvre inachevée et, pourtant, il est évident que Platon l'a voulu tel que nous l'avons. Nous avons vu que la seconde partie du *Théétète* était probablement, en plusieurs passages, un pastiche, et nous savons que Platon a toujours eu une certaine prédilection pour les morceaux purement dialectiques, lesquels sont aussi des œuvres d'art à leur façon. Enfin une observation toute matérielle est à faire : la digression sur le Philosophe coupe, en deux moitiés presque exactement égales, l'étendue actuelle de notre dialogue (p. 142 à p. 172, p. 177 à 210). Elle semble donc bien avoir été placée juste à l'endroit voulu pour équilibrer ces deux étendues de texte, et si elle a été écrite dans le temps où Platon achevait littérairement sa première partie, c'est donc qu'il n'aurait pas eu, à ce moment, l'intention de rien changer à la seconde. Nous ne pouvons guère savoir si le public pour lequel Platon écrivait alors n'a pas autant apprécié la seconde partie du *Théétète* que la première et n'a pas trouvé, à ces disputes logiques, autant de charmes que nous en trouvons à la lutte oratoire avec Protagoras.

1. *Platon,* Bd II, spécialement p. 235.

L'arrière-plan historique du Théétète.

Première définition. — 1° Que l'exposé doctrinal soit construction de Platon et non simple traduction d'un système existant, Platon nous le dit lui-même clairement quand, pour conclure, il en énumère à rebours les pièces composantes : le flux universel d'Homère, d'Héraclite et de leurs suivants ; l'homme-mesure de Protagoras ; l'identification, faite ici par Théétète, de la sensation à la science. La première étape de l'exposé est déjà construction. La seconde, par un tour fréquent dans Platon, suppose un enseignement secret de Protagoras identifiant sa thèse de l'homme-mesure à celle du « tout se meut ». Elle dessine déjà, dans ses grandes lignes, le système que construit si vigoureusement la troisième étape. Souvenirs des cosmogonies, inductions de sens commun que faisait déjà le *Cratyle* sur les distinctions de vitesse inhérentes à la notion de mouvement, jeux de mots familiers au lecteur de Platon, ont servi à construire le bâti métaphysique sur lequel s'établit, dans cette troisième étape, la théorie relativiste de la perception. Chercher à mettre un nom précis sous une théorie ainsi « construite » est donc un peu la rétrécir indûment[1]. Platon synthétise ici des tendances autant et plus encore peut-être que des doctrines. Savoir à qui il a pris les éléments de cette synthèse et jusqu'à quel point d'élaboration certains de ces éléments avaient pu être développés dans les théories ou les ébauches de théorie qu'il transpose serait le vrai problème, mais d'autant plus difficile que les exposés postérieurs qui nous présentent de pareils traits dans les doctrines contemporaines de Platon risquent fort d'avoir été contaminés par l'exposé même du *Théétète*[2]. Quant aux non-initiés, leur sensualisme massif dénie toute réalité aux actions, aux devenirs qui en sont la face passive, à tout ce qui n'est pas le concret visible et tangible. Il est ici lui-même construit comme pendant et « repoussoir »

1. Les noms proposés sont très divergents : Protagoras (Brochard, *Etudes*... p. 26 et suiv.). — Antisthène (H. Raeder, *Platons Philosophische Entwickelung*, p. 282). — Aristippe et les Cyrénaïques (Schleiermacher, Dümmler, Zeller ; surtout Natorp, *Archiv. f. Gesch. d. Phil.* 3 (1890), p. 347-362).

2. C'est le cas, par exemple, pour l'exposé du Cyrénaïsme dans Sextus Empiricus (*Adv. Math.*, VII, 91).

au relativisme savant des κομψότεροι, à ce jeu d'actions et de passions où disparaît toute réalité concrète. Traduit en théorie logique, ce sensualisme épais effacerait, dans le discours, le verbe ou prédicat, tout comme le relativisme y ferait évanouir le sujet. On aurait, comme tel, quelque raison d'attribuer ce sensualisme à Antisthène, qui nie la qualité abstraite, réduit la réalité à la chose et le discours à un simple assemblage de noms [1]. Mais une attribution ainsi limitée répondrait mal à la généralité de cette attitude, qui est l'attitude spontanée du sensualisme vulgaire.

2° Dans la critique de cette première définition, les arguments éristiques du premier essai sont peut-être d'Antisthène, polémiquant, dans sa *Vérité* (Diog. La. IV, 16), contre la *Vérité* de Protagoras [2]. Nous avons vu que certains arguments du second essai sont au moins parallèles à ceux de Démocrite. Quant à l'Apologie de Protagoras, elle est tout probablement construite par Platon avec les doctrines authentiques du célèbre sophiste, et les travaux récents n'ont fait que rendre plus manifeste la fidélité avec laquelle Platon a traduit ce relativisme d'orientation avant tout pratique [3].

1. Cf., pour sa négation de la « chevalité », Simpl. *in Ar. Categ.* p. 208, 29-33 (Kalbfleisch), et, pour le reste, p. 153.

2. C'était déjà l'opinion de Bonitz et de Dümmler, auxquels se rallie P. Natorp (*Plato's Ideenlehre,* p. 104).

3. Th. Gomperz a prétendu que l'interprétation de Platon a, sans qu'il le voulût, « véritablement faussé l'histoire » : ce n'est pas l'homme individuel qui est mesure, mais l'homme en général ; le subjectivisme de Protagoras n'est qu'une fiction (*Les Penseurs de la Grèce,* I, p. 477-488). P. Natorp (*Forschungen zur Geschichte des Erkenntnisproblems im Albertum,* I ; *Archiv f. Gesch. d. Phil.,* Bd III, p. 347 et suiv. ; *Philologus,* Bd L (N. F. IV), p. 262 et suiv. ; *Platos Ideenlehre,* p. 101 et suiv.) a maintenu le scepticisme de Protagoras et la vérité de l'interprétation platonicienne. Brochard (*Études,* p. 24-29) regarde la doctrine de Protagoras comme un relativisme objectif ou réaliste. L'étude la plus complète sur Protagoras est celle de Heinrich Gomperz dans *Sophistik und Rhetorik* (Berlin, 1912, p. 126-278). Intéressante est la position prise dans le débat par le pragmatisme moderne. On retrouvera, dans les *Études sur l'Humanisme* de F. Schiller (traduction Jankelevitch 1909, IIe étude : de Platon à Protagore, p. 28-90) la théorie soutenue dans ses articles antérieurs, *Quarterly Review,* janvier 1906 ; *Mind,* XVII, p. 520 et

La *seconde définition* et les images qui servent à l'illustrer sont, un peu rapidement, attribuées, par P. Natorp, à l'inévitable Antisthène[1]. Rien ne prouve qu'Antisthène ait dû être l'auteur de cette description « psychophysiologiste » de la mémoire et c'est un chapitre d'histoire de la psychologie qui reste à faire.

On a, d'ailleurs, beaucoup plus de chances d'en trouver les matériaux dans les traités de la collection hippocratique et chez les philosophes antésocratiques dont ces traités s'inspirent. La comparaison de la sensation avec l'empreinte du sceau dans la cire se retrouve chez Démocrite, encore que, chez lui, ce soit l'air intermédiaire entre l'œil et l'objet qui reçoive et transmette l'empreinte[2]. Une autre pièce de la doctrine que Platon parodie, l'explication des qualités de la mémoire par les combinaisons diverses du sec et de l'humide, se retrouve tout au long dans le chapitre 35 du premier livre *Du Régime*, et le parallélisme est souvent textuel entre le traité hippocratique et le *Théétète*[3]. Le fond de doctrine sur lequel le médecin compilateur bâtit ses préceptes d'hygiène mentale, fond où prédomine, à côté de celles d'Empédocle et d'Anaxagore, l'influence d'Archélaos[4], est le même que Platon utilise, concurremment avec l'image du bloc de cire et l'interprétation allégorique d'Homère, pour construire cette psychophysiologie de la mémoire, dont il amuse ses lecteurs. En revanche, la thèse qu'il est impossible de « dire faux »

suiv. : l'Apologie de Protagoras renferme la véritable doctrine de Protagoras (doctrine en réalité pragmatiste), « considérablement abrégée sans doute et peut-être quelque peu modifiée dans la reproduction, et cela principalement pour cette raison manifeste que Platon n'a pas du tout compris en quoi elle consiste » (p. 48).

1. *Plato's Ideenlehre,* p. 113. Campbell (*comm. ad* 194 c) ne semble pas regarder comme probable la possibilité que la description physiologique de la mémoire soit empruntée. Wohlrab (Campbell, p. 182, note 8) paraît bien être le seul critique du *Théétète* qui ait pensé à Pythagore pour l'image du bloc de cire.

2. Théophraste, *De Sensu*, 50 et suiv. ; cf. Diels, *Vorsokratiker,* 3e éd., vol. II, p. 40-42.

3. Littré, *Oeuvres d'Hippocrate,* VI, p. 513-522.

4. C. Fredrich, *Hippokratische Untersuchungen*, 1899, p. 123-141. — Zeller, *Die Philosophie der Griechen,* Teil I, H. 2, 6e éd. (W. Nestle). 1920, p. 873.

a été soutenue par Antisthène[1]. Mais Campbell a raison de chercher l'origine immédiate de ce sophisme dans la logique éléatique, et c'était presque un lieu commun de la sophistique[2].

La *troisième définition* peut viser plus directement Antisthène, si nous devons interpréter le témoignage d'Aristote comme attestant, pour Antisthène, cette distinction entre la syllabe connaissable et l'élément inconnaissable[3]. Mais, qu'il faille attribuer à Antisthène ou à d'autres cette définition de la science par l'opinion vraie accompagnée de raison, que Platon a lui-même souvent employée, il semble bien que Platon ait voulu ici dégager ses propres formules de voisinages compromettants. Pour lui « raison » signifiait, dans une telle définition, « raison causale, c'est-à-dire réminiscence »[4]. La réfutation ici faite n'atteint point ce sens du mot raison et laisse le champ libre à l'explication platonicienne de la science par son objet propre : la réalité intelligible.

1. Arist. *Métaph.* 1024 b, 32 et suiv. Cf. Th. Gomperz, *Les Penseurs de la Grèce*, I, p. 487 ; II, p. 190 et 594.

2. *Introduction au Théétète*, p. XL.

3. Presque tous les critiques sont d'accord à penser que la théorie de la « syllable connaissable » et de « l'élément inconnaissable » est d'Antisthène, parce qu'Aristote attribue à l'école d'Antisthène cette doctrine : on ne peut définir l'essence, parce que la définition est un long discours ; on peut bien dire quelle est la qualité d'un objet, mais non en quoi il consiste (*Mét.*, 1043 b 23 et suiv.). Aristote, en effet, vient de dire que la syllabe n'est pas simple somme des éléments (1043 b 5) et ajoutera (1043 b 27) : l'essence est, comme le composé, définissable ; le composant ne l'est pas. Campbell (p. XXXIX et suiv.) et, à sa suite, Burnet (*Greek Philosophy*, I, p. 252) ne regardent comme antisthénien, dans ce passage, que le mot sur la définition qui est un long discours et préfèrent chercher dans le pythagorisme l'origine de la théorie sur « les éléments et la syllabe ». Mais Campbell croit qu'un trait essentiel de la théorie, à savoir que la syllabe est, en tant qu'indéfinissable, inconnaissable, vient d'un mégarique.

4. *Ménon* 98 a. Sur le rapport de cette critique du *Théétète* avec les définitions platoniciennes de la science, je me permets de renvoyer à mon article : l'*Idée Platonicienne de la Science* (Annales de l'Institut Supérieur de Philosophie de Louvain. Paris, Alcan, 1914, p. 147-153).

V

LE TEXTE DU *THÉÉTÈTE*

Le texte de la présente édition du *Théétète* est établi sur les quatre manuscrits qui nous ont déjà servi pour le *Parménide* :

1) *Bodleianus* 39 ou *Clarkianus* (B), copié au IXᵉ siècle.

2) *Venetus* T (append. class. 4, nº 1, de la Bibliothèque St. Marc), copié vers 1100 sur le *Parisinus* A, alors complet.

Pour ces deux manuscrits, j'ai utilisé la collation donnée par l'édition de J. Burnet (tome I) ; collation directe pour le *Clarkianus* et qui, pour T, dépend de l'excellente collation de Schanz.

3) Le *Vindobonensis* Y (21), qui date au plus tôt du XIVᵉ siècle, mais représente une tradition bien antérieure.

4) Le *Vindobonensis* W (54 = suppl. philos. gr. 7), qui remonte probablement au XIIᵉ siècle. Le *Théétète*, comme le *Parménide* et le *Sophiste*, fait partie des dialogues qui y sont transcrits de première main.

J'ai fait ma collation de Y et de W directement sur les photographies qui sont la propriété de l'Association Guillaume Budé. La lecture directe de W m'a conduit parfois à compléter ou même à corriger les collations antérieures. J'ai cru d'autant moins nécessaire de souligner ces corrections que j'ignorais souvent en quelle mesure elles ont pu déjà être faites par d'autres travaux et qu'en particulier je n'ai pu directement utiliser les *Vindiciae Platonicae* de Hensel (Berlin, 1906). Il n'est plus nécessaire, aujourd'hui, de justifier l'utilisation de W dans une édition du *Théétète*. Mais on verra, en consultant notre apparat, que certaines lectures excellentes, au lieu d'être appuyées, par exemple, sur une conjecture de Heusde ou autres, s'autorisent mieux de l'unique témoignage d'Y, et que, malgré de très grosses fautes, Y garde parfois seul la trace de la bonne tradition.

J'ai naturellement utilisé la tradition indirecte autant qu'il m'était possible : 1) le Commentaire Anonyme sur le *Théétète* (papyrus 9782) édité par H. Diels et W. Schubart (Berlin, Weidmann 1905) ; 2) les citations de Jamblique, Eusèbe, Clément d'Alexandrie, Athénée, Stobée, etc. Je ne me suis pas toujours cru autorisé à corriger la lecture de nos manuscrits par celle qu'offrent ces citations. Le texte que nous offre Stobée est, parfois, bien défectueux. Quand, d'autre part, Athénée, dans une citation qu'il adapte à son texte par des changements voulus, omet le dernier mot de la phrase qu'il cite (176 a), on peut penser qu'il a pris ce mot pour le commencement d'une autre phrase ou, plus précisment ici, pour le premier mot de la réponse de Théodore. L'article récent de Kurt Zepernick (*Die Exzerpte des Athenaeus in den Dipnosophisten und ihre Glaubwürdigkeit, Philologus,* Bd LXXVII, h. 3/4 (septembre 1921) p. 311 à 363), a montré que les omissions, dont K. Zepernick met, d'ailleurs, la plupart sur le compte de l'*Epitomator,* sont très fréquentes dans le texte d'Athénée.

J'ai tiré grand profit de l'édition Campbell (*The Theaetetus of Plato with a revised text and english notes,* 2e éd. Oxford, 1883) pour les quelques variantes utiles de manuscrits autres que BTYW, aussi bien, d'ailleurs, que pour la compréhension générale du texte. J'ai utilisé de même la traduction et les notes d'Apelt (*Platons Dialog Theätet*, Philosophische Bibliotek, Bd 82. Leipzig, Dürr, 1911).

J'ai suivi, beaucoup plus facilement, d'ailleurs, la même règle ici que dans le *Parménide*. Quand la lecture du texte est donnée, dans l'apparat, sans aucune mention de manuscrits et séparée de la variante seulement par les deux points, cette lecture est celle de tous les manuscrits du groupe BTYW sauf le manuscrit unique mentionné après la variante. Quand deux manuscrits sont mentionnés après la variante, c'est que les deux autres manuscrits offrent la lecture du texte. J'ai pris soin, dans tous les cas où cela m'était possible, de marquer nettement l'endroit où commence et l'endroit où finit une citation du texte dans Eusèbe, Stobée, etc., de façon à me dispenser de répéter ces noms dans l'apparat quand, par exemple, la lecture de Stobée est identique à celle du texte appuyée sur tous les manuscrits, sauf le manuscrit unique ou les deux manuscrits mentionnés après la variante[1].

1. Qu'il me soit permis d'exprimer ici mes vifs remerciements à M. Bidez, qui a bien voulu consulter pour moi l'édition Gifford de la *Préparation Évangélique,* et vérifier les lectures d'Eusèbe, tant pour le *Théétète* que pour le *Sophiste*.

THÉETÈTE

[ou *Sur la science,* genre peirastique.]

PROLOGUE

EUCLIDE TERPSION

142 a Euclide. — Ne fais-tu qu'arriver de la campagne, Terpsion? Ou bien y a-t-il longtemps que tu es de retour?

Terpsion. — Assez longtemps déjà. Je te cherchais précisément et m'étonnais de ne te pouvoir trouver.

Euclide. — C'est que je n'étais pas dans la ville.

Terpsion. — Où étais-tu donc?

Euclide. — Je descendais vers le port, quand j'ai rencontré Théétète, qu'on ramenait du camp de Corinthe, l'emportant vers Athènes.

Terpsion. — Vivant ou mort?

b Euclide. — Vivant, mais à grand' peine; car il est durement atteint. Plus encore que de ses blessures, le mal dont il s'en va, c'est l'infection qui a régné parmi les troupes.

Terpsion. — Serait-ce la dysenterie?

Euclide. — Oui.

Terpsion. — Quel homme nous allons perdre, à ce que tu m'annonces!

Euclide. — Un homme de tout mérite, Terpsion, puisque, tout à l'heure encore, on faisait, devant moi, force éloges de sa conduite en cette bataille.

Terpsion. — A cela, rien d'étonnant. Le surprenant serait beaucoup plutôt qu'il ne fût point ce qu'il est. Mais comment n'est-il pas venu faire halte ici, à Mégare?

c

Euclide. — Il avait hâte d'être chez lui ; car j'ai eu

ΘΕΑΙΤΗΤΟΣ

[ἢ περὶ ἐπιστήμης, πειραστικός.]

ΕΥΚΛΕΙΔΗΣ ΤΕΡΨΙΩΝ

ΕΥΚΛΕΙΔΗΣ. Ἄρτι, ὦ Τερψίων, ἢ πάλαι ἐξ ἀγροῦ ; 142 a

ΤΕΡΨΙΩΝ. Ἐπιεικῶς πάλαι. Καὶ σέ γε ἐζήτουν κατ' ἀγορὰν καὶ ἐθαύμαζον ὅτι οὐχ οἷός τ' ἦ εὑρεῖν.

ΕΥ. Οὐ γὰρ ἦ κατὰ πόλιν.

ΤΕΡ. Ποῦ μήν ;

ΕΥ. Εἰς λιμένα καταβαίνων Θεαιτήτῳ ἐνέτυχον φερομένῳ ἐκ Κορίνθου ἀπὸ τοῦ στρατοπέδου Ἀθήναζε.

ΤΕΡ. Ζῶντι ἢ τετελευτηκότι ;

ΕΥ. Ζῶντι καὶ μάλα μόλις· χαλεπῶς μὲν γὰρ ἔχει καὶ b ὑπὸ τραυμάτων τινῶν, μᾶλλον μὴν αὐτὸν αἱρεῖ τὸ γεγονὸς νόσημα ἐν τῷ στρατεύματι.

ΤΕΡ. Μῶν ἡ δυσεντερία ;

ΕΥ. Ναί.

ΤΕΡ. Οἷον ἄνδρα λέγεις ἐν κινδύνῳ εἶναι.

ΕΥ. Καλόν τε καὶ ἀγαθόν, ὦ Τερψίων, ἐπεί τοι καὶ νῦν ἤκουόν τινων μάλα ἐγκωμιαζόντων αὐτὸν περὶ τὴν μάχην.

ΤΕΡ. Καὶ οὐδέν γ' ἄτοπον, ἀλλὰ πολὺ θαυμαστότερον εἰ μὴ τοιοῦτος ἦν. Ἀτὰρ πῶς οὐκ αὐτοῦ Μεγαροῖ κατέλυεν ; c

ΕΥ. Ἠπείγετο οἴκαδε· ἐπεὶ ἔγωγ' ἐδεόμην καὶ συνεβού-

142 a 3 ἦ : εἶ YW || **a** 4 ἦ : ἦν Y || **b** 1 μόλις : -γις W || **b** 7 τε : τε (sed γ supralin.) W || **b** 8 περὶ τὴν μαχὴν αὐτὸν T[1] (sed corr. T) || **b** 9 οὐδέν : οὐδέ W.

beau le prier et conseiller, il n'a pas voulu consentir. Je lui ai donc fait conduite ; et, sur mon chemin de retour, je me rappelais avec émerveillement quelle divination il y avait, comme en tant d'autres paroles de Socrate, en celles qu'il a dites de lui. C'est peu de temps avant sa mort, me semble-t-il, qu'il rencontra Théétète, encore adolescent ; à le voir de près et l'entretenir, il admira vivement son heureuse nature. Quand je me trouvai visiter Athènes, il me raconta les entre-
d tiens échangés en leur dialogue, et qu'il valait la peine d'entendre, assurément, et me dit qu'infailliblement il deviendrait célèbre, s'il parvenait à l'âge d'homme.

TERPSION. — Et, d'après ce qu'on voit, Socrate disait vrai. Mais quels étaient ces entretiens ? Pourrais-tu me les raconter ?

EUCLIDE. — Non, par Zeus, au moins pas de tête, comme
143 a cela. Mais je mis alors par écrit, sitôt rentré, mes souvenirs immédiats. Plus tard, à mon loisir, j'écrivis au fur et à mesure ce qui me revenait en mémoire, et, toutes les fois que je retournais à Athènes, j'interrogeais à nouveau Socrate sur ce qui manquait à mes souvenirs et, rentré ici, je corrigeais mon travail. Si bien qu'en somme l'ensemble des entretiens s'est trouvé transcrit.

TERPSION. — C'est vrai : je te l'ai déjà ouï conter auparavant et j'eus toujours, au fait, dessein de te demander à les voir, bien que j'aie différé jusqu'ici. Mais qui nous empêche de les parcourir maintenant ? J'ai d'ailleurs besoin de reposer, moi qui arrive tout juste de la campagne.

b EUCLIDE. — Eh bien, j'ai moi-même poussé jusqu'à Erinos en accompagnant Théétète ; aussi prendrai-je sans déplaisir ce moment de repos. Ainsi rentrons : pendant que nous reposerons, mon esclave nous fera lecture.

TERPSION. — Tu as raison.

Méthode de transcription du dialogue.

EUCLIDE. — Voici le volume, Terpsion. Toutefois j'ai mis par écrit l'entretien en telle façon que Socrate, au lieu de me le raconter comme il fit, converse directement avec ceux qui, d'après son récit, lui donnaient la réplique. C'étaient le géomètre Théodore et Théétète. J'ai
c voulu éviter, dans la transcription, l'embarras que produi-

λευον, ἀλλ᾽ οὐκ ἤθελεν. Καὶ δῆτα προπέμψας αὐτόν, ἀπιὼν πάλιν ἀνεμνήσθην καὶ ἐθαύμασα Σωκράτους ὡς μαντικῶς ἄλλα τε δὴ εἶπε καὶ περὶ τούτου. Δοκεῖ γάρ μοι ὀλίγον πρὸ τοῦ θανάτου ἐντυχεῖν αὐτῷ μειρακίῳ ὄντι, καὶ συγγενόμενός τε καὶ διαλεχθεὶς πάνυ ἀγασθῆναι αὐτοῦ τὴν φύσιν. Καί μοι ἐλθόντι Ἀθήναζε τούς τε λόγους οὓς διελέχθη αὐτῷ διηγήσατο καὶ μάλα ἀξίους ἀκοῆς, εἶπέ τε ὅτι πᾶσα d ἀνάγκη εἴη τοῦτον ἐλλόγιμον γενέσθαι, εἴπερ εἰς ἡλικίαν ἔλθοι.

ΤΕΡ. Καὶ ἀληθῆ γε, ὡς ἔοικεν, εἶπεν. Ἀτὰρ τίνες ἦσαν οἱ λόγοι ; ἔχοις ἂν διηγήσασθαι ;

ΕΥ. Οὐ μὰ τὸν Δία, οὔκουν οὕτω γε ἀπὸ στόματος· ἀλλ᾽ ἐγραψάμην μὲν τότ᾽ εὐθὺς οἴκαδ᾽ ἐλθὼν ὑπομνήματα, 143 a ὕστερον δὲ κατὰ σχολὴν ἀναμιμνῃσκόμενος ἔγραφον, καὶ ὁσάκις Ἀθήναζε ἀφικοίμην, ἐπανηρώτων τὸν Σωκράτη ὃ μὴ ἐμεμνήμην, καὶ δεῦρο ἐλθὼν ἐπηνορθούμην· ὥστε μοι σχεδόν τι πᾶς ὁ λόγος γέγραπται.

ΤΕΡ. Ἀληθῆ· ἤκουσά σου καὶ πρότερον, καὶ μέντοι ἀεὶ μέλλων κελεύσειν ἐπιδεῖξαι διατέτριφα δεῦρο. Ἀλλὰ τί κωλύει νῦν ἡμᾶς διελθεῖν ; πάντως ἔγωγε καὶ ἀναπαύσασθαι δέομαι ὡς ἐξ ἀγροῦ ἥκων.

ΕΥ. Ἀλλὰ μὲν δὴ καὶ αὐτὸς μέχρι Ἐρινοῦ Θεαίτητον b προὔπεμψα, ὥστε οὐκ ἂν ἀηδῶς ἀναπαυοίμην. Ἀλλ᾽ ἴωμεν, καὶ ἡμῖν ἅμα ἀναπαυομένοις ὁ παῖς ἀναγνώσεται.

ΤΕΡ. Ὀρθῶς λέγεις.

ΕΥ. Τὸ μὲν δὴ βιβλίον, ὦ Τερψίων, τουτί· ἐγραψάμην δὲ δὴ οὑτωσὶ τὸν λόγον, οὐκ ἐμοὶ Σωκράτη διηγούμενον ὡς διηγεῖτο, ἀλλὰ διαλεγόμενον οἷς ἔφη διαλεχθῆναι. Ἔφη δὲ τῷ τε γεωμέτρῃ Θεοδώρῳ καὶ τῷ Θεαιτήτῳ. Ἵνα οὖν ἐν τῇ γραφῇ μὴ παρέχοιεν πράγματα αἱ μεταξὺ τῶν λόγων c

c 5 δὴ om. Y || **143 a** 1 μὲν om. B || **a** 4 ἐπηνορθούμην : ἐπηνω- Y || **a** 6 ἀληθῆ : ἀλλ᾽ ἤδη Heindorf || **a** 8 πάντως ἔγωγε : πάντως· ἔγωγε δὲ W || **b** 1 μὲν om. W || ἐρινοῦ W : ἐρείνου B ἔρεινου Y ἐρεῖν οὐ T.

sent, en s'entremêlant aux arguments, les formules de narration où Socrate note ses propres exposés par des « et moi j'affirmai » ou bien « et moi je dis », et les répliques de l'interlocuteur par des « il en convint » ou bien « il ne voulut point l'accorder ». Voilà pourquoi j'ai fait, de ma transcription, un dialogue direct entre lui et ses interlocuteurs et l'ai dégagée de toutes ces formules.

Terpsion. — Et tu n'as rien fait là que de convenable, Euclide.

Euclide. — Eh bien, esclave, prends le volume et lis.

LE DIALOGUE : SOCRATE THÉODORE THÉÉTÈTE

Le portrait de Théétète.

Socrate. — Si j'avais les gens de Cyrène plus à cœur, Théodore, c'est d des choses et des hommes de là-bas que je te demanderais nouvelles, et je voudrais savoir si d'aucuns, parmi les jeunes, y donnent diligence à la géométrie ou au reste de la philosophie. Or, à ceux de là-bas, je porte moins d'amitié qu'à ceux d'ici ; aussi ai-je plus vif désir de savoir quels sont ceux de nos jeunes gens à nous qui promettent de se distinguer. C'est ce que j'examine par moi-même autant que je le puis, et dont je m'enquiers en interrogeant ceux de qui je vois que nos jeunes gens recherchent le commerce. Le groupe qui se rassemble autour de toi e est considérable, et c'est justice, car, sans parler de tes autres mérites, le géomètre, en toi, vaut cet empressement. Si donc tu as trouvé, parmi eux, un jeune homme digne de mention, tu me ferais plaisir en me l'enseignant.

Théodore. — En vérité, Socrate, et ma parole et ton attention auront un sujet tout à fait digne d'elles si je te dis quelles qualités j'ai trouvées dans un adolescent de votre ville. Encore, s'il était beau, ne parlerais-je point sans beaucoup de frayeur, le risque étant qu'à d'aucuns je n'eusse l'air d'être son poursuivant. Or — ne m'en veuille point, — il n'est point beau : il te ressemble, et pour le nez camus, et pour les yeux à fleur de tête, encore qu'il ait ces traits moins accen- 144 a tués que toi. Aussi n'ai-je nulle frayeur à parler. Or sache bien que, de tous ceux que j'ai pu jamais rencontrer, — et le nombre est bien grand de ceux que j'ai fréquentés, — je

διηγήσεις περὶ αὑτοῦ τε ὁπότε λέγοι ὁ Σωκράτης, οἷον « καὶ ἐγὼ ἔφην » ἢ « καὶ ἐγὼ εἶπον », ἢ αὖ περὶ τοῦ ἀποκρινομένου ὅτι « συνέφη » ἢ « οὐχ ὡμολόγει », τούτων ἕνεκα ὡς αὐτὸν αὐτοῖς διαλεγόμενον ἔγραψα, ἐξελὼν τὰ τοιαῦτα.

ΤΕΡ. Καὶ οὐδέν γε ἀπὸ τρόπου, ὦ Εὐκλείδη.

ΕΥ. Ἀλλά, παῖ, λαβὲ τὸ βιβλίον καὶ λέγε.

ΣΩΚΡΑΤΗΣ ΘΕΟΔΩΡΟΣ ΘΕΑΙΤΗΤΟΣ

ΣΩΚΡΑΤΗΣ. Εἰ μὲν τῶν ἐν Κυρήνῃ μᾶλλον ἐκηδόμην, ὦ Θεόδωρε, τὰ ἐκεῖ ἄν σε καὶ περὶ ἐκείνων ἀνηρώτων, εἴ d τινες αὐτόθι περὶ γεωμετρίαν ἤ τινα ἄλλην φιλοσοφίαν εἰσὶ τῶν νέων ἐπιμέλειαν ποιούμενοι· νῦν δὲ ἧττον γὰρ ἐκείνους ἢ τούσδε φιλῶ, καὶ μᾶλλον ἐπιθυμῶ εἰδέναι τίνες ἡμῖν τῶν νέων ἐπίδοξοι γενέσθαι ἐπιεικεῖς. Ταῦτα δὴ αὐτός τε σκοπῶ καθ' ὅσον δύναμαι, καὶ τοὺς ἄλλους ἐρωτῶ οἷς ἂν ὁρῶ τοὺς νέους ἐθέλοντας συγγίγνεσθαι. Σοὶ δὴ οὐκ ὀλίγιστοι πλησιάζουσι, καὶ δικαίως· ἄξιος γὰρ τά τε ἄλλα καὶ e γεωμετρίας ἕνεκα. Εἰ δὴ οὖν τινι ἐνέτυχες ἀξίῳ λόγου, ἡδέως ἂν πυθοίμην.

ΘΕΟΔΩΡΟΣ. Καὶ μήν, ὦ Σώκρατες, ἐμοί τε εἰπεῖν καὶ σοὶ ἀκοῦσαι πάνυ ἄξιον οἵῳ ὑμῖν τῶν πολιτῶν μειρακίῳ ἐντετύχηκα. Καὶ εἰ μὲν ἦν καλός, ἐφοβούμην ἂν σφόδρα λέγειν, μή καί τῳ δόξω ἐν ἐπιθυμίᾳ αὐτοῦ εἶναι. Νῦν δέ — καὶ μή μοι ἄχθου — οὐκ ἔστι καλός, προσέοικε δὲ σοὶ τήν τε σιμότητα καὶ τὸ ἔξω τῶν ὀμμάτων· ἧττον δὲ ἢ σὺ ταῦτ' ἔχει. Ἀδεῶς δὴ λέγω. Εὖ γὰρ ἴσθι ὅτι ὧν δὴ πώ- 144 a ποτε ἐνέτυχον — καὶ πάνυ πολλοῖς πεπλησίακα — οὐδένα πω ᾐσθόμην οὕτω θαυμαστῶς εὖ πεφυκότα. Τὸ γὰρ εὐμαθῆ ὄντα ὡς ἄλλῳ χαλεπὸν πρᾷον αὖ εἶναι διαφερόντως, καὶ

c 2 αὑτοῦ Heindorf : αὐτοῦ codd. || λέγοι : -ει Y || d 1 ante ἐκείνων add. τῶν Y || ἀνηρώτων : ἂν · ἠρώτων B || d 5 τε om. Y || d 7 συγγίγνεσθαι : -γενέσθαι W || δὴ : δὲ W || e 9 τὸ : τῶν Y || 144 a 2 πολλοῖς : πολλοῖς δὴ W || a 3 εὖ om. W || a 4 αὖ om. TY.

n'ai encore constaté, chez aucun, une si merveilleuse nature. Apprenant avec une facilité dont on trouverait à peine un autre exemple, avec cela remarquablement doux, par-dessus tout brave plus que personne, je n'aurais jamais cru possible un tel ensemble et ne vois point qu'il se rencontre. Au contraire, ceux qui ont cette acuité, cette vivacité d'esprit, cette mémoire, ont la plupart du temps une forte pente à la colère ; ils se laissent emporter, de bonds en bonds,
b comme des bateaux sans lest et leur naturel a plus d'exaltation que de courage. Ceux qui sont plus pondérés ne se portent vers les études que d'un mouvement plutôt nonchalant et lourd d'oubli. Mais lui va d'une allure si égale, si exempte de heurts, si efficace vers les études et les problèmes, avec une douceur abondante, avec cette effusion silencieuse de l'huile qui s'épand, qu'on s'étonne de voir, en un si jeune âge, cette façon de réaliser de tels achèvements[1].

Socrate. — L'annonce est prometteuse. De qui, en notre ville, est-il le fils?

Théodore. — J'ai entendu le nom, mais ne m'en souviens
c plus. Mais le voici, dans ce groupe qui s'approche, tout au milieu. C'est l'heure où, dans le stade extérieur, lui et les compagnons qui l'entourent viennent de se frotter d'huile, et maintenant ils m'ont l'air, leur massage terminé, de venir ici. Examine un peu si tu le connais.

Socrate. — Je le connais. C'est le fils d'Euphronios de Sounion, un homme, mon ami, absolument tel que tu me décris son fils, bien réputé d'ailleurs, et qui, au fait, a laissé un avoir assurément très ample. Quant au nom de l'adolescent, je l'ignore.

d Théodore. — Théétète, Socrate, voilà son nom. Quant à son avoir, je crois que certains tuteurs l'ont consumé. Cela ne l'empêche point d'être, en questions d'argent, d'une liberté d'esprit étonnante, Socrate.

Socrate. — Noble race d'homme, à ce que j'entends. Invite-le moi donc à venir s'asseoir ici.

Théodore. — Je le fais à l'instant. Théétète, on te désire ici, auprès de Socrate.

1. Sur la composition de ce portrait, cf. *Notice*, p. 124. Themistius l'imite (Petau-Harduin, 16 D-17 A). La réglementation des mariages (*Lois* 773 a/e) doit assurer ce mélange heureux des tempéraments.

ἐπὶ τούτοις ἀνδρεῖον παρ᾽ ὁντινοῦν, ἐγὼ μὲν οὔτ᾽ ἂν ᾠόμην γενέσθαι οὔτε ὁρῶ γιγνόμενον· ἀλλ᾽ οἵ τε ὀξεῖς ὥσπερ οὗτος καὶ ἀγχίνοι καὶ μνήμονες ὡς τὰ πολλὰ καὶ πρὸς τὰς ὀργὰς ὀξύρροποί εἰσι, καὶ ᾄττοντες φέρονται ὥσπερ τὰ ἀνερμάτιστα πλοῖα, καὶ μανικώτεροι ἢ ἀνδρειότεροι φύονται, οἵ τε αὖ ἐμβριθέστεροι νωθροί πως ἀπαντῶσι πρὸς τὰς μαθήσεις καὶ λήθης γέμοντες. Ὁ δὲ οὕτω λείως τε καὶ ἀπταίστως καὶ ἀνυσίμως ἔρχεται ἐπὶ τὰς μαθήσεις τε καὶ ζητήσεις μετὰ πολλῆς πρᾳότητος, οἷον ἐλαίου ῥεῦμα ἀψοφητὶ ῥέοντος, ὥστε θαυμάσαι τὸ τηλικοῦτον ὄντα οὕτως ταῦτα διαπράττεσθαι. b

ΣΩ. Εὖ ἀγγέλλεις. Τίνος δὲ καὶ ἔστι τῶν πολιτῶν ;

ΘΕΟ. Ἀκήκοα μὲν τοὔνομα, μνημονεύω δὲ οὔ. Ἀλλὰ γάρ ἐστι τῶνδε τῶν προσιόντων ὁ ἐν τῷ μέσῳ· ἄρτι γὰρ ἐν τῷ ἔξω δρόμῳ ἠλείφοντο ἑταῖροί τέ τινες οὗτοι αὐτοῦ καὶ αὐτός, νῦν δέ μοι δοκοῦσιν ἀλειψάμενοι δεῦρο ἰέναι. Ἀλλὰ σκόπει εἰ γιγνώσκεις αὐτόν. c

ΣΩ. Γιγνώσκω· ὁ τοῦ Σουνιῶς Εὐφρονίου ἐστίν, καὶ πάνυ γε, ὦ φίλε, ἀνδρὸς οἷον καὶ σὺ τοῦτον διηγῇ, καὶ ἄλλως εὐδοκίμου, καὶ μέντοι καὶ οὐσίαν μάλα πολλὴν κατέλιπεν. Τὸ δ᾽ ὄνομα οὐκ οἶδα τοῦ μειρακίου.

ΘΕΟ. Θεαίτητος, ὦ Σώκρατες, τό γε ὄνομα· τὴν μέντοι οὐσίαν δοκοῦσί μοι ἐπίτροποί τινες διεφθαρκέναι. Ἀλλ᾽ ὅμως καὶ πρὸς τὴν τῶν χρημάτων ἐλευθεριότητα θαυμαστός, ὦ Σώκρατες. d

ΣΩ. Γεννικὸν λέγεις τὸν ἄνδρα. Καί μοι κέλευε αὐτὸν ἐνθάδε παρακαθίζεσθαι.

ΘΕΟ. Ἔσται ταῦτα. Θεαίτητε, δεῦρο παρὰ Σωκράτη.

a 5 ᾠόμην : ᾤμην W || a 6 γιγνόμενον Berol. et ut uidetur T : -ομένους BYW || b 2 ἀπαντῶσι : ἃ πάντων T || b 3 τε om. W || b 5 οἷον : οἷον εἰ W || b 8 εὖ ἀγγέλλεις BYW : εὖ ἀγγελεῖς T εὐαγγελεῖς Berol. Phrynichus || c 2 ἑταῖροί : ἕτεροί T || c 5 σουνιῶς : -έως YW || c 6 γε om. W || c 7 εὐδοκίμου : -όκιμον B || d 3 καὶ : ὁ W || d 7 ἔσται : ἔστι B.

SOCRATE. — Parfaitement, Théétète. Ainsi pourrai-je me voir de face et savoir quel est mon visage ; car Théodore e affirme qu'il ressemble au tien. Or si nous avions chacun notre lyre et qu'il les affirmât accordées l'une à l'autre, le croirions-nous sans plus, ou voudrions-nous examiner s'il a compétence musicale pour parler de la sorte ?

THÉÉTÈTE. — Nous ferions cet examen.

SOCRATE. — Si donc nous le trouvions compétent, nous lui accorderions créance ; mais, incompétent, nous refuserions notre foi.

THÉÉTÈTE. — C'est vrai.

SOCRATE. — Et maintenant, je pense, si cette ressemblance de visages nous intéresse, il nous faut examiner s'il parle ou 145 a non à titre de connaisseur en peinture.

THÉÉTÈTE. — C'est mon avis.

SOCRATE. — Est-ce donc que Théodore serait peintre ?

THÉÉTÈTE. — Non, autant que je sache.

SOCRATE. — Et pas davantage géomètre ?

THÉÉTÈTE. — Si, très certainement, Socrate.

SOCRATE. — Astronome aussi et calculateur et musicien, maître en tout ce qui touche à l'éducation ?

THÉÉTÈTE. — A mon jugement, oui.

SOCRATE. — Lors donc qu'il prétend que nous avons quelque ressemblance de corps, en bien ou en mal, sa parole ne mérite pas absolument que nous y donnions notre attention.

THÉÉTÈTE. — Peut-être non.

b SOCRATE. — Mais suppose que, de l'un de nous, ce fût l'âme qu'il vantât pour sa vertu et sa sagesse ? Ne serait-il pas juste que celui de nous qui entendrait l'éloge s'empressât d'examiner celui qu'on vante ainsi, et que ce dernier s'empressât, à son tour, de découvrir son âme [1] ?

THÉÉTÈTE. — Si, bien certainement, Socrate.

SOCRATE. — Pour l'heure donc, mon cher Théétète, à toi de découvrir ton âme, à moi de l'examiner ; car sache bien que Théodore, qui en a tant loué devant moi, d'étrangers et d'Athéniens, n'a encore fait, de personne, l'éloge qu'il vient de faire de toi.

1. Ainsi, dans le *Charmide* (157 d-159 a), à une vive peinture de la beauté de Charmide succède l'éloge de sa sagesse ; et c'est pour vérifier le bien-fondé de cet éloge que l'on entreprend une définition de la *sagesse* (σωφροσύνη).

ΣΩ. Πάνυ μὲν οὖν, ὦ Θεαίτητε, ἵνα κἀγὼ ἐμαυτὸν ἀνασκέψωμαι ποῖόν τι ἔχω τὸ πρόσωπον· φησὶν γὰρ Θεόδωρος ἔχειν με σοὶ ὅμοιον. Ἀτὰρ εἰ νῷν ἐχόντοιν ἑκατέρου λύραν ἔφη αὐτὰς ἡρμόσθαι ὁμοίως, πότερον εὐθὺς ἂν ἐπιστεύομεν ἢ ἐπεσκεψάμεθ᾽ ἂν εἰ μουσικὸς ὢν λέγει ; e

ΘΕΑΙΤΗΤΟΣ. Ἐπεσκεψάμεθ᾽ ἄν.

ΣΩ. Οὐκοῦν τοιοῦτον μὲν εὑρόντες ἐπειθόμεθ᾽ ἄν, ἄμουσον δέ, ἠπιστοῦμεν ;

ΘΕΑΙ. Ἀληθῆ.

ΣΩ. Νῦν δέ γ᾽, οἶμαι, εἴ τι μέλει ἡμῖν τῆς τῶν προσώπων ὁμοιότητος, σκεπτέον εἰ γραφικὸς ὢν λέγει ἢ οὔ. 145 a

ΘΕΑΙ. Δοκεῖ μοι.

ΣΩ. Ἦ οὖν ζωγραφικὸς Θεόδωρος ;

ΘΕΑΙ. Οὔχ, ὅσον γέ με εἰδέναι.

ΣΩ. Ἆρ᾽ οὐδὲ γεωμετρικός ;

ΘΕΑΙ. Πάντως δήπου, ὦ Σώκρατες.

ΣΩ. Ἦ καὶ ἀστρονομικὸς καὶ λογιστικός τε καὶ μουσικὸς καὶ ὅσα παιδείας ἔχεται ;

ΘΕΑΙ. Ἔμοιγε δοκεῖ.

ΣΩ. Εἰ μὲν ἄρα ἡμᾶς τοῦ σώματός τι ὁμοίους φησὶν εἶναι ἐπαινῶν πῃ ἢ ψέγων, οὐ πάνυ αὐτῷ ἄξιον τὸν νοῦν προσέχειν.

ΘΕΑΙ. Ἴσως οὔ.

ΣΩ. Τί δ᾽ εἰ ποτέρου τὴν ψυχὴν ἐπαινοῖ πρὸς ἀρετήν τε καὶ σοφίαν ; ἆρ᾽ οὐκ ἄξιον τῷ μὲν ἀκούσαντι προθυμεῖσθαι ἀνασκέψασθαι τὸν ἐπαινεθέντα, τῷ δὲ προθύμως ἑαυτὸν ἐπιδεικνύναι ; b

ΘΕΑΙ. Πάνυ μὲν οὖν, ὦ Σώκρατες.

ΣΩ. Ὥρα τοίνυν, ὦ φίλε Θεαίτητε, σοὶ μὲν ἐπιδεικνύναι, ἐμοὶ δὲ σκοπεῖσθαι· ὡς εὖ ἴσθι ὅτι Θεόδωρος πολλοὺς δὴ πρός με ἐπαινέσας ξένους τε καὶ ἀστοὺς οὐδένα πω ἐπῄνεσεν ὡς σὲ νυνδή.

145 a 3 ἤ : εἰ (sed ἤ supra lin.) W || **a** 9 ἔμοιγε : ἐμοὶ T || **a** 10 φησὶν ὁμοίους T || **a** 11 ἄξιον αὐτῷ W.

THÉÉTÈTE. — Beaucoup d'honneur, Socrate; mais prends c garde qu'il n'ait plaisanté, ce disant.

SOCRATE. — Ce n'est point là la manière de Théodore. Veuille donc ne point chercher à retirer ton adhésion en feignant qu'il n'ait voulu que plaisanter. Ce serait le contraindre à venir témoigner et nul ne s'aviserait de mettre en question sa parole. Aie donc plutôt confiance et tiens-t'en à l'adhésion donnée.

THÉÉTÈTE. — Ainsi dois-je faire, si tel est ton avis.

SOCRATE. — En ce cas, dis-moi : tu apprends, j'imagine, avec Théodore, de la géométrie?

THÉÉTÈTE. — Oui.

d SOCRATE. — De l'astronomie aussi, de l'harmonie et du calcul [1]?

THÉÉTÈTE. — Je m'y efforce, au moins, avec ardeur.

SOCRATE. — Et moi aussi, mon fils, avec lui et avec tous ceux que je suppose compétents en quelqu'une de ces disciplines. Pourtant, si passablement assuré que je sois sur le reste, elles me laissent encore en doute sur un détail, que je voudrais examiner avec toi et avec ceux qui sont ici. Et dis-moi : est-ce qu'apprendre n'est pas devenir plus sage en la chose que l'on apprend?

THÉÉTÈTE. — Comment le nier?

SOCRATE. — Or c'est par la sagesse, j'imagine, que sont sages les sages?

THÉÉTÈTE. — Oui.

e SOCRATE. — Est-ce que cela diffère en quelque point de la science?

THÉÉTÈTE. — Quoi, cela?

SOCRATE. — La sagesse. Ou bien ce en quoi l'on est savant, n'y serait-on pas sage?

THÉÉTÈTE. — Comment serait-ce possible?

SOCRATE. — Science et sagesse sont donc identiques?

THÉÉTÈTE. — Oui.

Comment définir la science?

SOCRATE. — C'est là précisément ce qui me rend perplexe et dont je ne puis me faire, à part moi, une conception adéquate : la science, en quoi peut-elle bien consister? Saurions-

1. L'*harmonie* désigne ici la théorie de la musique, qui était une partie essentielle des mathématiques.

ΘΕΑΙ. Εὖ ἂν ἔχοι, ὦ Σώκρατες· ἀλλ' ὅρα μὴ παίζων ἔλεγεν. c

ΣΩ. Οὐχ οὗτος ὁ τρόπος Θεοδώρου· ἀλλὰ μὴ ἀναδύου τὰ ὡμολογημένα σκηπτόμενος παίζοντα λέγειν τόνδε, ἵνα μὴ καὶ ἀναγκασθῇ μαρτυρεῖν — πάντως γὰρ οὐδεὶς ἐπισκήψετ' αὐτῷ — ἀλλὰ θαρρῶν ἔμμενε τῇ ὁμολογίᾳ.

ΘΕΑΙ. Ἀλλὰ χρὴ ταῦτα ποιεῖν, εἰ σοὶ δοκεῖ.

ΣΩ. Λέγε δή μοι· μανθάνεις που παρὰ Θεοδώρου γεωμετρίας ἄττα ;

ΘΕΑΙ. Ἔγωγε.

ΣΩ. Καὶ τῶν περὶ ἀστρονομίαν τε καὶ ἁρμονίας καὶ d λογισμούς ;

ΘΕΑΙ. Προθυμοῦμαί γε δή.

ΣΩ. Καὶ γὰρ ἐγώ, ὦ παῖ, παρά τε τούτου καὶ παρ' ἄλλων οὓς ἂν οἴωμαί τι τούτων ἐπαΐειν. Ἀλλ' ὅμως τὰ μὲν ἄλλα ἔχω περὶ αὐτὰ μετρίως, μικρὸν δέ τι ἀπορῶ ὃ μετὰ σοῦ τε καὶ τῶνδε σκεπτέον. Καί μοι λέγε· ἆρ' οὐ τὸ μανθάνειν ἐστὶν τὸ σοφώτερον γίγνεσθαι περὶ ὃ μανθάνει τις ;

ΘΕΑΙ. Πῶς γὰρ οὔ ;

ΣΩ. Σοφίᾳ δέ γ' οἶμαι σοφοὶ οἱ σοφοί.

ΘΕΑΙ. Ναί.

ΣΩ. Τοῦτο δὲ μῶν διαφέρει τι ἐπιστήμης ; e

ΘΕΑΙ. Τὸ ποῖον ;

ΣΩ. Ἡ σοφία. Ἦ οὐχ ἅπερ ἐπιστήμονες, ταῦτα καὶ σοφοί ;

ΘΕΑΙ. Τί μήν ;

ΣΩ. Ταὐτὸν ἄρα ἐπιστήμη καὶ σοφία ;

ΘΕΑΙ. Ναί.

ΣΩ. Τοῦτ' αὐτὸ τοίνυν ἐστὶν ὃ ἀπορῶ καὶ οὐ δύναμαι λαβεῖν ἱκανῶς παρ' ἐμαυτῷ, ἐπιστήμη ὅτι ποτὲ τυγχάνει

c 4 καὶ om. W || ἐπισκήψετ' Schanz : -ψει codd. || d 1 ἁρμονίας : -ίαν W || d 4 τε W Berol. : γε BTY || d 6 μικρὸν : σμ- YW || δέ τι : δ' ἔτι Heindorf || d 11 γ' om. W || e 6 σοφία καὶ ἐπιστήμη Y.

nous vraiment le dire ? Que répondez-vous ? Qui, de nous, parlera premier ? Mais gare à qui faute, et « qui à tous les coups fautera, âne s'assiéra », disent les enfants qui jouent à la balle. Mais qui fera le tour sans faute sera notre roi et nous imposera ce qu'il lui plaira de questions. Pourquoi ce silence ? Est-ce que, par hasard, mon amour pour les arguments me rendrait par trop rustique, empressé que je suis à faire naître un dialogue qui établisse, entre nous, les liens d'une amitié et d'une correspondance mutuelle [1] ?

b Théodore. — Moins que rien au monde, Socrate, un tel empressement ne serait rustique. Mais c'est à l'un de ces jeunes gens qu'il te faut demander réponse. Je n'ai point, moi, l'usage de ce genre de colloques et, de l'acquérir, ai dépassé l'âge. C'est à eux que cela conviendrait ; ils en peuvent tirer beaucoup plus de profit, car, c'est bien vrai, à la jeunesse le progrès en tout. Mais tu as entrepris Théétète ; ne le lâche point et poursuis tes questions.

Socrate. — Tu entends, Théétète, ce que dit Théodore.

c Lui désobéir, je pense que tu ne le voudrais point, et ce serait grave manquement qu'en pareille matière, aux ordres d'un homme sage, un plus jeune refusât d'obéir. Allons, fais-moi bonne et franche réponse : quelle chose te semble être la science ?

Théétète. — Il faut donc obéir, Socrate, puisque vous ordonnez. D'ailleurs, si je me trompe, vous me redresserez.

Socrate. — Parfaitement, si, du moins, nous en sommes capables.

Théétète. — Eh bien, il me semble que, d'abord, tout ce qu'on peut apprendre avec Théodore est sciences : la géométrie, puis toutes les disciplines que tu énumérais tout à l'heure. L'art du cordonnier, à son tour, et toutes les tech-

d niques des autres artisans, que je les prenne en leur ensemble ou bien une par une, je n'y vois que science.

Socrate. — Le geste est noble et généreux, mon ami : on te demande un, tu donnes plusieurs ; simple, tu donnes panaché.

1. Pour exprimer cette « correspondance » de sentiments, Socrate emploie ici le terme προσήγορος. C'est qu'il s'adresse à un mathématicien et que ce terme comporte aussi (*Rép.* 546 b) le sens mathématique de « congruence ».

ὄν. Ἆρ᾽ οὖν δὴ ἔχομεν λέγειν αὐτό ; τί φατέ ; τίς ἂν ἡμῶν **a** πρῶτος εἴποι ; ὁ δὲ ἁμαρτών, καὶ ὃς ἂν ἀεὶ ἁμαρτάνῃ, καθεδεῖται, ὥσπερ φασὶν οἱ παῖδες οἱ σφαιρίζοντες, ὄνος· ὃς δ᾽ ἂν περιγένηται ἀναμάρτητος, βασιλεύσει ἡμῶν καὶ ἐπιτάξει ὅτι ἂν βούληται ἀποκρίνεσθαι. Τί σιγᾶτε ; οὔ τί που, ὦ Θεόδωρε, ἐγὼ ὑπὸ φιλολογίας ἀγροικίζομαι, προθυμούμενος ἡμᾶς ποιῆσαι διαλέγεσθαι καὶ φίλους τε καὶ προσηγόρους ἀλλήλοις γίγνεσθαι ;

ΘΕΟ. Ἥκιστα μέν, ὦ Σώκρατες, τὸ τοιοῦτον ἂν εἴη **b** ἄγροικον, ἀλλὰ τῶν μειρακίων τι κέλευέ σοι ἀποκρίνεσθαι· ἐγὼ μὲν γὰρ ἀήθης τῆς τοιαύτης διαλέκτου, καὶ οὐδ᾽ αὖ συνεθίζεσθαι ἡλικίαν ἔχω. Τοῖσδε δὲ πρέποι τε ἂν τοῦτο καὶ πολὺ πλέον ἐπιδιδοῖεν· τῷ γὰρ ὄντι ἡ νεότης εἰς πᾶν ἐπίδοσιν ἔχει. Ἀλλ᾽, ὥσπερ ἤρξω, μὴ ἀφίεσο τοῦ Θεαιτήτου, ἀλλ᾽ ἐρώτα.

ΣΩ. Ἀκούεις δή, ὦ Θεαίτητε, ἃ λέγει Θεόδωρος, ᾧ ἀπιστεῖν, ὡς ἐγὼ οἶμαι, οὔτε σὺ ἐθελήσεις, οὔτε θέμις περὶ **c** τὰ τοιαῦτα ἀνδρὶ σοφῷ ἐπιτάττοντι νεώτερον ἀπειθεῖν. Ἀλλ᾽ εὖ καὶ γενναίως εἰπέ· τί σοι δοκεῖ εἶναι ἐπιστήμη ;

ΘΕΑΙ. Ἀλλὰ χρή, ὦ Σώκρατες, ἐπειδήπερ ὑμεῖς κελεύετε. Πάντως γάρ, ἄν τι καὶ ἁμάρτω, ἐπανορθώσετε.

ΣΩ. Πάνυ μὲν οὖν, ἄνπερ γε οἷοί τε ὦμεν.

ΘΕΑΙ. Δοκεῖ τοίνυν μοι καὶ ἃ παρὰ Θεοδώρου ἄν τις μάθοι ἐπιστῆμαι εἶναι, γεωμετρία τε καὶ ἃς νυνδὴ σὺ διῆλθες, καὶ αὖ σκυτοτομική τε καὶ αἱ τῶν ἄλλων δημιουργῶν **d** τέχναι, πᾶσαί τε καὶ ἑκάστη τούτων, οὐκ ἄλλο τι ἢ ἐπιστήμη εἶναι.

ΣΩ. Γενναίως γε καὶ φιλοδώρως, ὦ φίλε, ἓν αἰτηθεὶς πολλὰ δίδως καὶ ποικίλα ἀντὶ ἁπλοῦ.

146 a 3 σφαιρίζοντες : σφετερί- Y || **a** 5 ὅτι : ὃν W || ἀποκρίνεσθαι : -ασθαι W || **a** 6 ὦ om. Y || **a** 7 ἡμᾶς B : ὑμᾶς TYW || **b** 1 μέν om. TW || **b** 2 τι : τινὰ W || **b** 4 τοῖσδε δὲ : τοῖς δὲ Y || τε om. W || **c** 1 ἀπιστεῖν BTY et in marg. W : ἀπειθεῖν W || **c** 2 ἀπειθεῖν : -ελθεῖν Y || **c** 6 ἄνπερ : ἐὰν πέρ W || **d** 1 σκυτοτομική : -τομία W || **d** 5 ἁπλοῦ : τοῦ ἁπλοῦ Y.

THÉÉTÈTE. — Que veux-tu dire par là, Socrate ?

SOCRATE. — Peut-être rien ; je vais pourtant t'expliquer ma pensée. Par le mot « cordonnerie », entends-tu autre chose que la science qui apprend à faire des chaussures ?

THÉÉTÈTE. — Rien d'autre.

e SOCRATE. — Et, par menuiserie, autre chose que la science qui apprend à fabriquer tous objets en bois ?

THÉÉTÈTE. — Ici encore, pas autre chose.

SOCRATE. — Ce que tu définis ainsi dans les deux cas, n'est-ce pas ce sur quoi porte l'une ou l'autre de ces sciences ?

THÉÉTÈTE. — Si fait.

SOCRATE. — Mais ce qu'on te demandait, Théétète, n'était point cela : ni sur quoi porte la science, ni combien il y a de sciences[1]. Ce n'est point, en effet, dans la pensée de les dénombrer qu'on t'interrogeait, mais pour savoir ce qu'est, en soi, la science. Mon observation n'a-t-elle aucun sens ?

THÉÉTÈTE. — Elle est parfaitement juste, au contraire.

147 a SOCRATE. — Considère donc encore ce point. Suppose qu'on nous interroge sur quelque chose de banal et de facile rencontre : par exemple, sur ce que peut être la boue. A répondre qu'il y a la boue des potiers, la boue des constructeurs de fours, la boue des briquetiers, ne serions-nous pas ridicules ?

THÉÉTÈTE. — Peut-être.

SOCRATE. — Ridicules d'abord, j'imagine, de croire que l'interlocuteur comprend quelque chose à notre réponse, quand nous énonçons le mot boue, en y ajoutant la mention des fabricants de poupées ou de n'importe quels autres arti-

b sans. Crois-tu donc que l'on comprenne le nom d'un objet quand on ne sait pas ce qu'est l'objet ?

THÉÉTÈTE. — Pas du tout.

SOCRATE. — Donc on ne comprend rien aux mots « science de la chaussure » quand on ne sait pas ce qu'est la science.

1. Comparer ces tentatives préliminaires à celles par lesquelles s'engage la discussion sur la nature de la vertu dans le *Ménon* (71 d-77 b). Ménon donnait « un essaim de vertus » (72 a), Théétète « dénombre » les sciences, et Socrate, pour leur faire comprendre ce que c'est que définir, leur demande de s'essayer sur un exemple. Mais la figure et la couleur sont définies, dans le *Ménon*, par Socrate : ici, c'est Théétète qui va lui-même proposer en exemple et définir les « puissances ».

ΘΕΑΙ. Πῶς τί τοῦτο λέγεις, ὦ Σώκρατες;

ΣΩ. Ἴσως μὲν οὐδέν· ὃ μέντοι οἶμαι, φράσω. Ὅταν λέγῃς σκυτικήν, μή τι ἄλλο φράζεις ἢ ἐπιστήμην ὑποδημάτων ἐργασίας;

ΘΕΑΙ. Οὐδέν.

ΣΩ. Τί δ' ὅταν τεκτονικήν; μή τι ἄλλο ἢ ἐπιστήμην τῆς τῶν ξυλίνων σκευῶν ἐργασίας; e

ΘΕΑΙ. Οὐδὲ τοῦτο.

ΣΩ. Οὐκοῦν ἐν ἀμφοῖν, οὗ ἑκατέρα ἐπιστήμη, τοῦτο ὁρίζεις;

ΘΕΑΙ. Ναί.

ΣΩ. Τὸ δέ γ' ἐρωτηθέν, ὦ Θεαίτητε, οὐ τοῦτο ἦν, τίνων ἡ ἐπιστήμη, οὐδὲ ὁπόσαι τινές· οὐ γὰρ ἀριθμῆσαι αὐτὰς βουλόμενοι ἠρόμεθα ἀλλὰ γνῶναι ἐπιστήμην αὐτὸ ὅτι ποτ' ἐστίν. Ἦ οὐδὲν λέγω;

ΘΕΑΙ. Πάνυ μὲν οὖν ὀρθῶς.

ΣΩ. Σκέψαι δὴ καὶ τόδε. Εἴ τις ἡμᾶς τῶν φαύλων τι καὶ προχείρων ἔροιτο, οἷον περὶ πηλοῦ ὅτι ποτ' ἐστίν, εἰ ἀποκριναίμεθα αὐτῷ πηλὸς ὁ τῶν χυτρέων καὶ πηλὸς ὁ τῶν ἰπνοπλαθῶν καὶ πηλὸς ὁ τῶν πλινθουργῶν, οὐκ ἂν γελοῖοι εἶμεν; 147 a

ΘΕΑΙ. Ἴσως.

ΣΩ. Πρῶτον μέν γέ που οἰόμενοι συνιέναι ἐκ τῆς ἡμετέρας ἀποκρίσεως τὸν ἐρωτῶντα, ὅταν εἴπωμεν πηλός, εἴτε ὁ τῶν κοροπλαθῶν προσθέντες εἴτε ἄλλων ὡντινωνοῦν δημιουργῶν. Ἦ οἴει τίς τι συνίησίν τινος ὄνομα, ὃ μὴ οἶδεν τί ἐστιν; b

ΘΕΑΙ. Οὐδαμῶς.

ΣΩ. Οὐδ' ἄρα « ἐπιστήμην ὑποδημάτων » συνίησιν ὁ ἐπιστήμην μὴ εἰδώς.

d 8 μὴ ἄλλο τι W || **d** 10 οὐδέν.. **e** 2 ἐργασίας habet in marg. W || **e** 1 ἐπιστήμην om. W || **e** 7 δέ γε ἐρωτηθέν W Berol. : δ' ἐπερω- BTY || **147 a** 3 ἰπνοπλαθῶν : κοροπλάθων TW in marg. || **a** 4 πλινθουργῶν : -λκῶν Berol. malit Diels || εἶμεν B : ἦμεν TW ἤμεν Y || **b** 3 τί : ὅτι W Berol.

THÉÉTÈTE. — Certes non.

SOCRATE. — Donc on ne comprend pas ce que signifie la cordonnerie, pas plus, d'ailleurs, qu'aucun autre art, si l'on n'a aucune idée de la science.

THÉÉTÈTE. — C'est exact.

SOCRATE. — C'est donc donner réponse ridicule à qui demande ce qu'est la science, que de répondre par un nom d'art quelconque. C'est, en effet, se borner à répondre en c nommant une science déterminée, alors que la question était tout autre.

THÉÉTÈTE. — Il semble bien.

SOCRATE. — En second lieu, alors qu'on eût eu prête, j'imagine, une réponse banale et brève, on s'en va faire détour par une route interminable. La question de la boue, par exemple, avait réponse banale, en somme, et simple : dire que la boue est de la terre délayée par l'eau, et ne se point soucier de qui l'emploie.

THÉÉTÈTE. — A ce compte, Socrate, maintenant du moins, la question m'apparaît facile : elle risque bien, en effet, d'être pareille à celle qui s'est présentée à nous, tout à l'heure, quand nous dissertions à deux, moi et ton homo- d nyme, le Socrate que voici.

SOCRATE. — Quelle question donc, Théétète?

L'exemple des Irrationnelles.

THÉÉTÈTE. — Théodore, que voici, avait fait, devant nous, les constructions relatives à quelques-unes des puissances, montré que celles de trois pieds et de cinq pieds ne sont point, considérées selon leur longueur, commensurables à celle d'un pied, et continué ainsi à les étudier, une par une, jusqu'à celle de dix-sept pieds : il s'était, je ne sais pourquoi, arrêté là. Il nous vint donc en l'esprit, le nombre des puissances apparaissant infini, d'essayer de les rassembler sous un terme unique, e qui pût servir à désigner tout ce qu'il y a de puissances.

SOCRATE. — Et vous avez trouvé un terme adéquat?

THÉÉTÈTE. — A ce que je crois, oui : juges-en toi-même.

SOCRATE. — Expose.

THÉÉTÈTE. — Tout ce qui est nombre fut par nous séparé en deux groupes : celui qui peut se résoudre en un produit d'égal par égal, nous l'avons représenté par la figure du carré et l'avons appelé carré et équilatéral.

ΘΕΑΙ. Οὐ γάρ.

ΣΩ. Σκυτικὴν ἄρα οὐ συνίησιν ὃς ἂν ἐπιστήμην ἀγνοῇ, οὐδέ τινα ἄλλην τέχνην.

ΘΕΑΙ. Ἔστιν οὕτως.

ΣΩ. Γελοία ἄρα ἡ ἀπόκρισις τῷ ἐρωτηθέντι ἐπιστήμη τί ἐστιν, ὅταν ἀποκρίνηται τέχνης τινὸς ὄνομα. Τινὸς γὰρ ἐπιστήμην ἀποκρίνεται οὐ τοῦτ᾽ ἐρωτηθείς. c

ΘΕΑΙ. Ἔοικεν.

ΣΩ. Ἔπειτά γέ που ἐξὸν φαύλως καὶ βραχέως ἀποκρίνασθαι περιέρχεται ἀπέραντον ὁδόν. Οἷον καὶ ἐν τῇ τοῦ πηλοῦ ἐρωτήσει φαῦλόν που καὶ ἁπλοῦν εἰπεῖν ὅτι γῆ ὑγρῷ φυραθεῖσα πηλὸς ἂν εἴη, τὸ δ᾽ ὅτου ἐᾶν χαίρειν.

ΘΕΑΙ. Ῥᾴδιον, ὦ Σώκρατες, νῦν γε οὕτω φαίνεται· ἀτὰρ κινδυνεύεις ἐρωτᾶν οἷον καὶ αὐτοῖς ἡμῖν ἔναγχος εἰσῆλθε διαλεγομένοις, ἐμοί τε καὶ τῷ σῷ ὁμωνύμῳ τούτῳ Σωκράτει. d

ΣΩ. Τὸ ποῖον δή, ὦ Θεαίτητε;

ΘΕΑΙ. Περὶ δυνάμεών τι ἡμῖν Θεόδωρος ὅδε ἔγραφε, τῆς τε τρίποδος πέρι καὶ πεντέποδος ἀποφαίνων ὅτι μήκει οὐ σύμμετροι τῇ ποδιαίᾳ, καὶ οὕτω κατὰ μίαν ἑκάστην προαιρούμενος μέχρι τῆς ἑπτακαιδεκάποδος· ἐν δὲ ταύτῃ πως ἐνέσχετο. Ἡμῖν οὖν εἰσῆλθέ τι τοιοῦτον, ἐπειδὴ ἄπειροι τὸ πλῆθος αἱ δυνάμεις ἐφαίνοντο, πειραθῆναι συλλαβεῖν εἰς ἕν, ὅτῳ πάσας ταύτας προσαγορεύσομεν τὰς δυνάμεις. e

ΣΩ. Ἦ καὶ ηὕρετέ τι τοιοῦτον;

ΘΕΑΙ. Ἔμοιγε δοκοῦμεν· σκόπει δὲ καὶ σύ.

ΣΩ. Λέγε.

ΘΕΑΙ. Τὸν ἀριθμὸν πάντα δίχα διελάβομεν· τὸν μὲν δυνάμενον ἴσον ἰσάκις γίγνεσθαι τῷ τετραγώνῳ τὸ σχῆμα ἀπεικάσαντες τετράγωνόν τε καὶ ἰσόπλευρον προσείπομεν.

b 8 ἀγνοῇ : -ει W || **c** 1 οὐ : ὁ W || **c** 4 ἀπέραντον : -ρατον Berol. malit Diels || οἷον om. Y || **c** 5 γῆ om. B[1] || **d** 1 σῷ ὁμωνύμῳ : συνωνύμῳ Y || **d** 4 ἔγραφε : -ψε W || **d** 5 ἀποφαίνων : om. T secl. Burnet || **e** 5 τὸν μὲν BY corr. Berol. : τὸ μὲν T Berol.[1] καὶ τὸν μὲν W.

SOCRATE. — Bon, cela.

THÉÉTÈTE. — Celui qui s'intercale entre les nombres du premier genre, comme le trois, le cinq, et, en général, tout 148 a nombre qui ne peut se résoudre en produit d'égal par égal, mais se résout toujours en plus grand par plus petit ou plus petit par plus grand et toujours constitue une figure dont l'un des côtés est plus grand que l'autre, nous l'avons représenté par la figure du rectangle et l'avons appelé nombre rectangulaire.

SOCRATE. — Excellent, mais ensuite?

THÉÉTÈTE. — Toutes lignes dont le carré constitue un nombre plan équilatéral, nous les avons définies longueurs. Toutes celles dont le carré constitue un nombre dont les deux facteurs sont inégaux, nous les avons définies puis- b sances, parce que, non commensurables aux premières si on les considère selon leur longueur, elles leur sont commensurables si l'on considère les surfaces qu'elles ont puissance de former. Pour les solides, enfin, nous avons fait des distinctions analogues[1].

SOCRATE. — Le mieux du monde, enfants; aussi j'estime que Théodore ne sera point accusable de faux témoignage.

THÉÉTÈTE. — Et pourtant, Socrate, la question que tu me poses au sujet de la science, je ne saurais la résoudre comme j'ai fait celle qui a trait à la longueur et la puissance. Or c'est bien, à ce que je crois, quelque chose comme cela que tu cherches ; voilà donc, de nouveau, Théodore convaincu de fausseté.

c SOCRATE. — Et pourquoi donc? S'il t'eût vanté comme coureur en affirmant n'avoir pas encore trouvé un jeune qui te valût à la course, et que tu fusses vaincu dans une lutte de vitesse par le meilleur coureur en la force de son âge, y aurait-il, à ton avis, moins de vérité dans l'éloge qu'il aurait fait de toi?

THÉÉTÈTE. — A mon avis, non.

SOCRATE. — Mais crois-tu que la science soit ce que je disais tout à l'heure, minime découverte à faire et qui ne réclame point des esprits absolument supérieurs?

THÉÉTÈTE. — Au contraire, par Zeus, elle requiert, à mon avis, les esprits les plus supérieurs.

SOCRATE. — Aie donc confiance en toi et crois bien que d Théodore a dit chose sérieuse. Ainsi donne pleine carrière à

1. Voyez la note placée à la fin du volume (p. 264).

ΣΩ. Καὶ εὖ γε.

ΘΕΑΙ. Τὸν τοίνυν μεταξὺ τούτου, ὧν καὶ τὰ τρία καὶ τὰ πέντε καὶ πᾶς ὃς ἀδύνατος ἴσος ἰσάκις γενέσθαι, ἀλλ' (148 a) ἢ πλείων ἐλαττονάκις ἢ ἐλάττων πλεονάκις γίγνεται, μείζων δὲ καὶ ἐλάττων ἀεὶ πλευρὰ αὐτὸν περιλαμβάνει, τῷ προμήκει αὖ σχήματι ἀπεικάσαντες προμήκη ἀριθμὸν ἐκαλέσαμεν.

ΣΩ. Κάλλιστα. Ἀλλὰ τί τὸ μετὰ τοῦτο ;

ΘΕΑΙ. Ὅσαι μὲν γραμμαὶ τὸν ἰσόπλευρον καὶ ἐπίπεδον ἀριθμὸν τετραγωνίζουσι, μῆκος ὡρισάμεθα, ὅσαι δὲ τὸν ἑτερομήκη, δυνάμεις, ὡς μήκει μὲν οὐ συμμέτρους ἐκείναις, (b) τοῖς δ' ἐπιπέδοις ἃ δύνανται. Καὶ περὶ τὰ στερεὰ ἄλλο τοιοῦτον.

ΣΩ. Ἄριστά γ' ἀνθρώπων, ὦ παῖδες· ὥστε μοι δοκεῖ ὁ Θεόδωρος οὐκ ἔνοχος τοῖς ψευδομαρτυρίοις ἔσεσθαι.

ΘΕΑΙ. Καὶ μήν, ὦ Σώκρατες, ὅ γε ἐρωτᾷς περὶ ἐπιστήμης οὐκ ἂν δυναίμην ἀποκρίνασθαι ὥσπερ περὶ τοῦ μήκους τε καὶ τῆς δυνάμεως. Καίτοι σύ γέ μοι δοκεῖς τοιοῦτόν τι ζητεῖν· ὥστε πάλιν αὖ φαίνεται ψευδὴς ὁ Θεόδωρος.

ΣΩ. Τί δέ ; εἴ σε πρὸς δρόμον ἐπαινῶν μηδενὶ οὕτω (c) δρομικῷ ἔφη τῶν νέων ἐντετυχηκέναι, εἶτα διαθέων τοῦ ἀκμάζοντος καὶ ταχίστου ἡττήθης, ἧττόν τι ἂν οἴει ἀληθῆ τόνδ' ἐπαινέσαι ;

ΘΕΑΙ. Οὐκ ἔγωγε.

ΣΩ. Ἀλλὰ τὴν ἐπιστήμην, ὥσπερ νυνδὴ ἐγὼ ἔλεγον, σμικρόν τι οἴει εἶναι ἐξευρεῖν καὶ οὐ τῶν πάντῃ ἄκρων ;

ΘΕΑΙ. Νὴ τὸν Δί' ἔγωγε καὶ μάλα γε τῶν ἀκροτάτων.

ΣΩ. Θάρρει τοίνυν περὶ σαυτῷ καὶ τὶ οἴου Θεόδωρον λέγειν, προθυμήθητι δὲ παντὶ τρόπῳ τῶν τε ἄλλων πέρι καὶ (d) ἐπιστήμης λαβεῖν λόγον τί ποτε τυγχάνει ὄν.

148 a 1 γενέσθαι : γίγνεσθαι W || **a** 3 πλευρὰ : -ὰν T[1] || **a** 4 προμήκει : μήκει Y || προμήκη : -ει Y || **b** 2 δύνανται : -αται W || **b** 8 τε om. B || **c** 1 ἔφη οὕτω δρομικῷ T || **c** 6 νυνδὴ : δὴ νῦν Y || **c** 7 ἄκρων : ἀκριβῶν (ex. ἄκ-) B || **d** 2 ἐπιστήμης : -ας Y[1].

ton ardeur, et applique-la pour l'instant à te rendre compte de ce qu'est en fait la science.

Théétète. — Mon ardeur, Socrate, je suis prêt à la prouver.

Socrate. — En avant donc, toi qui, si brillamment, viens de tracer la route. Prends comme modèle ta réponse à la question des puissances, et, de même que tu as su comprendre leur pluralité sous l'unité d'une forme, efforce-toi d'appliquer, à la pluralité des sciences, une définition unique.

e Théétète. — Mais, sache-le bien, Socrate, maintes fois déjà j'ai entrepris cet examen, excité par tes questions, dont l'écho venait jusqu'à moi. Malheureusement je ne puis ni me satisfaire des réponses que je formule, ni trouver, en celles que j'entends formuler, l'exactitude que tu exiges, ni, suprême ressource, me délivrer du tourment de savoir.

La Maïeutique.

Socrate. — C'est que tu ressens les douleurs, ô mon cher Théétète, douleurs non de vacuité, mais de plénitude.

Théétète. — Je ne sais, Socrate ; je ne fais que dire ce que j'éprouve.

149 a Socrate. — Or çà, ridicule garçon, n'as-tu pas ouï dire que je suis fils d'une accoucheuse, qui fut des plus nobles et des plus imposantes, Phénarète ?

Théétète. — Je l'ai ouï dire.

Socrate. — Et que j'exerce le même art, l'as-tu ouï dire aussi ?

Théétète. — Aucunement.

Socrate. — Sache-le donc bien, mais ne va pas me vendre aux autres. Ils sont, en effet, bien loin, mon ami, de penser que je possède cet art. Eux, qui point ne savent, ce n'est pas cela qu'ils disent de moi, mais bien que je suis tout à fait bizarre et ne crée dans les esprits que perplexités. As-tu ouï dire cela aussi ?

b Théétète. — Oui donc.

Socrate. — T'en dirai-je la cause ?

Théétète. — Je t'en prie absolument.

Socrate. — Rappelle-toi toi tous les us et coutumes des accoucheuses, et tu saisiras plus facilement ce que je veux t'apprendre. Tu sais, en effet, j'imagine, qu'il n'en est point d'encore capable de concevoir et d'enfanter qui fasse ce métier d'accoucher les autres : seules le font celles qui ne peuvent plus enfanter.

ΘΕΑΙ. Προθυμίας μὲν ἕνεκα, ὦ Σώκρατες, φανεῖται.

ΣΩ. Ἴθι δή — καλῶς γὰρ ἄρτι ὑφηγήσω — πειρῶ μιμούμενος τὴν περὶ τῶν δυνάμεων ἀπόκρισιν, ὥσπερ ταύτας πολλὰς οὔσας ἑνὶ εἴδει περιέλαβες, οὕτω καὶ τὰς πολλὰς ἐπιστήμας ἑνὶ λόγῳ προσειπεῖν.

ΘΕΑΙ. Ἀλλ' εὖ ἴσθι, ὦ Σώκρατες, πολλάκις δὴ αὐτὸ ἐπεχείρησα σκέψασθαι, ἀκούων τὰς παρὰ σοῦ ἀποφερομένας ἐρωτήσεις. Ἀλλὰ γὰρ οὔτ' αὐτὸς δύναμαι πεῖσαι ἐμαυτὸν ὡς ἱκανῶς τι λέγω οὔτ' ἄλλου ἀκοῦσαι λέγοντος οὕτως ὡς σὺ διακελεύῃ, οὐ μὲν δὴ αὖ οὐδ' ἀπαλλαγῆναι τοῦ μέλειν. e

ΣΩ. Ὠδίνεις γάρ, ὦ φίλε Θεαίτητε, διὰ τὸ μὴ κενὸς ἀλλ' ἐγκύμων εἶναι.

ΘΕΑΙ. Οὐκ οἶδα, ὦ Σώκρατες· ὃ μέντοι πέπονθα λέγω.

ΣΩ. Εἶτα, ὦ καταγέλαστε, οὐκ ἀκήκοας ὡς ἐγώ εἰμι ὑὸς μαίας μάλα γενναίας τε καὶ βλοσυρᾶς, Φαιναρέτης; 149 a

ΘΕΑΙ. Ἤδη τοῦτό γε ἤκουσα.

ΣΩ. Ἆρα καὶ ὅτι ἐπιτηδεύω τὴν αὐτὴν τέχνην ἀκήκοας;

ΘΕΑΙ. Οὐδαμῶς.

ΣΩ. Ἀλλ' εὖ ἴσθ' ὅτι· μὴ μέντοι μου κατείπῃς πρὸς τοὺς ἄλλους. Λέληθα γάρ, ὦ ἑταῖρε, ταύτην ἔχων τὴν τέχνην· οἱ δέ, ἅτε οὐκ εἰδότες, τοῦτο μὲν οὐ λέγουσι περὶ ἐμοῦ, ὅτι δὲ ἀτοπώτατός εἰμι καὶ ποιῶ τοὺς ἀνθρώπους ἀπορεῖν. Ἦ καὶ τοῦτο ἀκήκοας;

ΘΕΑΙ. Ἔγωγε. b

ΣΩ. Εἴπω οὖν σοι τὸ αἴτιον;

ΘΕΑΙ. Πάνυ μὲν οὖν.

ΣΩ. Ἐννόησον δὴ τὸ περὶ τὰς μαίας ἅπαν ὡς ἔχει, καὶ ῥᾷον μαθήσῃ ὃ βούλομαι. Οἶσθα γάρ που ὡς οὐδεμία αὐτῶν ἔτι αὐτὴ κυϊσκομένη τε καὶ τίκτουσα ἄλλας μαιεύεται, ἀλλ' αἱ ἤδη ἀδύνατοι τίκτειν.

d 7 προσειπεῖν : προει- W || e 5 τοῦ : τοῦ bis sed primum eras. W || μέλειν B Berol. et in marg. W : μέλλειν TY εὑρεῖν W || 149 a 9 ἐμοῦ : μοῦ T Berol. || b 7 ἀδύνατοι : -ον Y.

THÉÉTÈTE. — Parfaitement.

SOCRATE. — L'auteur de cette loi est, dit-on, Artémis, qui, sans avoir jamais enfanté, reçut en partage le soin de présider aux enfantements. Aux stériles, elle n'a donc point c donné puissance de délivreuses, car l'humaine nature a trop de faiblesse pour qu'on lui puisse donner un art là où elle n'a point expérience ; mais, à celles que l'âge empêche d'enfanter, elle donna cette charge pour honorer, en elles, son image.

THÉÉTÈTE. — C'est vraisemblable.

SOCRATE. — N'est-il pas vraisemblable encore et nécessaire que discerner celles qui ont conçu de celles qui n'ont point conçu soit plutôt le fait des accoucheuses que des autres ?

THÉÉTÈTE. — Certainement.

SOCRATE. — Les accoucheuses savent encore, n'est-ce pas, d par leurs drogues et leurs incantations, éveiller les douleurs ou les apaiser à volonté, conduire à terme les couches difficiles et, s'il leur paraît bon de faire avorter le fruit non encore mûr, provoquer l'avortement ?

THÉÉTÈTE. — C'est exact.

SOCRATE. — As-tu noté encore ce fait qu'elles sont les plus expertes des entremetteuses[1], parce qu'elles sont d'une extrême habileté à reconnaître quelle femme à quel homme se doit unir pour mettre au jour les enfants les mieux doués ?

THÉÉTÈTE. — J'ignorais cela totalement.

SOCRATE. — Or sache bien qu'elles en sont plus fières encore e que de savoir couper le cordon. Réfléchis en effet : est-ce ou non au même art qu'il appartient de soigner et recueillir les fruits de la terre et de connaître en quelle terre quel plant et quelle semence se doit jeter ?

THÉÉTÈTE. — Ce n'est certes qu'au même art.

SOCRATE. — Mais, quand il s'agit de la femme, crois-tu, cher ami, qu'autre est l'art qui prépare l'ensemencement, autre celui qui recueille ?

THÉÉTÈTE. — Ce n'est pas vraisemblable.

150 a SOCRATE. — Aucunement vraisemblable. Mais parce qu'un commerce sans probité et sans art accouple hommes et femmes en ce qu'on appelle prostitution, une aversion pour l'art d'entremetteuses est venue aux personnes honorables que sont les

1. L'entremetteuse est souvent la « marieuse ». Voir Ar. *Nuées*, vers 42.

ΘΕΑΙ. Πάνυ μὲν οὖν.

ΣΩ. Αἰτίαν δέ γε τούτου φασὶν εἶναι τὴν Ἄρτεμιν, ὅτι ἄλοχος οὖσα τὴν λοχείαν εἴληχε. Στερίφαις μὲν οὖν ἄρα οὐκ ἔδωκε μαιεύεσθαι, ὅτι ἡ ἀνθρωπίνη φύσις ἀσθενεστέρα c ἢ λαβεῖν τέχνην ὧν ἂν ᾖ ἄπειρος· ταῖς δὲ δι᾽ ἡλικίαν ἀτόκοις προσέταξε τιμῶσα τὴν αὑτῆς ὁμοιότητα.

ΘΕΑΙ. Εἰκός.

ΣΩ. Οὐκοῦν καὶ τόδε εἰκός τε καὶ ἀναγκαῖον, τὰς κυούσας καὶ μὴ γιγνώσκεσθαι μᾶλλον ὑπὸ τῶν μαιῶν ἢ τῶν ἄλλων;

ΘΕΑΙ. Πάνυ γε.

ΣΩ. Καὶ μὴν καὶ διδοῦσαί γε αἱ μαῖαι φαρμάκια καὶ ἐπᾴδουσαι δύνανται ἐγείρειν τε τὰς ὠδῖνας καὶ μαλθακωτέρας, ἂν βούλωνται, ποιεῖν, καὶ τίκτειν τε δὴ τὰς δυστοκούσας, καὶ ἐὰν νέον ὂν δόξῃ ἀμβλίσκειν, ἀμβλίσκουσιν; d

ΘΕΑΙ. Ἔστι ταῦτα.

ΣΩ. Ἆρ᾽ οὖν ἔτι καὶ τόδε αὐτῶν ᾔσθησαι, ὅτι καὶ προμνήστριαί εἰσι δεινόταται, ὡς πάσσοφοι οὖσαι περὶ τοῦ γνῶναι ποίαν χρὴ ποίῳ ἀνδρὶ συνοῦσαν ὡς ἀρίστους παῖδας τίκτειν;

ΘΕΑΙ. Οὐ πάνυ τοῦτο οἶδα.

ΣΩ. Ἀλλ᾽ ἴσθ᾽ ὅτι ἐπὶ τούτῳ μεῖζον φρονοῦσιν ἢ ἐπὶ τῇ ὀμφαλητομίᾳ. Ἐννόει γάρ· τῆς αὐτῆς ἢ ἄλλης οἴει e τέχνης εἶναι θεραπείαν τε καὶ συγκομιδὴν τῶν ἐκ γῆς καρπῶν καὶ αὖ τὸ γιγνώσκειν εἰς ποίαν γῆν ποῖον φυτόν τε καὶ σπέρμα καταβλητέον;

ΘΕΑΙ. Οὔκ, ἀλλὰ τῆς αὐτῆς.

ΣΩ. Εἰς γυναῖκα δέ, ὦ φίλε, ἄλλην μὲν οἴει τοῦ τοιούτου, ἄλλην δὲ συγκομιδῆς;

ΘΕΑΙ. Οὔκουν εἰκός γε.

ΣΩ. Οὐ γάρ. Ἀλλὰ διὰ τὴν ἄδικόν τε καὶ ἄτεχνον 150 a

c 2 ἀτόκοις :-ποις B[1]. || c 5 τε : γε W || c 6 ἢ : καὶ YW[1] || c 8 φαρμάκια W : -εια BT et supra lin. Y || d 2 δὴ : καὶ Y || d 3 ἐὰν secl. Richards || νέον ὂν BTYW Berol. : ἄμεινον Madvig ἄμεινον ἂν Richards νόμιμον Schanz || d 5 ἔτι om. W || d 10 ἴσθ᾽ BY : ἔσθ᾽ T οἶσθ᾽ W.

accoucheuses : elles craignent, en effet, de choir dans le soupçon d'un tel commerce par la pratique de l'art. Et pourtant c'est bien aux véritables accoucheuses et à elles seules qu'il appartiendrait, je crois, de s'entremettre avec succès.

THÉÉTÈTE. — Apparemment.

SOCRATE. — Voilà donc jusqu'où va le rôle des accoucheuses ; bien supérieure est ma fonction. Il ne se rencontre point, en effet, que les femmes parfois accouchent d'une vaine appa-
b rence et, d'autres fois, d'un fruit réel, et qu'on ait quelque peine à faire le discernement. Si cela se rencontrait, le plus gros et le plus beau du travail des accoucheuses serait de faire le départ de ce qui est réel et de ce qui ne l'est point. N'es-tu pas de cet avis ?

THÉÉTÈTE. — Si fait.

SOCRATE. — Mon art de maïeutique a mêmes attributions générales que le leur. La différence est qu'il délivre les hommes et non les femmes et que c'est les âmes qu'il surveille en leur travail d'enfantement, non point les corps. Mais le plus grand privilège de l'art que, moi, je pratique est qu'il
c sait faire l'épreuve et discerner, en toute rigueur, si c'est apparence vaine et mensongère qu'enfante la réflexion du jeune homme, ou si c'est fruit de vie et de vérité. J'ai, en effet, même impuissance que les accoucheuses [1]. Enfanter en sagesse n'est point en mon pouvoir, et le blâme dont plusieurs déjà m'ont fait opprobre, qu'aux autres posant questions je ne donne jamais mon avis personnel sur aucun sujet et que la cause en est dans le néant de ma propre sagesse, est blâme véridique. La vraie cause, la voici : accoucher les autres est contrainte que le dieu m'impose ; procréer est puissance dont il m'a écarté. Je ne suis donc moi-même sage à aucun degré
d et je n'ai, par devers moi, nulle trouvaille qui le soit et que mon âme à moi ait d'elle-même enfantée. Mais ceux qui viennent à mon commerce, à leur premier abord, semblent, quelques-uns même totalement, ne rien savoir. Or tous, à mesure qu'avance leur commerce et pour autant que le dieu leur en accorde faveur, merveilleuse est l'allure dont ils progressent,

1. « Socrate disait que les sages-femmes, en prenant ce métier de faire engendrer les autres, quittent le métier d'engendrer, elles ; que lui, par le titre de sage homme que les dieux lui ont déféré, s'était aussi défait, en son amour virile et mentale, de la faculté d'enfanter ;

συναγωγὴν ἀνδρὸς καὶ γυναικός, ᾗ δὴ προαγωγία ὄνομα, φεύγουσι καὶ τὴν προμνηστικὴν ἅτε σεμναὶ οὖσαι αἱ μαῖαι, φοβούμεναι μὴ εἰς ἐκείνην τὴν αἰτίαν διὰ ταύτην ἐμπέσωσιν· ἐπεὶ ταῖς γε ὄντως μαίαις μόναις που προσήκει καὶ προμνήσασθαι ὀρθῶς.

ΘΕΑΙ. Φαίνεται.

ΣΩ. Τὸ μὲν τοίνυν τῶν μαιῶν τοσοῦτον, ἔλαττον δὲ τοῦ ἐμοῦ δράματος. Οὐ γὰρ πρόσεστι γυναιξὶν ἐνίοτε μὲν εἴδωλα τίκτειν, ἔστι δ᾽ ὅτε ἀληθινά, τοῦτο δὲ μὴ ῥᾴδιον **b** εἶναι διαγνῶναι. Εἰ γὰρ προσῆν, μέγιστόν τε καὶ κάλλιστον ἔργον ἦν ἂν ταῖς μαίαις τὸ κρίνειν τὸ ἀληθές τε καὶ μή· ἢ οὐκ οἴει ;

ΘΕΑΙ. Ἔγωγε.

ΣΩ. Τῇ δέ γ᾽ ἐμῇ τέχνῃ τῆς μαιεύσεως τὰ μὲν ἄλλα ὑπάρχει ὅσα ἐκείναις, διαφέρει δὲ τῷ τε ἄνδρας ἀλλὰ μὴ γυναῖκας μαιεύεσθαι καὶ τῷ τὰς ψυχὰς αὐτῶν τικτούσας ἐπισκοπεῖν ἀλλὰ μὴ τὰ σώματα. Μέγιστον δὲ τοῦτ᾽ ἔνι τῇ ἡμετέρᾳ τέχνῃ, βασανίζειν δυνατὸν εἶναι παντὶ τρόπῳ **c** πότερον εἴδωλον καὶ ψεῦδος ἀποτίκτει τοῦ νέου ἡ διάνοια ἢ γόνιμόν τε καὶ ἀληθές. Ἐπεὶ τόδε γε καὶ ἐμοὶ ὑπάρχει ὅπερ ταῖς μαίαις· ἄγονός εἰμι σοφίας, καὶ ὅπερ ἤδη πολλοί μοι ὠνείδισαν, ὡς τοὺς μὲν ἄλλους ἐρωτῶ, αὐτὸς δὲ οὐδὲν ἀποφαίνομαι περὶ οὐδενὸς διὰ τὸ μηδὲν ἔχειν σοφόν, ἀληθὲς ὀνειδίζουσιν. Τὸ δὲ αἴτιον τούτου τόδε· μαιεύεσθαί με ὁ θεὸς ἀναγκάζει, γεννᾶν δὲ ἀπεκώλυσεν. Εἰμὶ δὴ οὖν αὐτὸς μὲν οὐ πάνυ τι σοφός, οὐδέ τί μοι ἔστιν εὕρημα τοι- **d** οῦτον γεγονὸς τῆς ἐμῆς ψυχῆς ἔκγονον· οἱ δ᾽ ἐμοὶ συγγιγνόμενοι τὸ μὲν πρῶτον φαίνονται ἔνιοι μὲν καὶ πάνυ ἀμαθεῖς, πάντες δὲ προϊούσης τῆς συνουσίας, οἷσπερ ἂν ὁ θεὸς παρείκῃ, θαυμαστὸν ὅσον ἐπιδιδόντες, ὡς αὑτοῖς τε

150 a 5 καὶ : καὶ τὸ W || **b** 1 ἀληθινά : λιθινά T || **c** 5 ante μοι add. πολλάκις W || **c** 6 ἀποφαίνομαι W Berol. : -κρίνομαι BTY || **d** 1 οὐ om. Y || πάνυ τι : -τις B || τοιοῦτον : -το W Berol. || **d** 2 ἔκγονον : ἄγονον Y || **d** 3 ἔνιοι : ἐνί ότε B.

à leur propre jugement comme à celui des autres. Le fait est pourtant clair qu'ils n'ont jamais rien appris de moi, et qu'eux seuls ont, dans leur propre sein, conçu cette richesse de beaux pensers qu'ils découvrent et mettent au jour. De leur délivrance, par contre, le dieu et moi sommes les auteurs. Et voici qui le prouve. Plusieurs déjà l'ont méconnu, ont cru
e à leur propre pouvoir et n'ont fait nul cas de moi. Ils se sont donc eux-mêmes persuadés ou laissé persuader par d'autres de me quitter plus tôt qu'ils ne devaient : ils m'ont quitté et non seulement ont laissé avorter tous autres germes dans leurs méchantes fréquentations, mais encore, à ceux dont je les avais délivrés, n'ont donné que mauvais aliment, dont ceux-ci dépérirent, et, de mensonges et d'apparences vaines faisant plus de cas que du vrai, ils n'ont abouti qu'à prendre, à leurs propres yeux et aux yeux des autres, figure
151 a d'ignorants. De leur nombre fut Aristide, fils de Lysimaque, et beaucoup d'autres. Ils reviennent parfois implorer mon commerce et sont prodigues d'extravagances. Avec certains, la sagesse divine qui me visite m'interdit de renouer commerce ; avec d'autres, elle me le permet, et ceux-ci recommencent à fructifier. Ce qu'éprouvent ceux qui me viennent fréquenter ressemble encore en cet autre point à ce qu'éprouvent les femmes en mal d'enfantement : ils ressentent les douleurs, ils sont remplis de perplexités qui les tourmentent au long des nuits et des jours beaucoup plus que ces femmes. Or, ces douleurs, mon art a la puissance de les éveiller et de les apaiser. Voilà donc, à leur état, quel traitement j'apporte.
b Mais il y en a, Théétète, de qui je juge qu'ils ne sont en gestation d'aucun fruit. Je connais alors qu'il n'ont, de moi, aucun besoin ; en toute bienveillance je m'entremets pour eux et, grâce à Dieu, je conjecture très exactement de quelle fréquentation ils tireront profit. Il en est plusieurs que j'ai accouplés ainsi à Prodicus, plusieurs à d'autres hommes et sages et divins. Pourquoi, très cher, t'ai-je donné ces longs détails ? Parce que je soupçonne, ce dont toi-même as l'idée, que tu ressens les douleurs d'une gestation intime. Livre-toi donc à moi comme au fils d'une accoucheuse, lui-même accoucheur ; efforce-toi de répondre à mes questions le plus exacte-

se contentant d'aider et favoriser de son secours les engendrants... » Montaigne, *Essais* II, XII.

καὶ τοῖς ἄλλοις δοκοῦσι· καὶ τοῦτο ἐναργὲς ὅτι παρ' ἐμοῦ οὐδὲν πώποτε μαθόντες, ἀλλ' αὐτοὶ παρ' αὐτῶν πολλὰ καὶ καλὰ εὑρόντες τε καὶ τεκόντες. Τῆς μέντοι μαιείας ὁ θεός τε καὶ ἐγὼ αἴτιος. Ὧδε δὲ δῆλον· πολλοὶ ἤδη τοῦτο ἀγνοήσαντες, καὶ ἑαυτοὺς αἰτιασάμενοι, ἐμοῦ δὲ καταφρονή- e σαντες, ἢ αὐτοὶ ἢ ὑπ' ἄλλων πεισθέντες ἀπῆλθον πρῳαίτερον τοῦ δέοντος, ἀπελθόντες δὲ τά τε λοιπὰ ἐξήμβλωσαν διὰ πονηρὰν συνουσίαν καὶ τὰ ὑπ' ἐμοῦ μαιευθέντα κακῶς τρέφοντες ἀπώλεσαν, ψευδῆ καὶ εἴδωλα περὶ πλείονος ποιησάμενοι τοῦ ἀληθοῦς, τελευτῶντες δ' αὑτοῖς τε καὶ τοῖς ἄλλοις ἔδοξαν ἀμαθεῖς εἶναι. Ὧν εἷς γέγονεν Ἀριστείδης ὁ Λυσιμάχου καὶ ἄλλοι πάνυ πολλοί· οὕς, ὅταν πά- 151 a λιν ἔλθωσι δεόμενοι τῆς ἐμῆς συνουσίας καὶ θαυμαστὰ δρῶντες, ἐνίοις μὲν τὸ γιγνόμενόν μοι δαιμόνιον ἀποκωλύει συνεῖναι, ἐνίοις δὲ ἐᾷ, καὶ πάλιν οὗτοι ἐπιδιδόασι. Πάσχουσι δὲ δὴ οἱ ἐμοὶ συγγιγνόμενοι καὶ τοῦτο ταὐτὸν ταῖς τικτούσαις· ὠδίνουσι γὰρ καὶ ἀπορίας ἐμπίμπλανται νύκτας τε καὶ ἡμέρας πολὺ μᾶλλον ἢ 'κεῖναι· ταύτην δὲ τὴν ὠδῖνα ἐγείρειν τε καὶ ἀποπαύειν ἡ ἐμὴ τέχνη δύναται. Καὶ οὗτοι μὲν δὴ οὕτως. Ἐνίοις δέ, ὦ Θεαίτητε, οἳ ἄν μοι μὴ δόξωσί b πως ἐγκύμονες εἶναι, γνοὺς ὅτι οὐδὲν ἐμοῦ δέονται, πάνυ εὐμενῶς προμνῶμαι καί, σὺν θεῷ εἰπεῖν, πάνυ ἱκανῶς τοπάζω οἷς ἂν συγγενόμενοι ὄναιντο· ὧν πολλοὺς μὲν δὴ ἐξέδωκα Προδίκῳ, πολλοὺς δὲ ἄλλοις σοφοῖς τε καὶ θεσπεσίοις ἀνδράσι. Ταῦτα δή σοι, ὦ ἄριστε, ἕνεκα τοῦδε ἐμήκυνα· ὑποπτεύω σε, ὥσπερ καὶ αὐτὸς οἴει, ὠδίνειν τι κυοῦντα ἔνδον. Προσφέρου οὖν πρός με ὡς πρὸς μαίας ὑὸν

d 7 πώποτε : ποτε Y || **d** 8 καὶ τεκόντες W Berol. : κατέχοντες BT καὶ κατέχ- Y || **e** 2 ἢ αὐτοὶ ἢ W : ἢ αὐτοὶ BTY || **e** 7 ἀμαθεῖς ἔδοξαν W || **151 a** 1 ὅταν post πάλιν iterum Y || **a** 4 οὗτοι : αὐτοὶ B || ἐπιδιδόασι : ἀπο- Y || **a** 7 'κεῖναι T : ἐκεῖναι BYW || **a** 8 καὶ ante οὗτοι om. Y || **b** 1 ἐνίοις Berol. : ἐνίοτε BTY ἔνιοι W || μοι om. W || **b** 2 οὐδὲν om. Y (in lacuna ras. quatuor litterarum) || **b** 5 ἄλλοις b t Berol. : ἄλλους BTY et re uera W || **b** 7 ὑποπτεύω T : -εύων BYW || **b** 8 κυοῦντα : κύοντα B || ante ὑὸν add. τε καὶ W.

ment que tu pourras ; et si, examinant quelqu'une de tes formules, j'estime y trouver apparence vaine et non point vérité, et qu'alors je l'arrache et la rejette au loin, ne va pas entrer en cette fureur sauvage qui prend les jeunes accouchées menacées en leur premier enfant. C'est le cas de plusieurs déjà, ô merveilleux jeune homme, qui, envers moi, en sont venus à ce point de défiance qu'ils sont réellement prêts à mordre dès la première niaiserie que je leur enlève. Ils ne s'imaginent point que c'est par bienveillance que je le fais ; ils d sont trop loin de savoir qu'aucun dieu ne veut du mal aux hommes et que, moi de même, ce n'est point par malveillance que je les traite de la sorte, mais que donner assentiment au mensonge et masquer la clarté du vrai m'est interdit par toutes lois divines. Reprends donc la question à son début, Théétète : essaie de dire en quoi consiste la science ; et garde-toi bien d'alléguer que tu n'en es point capable, car, si Dieu le veut et te donne force d'homme, tu le seras, capable.

Première définition: la science est la sensation.

Théétète. — Au fait, Socrate, puisque toi-même m'y exhortes si vivement, il y aurait honte à ne point faire tous ses efforts pour dire ce que l'on a dans e l'esprit. Donc, à mon jugement, celui qui sait sent ce qu'il sait et, à dire la chose telle au moins qu'actuellement elle m'apparaît, science n'est pas autre chose que sensation.

Socrate. — Voilà qui est beau et noble, mon jeune ami : voilà comment il faut, en sa parole, faire apparaître sa pensée. Eh bien, allons et de concert examinons si c'est là, au fait, produit viable ou apparence creuse. C'est la sensation, dis-tu, qui est la science ?

Théétète. — Oui.

Première assimilation : l'homme-mesure de Protagoras.

Socrate. — Tu risques, certes, d'avoir dit là parole non banale au sujet de la 152 a science et qui, au contraire, est celle même de Protagoras. Sa formule est un peu différente, mais elle dit la même chose. Lui affirme, en effet, à peu près ceci : « l'homme est la mesure de toutes choses ; pour celles qui sont, mesure de leur être ; pour celles qui ne sont point, mesure de leur non-être. » Tu as lu cela, probablement ?

Théétète. — Je l'ai lu et bien souvent.

καὶ αὐτὸν μαιευτικόν, καὶ ἃ ἂν ἐρωτῶ προθυμοῦ ὅπως c
οἷός τ᾽ εἶ οὕτως ἀποκρίνασθαι· καὶ ἐὰν ἄρα σκοπούμενός
τι ὧν ἂν λέγῃς ἡγήσωμαι εἴδωλον καὶ μὴ ἀληθές, εἶτα
ὑπεξαιρῶμαι καὶ ἀποβάλλω, μὴ ἀγρίαινε ὥσπερ αἱ πρω-
τοτόκοι περὶ τὰ παιδία. Πολλοὶ γὰρ ἤδη, ὦ θαυμάσιε,
πρός με οὕτω διετέθησαν, ὥστε ἀτεχνῶς δάκνειν ἕτοιμοι
εἶναι, ἐπειδάν τινα λῆρον αὐτῶν ἀφαιρῶμαι, καὶ οὐκ οἴον-
ταί με εὐνοίᾳ τοῦτο ποιεῖν, πόρρω ὄντες τοῦ εἰδέναι ὅτι
οὐδεὶς θεὸς δύσνους ἀνθρώποις, οὐδ᾽ ἐγὼ δυσνοίᾳ τοιοῦτον d
οὐδὲν δρῶ, ἀλλά μοι ψεῦδός τε συγχωρῆσαι καὶ ἀληθὲς
ἀφανίσαι οὐδαμῶς θέμις. Πάλιν δὴ οὖν ἐξ ἀρχῆς, ὦ
Θεαίτητε, ὅτι ποτ᾽ ἐστὶν ἐπιστήμη, πειρῶ λέγειν· ὡς δ᾽
οὐχ οἷός τ᾽ εἶ, μηδέποτ᾽ εἴπῃς. Ἐὰν γὰρ θεὸς ἐθέλῃ καὶ
ἀνδρίζῃ, οἷός τ᾽ ἔσῃ.

ΘΕΑΙ. Ἀλλὰ μέντοι, ὦ Σώκρατες, σοῦ γε οὕτω παρα-
κελευομένου αἰσχρὸν μὴ οὐ παντὶ τρόπῳ προθυμεῖσθαι ὅτι
τις ἔχει λέγειν. Δοκεῖ οὖν μοι ὁ ἐπιστάμενός τι αἰσθάνεσθαι e
τοῦτο ὃ ἐπίσταται, καὶ ὥς γε νυνὶ φαίνεται, οὐκ ἄλλο τί
ἐστιν ἐπιστήμη ἢ αἴσθησις.

ΣΩ. Εὖ γε καὶ γενναίως, ὦ παῖ· χρὴ γὰρ οὕτως ἀποφαι-
νόμενον λέγειν. Ἀλλὰ φέρε δὴ αὐτὸ κοινῇ σκεψώμεθα,
γόνιμον ἢ ἀνεμιαῖον τυγχάνει ὄν. Αἴσθησις, φῄς, ἐπιστήμη ;

ΘΕΑΙ. Ναί.

ΣΩ. Κινδυνεύεις μέντοι λόγον οὐ φαῦλον εἰρηκέναι περὶ
ἐπιστήμης, ἀλλ᾽ ὃν ἔλεγε καὶ Πρωταγόρας. Τρόπον δέ τινα 152 a
ἄλλον εἴρηκε τὰ αὐτὰ ταῦτα. Φησὶ γάρ που « πάντων
χρημάτων μέτρον » ἄνθρωπον εἶναι, « τῶν μὲν ὄντων ὡς
ἔστι, τῶν δὲ μὴ ὄντων ὡς οὐκ ἔστιν. » Ἀνέγνωκας γάρ
που ;

ΘΕΑΙ. Ἀνέγνωκα καὶ πολλάκις.

c 4 ἀποβάλλω TY : -βάλω W ὑποβάλω B || c 5 ἤδη : δή Plutarchus || c 7 αὐτῶν om. T || c 8 με Plutarchus : om. BTYW Berol.

SOCRATE. — Ne dit-il pas quelque chose de cette sorte : telles tour à tour m'apparaissent les choses, telles elles me sont ; telles elles t'apparaissent, telles elles te sont[1] ? Or, homme, tu l'es et moi aussi.

THÉÉTÈTE. — Il parle bien en ce sens.

SOCRATE. — Il est vraisemblable, au fait, qu'un homme b sage ne parle pas en l'air : suivons donc sa pensée. N'y a-t-il pas des moments où le même souffle de vent donne, à l'un de nous, le frisson et, à l'autre, point ; à l'un, léger, à l'autre violent ?

THÉÉTÈTE. — Très certainement.

SOCRATE. — Que sera, en ce moment, par soi-même, le vent ? Dirons-nous qu'il est froid, qu'il n'est pas froid ? Ou bien accorderons-nous à Protagoras qu'à celui qui frissonne, il est froid ; qu'à l'autre, il ne l'est pas ?

THÉÉTÈTE. — C'est vraisemblable.

SOCRATE. — N'apparaît-il pas tel à l'un et à l'autre ?

THÉÉTÈTE. — Si.

SOCRATE. — Or cet « apparaître », c'est être senti ?

THÉÉTÈTE. — Effectivement.

c SOCRATE. — Donc apparence et sensation sont identiques, pour la chaleur et autres états semblables. Tels chacun les sent, tels aussi, à chacun, ils risquent d'être.

THÉÉTÈTE. — Vraisemblablement.

SOCRATE. — Il n'y a donc jamais sensation que de ce qui est, et jamais que sensation infaillible, vu qu'elle est science.

THÉÉTÈTE. — Apparemment.

Seconde assimilation : le mobilisme universel.

SOCRATE. — Etait-ce donc, par les Grâces, une somme de sagesse que ce Protagoras, et n'a-t-il donné là qu'énigmes pour la foule et le tas que nous sommes, tandis qu'à ses disciples, dans le mystère, il enseignait la vérité ?

d THÉÉTÈTE. — Qu'est-ce donc, Socrate, que tu entends par là ?

SOCRATE. — Je vais te le dire et ce n'est certes point thèse

1. Cette première traduction de la thèse de Protagoras affirme la vérité de l'image (φαντασία) contenue dans la sensation. Elle répète textuellement la première formule du *Cratyle* (386 a).

ΣΩ. Οὐκοῦν οὕτω πως λέγει, ὡς οἷα μὲν ἕκαστα ἐμοὶ φαίνεται, τοιαῦτα μὲν ἔστιν ἐμοί, οἷα δὲ σοί, τοιαῦτα δὲ αὖ σοί· ἄνθρωπος δὲ σύ τε κἀγώ ;

ΘΕΑΙ. Λέγει γὰρ οὖν οὕτω.

ΣΩ. Εἰκὸς μέντοι σοφὸν ἄνδρα μὴ ληρεῖν· ἐπακολουθήσωμεν οὖν αὐτῷ. Ἆρ᾽ οὐκ ἐνίοτε πνέοντος ἀνέμου τοῦ αὐτοῦ ὁ μὲν ἡμῶν ῥιγοῖ, ὁ δ᾽ οὔ ; καὶ ὁ μὲν ἠρέμα, ὁ δὲ σφόδρα ; b

ΘΕΑΙ. Καὶ μάλα.

ΣΩ. Πότερον οὖν τότε αὐτὸ ἐφ᾽ ἑαυτοῦ τὸ πνεῦμα ψυχρὸν ἢ οὐ ψυχρὸν φήσομεν ; ἢ πεισόμεθα τῷ Πρωταγόρᾳ ὅτι τῷ μὲν ῥιγοῦντι ψυχρόν, τῷ δὲ μὴ οὔ ;

ΘΕΑΙ. Ἔοικεν.

ΣΩ. Οὐκοῦν καὶ φαίνεται οὕτω ἑκατέρῳ ;

ΘΕΑΙ. Ναί.

ΣΩ. Τὸ δέ γε « φαίνεται » αἰσθάνεσθαί ἐστιν ;

ΘΕΑΙ. Ἔστιν γάρ.

ΣΩ. Φαντασία ἄρα καὶ αἴσθησις ταὐτὸν ἔν τε θερμοῖς καὶ πᾶσι τοῖς τοιούτοις. Οἷα γὰρ αἰσθάνεται ἕκαστος, τοιαῦτα ἑκάστῳ καὶ κινδυνεύει εἶναι. c

ΘΕΑΙ. Ἔοικεν.

ΣΩ. Αἴσθησις ἄρα τοῦ ὄντος ἀεί ἐστιν καὶ ἀψευδὲς ὡς ἐπιστήμη οὖσα.

ΘΕΑΙ. Φαίνεται.

ΣΩ. Ἆρ᾽ οὖν πρὸς Χαρίτων πάσσοφός τις ἦν ὁ Πρωταγόρας, καὶ τοῦτο ἡμῖν μὲν ᾐνίξατο τῷ πολλῷ συρφετῷ, τοῖς δὲ μαθηταῖς ἐν ἀπορρήτῳ τὴν ἀλήθειαν ἔλεγεν ;

ΘΕΑΙ. Πῶς δή, ὦ Σώκρατες, τοῦτο λέγεις ; d

ΣΩ. Ἐγὼ ἐρῶ καὶ μάλ᾽ οὐ φαῦλον λόγον, ὡς ἄρα ἐν

152 a 8 δὲ αὖ : αὖ W || **b** 3 ῥιγοῖ BTYW Berol. : -ῷ uulg. || **b** 5 ἑαυτοῦ W Berol. : -τὸ BTY || **b** 6 τῷ om. W || **b** 7 ῥιγοῦντι : -ῶντι uulg. || **b** 11 *αἰσθάνεσθαί ἐστιν;* : *αἰσθάνεται ;* Berol. || **c** 1 *φαντασία..* **c** 3 εἶναι habet Stob. *Anthol.* lib. I cap. L, 37 (vol. I p. 478 Wachsmuth) || **d** 2 ἐγὼ ἐρῶ... 153 **d** 5 *κάτω πάντα* habet Stob. *ib.* XIX, 9, p. 168-170.

banale. Donc, un en soi et par soi, rien ne l'est ; il n'y a rien que l'on puisse dénommer ou qualifier avec justesse : si tu le proclames grand, il apparaîtra aussi bien petit ; si lourd, léger ; et ainsi de tout, parce que rien n'est un ni déterminé ni qualifié de quelque façon que ce soit. C'est de la translation, du mouvement et du mélange mutuels que se fait le devenir de tout ce que nous affirmons être ; affirmation e abusive, car jamais rien n'est, toujours il devient[1]. Disons qu'à cette conclusion, tous les sages à la file, sauf Parménide, sont portés d'un mouvement d'ensemble : Protagoras, Héraclite et Empédocle ; parmi les poètes, les cimes des deux genres de poésie, dans la comédie Epicharme, dans la tragédie Homère. Quand celui-ci parle de

L'Océan générateur des dieux et leur mère Téthys,

c'est dire que toutes choses ne sont que produits du flux et du mouvement[2]. N'est-ce pas, à ton avis, cela qu'il veut dire ?

Théétète. — Si, à mon avis.

153 a Socrate. — Qui donc, après cela, contre une telle armée que dirige un Homère, pourrait élever conteste sans être accablé sous le ridicule ?

Théétète. — Ce serait difficile, Socrate.

Socrate. — Assurément, Théétète ; puisque voici encore indices d'où la thèse tire preuve adéquate que, le semblant d'être et le devenir, c'est bien le mouvement qui le procure ; le ne pas être et le périr, c'est bien le repos. Le chaud et le feu, en effet, qui, de tout le reste, est générateur et tuteur, est lui-même engendré de la translation et de la friction : or toutes les deux sont mouvements. Ce sont bien là, n'est-ce pas, les génératrices du feu ?

1. Montaigne transcrit la paraphrase de Plutarque (*de E apud Delphos*, XVIII) : « Nous n'avons aucune communication à l'être, parce que toute humaine nature est toujours au milieu entre le naître et le mourir, ne baillant de soi qu'une obscure apparence et ombre, et une incertaine et débile opinion ; et si, de fortune, vous fichez votre pensée à vouloir prendre son être, ce ne sera ni plus ni moins que qui voudrait empoigner l'eau ; car tant plus il serrera et pressera ce qui, de sa nature, coule partout, tant plus il perdra ce qu'il voudrait tenir et empoigner. » (*Essais*, II, xii).

2. Ce *panhéraclitéisme* de la plus vieille pensée grecque est une

μὲν αὐτὸ καθ᾽ αὑτὸ οὐδέν ἐστιν, οὐδ᾽ ἄν τι προσείποις ὀρθῶς οὐδ᾽ ὁποιονοῦν τι, ἀλλ᾽ ἐὰν ὡς μέγα προσαγορεύῃς, καὶ σμικρὸν φανεῖται, καὶ ἐὰν βαρύ, κοῦφον, σύμπαντά τε οὕτως, ὡς μηδενὸς ὄντος ἑνὸς μήτε τινὸς μήτε ὁποιουοῦν· ἐκ δὲ δὴ φορᾶς τε καὶ κινήσεως καὶ κράσεως πρὸς ἄλληλα γίγνεται πάντα ἃ δή φαμεν εἶναι, οὐκ ὀρθῶς προσαγορεύοντες· ἔστι μὲν γὰρ οὐδέποτ᾽ οὐδέν, ἀεὶ δὲ γίγνεται. **e** Καὶ περὶ τούτου πάντες ἑξῆς οἱ σοφοὶ πλὴν Παρμενίδου συμφερέσθων, Πρωταγόρας τε καὶ Ἡράκλειτος καὶ Ἐμπεδοκλῆς, καὶ τῶν ποιητῶν οἱ ἄκροι τῆς ποιήσεως ἑκατέρας, κωμῳδίας μὲν Ἐπίχαρμος, τραγῳδίας δὲ Ὅμηρος, ⟨ὃς⟩ εἰπών —

Ὠκεανόν τε θεῶν γένεσιν καὶ μητέρα Τηθύν

πάντα εἴρηκεν ἔκγονα ῥοῆς τε καὶ κινήσεως· ἢ οὐ δοκεῖ τοῦτο λέγειν ;

ΘΕΑΙ. Ἔμοιγε.

ΣΩ. Τίς οὖν ἂν ἔτι πρός γε τοσοῦτον στρατόπεδον καὶ **153 a** στρατηγὸν Ὅμηρον δύναιτο ἀμφισβητήσας μὴ οὐ καταγέλαστος γενέσθαι ;

ΘΕΑΙ. Οὐ ῥᾴδιον, ὦ Σώκρατες.

ΣΩ. Οὐ γάρ, ὦ Θεαίτητε. Ἐπεὶ καὶ τάδε τῷ λόγῳ σημεῖα ἱκανά, ὅτι τὸ μὲν εἶναι δοκοῦν καὶ τὸ γίγνεσθαι κίνησις παρέχει, τὸ δὲ μὴ εἶναι καὶ ἀπόλλυσθαι ἡσυχία· τὸ γὰρ θερμόν τε καὶ πῦρ, ὃ δὴ καὶ τἆλλα γεννᾷ καὶ ἐπιτροπεύει, αὐτὸ γεννᾶται ἐκ φορᾶς καὶ τρίψεως· τούτω δὲ κινήσεις. Ἦ οὐχ αὗται γενέσεις πυρός ;

d 4 post προσαγορεύῃς add. τι Stob. || **d** 5 ἐὰν om. T || post βαρύ add. τι Stob. || **d** 7 ἐκ δὲ... 153 **a** 3 γενέσθαι habet Eus. *Praep. Euang.* XIV, 4 (723 a b) || **e** 2 ἑξῆς οἱ TY Stob. : ἐξαίσιοι BW Eus. -σιοι οἱ Berol. || **e** 3 συμφερέσθων B (ut uidetur) Y : -φέρεσθον TW Berol. Eus. -φέρονται Stob || **e** 5 ὃς add. Heindorf || **153 a** 1 τοσοῦτον : -ο Berol. || **a** 2 μὴ οὐ W Eus., Stobaei F²: μὴ BTY Stob. || **a** 6 δοκοῦν secl. Schanz || **a** 9 τούτω B²YW Berol. : τοῦτο BT Stob. || **a** 10 κινήσεις : κίνησις T ἡ κίνησις Stob.

Théétète. — Elles-mêmes.

Socrate. — Or la race des vivants leur doit aussi bien sa naissance.

Théétète. — Sans conteste.

Socrate. — Eh bien, le bon état du corps, n'est-ce pas le repos et la paresse qui le détruisent, la gymnastique et le mouvement qui, le plus généralement, le conservent ?

Théétète. — Si fait.

Socrate. — Mais l'âme, n'est-ce pas l'étude et l'exercice, mouvements encore, qui lui acquièrent les sciences, lui conservent son bon état et l'améliorent ; n'est-ce pas le repos, absence d'exercice et d'étude, qui l'empêche d'apprendre et, c ce qu'elle a d'avance appris, le lui fait oublier ?

Théétète. — Assurément.

Socrate. — Ainsi l'un, le mouvement, c'est le bien, et dans l'âme et dans le corps, et l'autre, c'est tout le contraire [1].

Théétète. — Vraisemblablement.

Socrate. — Te dirai-je encore les calmes plats et les eaux plates et tous états pareils, et que les diverses formes de repos engendrent corruption et mort, tandis que le reste assure la conservation ? Couronnerai-je le tout en te prouvant de vive force que, par la fameuse chaîne d'or, Homère ne veut rien dire d'autre que le soleil, montrant par là clairement qu'aussi d longtemps que se meut la sphère céleste et le soleil, tout a l'être et tout le conserve tant chez les dieux que chez les hommes ; mais, s'ils venaient à s'immobiliser comme en des liens, toutes choses tomberaient en ruines et ce qui adviendrait serait, comme on dit, le bouleversement universel [2] ?

thèse que Platon a exposée pour la première fois dans le *Cratyle* (401 b-402 d) et qu'il pourrait bien avoir construite en s'inspirant de certains commentaires allégoriques d'Homère. Le *Cratyle* (402 b/c) ne parlait ni d'Empédocle ni d'Epicharme, mais mentionnait Hésiode et citait Orphée. Notre doxographe Montaigne, continuant de puiser et verser « comme les Danaïdes », traduit : « Homère... a fait l'Océan père des dieux, et Téthys la mère, pour nous montrer que toutes choses sont en fluxion, muance et variation perpétuelle. »

1. Le *Cratyle* (411 b-436 c) prouve la même proposition à grand renfort d'étymologies savantes : tous les mots qui expriment le bien et l'utile comportent l'idée de mouvement, etc.

2. Cf. *Iliade*, VIII, 18 et suiv. Sur la nécessaire perpétuité du cycle que constitue le devenir, cf. *Phédon*, 71 b ; *Phèdre*, 245 c.

ΘΕΑΙ. Αὗται μὲν οὖν. b

ΣΩ. Καὶ μὴν τό γε τῶν ζῴων γένος ἐκ τῶν αὐτῶν τούτων φύεται.

ΘΕΑΙ. Πῶς δ' οὔ;

ΣΩ. Τί δέ; ἡ τῶν σωμάτων ἕξις οὐχ ὑπὸ ἡσυχίας μὲν καὶ ἀργίας διόλλυται, ὑπὸ γυμνασίων δὲ καὶ κινήσεως ἐπὶ τὸ πολὺ σῴζεται;

ΘΕΑΙ. Ναί.

ΣΩ. Ἡ δ' ἐν τῇ ψυχῇ ἕξις οὐχ ὑπὸ μαθήσεως μὲν καὶ μελέτης, κινήσεων ὄντων, κτᾶταί τε μαθήματα καὶ σῴζεται καὶ γίγνεται βελτίων, ὑπὸ δ' ἡσυχίας, ἀμελετησίας τε καὶ ἀμαθίας οὔσης, οὔτε τι μανθάνει ἅ τε ἂν μάθῃ ἐπιλανθάνεται; c

ΘΕΑΙ. Καὶ μάλα.

ΣΩ. Τὸ μὲν ἄρα ἀγαθὸν κίνησις κατά τε ψυχὴν καὶ κατὰ σῶμα, τὸ δὲ τοὐναντίον;

ΘΕΑΙ. Ἔοικεν.

ΣΩ. Ἔτι οὖν σοι λέγω νηνεμίας τε καὶ γαλήνας καὶ ὅσα τοιαῦτα, ὅτι αἱ μὲν ἡσυχίαι σήπουσι καὶ ἀπολλύασι, τὰ δ' ἕτερα σῴζει; καὶ ἐπὶ τούτοις τὸν κολοφῶνα, ἀναγκάζω προσβιβάζων τὴν χρυσῆν σειρὰν ὡς οὐδὲν ἄλλο ἢ τὸν ἥλιον Ὅμηρος λέγει, καὶ δηλοῖ ὅτι ἕως μὲν ἂν ἡ περιφορὰ d ᾖ κινουμένη καὶ ὁ ἥλιος, πάντα ἔστι καὶ σῴζεται τὰ ἐν θεοῖς τε καὶ ἀνθρώποις, εἰ δὲ σταίη τοῦτο ὥσπερ δεθέν, πάντα χρήματ' ἂν διαφθαρείη καὶ γένοιτ' ἂν τὸ λεγόμενον ἄνω κάτω πάντα;

b 2 γε τὸ B[1] || **b** 5 ἡ τῶν... **c** 1 ἐπιλανθάνεται habet Stob. lib. III cap. XXIX, 97 (vol. III, p. 659, Hense) || **b** 6 διόλλυται: ἀπ- W || κινήσεως W[1] Stob.: -εων BTYW || ἐπὶ τὸ πολὺ BW Stob. I, 169: ὡς ἐπὶ πολὺ T (sed ὡς supra lin.) ὡς ἐπιπολὺ Y ὡς ἐπὶ τὸ πολὺ Stob. III, 659 || **b** 10 κινήσεων ὄντων BTYW Stob. I, 169: -σεων οὐσῶν Stob. III, 659 -σεοιν ὄντοιν Buttmann || τε om. Stob. || **c** 1 ἅ τε: οὔτε Y || **c** 6 γαλήνας: -ης W || **c** 8 ἀναγκάζω secl. Cobet || **c** 9 προσβιβάζων TYW Berol.: προ-ζων B Stob. προσ-ζω Cobet || **d** 2 τὰ om. Stob. || **d** 3 δεθέν TW: δο- BY Stob. || **d** 5 ante ἄνω add. τὰ Stob.

THÉÉTÈTE. — Mais, à mon jugement, Socrate, le sens en est clairement tel que tu l'expliques.

SOCRATE. — Voici donc, mon bon ami, comme il le faut comprendre. Pour les yeux, d'abord, ce que tu nommes couleur blanche n'est rien de distinct en soi, ni en dehors de tes yeux, ni au dedans de tes yeux. Et ne va point la ranger en e quelque place ; car, dès lors, elle serait quelque part, en son rang, et serait stable, au lieu de devenir par genèse continue.

THÉÉTÈTE. — Comment serait-ce possible ?

SOCRATE. — Poursuivons l'argument de tout à l'heure et que rien ne soit par nous posé comme étant un en soi et par soi. Nous verrons ainsi que noir et blanc et toute autre couleur, c'est la rencontre des yeux avec la translation propre qui, manifestement, les engendre ; et que toute couleur dont 154 a nous affirmons l'être singulier n'est ni ce qui rencontre ni ce qui est rencontré, mais quelque chose d'intermédiaire, produit original pour chaque individu. Sinon, voudrais-tu soutenir que, telle t'apparaît chaque couleur, telle aussi elle apparaît à un chien ou à tout autre animal ?

THÉÉTÈTE. — Par Zeus, je n'y songe point.

SOCRATE. — Eh bien, est-ce que rien aura, pour un autre homme, la même apparence que pour toi ? Serais-tu ferme à le maintenir, et ne l'es-tu pas beaucoup plus à maintenir que, même à toi, rien n'apparaît identique, vu que jamais tu n'es semblable à toi-même [1] ?

THÉÉTÈTE. — La dernière assertion me semble plus admissible que l'autre.

b SOCRATE. — Si donc ce à quoi nous nous mesurons ou ce à quoi nous touchons était grand ou blanc ou chaud, jamais le fait de tomber en une autre relation ne le rendrait autre s'il n'a, lui, subi aucun changement. Si, d'autre part, ce qui se contre-mesure ou ce qui touche avait l'une ou l'autre de ces déterminations, jamais non plus le fait qu'une autre chose le vient approcher ou subit quelque modification, sans que lui-même en subisse aucune, ne le rendrait autre. C'est ainsi qu'à cette heure, mon ami, étranges et risibles sont les assertions que, sans grande violence, nous sommes contraints

1. « Finalement il n'y a aucune constante existence, ni de notre être, ni de celui des objets... ainsi il ne se peut établir rien de certain de l'un à l'autre, et le jugeant et le jugé étant en continuelle mutation et branle. » Montaigne, II, XII.

ΘΕΑΙ. Ἀλλ᾽ ἔμοιγε δοκεῖ, ὦ Σώκρατες, ταῦτα δηλοῦν ἅπερ λέγεις.

ΣΩ. Ὑπόλαβε τοίνυν, ὦ ἄριστε, οὑτωσί· κατὰ τὰ ὄμματα πρῶτον, ὃ δὴ καλεῖς χρῶμα λευκόν, μὴ εἶναι αὐτὸ ἕτερόν τι ἔξω τῶν σῶν ὀμμάτων μηδ᾽ ἐν τοῖς ὄμμασι μηδέ τιν᾽ αὐτῷ χώραν ἀποτάξῃς· ἤδη γὰρ ἂν εἴη τε ἄν που ἐν **e** τάξει καὶ μένοι καὶ οὐκ ἂν ἐν γενέσει γίγνοιτο.

ΘΕΑΙ. Ἀλλὰ πῶς;

ΣΩ. Ἑπώμεθα τῷ ἄρτι λόγῳ, μηδὲν αὐτὸ καθ᾽ αὑτὸ ἓν ὂν τιθέντες· καὶ ἡμῖν οὕτω μέλαν τε καὶ λευκὸν καὶ ὁτιοῦν ἄλλο χρῶμα ἐκ τῆς προσβολῆς τῶν ὀμμάτων πρὸς τὴν προσήκουσαν φορὰν φανεῖται γεγενημένον, καὶ ὃ δὴ ἕκαστον εἶναί φαμεν χρῶμα οὔτε τὸ προσβάλλον οὔτε τὸ προσβαλλόμενον ἔσται, ἀλλὰ μεταξύ τι ἑκάστῳ ἴδιον γεγονός· ἢ **154 a** σὺ διισχυρίσαιο ἂν ὡς οἷον σοὶ φαίνεται ἕκαστον χρῶμα, τοιοῦτον καὶ κυνὶ καὶ ὁτῳοῦν ζῴῳ;

ΘΕΑΙ. Μὰ Δί᾽ οὐκ ἔγωγε.

ΣΩ. Τί δέ; ἄλλῳ ἀνθρώπῳ ἆρ᾽ ὅμοιον καὶ σοὶ φαίνεται ὁτιοῦν; ἔχεις τοῦτο ἰσχυρῶς, ἢ πολὺ μᾶλλον ὅτι οὐδὲ σοὶ αὐτῷ ταὐτὸν διὰ τὸ μηδέποτε ὁμοίως αὐτὸν σεαυτῷ ἔχειν;

ΘΕΑΙ. Τοῦτο μᾶλλόν μοι δοκεῖ ἢ ἐκεῖνο.

ΣΩ. Οὐκοῦν εἰ μὲν ᾧ παραμετρούμεθα ἢ οὗ ἐφαπτόμεθα **b** μέγα ἢ λευκὸν ἢ θερμὸν ἦν, οὐκ ἄν ποτε ἄλλῳ προσπεσὸν ἄλλο ἂν ἐγεγόνει, αὐτό γε μηδὲν μεταβάλλον· εἰ δὲ αὖ τὸ παραμετρούμενον ἢ ἐφαπτόμενον ἕκαστον ἦν τούτων, οὐκ ἂν αὖ ἄλλου προσελθόντος ἤ τι παθόντος αὐτὸ μηδὲν παθὸν ἄλλο ἂν ἐγένετο. Ἐπεὶ νῦν γε, ὦ φίλε, θαυμαστά τε καὶ γελοῖα εὐχερῶς πως ἀναγκαζόμεθα λέγειν, ὡς φαίη ἂν

d 8 ὑπόλαβε.... 154 **b** 6 ἐγένετο habet Stob. I, c. 37, vol. I, p. 478 || **d** 8 κατὰ TW Berol. : καὶ BY εἰ κατὰ B[1] || **e** 1 ἄν που : ὄν που Heindorf δήπου Schanz || **e** 2 καὶ μένοι BYW Berol. : καὶ μένον Stob. κείμενοι B[1] κείμενον T || **e** 4 ἑπώμεθα : ἑπό- W Stob. || **e** 7 γεγενημένον : γεγεννη- W || **154 a** 6 τί δέ : τί Stob. || **a** 8 αὐτῷ om. Stob. || αὐτὸν : σεαυτὸν W || **b** 1 ᾧ : ὃ Cornarius || **b** 2 ἄλλῳ : ἄλλο B || **b** 4 ἢ : ἢ τὸ W Stob.

d'avancer, comme dirait Protagoras et quiconque essaie de soutenir ses doctrines.

Théétète. — De quelle contrainte et de quelles assertions veux-tu parler ?

c Socrate. — Laisse-moi te donner un exemple très simple et tu sauras tout ce que je veux dire. Soient, si tu veux, six osselets ; quatre autres mis à côté, ils font, affirmons-nous, plus que ces quatre et les dépassent d'une moitié ; douze mis à côté, ils font moins et sont moitié moins. Et pas moyen d'admettre que l'on parle autrement. L'admettrais-tu, toi ?

Théétète. — Moi, certes non.

Socrate. — Eh bien, à cette question de Protagoras ou de quelque autre : « ô Théétète, est-il possible à quoi que ce soit de devenir ou plus grand ou plus nombreux s'il ne s'est augmenté ? », que répondras-tu ?

Théétète. — Si je réponds, Socrate, dans le sens que je d juge satisfaire à la question présente, ma réponse est non. S'il faut considérer la question précédente, me gardant contre toute assertion contradictoire, ma réponse est oui.

Socrate. — C'est très bien, par Héra ; c'est divinement répondu. Si donc, à ce qu'il semble, tu réponds affirmativement, c'est le mot d'Euripide que tu vas justifier : notre langue sera sans reproche, notre pensée ne le sera point.

Théétète. — C'est vrai.

Socrate. — Si donc, hommes habiles et sages, nous avions, moi et toi, sur tous les secrets de la pensée promené notre examen, nous n'aurions plus qu'à nous offrir le luxe d'une e épreuve mutuelle, qu'à nous confronter, à la mode sophistique, en un combat qui ne le serait pas moins, à faire, l'un et l'autre, cliqueter arguments contre arguments ; alors que, simples gens que nous sommes, notre prime désir sera de considérer directement ce que peuvent être, en leurs mutuels rapports, les objets de notre réflexion, si, en nous, ils sont mutuellement d'accord ou tout à fait discordants.

Théétète. — Très certainement c'est là mon désir.

Socrate. — Et c'est le mien. Puisqu'il en est ainsi, n'est-ce pas en paix, comme gens qui ont beaucoup de loisir, que nous recommencerons notre examen et que, sans méchante 155 a humeur, en véritables critiques de nous-mêmes, nous nous demanderons ce que peuvent être ces visions qui se créent

Πρωταγόρας τε καὶ πᾶς ὁ τὰ αὐτὰ ἐκείνῳ ἐπιχειρῶν λέγειν.

ΘΕΑΙ. Πῶς δὴ καὶ ποῖα λέγεις;

ΣΩ. Σμικρὸν λαβὲ παράδειγμα, καὶ πάντα εἴσῃ ἃ βούλομαι. (c) Ἀστραγάλους γάρ που ἕξ, ἂν μὲν τέτταρας αὐτοῖς προσενέγκῃς, πλείους φαμὲν εἶναι τῶν τεττάρων καὶ ἡμιολίους, ἐὰν δὲ δώδεκα, ἐλάττους καὶ ἡμίσεις, καὶ οὐδὲ ἀνεκτὸν ἄλλως λέγειν· ἢ σὺ ἀνέξῃ;

ΘΕΑΙ. Οὐκ ἔγωγε.

ΣΩ. Τί οὖν; ἄν σε Πρωταγόρας ἔρηται ἤ τις ἄλλος· « Ὦ Θεαίτητε, ἔσθ᾽ ὅπως τι μεῖζον ἢ πλέον γίγνεται ἄλλως ἢ αὐξηθέν; » τί ἀποκρινῇ;

ΘΕΑΙ. Ἐὰν μέν, ὦ Σώκρατες, τὸ δοκοῦν πρὸς τὴν νῦν ἐρώτησιν ἀποκρίνωμαι, ὅτι οὐκ ἔστιν· ἐὰν δὲ πρὸς τὴν (d) προτέραν, φυλάττων μὴ ἐναντία εἴπω, ὅτι ἔστιν.

ΣΩ. Εὖ γε νὴ τὴν Ἥραν, ὦ φίλε, καὶ θείως. Ἀτάρ, ὡς ἔοικεν, ἐὰν ἀποκρίνῃ ὅτι ἔστιν, Εὐριπίδειόν τι συμβήσεται· ἡ μὲν γὰρ γλῶττα ἀνέλεγκτος ἡμῖν ἔσται, ἡ δὲ φρὴν οὐκ ἀνέλεγκτος.

ΘΕΑΙ. Ἀληθῆ.

ΣΩ. Οὐκοῦν εἰ μὲν δεινοὶ καὶ σοφοὶ ἐγώ τε καὶ σὺ ἦμεν, πάντα τὰ τῶν φρενῶν ἐξητακότες, ἤδη ἂν τὸ λοιπὸν ἐκ περιουσίας ἀλλήλων ἀποπειρώμενοι, συνελθόντες σοφιστι- (e) κῶς εἰς μάχην τοιαύτην, ἀλλήλων τοὺς λόγους τοῖς λόγοις ἐκρούομεν· νῦν δὲ ἅτε ἰδιῶται πρῶτον βουλησόμεθα θεάσασθαι αὐτὰ πρὸς αὐτὰ τί ποτ᾽ ἐστὶν ἃ διανοούμεθα, πότερον ἡμῖν ἀλλήλοις συμφωνεῖ ἢ οὐδ᾽ ὁπωστιοῦν.

ΘΕΑΙ. Πάνυ μὲν οὖν ἔγωγε τοῦτ᾽ ἂν βουλοίμην.

ΣΩ. Καὶ μὴν ἐγώ. Ὅτε δ᾽ οὕτως ἔχει, ἄλλο τι ἢ ἠρέμα, ὡς πάνυ πολλὴν σχολὴν ἄγοντες, πάλιν ἐπανασκεψόμεθα, οὐ δυσκολαίνοντες ἀλλὰ τῷ ὄντι ἡμᾶς αὐτοὺς ἐξετάζοντες, (155 a)

d 5 ἀνέλεγκτος: ἀνεξέλ- W || **d** 8 τε: γε W || **e** 7 ἐγώ B[1]T: ἔγωγε BYW.

en nous? Examinant la première, nous affirmerons, je pense, que jamais rien ne devient ni plus grand, ni plus petit, soit en volume, soit en nombre, tant qu'il demeure égal à soi-même? N'est-ce pas exact?

THÉÉTÈTE. — Si.

SOCRATE. — En second lieu, que ce à quoi l'on n'ajoute ni ne retranche ne croît ni ne décroît et toujours reste égal.

THÉÉTÈTE. — Assurément.

b SOCRATE. — Ne poserons-nous pas un troisième point : ce qui, antérieurement, n'était pas, que, postérieurement, cela soit, sans être devenu et sans devenir, c'est impossible?

THÉÉTÈTE. — Cela semble, certes, bien impossible.

SOCRATE. — Voilà donc trois clauses, je pense, bien convenues, qui, pourtant, se livrent bataille en notre âme, soit lorsque nous traitons ce problème des osselets, soit lorsque nous posons l'affirmation suivante : moi, à l'âge que j'ai, sans avoir subi ni accroissement ni modification contraire, en l'espace d'une année, à l'égard de toi qui es jeune, je suis maintenant plus grand et serai postérieurement plus petit, sans que mon volume ait rien perdu, le tien seulement ayant c pris augmentation. Je suis donc postérieurement ce qu'antérieurement je n'étais pas, et pourtant ne le suis point devenu; car, à qui ne devient point, être devenu est impossible ; et, n'ayant rien perdu de mon volume, je n'ai jamais pu devenir plus petit [1]. Sans compter des myriades d'exemples de ce genre, une fois admis les présents arguments. Tu suis, j'imagine, Théétète ; je crois, du moins, bien juger que tu n'es point sans expérience de telles questions.

THÉÉTÈTE. — Et j'en atteste les dieux, Socrate, mon étonnement est inimaginable à me demander ce que cela signifie; il est des heures où, véritablement, y regarder me donne le vertige.

1. Ces interversions de rapports que produit le temps semblent intéresser particulièrement Platon : elles ont dû, d'ailleurs, offrir ample matière à l'éristique de l'époque. Dans le *Parménide* (154 a-155 c, p. 96/7), l'aîné de deux hommes *devient continuellement* plus jeune par rapport au cadet, mais *n'est jamais* plus jeune. Ici, l'aîné, d'abord plus grand, *est* postérieurement plus petit, sans qu'il le soit jamais *devenu*.

ἅττα ποτ᾽ ἐστὶ ταῦτα τὰ φάσματα ἐν ἡμῖν ; ὧν πρῶτον ἐπισκοποῦντες φήσομεν, ὡς ἐγὼ οἶμαι, μηδέποτε μηδὲν ἂν μεῖζον μηδὲ ἔλαττον γενέσθαι μήτε ὄγκῳ μήτε ἀριθμῷ, ἕως ἴσον εἴη αὐτὸ ἑαυτῷ. Οὐχ οὕτως ;

ΘΕΑΙ. Ναί.

ΣΩ. Δεύτερον δέ γε, ᾧ μήτε προστιθοῖτο μήτε ἀφαιροῖτο, τοῦτο μήτε αὐξάνεσθαί ποτε μήτε φθίνειν, ἀεὶ δὲ ἴσον εἶναι.

ΘΕΑΙ. Κομιδῇ μὲν οὖν.

ΣΩ. Ἆρ᾽ οὖν οὐ καὶ τρίτον, ὃ μὴ πρότερον ἦν, ὕστερον ἀλλὰ τοῦτο εἶναι ἄνευ τοῦ γενέσθαι καὶ γίγνεσθαι ἀδύνατον ; b

ΘΕΑΙ. Δοκεῖ γε δή.

ΣΩ. Ταῦτα δή, οἴομαι, ὁμολογήματα τρία μάχεται αὐτὰ αὐτοῖς ἐν τῇ ἡμετέρᾳ ψυχῇ, ὅταν τὰ περὶ τῶν ἀστραγάλων λέγωμεν, ἢ ὅταν φῶμεν ἐμὲ τηλικόνδε ὄντα, μήτε αὐξηθέντα μήτε τοὐναντίον παθόντα, ἐν ἐνιαυτῷ σοῦ τοῦ νέου νῦν μὲν μείζω εἶναι, ὕστερον δὲ ἐλάττω, μηδὲν τοῦ ἐμοῦ ὄγκου ἀφαιρεθέντος ἀλλὰ σοῦ αὐξηθέντος. Εἰμὶ γὰρ δὴ ὕστερον ὃ πρότερον οὐκ ἦ, οὐ γενόμενος· ἄνευ γὰρ τοῦ γίγνεσθαι γενέσθαι ἀδύνατον, μηδὲν δὲ ἀπολλὺς τοῦ ὄγκου οὐκ ἄν ποτε ἐγιγνόμην ἐλάττων. Καὶ ἄλλα δὴ μυρία ἐπὶ μυρίοις οὕτως ἔχει, εἴπερ καὶ ταῦτα παραδεξόμεθα. Ἕπῃ γάρ που, ὦ Θεαίτητε· δοκεῖς γοῦν μοι οὐκ ἄπειρος τῶν τοιούτων εἶναι. c

ΘΕΑΙ. Καὶ νὴ τοὺς θεούς γε, ὦ Σώκρατες, ὑπερφυῶς ὡς θαυμάζω τί ποτ᾽ ἐστὶ ταῦτα, καὶ ἐνίοτε ὡς ἀληθῶς βλέπων εἰς αὐτὰ σκοτοδινιῶ.

155 a 2 φάσματα : φαντά- W || **a** 4 μηδὲ : μήτε W || **a** 5 εἴη : ἂν εἴη Y || **a** 7 ᾧ : ὃ W || **b** 1 ὕστερον ἀλλὰ codd. legit Proclus (Π. τὸ ἀλλὰ παρέλκειν λέγει schol.) : ἀλλὰ ὕ- Steph. ὕ- ἄρα ci. Campbell || **b** 4 δοκεῖ γε Socrati tribuunt BY || δή : δοκεῖ BY || **b** 5 δή : γε δή W || **c** 4 καὶ ἄλλα : ἀλλὰ Y || **c** 5 ἕπει Heindorf : εἰπὲ codd. || **c** 6 γοῦν μοι : μοι γοῦν Y γὰρ οὖν μοι W || τῶν τοιούτων οὐκ ἄπειρος W || **c** 8 γε secl. Schanz || **c** 9 ὡς post ὑπερφυῶς om. TY.

d SOCRATE. — Théodore, mon cher, n'a manifestement point manqué de flair en te jugeant. Il est tout à fait d'un philosophe, ce sentiment : s'étonner. La philosophie n'a point d'autre origine, et celui qui a fait d'Iris la fille de Thaumas a l'air de s'entendre assez bien en généalogie. Mais comprends-tu déjà quelle conséquence rattache tout cela aux doctrines que, d'après nous, Protagoras enseigne, ou n'y parviens-tu pas encore ?

THÉÉTÈTE. — Pas encore, à ce que je crois.

SOCRATE. — Tu me sauras donc gré de t'aider à pénétrer, dans la pensée d'un homme ou plutôt d'hommes fameux, e jusqu'à la Vérité qu'ils dissimulent ?

Troisième assimilation : le relativisme absolu des « délicats ».

THÉÉTÈTE. — Comment ne t'en saurais-je pas gré, et vraiment un gré infini ?

SOCRATE. — Aie donc l'œil ouvert et veille à ce qu'aucun des non-initiés ne nous entende. Ce sont des gens qui n'accordent l'être qu'à ce qu'ils peuvent à pleines mains étreindre : les actions, les genèses, tout ce qui ne se voit point, ils se refusent à l'admettre au partage de l'être[1].

156 a THÉÉTÈTE. — A ce compte, Socrate, tu parles là de bien secs et bien repoussants personnages.

SOCRATE. — Ils sont en effet, mon fils ,tout ce qu'il y a de plus étranger aux Muses. Il est des gens beaucoup plus délicats, de qui je vais t'exposer les mystères. Le principe originel, auquel, d'ailleurs, les théories que nous venons d'exposer se viennent toutes suspendre, est, pour eux, celui-ci : le Tout est mouvement et rien autre que mouvement, et ce mouvement revêt deux formes, en nombre infinies l'une et l'autre, ayant puissance l'une d'agir, l'autre de pâtir. De leur approche et friction mutuelle naissent b des rejetons infinis en nombre et qui vont par couples jumeaux : l'un est le sensible, l'autre la sensation, qui toujours vient éclore et s'engendre en même temps que le sensible. Or, les sensations donc ont pour nous des noms, tels que

1. La πρᾶξις est l'action exprimée par le verbe actif ou neutre (*Cratyle*, 386/7, *Sophiste*, 262) ; la γένεσις est le devenir passif qui en résulte. Le sujet de ce devenir, l'objet de cette action est la chose

ΣΩ. Θεόδωρος γάρ, ὦ φίλε, φαίνεται οὐ κακῶς τοπάζειν περὶ τῆς φύσεώς σου. Μάλα γὰρ φιλοσόφου τοῦτο τὸ πάθος, τὸ θαυμάζειν· οὐ γὰρ ἄλλη ἀρχὴ φιλοσοφίας ἢ αὕτη, καὶ ἔοικεν ὁ τὴν Ἶριν Θαύμαντος ἔκγονον φήσας οὐ κακῶς γενεαλογεῖν. Ἀλλὰ πότερον μανθάνεις ἤδη δι' ὃ ταῦτα τοιαῦτ' ἐστὶν ἐξ ὧν τὸν Πρωταγόραν φαμὲν λέγειν, ἢ οὔπω ; d

ΘΕΑΙ. Οὔπω μοι δοκῶ.

ΣΩ. Χάριν οὖν μοι εἴσῃ ἐάν σοι ἀνδρός, μᾶλλον δὲ ἀνδρῶν ὀνομαστῶν τῆς διανοίας τὴν ἀλήθειαν ἀποκεκρυμμένην συνεξερευνήσωμαι αὐτῶν ; e

ΘΕΑΙ. Πῶς γὰρ οὐκ εἴσομαι, καὶ πάνυ γε πολλήν ;

ΣΩ. Ἄθρει δὴ περισκοπῶν μή τις τῶν ἀμυήτων ἐπακούῃ. Εἰσὶν δὲ οὗτοι οἱ οὐδὲν ἄλλο οἰόμενοι εἶναι ἢ οὗ ἂν δύνωνται ἀπρὶξ τοῖν χεροῖν λαβέσθαι, πράξεις δὲ καὶ γενέσεις καὶ πᾶν τὸ ἀόρατον οὐκ ἀποδεχόμενοι ὡς ἐν οὐσίας μέρει.

ΘΕΑΙ. Καὶ μὲν δή, ὦ Σώκρατες, σκληρούς γε λέγεις καὶ ἀντιτύπους ἀνθρώπους. 156 a

ΣΩ. Εἰσὶν γάρ, ὦ παῖ, μάλ' εὖ ἄμουσοι· ἄλλοι δὲ πολὺ κομψότεροι, ὧν μέλλω σοι τὰ μυστήρια λέγειν. Ἀρχὴ δέ, ἐξ ἧς καὶ ἃ νυνδὴ ἐλέγομεν πάντα ἤρτηται, ἥδε αὐτῶν, ὡς τὸ πᾶν κίνησις ἦν καὶ ἄλλο παρὰ τοῦτο οὐδέν, τῆς δὲ κινήσεως δύο εἴδη, πλήθει μὲν ἄπειρον ἑκάτερον, δύναμιν δὲ τὸ μὲν ποιεῖν ἔχον, τὸ δὲ πάσχειν. Ἐκ δὲ τῆς τούτων ὁμιλίας τε καὶ τρίψεως πρὸς ἄλληλα γίγνεται ἔκγονα πλήθει μὲν ἄπειρα, δίδυμα δέ, τὸ μὲν αἰσθητόν, τὸ δὲ αἴσθησις, ἀεὶ συνεκπίπτουσα καὶ γεννωμένη μετὰ τοῦ b

d 1 γάρ : γὰρ ὅδε W || τοπάζειν : -ει Y || **d** 4 θαύμαντος : -ατος Y || **d** 6 ταῦτα : τὰ W || λέγειν φαμέν W || **d** 10 ἀποκεκρυμμένην : -ων Richards || **e** 1 συνεξερευνήσωμαι : -σομαι W || αὐτῶν : -ὴν supra lin. W malit Richards || **e** 4 οἱ... οἰόμενοι : οἳ.. οἴομαι B || **156 a** 2 ἄλλοι δὲ : ἀλλ' οἵδε Schleiermacher ἄλλοι δὲ Burnet || πολὺ B : -λοὶ TYW || **a** 4 ἐξ ἧς Wb : ἐξῆς BTY || **a** 5 ἦν secl. Schanz || τῆς δὲ : τῆσδε τῆς W.

visions, auditions et olfactions, froidures et ardeurs, plaisirs et peines, désirs et craintes, à ne nommer que celles-là. Infinies, en effet, sont celles qui n'ont point de nom ; multitude sans nombre celles qui ont un nom. La race du sensible, à son tour, aux sensations, une par une, oppose un rejeton c jumeau : aux visions les couleurs, à variété variété répondante ; aux auditions, en même correspondance, les sons ; aux autres sensations, les autres sensibles qui leur sont liés par nature. Que nous veut donc ce mythe, Théétète, par rapport aux thèses précédentes[1] ? T'en fais-tu quelque idée ?

Théétète. — Aucune, Socrate.

Socrate. — Aie plutôt l'esprit attentif à voir si nous pourrons l'amener à son achèvement. Le sens en est donc que tout cela, comme nous le disons, se meut. Or il y a vitesse et lenteur en ces mouvements. Tant que le mouvement est lent, c'est sur place et dans ses approches immédiates qu'il d s'exerce. En telles approches, il engendre ; mais les produits ainsi engendrés sont d'autant plus rapides, car ils sont portés, et la translation est leur mouvement naturel. Quand donc l'œil et quelque objet à lui approprié ont, dans leur mutuelle approche, engendré la blancheur et la sensation correspondante, lesquelles n'eussent jamais été engendrées si l'un ou l'autre de leurs générateurs eussent fait rencontre différente, alors, par l'effet de la translation dont sont agités, dans l'es- e pace intermédiaire, et la vision émanant des yeux et la blancheur émanant de ce qui, conjointement avec eux, engendre la couleur, l'œil est devenu rempli de vision ; il voit dès lors et, dès lors, est devenu non point vision, mais œil voyant. Son conjoint en cette génération de la couleur s'est, de son côté, rempli de blancheur ; il est devenu non point blancheur, mais blanc : bois blanc, pierre blanche, tout ce dont la surface colorable arrive à se colorer de cette couleur. Il en est ainsi du reste. Du sec, du chaud, de toutes déterminations,

(τὸ πρᾶγμα). Envisagée comme théorie logique, la doctrine des non-initiés supprimerait le verbe ou prédicat (ῥῆμα) et ne laisserait subsister que le nom (ὄνομα ; cf. *Notice* du *Sophiste*). Ici, elle est définie comme un « substantialisme » brutal pour faire mieux ressortir le relativisme savant qu'on va exposer (cf. *Notice* du *Théétète*, p. 132 et suiv.).

1. La doctrine des relativistes est appelée « un mythe », parce qu'elle est exposée sous la forme et dans le style des *Théogonies*. Comparer l'exposition des théories de l'être dans le *Sophiste* (242 c-243 a).

αἰσθητοῦ. Αἱ μὲν οὖν αἰσθήσεις τὰ τοιάδε ἡμῖν ἔχουσιν ὀνόματα, ὄψεις τε καὶ ἀκοαὶ καὶ ὀσφρήσεις καὶ ψύξεις τε καὶ καύσεις καὶ ἡδοναί γε δὴ καὶ λῦπαι καὶ ἐπιθυμίαι καὶ φόβοι κεκλημέναι καὶ ἄλλαι, ἀπέραντοι μὲν αἱ ἀνώνυμοι, παμπληθεῖς δὲ αἱ ὠνομασμέναι· τὸ δ' αὖ αἰσθητὸν γένος τούτων ἑκάσταις ὁμόγονον, ὄψεσι μὲν χρώματα παντοδαπαῖς παντοδαπά, ἀκοαῖς δὲ ὡσαύτως φωναί, καὶ ταῖς c ἄλλαις αἰσθήσεσι τὰ ἄλλα αἰσθητὰ συγγενῆ γιγνόμενα. Τί δὴ οὖν ἡμῖν βούλεται οὗτος ὁ μῦθος, ὦ Θεαίτητε, πρὸς τὰ πρότερα; ἆρα ἐννοεῖς;

ΘΕΑΙ. Οὐ πάνυ, ὦ Σώκρατες.

ΣΩ. Ἀλλ' ἄθρει ἐάν πως ἀποτελεσθῇ. Βούλεται γὰρ δὴ λέγειν ὡς ταῦτα πάντα μέν, ὥσπερ λέγομεν, κινεῖται, τάχος δὲ καὶ βραδυτὴς ἔνι τῇ κινήσει αὐτῶν. Ὅσον μὲν οὖν βραδύ, ἐν τῷ αὐτῷ καὶ πρὸς τὰ πλησιάζοντα τὴν κίνησιν ἴσχει καὶ οὕτω δὴ γεννᾷ, τὰ δὲ γεννώμενα οὕτω d δὴ θάττω ἐστίν· φέρεται γὰρ καὶ ἐν φορᾷ αὐτῶν ἡ κίνησις πέφυκεν. Ἐπειδὰν οὖν ὄμμα καὶ ἄλλο τι τῶν τούτῳ συμμέτρων πλησιάσαν γεννήσῃ τὴν λευκότητά τε καὶ αἴσθησιν αὐτῇ σύμφυτον, ἃ οὐκ ἄν ποτε ἐγένετο ἑκατέρου ἐκείνων πρὸς ἄλλο ἐλθόντος, τότε δὴ μεταξὺ φερομένων τῆς μὲν ὄψεως πρὸς τῶν ὀφθαλμῶν, τῆς δὲ λευκότητος πρὸς τοῦ e συναποτίκτοντος τὸ χρῶμα, ὁ μὲν ὀφθαλμὸς ἄρα ὄψεως ἔμπλεως ἐγένετο καὶ ὁρᾷ δὴ τότε καὶ ἐγένετο οὔ τι ὄψις ἀλλ' ὀφθαλμὸς ὁρῶν, τὸ δὲ συγγεννῆσαν τὸ χρῶμα λευκότητος περιεπλήσθη καὶ ἐγένετο οὐ λευκότης αὖ ἀλλὰ λευκόν, εἴτε ξύλον εἴτε λίθος εἴτε ὁτουοῦν συνέβη χρόα χρωσθῆναι τῷ τοιούτῳ χρώματι. Καὶ τἆλλα δὴ οὕτω, σκληρὸν καὶ

b 4 καὶ ante ψύξεις om. W || b 5 καύσεις: θερμάνσεις W[1] et in marg. t || b 8 ἑκάσταις W: -ης BTY || ὁμόγονον: -λογον W[1] || παντοδαπαῖς χρώματα TYW || c 7 δὴ om. W || μέν om. T || d 2 ante θάττω lacunam indicat Schanz sed lusus inest in γεννώμενα ..φέρεται || d 3 καὶ: τε καὶ W || τούτῳ: τοιούτων YW || e 6 ὁτουοῦν Y: ὅτου οὖν BT ὁτοῦ οὖν W ὁτιοῦν Cornarius ὁτῳοῦν Campbell || χρόα scripsi: χρῶμα codd. χρῆμα Heindorf σχῆμα Schanz secl. Campbell.

même explication se doit concevoir : rien n'est tel en soi et
157 a par soi, nous le disions tout à l'heure[1], et ce n'est que dans le fait des mutuelles approches que tout reçoit, du mouvement, et son devenir et sa diversité, car cette qualité même d'agent ou de patient que revêtent des termes opposés, on ne saurait, nous disent-ils, la concevoir fixée à demeure en l'un ou en l'autre. Rien, en effet, n'est agent avant qu'au patient il soit venu s'unir, ni patient avant quelque rencontre avec l'agent : et ce qui, en telle union, est agent se montre, au contraire, en telle rencontre nouvelle, patient manifeste. La conclusion de tout cela est celle que, dès le début, nous formulions : rien n'est, à titre d'unité déterminée en soi ; tout ne fait que devenir et devenir pour autrui ; être est terme qu'il
b faut partout supprimer ; encore qu'à nous, à bien des reprises et à l'instant même, l'habitude et le manque de savoir en aient imposé l'usage. Il ne faut donc point, si l'on veut parler comme les sages, accepter de dire ou « quelque chose », ou « de quelqu'un » ou « de moi », ou « ceci » ou « cela » ou aucun autre mot qui fixe ; mais employer les expressions qui traduisent la réalité : « en train de devenir, de se faire, de se détruire, de s'altérer » ; car, si peu qu'une expression crée de fixité, la proférer est s'offrir à la critique. Il faut suivre cette règle et quand on parle des unités isolées, et quand on parle des agrégats où elles s'assemblent, agré-
c gats auxquels on donne les noms, soit d'homme, soit de pierre, soit de tel animal ou de telle forme particulière[2]. Sont-ce là, Théétète, doctrines agréables à ton jugement et trouverais-tu plaisir à y goûter ?

Théétète. — Je ne sais, moi, Socrate ; car, toi-même, je ne puis deviner si tu exposes là opinions qui t'agréent ou si tu ne veux que m'éprouver.

Socrate. — Tu oublies, mon ami, que, moi, je ne sais ni ne m'approprie rien de tout cela. Ce n'est pas en moi que cela fut conçu ; c'est toi que j'en veux accoucher et, pour ce faire, je me livre à ces incantations et te donne à goûter des sages
d l'un après l'autre, jusqu'à ce que ta façon de penser à toi soit amenée au jour par nos communs efforts. Ce n'est qu'après l'avoir extraite que j'examinerai si c'est du vent ou

1. Cf. *supra*, 152 d.
2. Cf. *Notice*, p. 132/3 et p. 150.

θερμὸν καὶ πάντα, τὸν αὐτὸν τρόπον ὑποληπτέον, αὐτὸ μὲν καθ᾽ αὐτὸ μηδὲν εἶναι, ὃ δὴ καὶ τότε ἐλέγομεν, ἐν δὲ τῇ 157 a πρὸς ἄλληλα ὁμιλίᾳ πάντα γίγνεσθαι καὶ παντοῖα ἀπὸ τῆς κινήσεως, ἐπεὶ καὶ τὸ ποιοῦν εἶναί τι καὶ τὸ πάσχον αὐτῶν ἐπὶ ἑνὸς νοῆσαι, ὥς φασιν, οὐκ εἶναι παγίως. Οὔτε γὰρ ποιοῦν ἐστί τι πρὶν ἂν τῷ πάσχοντι συνέλθῃ, οὔτε πάσχον πρὶν ἂν τῷ ποιοῦντι· τό τέ τινι συνελθὸν καὶ ποιοῦν ἄλλῳ αὖ προσπεσὸν πάσχον ἀνεφάνη. Ὥστε ἐξ ἁπάντων τούτων, ὅπερ ἐξ ἀρχῆς ἐλέγομεν, οὐδὲν εἶναι ἓν αὐτὸ καθ᾽ αὑτό, ἀλλά τινι ἀεὶ γίγνεσθαι, τὸ δ᾽ εἶναι πανταχόθεν ἐξαιρετέον, οὐχ ὅτι ἡμεῖς πολλὰ καὶ ἄρτι ἠναγκάσμεθα b ὑπὸ συνηθείας καὶ ἀνεπιστημοσύνης χρῆσθαι αὐτῷ. Τὸ δ᾽ οὐ δεῖ, ὡς ὁ τῶν σοφῶν λόγος, οὔτε τι συγχωρεῖν οὔτε του οὔτ᾽ ἐμοῦ οὔτε τόδε οὔτ᾽ ἐκεῖνο οὔτε ἄλλο οὐδὲν ὄνομα ὅτι ἂν ἱστῇ, ἀλλὰ κατὰ φύσιν φθέγγεσθαι γιγνόμενα καὶ ποιούμενα καὶ ἀπολλύμενα καὶ ἀλλοιούμενα· ὡς ἐάν τί τις στήσῃ τῷ λόγῳ, εὐέλεγκτος ὁ τοῦτο ποιῶν. Δεῖ δὲ καὶ κατὰ μέρος οὕτω λέγειν καὶ περὶ πολλῶν ἀθροισθέντων, ᾧ δὴ ἀθροίσματι ἄνθρωπόν τε τίθενται καὶ λίθον καὶ ἕκαστον ζῷόν τε c καὶ εἶδος. Ταῦτα δή, ὦ Θεαίτητε, ἆρ᾽ ἡδέα δοκεῖ σοι εἶναι, καὶ γεύοιο ἂν αὐτῶν ὡς ἀρεσκόντων;

ΘΕΑΙ. Οὐκ οἶδα ἔγωγε, ὦ Σώκρατες· καὶ γὰρ οὐδὲ περὶ σοῦ δύναμαι κατανοῆσαι πότερα δοκοῦντά σοι λέγεις αὐτὰ ἢ ἐμοῦ ἀποπειρᾷ.

ΣΩ. Οὐ μνημονεύεις, ὦ φίλε, ὅτι ἐγὼ μὲν οὔτ᾽ οἶδα οὔτε ποιοῦμαι τῶν τοιούτων οὐδὲν ἐμόν, ἀλλ᾽ εἰμὶ αὐτῶν ἄγονος, σὲ δὲ μαιεύομαι καὶ τούτου ἕνεκα ἐπᾴδω τε καὶ παρατίθημι ἑκάστων τῶν σοφῶν ἀπογεύεσθαι, ἕως ἂν εἰς d φῶς τὸ σὸν δόγμα συνεξαγάγω· ἐξαχθέντος δὲ τότ᾽ ἤδη

157 a 2 ἀπὸ : ὑπὸ Richards || **a** 3 αὐτῶν : αὖ Schanz || **a** 5 τι om. T || ἂν : αὖ B || **a** 6 καὶ del. ci. Richards. || **a** 7 αὖ : ἂν W || ἀνεφάνη : ἂν ἐφ- T || **b** 3 του οὔτ᾽ ἐμοῦ : τοῦτο Schanz σοῦ οὔτ᾽ ἐμοῦ Hirschig || **b** 8 καὶ om. T || **c** 1 καὶ ζῷόν τε καὶ ἕκαστον εἶδος Schanz || **c** 2 σοι δοκεῖ W || **c** 3 ὡς om. T || **d** 1 ἀπογεύεσθαι : -σασθαι B.

de la vie qu'elle apporte au jour. Sois donc confiant et ferme ; fais-moi belle et virile réponse et donne, telle qu'elle t'apparaît, ta solution à mes questions.

THÉÉTÈTE. — Veuille donc interroger.

SOCRATE. — Redis-moi donc s'il te satisfait qu'on refuse l'être et qu'on n'accorde qu'un perpétuel devenir au bien, au beau et à tout ce que nous venons d'énumérer.

THÉÉTÈTE. — Eh bien, mon impression à t'entendre exposer cette doctrine est qu'elle a une merveilleuse apparence de raison et qu'il la faut admettre telle que tu l'expliques.

e SOCRATE. — Alors n'omettons point de compléter ce qui manque à mon exposé. Il y manque, au fait, l'objection des songes et des maladies ; celle, entre autres, de la folie et tout ce qu'on appelle aberrations de l'ouïe, de la vue ou de toute autre sensation. Tu sais, en effet, j'imagine, qu'en tous ces états l'on s'accorde à trouver la réfutation de la thèse que nous exposions tout à l'heure. Plus que partout ailleurs, en effet, 158 a les sensations que nous y éprouvons sont fausses et beaucoup s'en faut que ce qui apparaît à chacun soit, comme tel, réel ; tout au contraire, rien n'est tel qu'il y apparaît.

THÉÉTÈTE. — Tu dis là vérité absolue, Socrate.

SOCRATE. — Que peut-il donc, mon fils, avoir à dire après cela, celui qui pose que la sensation est science et que ce qui apparaît est à chacun ce qu'il lui apparaît [1] ?

THÉÉTÈTE. — Pour ma part, Socrate, j'hésite à dire que je ne sais que répondre, car tu me blâmais tout à l'heure pour b un pareil aveu. Cependant, à la vérité, je ne saurais contester que, dans la folie ou le rêve, on se fasse des opinions fausses, alors que d'aucuns s'y croient dieux et que d'autres s'imaginent, en leur sommeil, avoir des ailes et voler.

SOCRATE. — Ne penses-tu point aussi à une autre controverse à ce sujet, spécialement relative à la question rêve et éveil ?

1. « Davantage, puisque les accidents des maladies, de la rêverie ou du sommeil, nous font paraître les choses autres qu'elles ne paraissent aux sains, aux sages et à ceux qui veillent ; n'est-il pas vraisemblable que notre assiette droite et nos humeurs naturelles ont aussi de quoi donner un être aux choses... et les accommoder à soi comme font les humeurs déréglées ?... Or, notre état accommodant les choses à soi et les transformant selon soi,... rien ne vient à nous que falsifié et altéré par les sens. » (Montaigne, *Essais*, II, XII).

σκέψομαι εἴτ᾽ ἀνεμιαῖον εἴτε γόνιμον ἀναφανήσεται. Ἀλλὰ θαρρῶν καὶ καρτερῶν εὖ καὶ ἀνδρείως ἀποκρίνου ἃ ἂν φαίνηταί σοι περὶ ὧν ἂν ἐρωτῶ.

ΘΕΑΙ. Ἐρώτα δή.

ΣΩ. Λέγε τοίνυν πάλιν εἴ σοι ἀρέσκει τὸ μή τι εἶναι ἀλλὰ γίγνεσθαι ἀεὶ ἀγαθὸν καὶ καλὸν καὶ πάντα ἃ ἄρτι διῇμεν.

ΘΕΑΙ. Ἀλλ᾽ ἔμοιγε, ἐπειδὴ σοῦ ἀκούω οὕτω διεξιόντος, θαυμασίως φαίνεται ὡς ἔχειν λόγον καὶ ὑποληπτέον ᾗπερ διελήλυθας.

ΣΩ. Μὴ τοίνυν ἀπολίπωμεν ὅσον ἐλλεῖπον αὐτοῦ. Λεί- e πεται δὲ ἐνυπνίων τε πέρι καὶ νόσων τῶν τε ἄλλων καὶ μανίας, ὅσα τε παρακούειν ἢ παρορᾶν ἤ τι ἄλλο παραισθάνεσθαι λέγεται. Οἶσθα γάρ που ὅτι ἐν πᾶσι τούτοις ὁμολογουμένως ἐλέγχεσθαι δοκεῖ ὃν ἄρτι διῇμεν λόγον, ὡς παντὸς μᾶλλον ἡμῖν ψευδεῖς αἰσθήσεις ἐν αὐτοῖς γιγνο- 158 a μένας, καὶ πολλοῦ δεῖ τὰ φαινόμενα ἑκάστῳ ταῦτα καὶ εἶναι, ἀλλὰ πᾶν τοὐναντίον οὐδὲν ὧν φαίνεται εἶναι.

ΘΕΑΙ. Ἀληθέστατα λέγεις, ὦ Σώκρατες.

ΣΩ. Τίς δὴ οὖν, ὦ παῖ, λείπεται λόγος τῷ τὴν αἴσθησιν ἐπιστήμην τιθεμένῳ καὶ τὰ φαινόμενα ἑκάστῳ ταῦτα καὶ εἶναι τούτῳ ᾧ φαίνεται;

ΘΕΑΙ. Ἐγὼ μέν, ὦ Σώκρατες, ὀκνῶ εἰπεῖν ὅτι οὐκ ἔχω τί λέγω, διότι μοι νυνδὴ ἐπέπληξας εἰπόντι αὐτό. Ἐπεὶ ὡς ἀληθῶς γε οὐκ ἂν δυναίμην ἀμφισβητῆσαι ὡς οἱ μαινό- b μενοι ἢ ὀνειρώττοντες οὐ ψευδῆ δοξάζουσιν, ὅταν οἱ μὲν θεοὶ αὐτῶν οἴωνται εἶναι, οἱ δὲ πτηνοί τε καὶ ὡς πετόμενοι ἐν τῷ ὕπνῳ διανοῶνται.

ΣΩ. Ἆρ᾽ οὖν οὐδὲ τὸ τοιόνδε ἀμφισβήτημα ἐννοεῖς περὶ αὐτῶν, μάλιστα δὲ περὶ τοῦ ὄναρ τε καὶ ὕπαρ;

d 8 διῇμεν: διήλθομεν W[1] || **e** 1 μὴ τοίνυν... 158 **a** 7 ᾧ φαίνεται habet Stob. I, c. 50, 38 (vol. I, p. 479) || **e** 1 ἀπολίπωμεν: ἀπολεί- W || **e** 2 τῶν τε: τε τῶν Stob. || **158 a** 1 παντὸς μᾶλλον: πάντως μᾶλλον ἂν Stob. || **a** 2 δεῖ: δεῖν Heindorf || **a** 3 ὧν: ὃν B[1] Stob. || **a** 6 καὶ post ταῦτα om. Stob. || **a** 7 ᾧ: ἃ Stob. || **b** 2 ἢ: ἢ οἱ BY.

THÉÉTÈTE. — Quelle controverse ?

SOCRATE. — Bien des fois, je pense, tu as dû l'entendre. On demandait par quelle preuve démonstrative répondre à qui voudrait savoir, par exemple, si, dans le moment présent, nous dormons et rêvons tout ce que nous pensons, ou c si, bien éveillés, c'est en un dialogue réel que nous devisons.

THÉÉTÈTE. — En vérité, Socrate, on cherche vainement quel indice il faudrait donner comme preuve ; car tout ici se fait antistrophe et se correspond exactement. Les paroles que, présentement, nous venons d'échanger, rien n'empêche que, dans le sommeil aussi, nous puissions croire les échanger ; et lorsque, en plein rêve, nous croyons conter des rêves, étonnante est la ressemblance des deux séries.

d SOCRATE. — Tu vois donc qu'élever controverse là-dessus n'est pas difficile, puisque la distinction entre éveil et rêve est elle-même controversée et, que, égal étant le temps où nous dormons et le temps où nous sommes éveillés, en l'un et l'autre temps notre âme s'acharne à soutenir que ses croyances d'alors sont tout ce qu'il y a de plus vrai : ainsi, autant de temps nous affirmons les unes, autant de temps aussi nous affirmons les autres, et pareille est, dans les deux cas, l'énergie de notre affirmation [1].

THÉÉTÈTE. — Absolument pareille.

SOCRATE. — Or, des états de maladie et de folie, il en faut dire autant, sauf que la durée, ici, n'est plus égale ?

THÉÉTÈTE. — C'est juste.

SOCRATE. — Et quoi, est-ce à la longueur du temps ou à sa brièveté qu'on mesurera la vérité ?

e THÉÉTÈTE. — Ce serait ridicule à tous égards.

SOCRATE. — Mais as-tu quelque autre indice clair pour montrer lesquelles de ces croyances sont vraies ?

THÉÉTÈTE. — Je ne crois pas.

1. Montaigne dit, lui aussi (*ibid.*) : « Ceux qui ont apparié notre vie à un songe ont eu de la raison, à l'aventure, plus qu'ils ne pensaient... Nous veillons dormants, et dormants veillons. . Notre raison et notre âme recevant les fantaisies et opinions qui lui naissent en dormant et autorisant les actions de nos songes de pareille approbation qu'elle fait celles du jour, pourquoi ne mettons-nous en doute si notre penser, notre agir, est pas un autre songer, et notre veiller quelque espèce de dormir ?... »

ΘΕΑΙ. Τὸ ποῖον;

ΣΩ. Ὃ πολλάκις σε οἶμαι ἀκηκοέναι ἐρωτώντων, τί ἄν τις ἔχοι τεκμήριον ἀποδεῖξαι, εἴ τις ἔροιτο νῦν οὕτως ἐν τῷ παρόντι πότερον καθεύδομεν καὶ πάντα ἃ διανοούμεθα ὀνειρώττομεν, ἢ ἐγρηγόραμέν τε καὶ ὕπαρ ἀλλήλοις δια- c λεγόμεθα.

ΘΕΑΙ. Καὶ μήν, ὦ Σώκρατες, ἄπορόν γε ὅτῳ χρὴ ἐπιδεῖξαι τεκμηρίῳ· πάντα γὰρ ὥσπερ ἀντίστροφα τὰ αὐτὰ παρακολουθεῖ. Ἅ τε γὰρ νυνὶ διειλέγμεθα, οὐδὲν κωλύει καὶ ἐν τῷ ὕπνῳ δοκεῖν ἀλλήλοις διαλέγεσθαι· καὶ ὅταν δὴ ὄναρ ὀνείρατα δοκῶμεν διηγεῖσθαι, ἄτοπος ἡ ὁμοιότης τούτων ἐκείνοις.

ΣΩ. Ὁρᾷς οὖν ὅτι τό γε ἀμφισβητῆσαι οὐ χαλεπόν, ὅτε καὶ πότερόν ἐστιν ὕπαρ ἢ ὄναρ ἀμφισβητεῖται, καὶ δὴ d ἴσου ὄντος τοῦ χρόνου ὃν καθεύδομεν ᾧ ἐγρηγόραμεν, ἐν ἑκατέρῳ διαμάχεται ἡμῶν ἡ ψυχὴ τὰ ἀεὶ παρόντα δόγματα παντὸς μᾶλλον εἶναι ἀληθῆ, ὥστε ἴσον μὲν χρόνον τάδε φαμὲν ὄντα εἶναι, ἴσον δὲ ἐκεῖνα, καὶ ὁμοίως ἐφ᾽ ἑκατέροις διισχυριζόμεθα.

ΘΕΑΙ. Παντάπασι μὲν οὖν.

ΣΩ. Οὐκοῦν καὶ περὶ νόσων τε καὶ μανιῶν ὁ αὐτὸς λόγος, πλὴν τοῦ χρόνου, ὅτι οὐχὶ ἴσος;

ΘΕΑΙ. Ὀρθῶς.

ΣΩ. Τί οὖν; πλήθει χρόνου καὶ ὀλιγότητι τὸ ἀληθὲς ὁρισθήσεται;

ΘΕΑΙ. Γελοῖον μεντἂν εἴη πολλαχῇ. e

ΣΩ. Ἀλλά τι ἄλλο ἔχεις σαφὲς ἐνδείξασθαι ὁποῖα τούτων τῶν δοξασμάτων ἀληθῆ;

ΘΕΑΙ, Οὔ μοι δοκῶ.

b 9 ἔχοι om. T || **c** 3 ὦ Σώκρατες om. Y || χρὴ : χρόνῳ χρὴ B χρέων Hultsch || **c** 4 τὰ αὐτὰ : ταῦτα W || **c** 5 νυνὶ : νυνδὴ Cobet || **c** 6 ὕπνῳ : ἐνυπνίῳ YW || **c** 7 ὀνείρατα : ἅττα Heindorf || **c** 9 τό γε : τότε γε W || **d** 1 ὄναρ ἢ ὕπαρ W || **d** 8 τε : μὲν Y || **d** 9 οὐχὶ : οὐκ W || **e** 1 μεντἂν : μὲν ἂν W.

SOCRATE. — Je vais donc, moi, te faire entendre ce que, là-dessus, diraient les gens qui affirment ce principe : toutes croyances, quelles qu'elles soient, sont vraies pour le sujet qui croit[1]. Ils exprimeront leur pensée, j'imagine, en des questions comme celle-ci : « ô Théétète, ce qui est totalement différent aura-t-il jamais même vertu que son opposé ? Et n'allons point comprendre qu'il s'agisse d'un objet identique sous un rapport et différent sous un autre : il est totalement différent ».

THÉÉTÈTE. — Impossible, certainement, qu'il y ait iden-
159 a tité soit de puissance, soit d'autre chose, en ce qui est absolument différent.

SOCRATE. — Mais n'est-il pas aussi bien nécessaire d'avouer qu'un tel objet est dissemblable ?

THÉÉTÈTE. — Si, à ce qu'il me semble.

SOCRATE. — Donc tout ce à quoi il arrive d'être semblable ou dissemblable à soi ou à autre que soi, lorsqu'il s'assimile, nous le dirons devenir identique ; lorsqu'il se désassimile, différent ?

THÉÉTÈTE. — Nécessairement.

SOCRATE. — Ne disions-nous pas antérieurement que les agents étaient multiples et même infinis en nombre, et tout aussi bien les patients ?

THÉÉTÈTE. — Si.

SOCRATE. — Et encore que, tantôt à l'un, tantôt à l'autre s'accouplant, ce ne sont point mêmes produits, mais produits différents qu'ils engendreront ?

b THÉÉTÈTE. — Parfaitement.

SOCRATE. — Appliquons donc à moi, comme à toi et à tout le reste, cette même distinction : Socrate bien portant, d'une part, et, d'autre part, Socrate malade. Dirons-nous ceci semblable à cela, ou dissemblable ?

THÉÉTÈTE. — Par Socrate malade, est-ce un tout défini que tu opposes à cet autre tout, Socrate bien portant ?

SOCRATE. — Tu as parfaitement compris : c'est cela même que je veux dire.

THÉÉTÈTE. — Il faut dire alors : dissemblable.

SOCRATE. — Donc différent aussi au même titre que dissemblable ?

1. C'est la seconde formule du *Cratyle* : vérité du jugement qui

ΣΩ. Ἐμοῦ τοίνυν ἄκουε οἷα περὶ αὐτῶν ἂν λέγοιεν οἱ τὰ ἀεὶ δοκοῦντα ὁριζόμενοι τῷ δοκοῦντι εἶναι ἀληθῆ. Λέγουσι δέ, ὡς ἐγὼ οἶμαι, οὕτως ἐρωτῶντες· « Ὦ Θεαίτητε, ὃ ἂν ἕτερον ᾖ παντάπασιν, μή πῄ τινα δύναμιν τὴν αὐτὴν ἕξει τῷ ἑτέρῳ; καὶ μὴ ὑπολάβωμεν τῇ μὲν ταὐτὸν εἶναι ὃ ἐρωτῶμεν, τῇ δὲ ἕτερον, ἀλλ' ὅλως ἕτερον. »

ΘΕΑΙ. Ἀδύνατον τοίνυν ταὐτόν τι ἔχειν ἢ ἐν δυνάμει ἢ ἐν ἄλλῳ ὁτῳοῦν, ὅταν ᾖ κομιδῇ ἕτερον. 159 a

ΣΩ. Ἆρ' οὖν οὐ καὶ ἀνόμοιον ἀναγκαῖον τὸ τοιοῦτον ὁμολογεῖν;

ΘΕΑΙ. Ἔμοιγε δοκεῖ.

ΣΩ. Εἰ ἄρα τι συμβαίνει ὅμοιόν τῳ γίγνεσθαι ἢ ἀνόμοιον, εἴτε ἑαυτῷ εἴτε ἄλλῳ, ὁμοιούμενον μὲν ταὐτὸν φήσομεν γίγνεσθαι, ἀνομοιούμενον δὲ ἕτερον;

ΘΕΑΙ. Ἀνάγκη.

ΣΩ. Οὐκοῦν πρόσθεν ἐλέγομεν ὡς πολλὰ μὲν εἴη τὰ ποιοῦντα καὶ ἄπειρα, ὡσαύτως δέ γε καὶ τὰ πάσχοντα;

ΘΕΑΙ. Ναί.

ΣΩ. Καὶ μὴν ὅτι γε ἄλλο ἄλλῳ συμμειγνύμενον καὶ ἄλλῳ οὐ ταὐτὰ ἀλλ' ἕτερα γεννήσει;

ΘΕΑΙ. Πάνυ μὲν οὖν. b

ΣΩ. Λέγωμεν δὴ ἐμέ τε καὶ σὲ καὶ τἆλλα ἤδη κατὰ τὸν αὐτὸν λόγον, Σωκράτη ὑγιαίνοντα καὶ Σωκράτη αὖ ἀσθενοῦντα. Πότερον ὅμοιον τοῦτ' ἐκείνῳ ἢ ἀνόμοιον φήσομεν;

ΘΕΑΙ. Ἆρα τὸν ἀσθενοῦντα Σωκράτη, ὅλον τοῦτο λέγεις ὅλῳ ἐκείνῳ, τῷ ὑγιαίνοντι Σωκράτει;

ΣΩ. Κάλλιστα ὑπέλαβες· αὐτὸ τοῦτο λέγω.

ΘΕΑΙ. Ἀνόμοιον δήπου.

ΣΩ. Καὶ ἕτερον ἄρα οὕτως ὥσπερ ἀνόμοιον;

e 8 ἕξῃ τὴν δ' αὐτὴν W || 159 a 1 ὅταν : ὅτι ἂν Dobrée ὃ ἂν Hirschig auctore Badham || a 9 πρόσθεν : ἔμπρ- Y ἐν τοῖς πρ- W || a 10 δέ γε καὶ YW : δέ γε BT || b 3 αὖ : οὖν Y || b 10 καὶ ἕτερον Theaeteto trib. YW.

THÉÉTÈTE. — Nécessairement.

c SOCRATE. — Et Socrate dormant, et tous autres états par nous énumérés tout à l'heure, comportent même affirmation ?

THÉÉTÈTE. — De ma part, certainement.

SOCRATE. — Tout facteur qui, de sa nature, est agent ne va-t-il pas, quand il prendra Socrate bien portant, agir, en moi, sur un homme différent de celui sur lequel il agira prenant Socrate malade ?

THÉÉTÈTE. — Comment pourrait-il en être autrement ?

SOCRATE. — Autres donc seront, dans les deux cas, les produits que nous engendrerons, moi, le patient, et lui, l'agent ?

THÉÉTÈTE. — Comment donc !

SOCRATE. — Or le vin que je bois bien portant me paraît agréable et doux ?

THÉÉTÈTE. — Oui.

SOCRATE. — C'est qu'il y a eu génération, nous en sommes convenus, par le couple agent et patient, de douceur d plus sensation. Elles sont en translation l'une et l'autre : la sensation, qui vient du patient, a fait sentante la langue ; la douceur, qui vient du vin, aux entours du vin répandue, a produit dans le vin, pour la langue bien portante, et l'être et le paraître doux.

THÉÉTÈTE. — C'est bien là, certainement, ce dont nous sommes antérieurement convenus.

SOCRATE. — Mais si l'agent a pris Socrate malade, la première chose à dire n'est-elle pas que, en vérité, ce n'est point le même homme qui fut pris ? Il était dissemblable, en effet, quand il reçut l'approche.

THÉÉTÈTE. — Oui.

SOCRATE. — Nouveaux donc furent les produits qu'engen- e drèrent un tel Socrate et l'absorption du vin : aux entours de la langue, sensation d'amertume ; aux entours du vin, apparition et translation d'amertume ; lui, non point amertume, mais amer ; moi, non point sensation, mais sentant ?

THÉÉTÈTE. — Assurément.

accompagne l'image sensible (386 c ; cf. p. 171, note 1). Les formules du *Théétète* se ramènent toutes à ce double type : vérité de la sensation (152 c), de l'impression (178 b) ou de l'image (152 a, 158 a) ; vérité du jugement où s'affirme cette apparence (158 e, 161 c, 162 c/d, 167 c, 170 a, 172 b, 177 c).

ΘΕΑΙ. Ἀνάγκη.

ΣΩ. Καὶ καθεύδοντα δὴ καὶ πάντα ἃ νυνδὴ διήλθομεν, ὡσαύτως φήσεις; c

ΘΕΑΙ. Ἔγωγε.

ΣΩ. Ἕκαστον δὴ τῶν πεφυκότων τι ποιεῖν, ἄλλο τι, ὅταν μὲν λάβῃ ὑγιαίνοντα Σωκράτη, ὡς ἑτέρῳ μοι χρήσεται, ὅταν δὲ ἀσθενοῦντα, ὡς ἑτέρῳ;

ΘΕΑΙ. Τί δ' οὐ μέλλει;

ΣΩ. Καὶ ἕτερα δὴ ἐφ' ἑκατέρου γεννήσομεν ἐγώ τε ὁ πάσχων καὶ ἐκεῖνο τὸ ποιοῦν;

ΘΕΑΙ. Τί μήν;

ΣΩ. Ὅταν δὴ οἶνον πίνω ὑγιαίνων, ἡδύς μοι φαίνεται καὶ γλυκύς;

ΘΕΑΙ. Ναί.

ΣΩ. Ἐγέννησε γὰρ δὴ ἐκ τῶν προωμολογημένων τό τε ποιοῦν καὶ τὸ πάσχον γλυκύτητά τε καὶ αἴσθησιν, ἅμα d φερόμενα ἀμφότερα, καὶ ἡ μὲν αἴσθησις πρὸς τοῦ πάσχοντος οὖσα αἰσθανομένην τὴν γλῶτταν ἀπηργάσατο, ἡ δὲ γλυκύτης πρὸς τοῦ οἴνου περὶ αὐτὸν φερομένη γλυκὺν τὸν οἶνον τῇ ὑγιαινούσῃ γλώττῃ ἐποίησεν καὶ εἶναι καὶ φαίνεσθαι.

ΘΕΑΙ. Πάνυ μὲν οὖν τὰ πρότερα ἡμῖν οὕτως ὡμολόγητο.

ΣΩ. Ὅταν δὲ ἀσθενοῦντα, ἄλλο τι πρῶτον μὲν τῇ ἀληθείᾳ οὐ τὸν αὐτὸν ἔλαβεν; ἀνομοίῳ γὰρ δὴ προσῆλθεν.

ΘΕΑΙ. Ναί.

ΣΩ. Ἕτερα δὴ αὖ ἐγεννησάτην ὅ τε τοιοῦτος Σωκράτης e καὶ ἡ τοῦ οἴνου πόσις, περὶ μὲν τὴν γλῶτταν αἴσθησιν πικρότητος, περὶ δὲ τὸν οἶνον γιγνομένην καὶ φερομένην πικρότητα, καὶ τὸν μὲν οὐ πικρότητα ἀλλὰ πικρόν, ἐμὲ δὲ οὐκ αἴσθησιν ἀλλ' αἰσθανόμενον;

ΘΕΑΙ. Κομιδῇ μὲν οὖν.

c 1 καθεύδοντα: -δοντι (sed α supra ι) B || νυνδὴ Heindorf: νῦν codd. || c 2 φήσεις: -ομεν T || c 11 δὴ: μὲν δὴ W || c 12 καί: ἢ W || d 8 ἄλλο τι: ἄλλό τι ἢ W.

SOCRATE. — Donc, pour moi, il n'est rien d'autre à l'égard de qui je puisse jamais devenir sentant en même façon ; car

160 a autre agent fait autre sensation, modifie et rend autre le sentant. Aucune chance non plus que cela qui m'est agent, s'unissant à un autre patient, engendre jamais le même effet et revête le même état ; car, d'autre conjoint engendrant autre produit, c'est en un sens nouveau qu'il s'altèrera.

THÉÉTÈTE. — C'est exact.

SOCRATE. — Mais ni moi ne deviendrai tel par moi seul, ni lui par soi seul.

THÉÉTÈTE. — Certainement non.

SOCRATE. — D'ailleurs c'est forcément à l'égard de quelque chose que je deviens, quand je deviens sentant ; car devenir un sentant, mais qui ne sent rien, c'est impossible. C'est, de même, pour quelqu'un que l'agent devient quand il

b devient doux ou amer ou quelque chose de tel ; car devenir doux, mais doux à personne, c'est impossible.

THÉÉTÈTE. — Absolument.

SOCRATE. — C'est donc, j'imagine, uniquement en ce mutuel rapport, que nous aurons, lui et moi, si nous sommes, notre être, si nous devenons, notre devenir. Son être et le mien, c'est la nécessité, en effet, qui les lie, mais ne les lie à rien d'étranger et pas davantage à nous-mêmes. L'un à l'autre liés, voilà donc l'unique liaison qui reste. Aussi, quoi que l'on déclare être, c'est à quelqu'un, de quelqu'un, relativement à quelque chose qu'il faut dire qu'il est ou, si l'on veut, qu'il devient. Mais qu'en soi et à part soi il est ou devient quelque

c chose, c'est formule qu'il ne faut ni proférer, ni accepter d'autrui : voilà ce que l'argument par nous exposé nous signifie [1].

THÉÉTÈTE. — C'est parfaitement exact, Socrate.

SOCRATE. — Dès lors donc que ce qui m'est agent est à moi et non à un autre, c'est moi aussi qui le sens ; ce n'est pas un autre ?

THÉÉTÈTE. — Comment supposer le contraire ?

SOCRATE. — Vraie donc m'est ma sensation, car elle est toujours de mon être à moi, et c'est à moi de juger, d'accord avec Protagoras, de ce qui m'est, qu'il est, et de ce qui ne m'est point, qu'il n'est point.

1. Aristote (*Métaph.*, 1010 b, 36 et suiv.) répondra que l'objet, bien que corrélatif à la sensation, lui est nécessairement antérieur, comme le moteur au mobile.

ΣΩ. Οὔκουν ἐγώ τε οὐδὲν ἄλλο ποτὲ γενήσομαι οὕτως αἰσθανόμενος· τοῦ γὰρ ἄλλου ἄλλη αἴσθησις, καὶ ἀλλοῖον καὶ ἄλλον ποιεῖ τὸν αἰσθανόμενον· οὔτ' ἐκεῖνο τὸ ποιοῦν **160 a** ἐμὲ μήποτ' ἄλλῳ συνελθὸν ταὐτὸν γεννῆσαν τοιοῦτον γένηται· ἀπὸ γὰρ ἄλλου ἄλλο γεννῆσαν ἀλλοῖον γενήσεται.

ΘΕΑΙ. Ἔστι ταῦτα.

ΣΩ. Οὐδὲ μὴν ἔγωγε ἐμαυτῷ τοιοῦτος, ἐκεῖνό τε ἑαυτῷ τοιοῦτον γενήσεται.

ΘΕΑΙ. Οὐ γὰρ οὖν.

ΣΩ. Ἀνάγκη δέ γε ἐμέ τε τινὸς γίγνεσθαι, ὅταν αἰσθανόμενος γίγνωμαι· αἰσθανόμενον γάρ, μηδενὸς δὲ αἰσθανόμενον ἀδύνατον γίγνεσθαι· ἐκεῖνό τε τινὶ γίγνεσθαι, ὅταν γλυκὺ ἢ πικρὸν ἤ τι τοιοῦτον γίγνηται· γλυκὺ γάρ, μηδενὶ **b** δὲ γλυκὺ ἀδύνατον γενέσθαι.

ΘΕΑΙ. Παντάπασι μὲν οὖν.

ΣΩ. Λείπεται δὴ οἶμαι ἡμῖν ἀλλήλοις, εἴτ' ἐσμέν, εἶναι, εἴτε γιγνόμεθα, γίγνεσθαι, ἐπείπερ ἡμῶν ἡ ἀνάγκη τὴν οὐσίαν συνδεῖ μέν, συνδεῖ δὲ οὐδενὶ τῶν ἄλλων οὐδ' αὖ ἡμῖν αὐτοῖς. Ἀλλήλοις δὴ λείπεται συνδεδέσθαι. Ὥστε εἴτε τις εἶναί τι ὀνομάζει, τινὶ εἶναι ἢ τινὸς ἢ πρός τι ῥητέον αὐτῷ, εἴτε γίγνεσθαι· αὐτὸ δὲ ἐφ' αὑτοῦ τι ἢ ὂν ἢ γιγνόμενον οὔτε αὐτῷ λεκτέον οὔτ' ἄλλου λέγοντος ἀπο- **c** δεκτέον, ὡς ὁ λόγος ὃν διεληλύθαμεν σημαίνει.

ΘΕΑΙ. Παντάπασι μὲν οὖν, ὦ Σώκρατες.

ΣΩ. Οὐκοῦν ὅτε δὴ τὸ ἐμὲ ποιοῦν ἐμοί ἐστιν καὶ οὐκ ἄλλῳ, ἐγὼ καὶ αἰσθάνομαι αὐτοῦ, ἄλλος δ' οὔ ;

ΘΕΑΙ. Πῶς γὰρ οὔ ;

ΣΩ. Ἀληθὴς ἄρα ἐμοὶ ἡ ἐμὴ αἴσθησις· τῆς γὰρ ἐμῆς οὐσίας ἀεί ἐστιν, καὶ ἐγὼ κριτὴς κατὰ τὸν Πρωταγόραν τῶν τε ὄντων ἐμοὶ ὡς ἔστι, καὶ τῶν μὴ ὄντων ὡς οὐκ ἔστιν.

e 7 τε : γε (sed τ supra γ) W || γενήσομαι : γεννή- W || **160 a** 1 ἄλλον.... τὸν YW : ἄλλον.... τὸ B ἄλλο.... τὸν T || **a** 8 τε om. B || **a** 9 αἰσθανόμενον γάρ : -ος γάρ B[2]W[1] || **b** 1 γίγνηται : -εται W || **b** 4 δή : δὲ W || **b** 9 γίγνεσθαι, <γίγνεσθαι> Frei || **c** 1 οὔτ'... ἀποδεκτέον om. B[1].

Théétète. — Il semble.

d Socrate. — Comment donc, étant exempt d'erreur, sans défaillance en ma pensée à l'égard de ce qui est ou devient, ne saurais-je pas là où je sens?

Théétète. — Ce n'est aucunement supposable.

Socrate. — Tu as donc eu parfaitement raison de dire que la science n'est pas autre chose que la sensation, et c'est au même sens que reviennent et la formule d'Homère, d'Héraclite, de toute la tribu qui les suit : « toutes choses se meuvent comme eaux qui courent », et celle de Protagoras le très sage : « l'homme est la mesure de toutes choses », et e celle de Théétète, qui déclare qu'à ce compte la sensation devient la science. Est-ce bien cela, Théétète? Nous faut-il affirmer que nous avons là, toi, ton nouveau-né, moi, un accouchement réussi? Que dis-tu?

Théétète. — Nécessairement oui, Socrate.

Premier essai de critique : tous les hommes se vaudront.

Socrate. — Nous avons eu, ce semble, beaucoup de peine à le mettre au jour, quelle que puisse être sa valeur. Mais, l'enfantement achevé, il nous faut procéder à la fête du nouveau-né et, véritablement, promener tout alentour notre raisonnement, pour voir si ce ne serait point, à notre insu, non pas produit qui vaille qu'on le nour- 161 a risse, mais rien que vent et que mensonge. Ou bien penserais-tu qu'à tout prix il le faille nourrir parce que tien et ne le point exposer? Supporteras-tu, au contraire, qu'on en fasse la critique sous tes yeux, sans entrer en colère au cas où ton premier rejeton te serait enlevé?

Théodore. — Cette patience, Socrate, Théétète l'aura : il n'a l'humeur aucunement difficile. Mais, par les dieux, dis-moi : serait-ce encore là une erreur?

Socrate. — Quel franc amateur d'arguments tu fais et quelle bonté à toi, Théodore, de me regarder comme un sac d'arguments où je n'aie qu'à puiser réponse toute prête pour te dire que c'est « encore là une erreur » ! Ce qui b se passe en fait, tu ne l'observes point : aucun de ces arguments ne sort de moi, mais toujours de celui avec qui je converse. Pour moi, je ne sais rien de plus que cette courte science : ce qu'en fait d'argument invente la sagesse d'autrui,

ΘΕΑΙ. Ἔοικεν.

ΣΩ. Πῶς ἂν οὖν ἀψευδὴς ὢν καὶ μὴ πταίων τῇ διανοίᾳ d περὶ τὰ ὄντα ἢ γιγνόμενα οὐκ ἐπιστήμων ἂν εἴην ὧνπερ αἰσθητής;

ΘΕΑΙ. Οὐδαμῶς ὅπως οὔ.

ΣΩ. Παγκάλως ἄρα σοι εἴρηται ὅτι ἐπιστήμη οὐκ ἄλλο τί ἐστιν ἢ αἴσθησις, καὶ εἰς ταὐτὸν συμπέπτωκεν, κατὰ μὲν Ὅμηρον καὶ Ἡράκλειτον καὶ πᾶν τὸ τοιοῦτον φῦλον οἷον ῥεύματα κινεῖσθαι τὰ πάντα, κατὰ δὲ Πρωταγόραν τὸν σοφώτατον πάντων χρημάτων ἄνθρωπον μέτρον εἶναι, κατὰ δὲ Θεαίτητον τούτων οὕτως ἐχόντων αἴσθησιν ἐπι- e στήμην γίγνεσθαι. Ἦ γάρ, ὦ Θεαίτητε; φῶμεν τοῦτο σὸν μὲν εἶναι οἷον νεογενὲς παιδίον, ἐμὸν δὲ μαίευμα; ἢ πῶς λέγεις;

ΘΕΑΙ. Οὕτως ἀνάγκη, ὦ Σώκρατες.

ΣΩ. Τοῦτο μὲν δή, ὡς ἔοικεν, μόλις ποτὲ ἐγεννήσαμεν, ὅτι δή ποτε τυγχάνει ὄν. Μετὰ δὲ τὸν τόκον τὰ ἀμφιδρόμια αὐτοῦ ὡς ἀληθῶς ἐν κύκλῳ περιθρεκτέον τῷ λόγῳ, σκοπουμένους μὴ λάθῃ ἡμᾶς οὐκ ἄξιον ὂν τροφῆς τὸ γιγνόμενον, ἀλλὰ ἀνεμιαῖόν τε καὶ ψεῦδος. Ἦ σὺ οἴει πάντως 161 a δεῖν τό γε σὸν τρέφειν καὶ μὴ ἀποτιθέναι, ἢ καὶ ἀνέξῃ ἐλεγχόμενον ὁρῶν, καὶ οὐ σφόδρα χαλεπανεῖς ἐάν τις σοῦ ὡς πρωτοτόκου αὐτὸ ὑφαιρῇ;

ΘΕΟ. Ἀνέξεται, ὦ Σώκρατες, Θεαίτητος· οὐδαμῶς γὰρ δύσκολος. Ἀλλὰ πρὸς θεῶν εἰπέ, ἦ αὖ οὐχ οὕτως ἔχει;

ΣΩ. Φιλόλογός γ' εἶ ἀτεχνῶς καὶ χρηστός, ὦ Θεόδωρε, ὅτι με οἴει λόγων τινὰ εἶναι θύλακον καὶ ῥᾳδίως ἐξελόντα ἐρεῖν ὡς οὐκ αὖ ἔχει οὕτω ταῦτα· τὸ δὲ γιγνόμενον οὐκ b ἐννοεῖς, ὅτι οὐδεὶς τῶν λόγων ἐξέρχεται παρ' ἐμοῦ ἀλλ' ἀεὶ παρὰ τοῦ ἐμοὶ προσδιαλεγομένου, ἐγὼ δὲ οὐδὲν ἐπί-

d 1 ἂν οὖν : οὖν ἂν TY || **d** 2 ὄντα om. Y || **d** 4 οὔ T : οὖν BYW || **e** 2 φῶμεν τοῦτο : τοῦτο οὕτω φῶμεν W || **e** 6 μόλις : -γις W || **e** 7 ποτε : ποτε καὶ YW || **161 a** 6 ἦ Hermann : ἡ B ἢ W εἰ TY ἦ Burnet || οὐχ om. T || **b** 1 ἔχει αὖ W.

le recevoir et l'accueillir avec juste mesure. C'est ce que je vais, maintenant encore, essayer de faire avec notre jeune homme, sans rien dire qui soit de moi.

Théodore. — Tu as raison, Socrate : fais comme tu dis.

Socrate. — Eh bien, sais-tu, Théodore, ce qui m'étonne de ton ami Protagoras ?

c Théodore. — Quoi donc ?

Socrate. — Dans l'ensemble il a dit choses qui me plaisent fort, montrant que ce qui semble à chacun est, comme tel, réel. Mais le début de son discours m'a surpris. Que n'a-t-il dit, en commençant sa Vérité, que « la mesure de toutes choses, c'est le pourceau » ou « le cynocéphale » ou quelque bête encore plus bizarre parmi celles qui ont sensation ? C'eût été façon magnifique et hautement méprisante d'entamer, pour nous, son discours. Il eût ainsi montré, alors que nous l'admirions à l'égal d'un dieu pour sa sagesse, qu'au bout du compte il n'était supérieur, en jugement, je ne dis pas seu- d lement à aucun autre homme, mais même pas à un têtard de grenouille. Autrement que dire, Théodore ? Si à chacun est vraie l'opinion où se traduit sa sensation ; si, l'impression qu'éprouve l'un, nul autre ne la peut mieux juger, et si, l'opinion qu'il a, nul autre ne peut avoir plus de titres à en examiner la justesse ou la fausseté ; si, au contraire, comme nous l'avons dit souvent, ce ne sont que ses propres impressions que chacun, pour lui seul, traduit en opinions, impressions qui, toutes, sont justes et vraies, en quoi donc, cher ami, Protagoras serait-il sage, au point de mériter d'enseigner e les autres au taux d'énormes honoraires, tandis que nous, plus dépourvus de savoir, aurions à fréquenter ses leçons à lui, bien que chacun de nous fût mesure à soi-même de sa propre sagesse[1] ? Comment ne pas affirmer que Protagoras ne fait là que des phrases pour la foule ? Quant à mes prétentions, à celles de mon art maïeutique, je tais de quelle dérision on les doit payer, elles, et, je pense, l'entretien dialectique avec tout son labeur. Car examiner, chercher à réfuter les représentations

1. Platon ne fait ici qu'adapter, d'une façon plus précise et plus topique, la question que Socrate posait aux sophistes de l'*Euthydème* (287 a) : « Si nous ne nous trompons ni dans nos actions, ni dans nos paroles, ni dans nos pensées, en ce cas, dites-moi : à qui donc, par Zeus, venez-vous donner des leçons ? »

σταμαι πλέον πλὴν βραχέος, ὅσον λόγον παρ᾽ ἑτέρου σοφοῦ λαβεῖν καὶ ἀποδέξασθαι μετρίως. Καὶ νῦν τοῦτο παρὰ τοῦδε πειράσομαι, οὔ τι αὐτὸς εἰπεῖν.

ΘΕΟ. Σὺ κάλλιον, ὦ Σώκρατες, λέγεις· καὶ ποίει οὕτως.

ΣΩ. Οἶσθ᾽ οὖν, ὦ Θεόδωρε, ὃ θαυμάζω τοῦ ἑταίρου σου Πρωταγόρου ;

ΘΕΟ. Τὸ ποῖον ; c

ΣΩ. Τὰ μὲν ἄλλα μοι πάνυ ἡδέως εἴρηκεν, ὡς τὸ δοκοῦν ἑκάστῳ τοῦτο καὶ ἔστιν· τὴν δ᾽ ἀρχὴν τοῦ λόγου τεθαύμακα, ὅτι οὐκ εἶπεν ἀρχόμενος τῆς ᾽Αληθείας ὅτι « Πάντων χρημάτων μέτρον ἐστὶν ὗς » ἢ « κυνοκέφαλος » ἤ τι ἄλλο ἀτοπώτερον τῶν ἐχόντων αἴσθησιν, ἵνα μεγαλοπρεπῶς καὶ πάνυ καταφρονητικῶς ἤρξατο ἡμῖν λέγειν, ἐνδεικνύμενος ὅτι ἡμεῖς μὲν αὐτὸν ὥσπερ θεὸν ἐθαυμάζομεν ἐπὶ σοφίᾳ, ὁ δ᾽ ἄρα ἐτύγχανεν ὢν εἰς φρόνησιν οὐδὲν βελτίων βατράχου γυρίνου, μὴ ὅτι ἄλλου του ἀνθρώπων. Ἢ πῶς d λέγωμεν, ὦ Θεόδωρε ; εἰ γὰρ δὴ ἑκάστῳ ἀληθὲς ἔσται ὃ ἂν δι᾽ αἰσθήσεως δοξάζῃ, καὶ μήτε τὸ ἄλλου πάθος ἄλλος βέλτιον διακρινεῖ, μήτε τὴν δόξαν κυριώτερος ἔσται ἐπισκέψασθαι ἕτερος τὴν ἑτέρου ὀρθὴ ἢ ψευδής, ἀλλ᾽ ὃ πολλάκις εἴρηται, αὐτὸς τὰ αὑτοῦ ἕκαστος μόνος δοξάσει, ταῦτα δὲ πάντα ὀρθὰ καὶ ἀληθῆ, τί δή ποτε, ὦ ἑταῖρε, Πρωταγόρας μὲν σοφός, ὥστε καὶ ἄλλων διδάσκαλος ἀξιοῦσθαι δικαίως μετὰ μεγάλων μισθῶν, ἡμεῖς δὲ ἀμαθέστεροί τε καὶ φοιτητέον ἡμῖν ἦν παρ᾽ ἐκεῖνον, μέτρῳ ὄντι e αὐτῷ ἑκάστῳ τῆς αὑτοῦ σοφίας ; ταῦτα πῶς μὴ φῶμεν δημούμενον λέγειν τὸν Πρωταγόραν ; τὸ δὲ δὴ ἐμόν τε καὶ τῆς ἐμῆς τέχνης τῆς μαιευτικῆς σιγῶ ὅσον γέλωτα ὀφλισκάνομεν, οἶμαι δὲ καὶ σύμπασα ἡ τοῦ διαλέγεσθαι πραγμα-

b 5 τοῦτο : τοῦ Y || **b** 6 οὔ τι : ὅτι B || **c** 6 ἀτοπώτερον : -τατον W || **d** 1 βατράχου secl. Walckenaer || **d** 2 λέγωμεν : -ομεν YW || **d** 4 διακρινεῖ Y : -κρίνῃ B (ex emend.) TW || **d** 5 post ἑτέρου add. εἰ W || **d** 6 μόνος B : -ον TYW || **d** 8 ὥστε : ὡς T || **e** 2 ἡμῖν ἦν : ἦν ἡμῖν W || **e** 3 αὑτοῦ : αὐτοῦ YW || ταῦτα : καὶ ταῦτα Y.

et opinions les uns des autres alors qu'elles sont justes pour
162 a chacun, n'est-ce pas là prolixe et criard bavardage, si c'est Vérité vraie que la Vérité de Protagoras et non pas oracle qui nous joue du fond le plus sacré de son livre [1] ?

Théodore. — O Socrate, l'homme m'est cher, tu viens de le dire à l'instant. Aussi n'admettrais-je point que, par mes propres aveux, on réfute Protagoras, et ne voudrais-je non plus, contredire mon opinion pour te faire contre-partie. C'est donc vers Théétète qu'il faut te retourner ; d'ailleurs, même en la discussion présente, il s'est montré très attentif à suivre ton raisonnement.

b Socrate. — Est-ce que, visitant Lacédémone, Théodore, si tu assistais aux palestres, tu jugerais bon de contempler la nudité des joueurs, malingre chez certains, sans venir toi-même, en réplique, faire montre de ta forme en te plaçant dévêtu à leurs côtés ?

Théodore. — Et pourquoi en douter, si j'avais chance de gagner leur consentement par raisons persuasives ? J'imagine bien, dans l'occasion présente, vous persuader ainsi de me laisser à mon rôle de spectateur et de ne me point tirer de force aux exercices, mais, à l'homme déjà raide que je suis, préférer plus jeune et plus frais partenaire.

Socrate. — Soit, Théodore : s'il te plaît, point ne me déplaît,
c comme dit le proverbe. Il nous faut donc revenir au sage Théétète. Dis-moi donc, Théétète, pour commencer par ce que nous venons d'exposer, n'admires-tu point que, tout d'un coup, tu viennes ainsi te révéler haussé à un niveau de sagesse que ne dépasse ni homme ni dieu ? Ou t'imagines-tu que la mesure de Protagoras prétende s'appliquer moins aux dieux qu'aux hommes [2] ?

Théétète. — Par Zeus, je n'ai point cette idée ; et je réponds à ta question : oui, j'admire fort. Tandis que nous suivions, tout à l'heure, le développement de la formule : « ce qui semble à chacun, cela est, pour celui à qui cela semble »,
d parfaitement juste m'en apparaissait la teneur. Maintenant

1. Cf. *Euthydème*, 286 d : « Est-il donc possible, selon toi, de réfuter quelqu'un, si personne ne se trompe ? »

2. Les *Lois* diront (716 c) : « C'est Dieu qui sera pour nous, éminemment, la mesure de toutes choses, à meilleur droit que cet homme individuel dont on nous parle. »

τεία. Τὸ γὰρ ἐπισκοπεῖν καὶ ἐπιχειρεῖν ἐλέγχειν τὰς ἀλλήλων φαντασίας τε καὶ δόξας, ὀρθὰς ἑκάστου οὔσας, οὐ μακρὰ μὲν καὶ διωλύγιος φλυαρία, εἰ ἀληθὴς ἡ Ἀλήθεια **162 a** Πρωταγόρου ἀλλὰ μὴ παίζουσα ἐκ τοῦ ἀδύτου τῆς βίβλου ἐφθέγξατο ;

ΘΕΟ. Ὦ Σώκρατες, φίλος ἁνήρ, ὥσπερ σὺ νυνδὴ εἶπες. Οὐκ ἂν οὖν δεξαίμην δι᾽ ἐμοῦ ὁμολογοῦντος ἐλέγχεσθαι Πρωταγόραν, οὐδ᾽ αὖ σοὶ παρὰ δόξαν ἀντιτείνειν. Τὸν οὖν Θεαίτητον πάλιν λαβέ· πάντως καὶ νυνδὴ μάλ᾽ ἐμμελῶς σοι ἐφαίνετο ὑπακούειν.

ΣΩ. Ἆρα κἂν εἰς Λακεδαίμονα ἐλθών, ὦ Θεόδωρε, πρὸς **b** τὰς παλαίστρας ἀξιοῖς ἂν ἄλλους θεώμενος γυμνούς, ἐνίους φαύλους, αὐτὸς μὴ ἀντεπιδεικνύναι τὸ εἶδος παραποδυόμενος ;

ΘΕΟ. Ἀλλὰ τί μὴν δοκεῖς, εἴπερ μέλλοιέν μοι ἐπιτρέψειν καὶ πείσεσθαι; ὥσπερ νῦν οἶμαι ὑμᾶς πείσειν ἐμὲ μὲν ἐᾶν θεᾶσθαι καὶ μὴ ἕλκειν πρὸς τὸ γυμνάσιον σκληρὸν ἤδη ὄντα, τῷ δὲ δὴ νεωτέρῳ τε καὶ ὑγροτέρῳ ὄντι προσπαλαίειν.

ΣΩ. Ἀλλ᾽ εἰ οὕτως, ὦ Θεόδωρε, σοὶ φίλον, οὐδ᾽ ἐμοὶ ἐχθρόν, φασὶν οἱ παροιμιαζόμενοι. Πάλιν δὴ οὖν ἐπὶ τὸν **c** σοφὸν Θεαίτητον ἰτέον. Λέγε δή, ὦ Θεαίτητε, πρῶτον μὲν ἃ νυνδὴ διήλθομεν, ἆρα οὐ σὺ θαυμάζεις εἰ ἐξαίφνης οὕτως ἀναφανήσῃ μηδὲν χείρων εἰς σοφίαν ὁτουοῦν ἀνθρώπων ἢ καὶ θεῶν ; ἢ ἧττόν τι οἴει τὸ Πρωταγόρειον μέτρον εἰς θεοὺς ἢ εἰς ἀνθρώπους λέγεσθαι ;

ΘΕΑΙ. Μὰ Δί᾽ οὐκ ἔγωγε· καὶ ὅπερ γε ἐρωτᾷς, πάνυ θαυμάζω. Ἡνίκα γὰρ διῇμεν ὃν τρόπον λέγοιεν τὸ δοκοῦν ἑκάστῳ τοῦτο καὶ εἶναι τῷ δοκοῦντι, πάνυ μοι εὖ ἐφαί- **d**

e 7 ἐπιχειρεῖν om. B || **162 a** 1 μὲν om. W || **a** 2 βίβλου : βύ- BT || **a** 4 ἁνήρ Heindorf : ἀνήρ codd. || νυνδὴ εἶπες : εἶπες νῦν W || **a** 7 λαβὲ πάντως : Y· || νυνδή : δὴ νῦν Y || **b** 7 θεᾶσθαι : -άσασθαι T || **c** 1 παροιμιαζόμενοι : φροιμ- W1 || **c** 2 δή : οὖν W || **c** 3 σὺ θαυμάζεις W : συνθαυ- BTY || **c** 4 οὕτως ἐξαίφνης W || **d** 1 καὶ om. W || τῷ δοκοῦντι : τὸ δοκοῦν τι W.

cette impression a vite fait place à l'impression contraire.

Socrate. — Tu es jeune encore, mon cher fils ; aussi, pour la déclamation, as-tu l'oreille prompte et l'acquiescement rapide. A de telles questions, en effet, voici ce que répondra Protagoras ou un autre à sa place : « O valeureux champions, jeunes et vieux, vous êtes là faisant harangues, siégeant de compagnie, mêlant jusqu'aux dieux dans ce débat, alors que, moi, j'écarte, de mes discours et de mes écrits,
e toute affirmation sur leur existence ou leur non-existence [1]. Des raisons que la multitude accepterait d'entendre forment vos arguments, comme cet épouvantail d'une équivalence absolue, sous le rapport de la sagesse, entre l'individu humain et un individu quelconque de nos troupeaux. De démonstration, de nécessité, il n'y a pas trace en vos formules: vous n'employez que le vraisemblable, argument qu'il suffirait à Théodore ou à quelque autre géomètre de prétendre employer en géométrie pour être taxé d'infériorité à l'égard du premier venu. Examinez donc, toi et Théodore, si vous accueilleriez
163 a raisons persuasives et vraisemblances comme démonstrations en si haute matière. »

Théétète. — Mais, que ce soit permis, Socrate, ni toi ni moi ne le dirions.

Socrate. — Par une autre voie donc il faut conduire l'examen, ce me semble, d'après ta façon de raisonner à toi et à Théodore.

Théétète. — Par une tout autre voie.

Socrate. — Prenons donc celle-ci pour examiner si, en fin de compte, science et sensation sont identiques ou différentes. C'est à ce terme, en somme, que tendait toute notre argumentation et c'est pour y arriver que toutes ces étrangetés furent mises par nous en mouvement. N'est-ce pas vrai ?

Théétète. — Tout à fait vrai.

b *La science aura même durée que la sensation.*

Socrate. — Accorderons-nous donc que, tout ce que nous sentons par la vue ou par l'ouïe, tout cela, et de ce fait, nous le savons ? Par exemple, avant d'avoir appris la langue

1. La formule de Protagoras nous a été conservée dans Sextus Empiricus (*adv. math.*, IX, 56) et, plus complètement, dans Eusèbe *Praep. evang.*, XIV, 3, 7) : « Des dieux, je ne puis dire ni qu'ils

νετο λέγεσθαι· νῦν δὲ τοὐναντίον ταχὺ μεταπέπτωκεν.

ΣΩ. Νέος γὰρ εἶ, ὦ φίλε παῖ· τῆς οὖν δημηγορίας ὀξέως ὑπακούεις καὶ πείθῃ. Πρὸς γὰρ ταῦτα ἐρεῖ Πρωταγόρας ἤ τις ἄλλος ὑπὲρ αὐτοῦ. « Ὦ γενναῖοι παῖδές τε καὶ γέροντες, δημηγορεῖτε συγκαθεζόμενοι, θεούς τε εἰς τὸ μέσον ἄγοντες, οὓς ἐγὼ ἔκ τε τοῦ λέγειν καὶ τοῦ γράφειν περὶ αὐτῶν ὡς εἰσὶν ἢ ὡς οὐκ εἰσίν, ἐξαιρῶ, καὶ ἃ οἱ e πολλοὶ ἂν ἀποδέχοιντο ἀκούοντες, λέγετε ταῦτα, ὡς δεινὸν εἰ μηδὲν διοίσει εἰς σοφίαν ἕκαστος τῶν ἀνθρώπων βοσκήματος ὁτουοῦν· ἀπόδειξιν δὲ καὶ ἀνάγκην οὐδ᾽ ἡντινοῦν λέγετε ἀλλὰ τῷ εἰκότι χρῆσθε, ᾧ εἰ ἐθέλοι Θεόδωρος ἢ ἄλλος τις τῶν γεωμετρῶν χρώμενος γεωμετρεῖν, ἄξιος οὐδὲ μόνου ἂν εἴη. Σκοπεῖτε οὖν σύ τε καὶ Θεόδωρος εἰ ἀποδέξεσθε πιθανολογίᾳ τε καὶ εἰκόσι περὶ τηλικούτων 163 a λεγομένους λόγους. »

ΘΕΑΙ. Ἀλλ᾽ οὐ δίκαιον, ὦ Σώκρατες, οὔτε σὺ οὔτε ἂν ἡμεῖς φαῖμεν.

ΣΩ. Ἄλλῃ δὴ σκεπτέον, ὡς ἔοικεν, ὡς ὅ τε σὸς καὶ ὁ Θεοδώρου λόγος.

ΘΕΑΙ. Πάνυ μὲν οὖν ἄλλῃ.

ΣΩ. Τῇδε δὴ σκοπῶμεν εἰ ἄρα ἐστὶν ἐπιστήμη τε καὶ αἴσθησις ταὐτὸν ἢ ἕτερον. Εἰς γὰρ τοῦτό που πᾶς ὁ λόγος ἡμῖν ἔτεινεν, καὶ τούτου χάριν τὰ πολλὰ καὶ ἄτοπα ταῦτα ἐκινήσαμεν. Οὐ γάρ;

ΘΕΑΙ. Παντάπασι μὲν οὖν.

ΣΩ. Ἦ οὖν ὁμολογήσομεν, ἃ τῷ ὁρᾶν αἰσθανόμεθα ἢ b τῷ ἀκούειν, πάντα ταῦτα ἅμα καὶ ἐπίστασθαι; οἷον τῶν βαρβάρων πρὶν μαθεῖν τὴν φωνὴν πότερον οὐ φήσομεν

d 2 ταχὺ : τάχα B || **d** 5 ὑπὲρ : περὶ W || **d** 7 ἄγοντες : λέγ- B || τοῦ γράφειν : γράφειν W || **e** 2 ἀποδέχοιντο : ὑπο- Y || **e** 5 ἐθέλοι : θέλοι W || **e** 6 οὐδὲ Phrynichus : οὐδενὸς codd. ac schol. οὐδ᾽ ἑνὸς edd. || **163 a** 1 πιθανολογίᾳ : -ίαις B || τηλικούτων : τούτων B || **a** 5 ἄλλῃ δὴ : ἀλλ᾽ ἤδη YW || ὡς ὅ τε : ἄλλῃ ὡς ὅ τε W || **a** 6 θεοδώρου : -ος B || λόγος post **a** 5 σὸς TY || **a** 8 τῇδε : τί δὲ B || **a** 9 ἢ ἕτερον : πότερον B || τοῦτό : τοῦτόν B || **a** 10 ἔτεινεν : τείνει W || **b** 3 πότερον : πρό- T.

des Barbares, nierons-nous entendre les bruits qu'ils profèrent ou affirmerons-nous entendre et savoir ce qu'ils disent? Ou encore, si nous ne savions point lire, ayant les yeux sur des lettres, nierons-nous les voir ou affirmerons-nous en toute rigueur que, les voyant, nous les savons?

THÉÉTÈTE. — Cela, Socrate, que véritablement nous en voyons et entendons, nous affirmerons le savoir. Ici, forme

c et couleur : nous dirons les voir et savoir. Là, acuité et gravité : les entendre et, par le fait même, les savoir. Mais ce qu'enseignent à leur sujet grammairiens et interprètes, nous ne dirons ni en avoir sensation par la vue ou par l'ouïe, ni le savoir.

SOCRATE. — Excellente réponse, Théétète, et ce n'est pas la peine que je t'y fasse objections, qui ralentiraient ton essor. Mais vois donc cette nouvelle attaque qui s'approche et cherche par quels moyens nous la repousserons.

THÉÉTÈTE. — Quelle attaque?

d SOCRATE. — Celle-ci. On te demandera, je suppose : « Ce que quelqu'un a su un jour, est-il possible qu'en ayant encore mémoire et en conservant le souvenir, au moment même où il se souvient ce quelqu'un ne sache pas cela même dont il se souvient? » Je fais grande phrase, ce semble, pour poser cette simple question : si, ce qu'on a appris et se rappelle, on ne le sait pas?

THÉÉTÈTE. — Comment l'admettre, Socrate? Ce serait monstrueux, ce que tu dis là.

SOCRATE. — Serait-ce donc que je parle en l'air? Examine bien. Est-ce que voir n'est pas, d'après toi, sentir, et la vision, sensation?

THÉÉTÈTE. — D'après moi, si.

SOCRATE. — Donc celui qui a vu a pris science de ce qu'il

e a vu, d'après le raisonnement de tout à l'heure?

THÉÉTÈTE. — Oui.

SOCRATE. — Eh bien, il y a certainement quelque chose que tu appelles mémoire?

THÉÉTÈTE. — Oui.

SOCRATE. — De quelque chose ou de rien?

THÉÉTÈTE. — De quelque chose assurément.

sont, ni qu'ils ne sont pas, ni quelle nature ils ont. Beaucoup de choses empêchent qu'on le sache : et l'obscurité de la question et la brièveté de la vie humaine. »

ἀκούειν ὅταν φθέγγωνται, ἢ ἀκούειν τε καὶ ἐπίστασθαι ἃ λέγουσι ; καὶ αὖ γράμματα μὴ ἐπιστάμενοι, βλέποντες εἰς αὐτὰ πότερον οὐχ ὁρᾶν ἢ ἐπίστασθαι εἴπερ ὁρῶμεν δισχυριούμεθα ;

ΘΕΑΙ. Αὐτό γε, ὦ Σώκρατες, τοῦτο αὐτῶν, ὅπερ ὁρῶμέν τε καὶ ἀκούομεν, ἐπίστασθαι φήσομεν· τῶν μὲν γὰρ τὸ σχῆμα καὶ τὸ χρῶμα ὁρᾶν τε καὶ ἐπίστασθαι, τῶν δὲ τὴν ὀξύτητα καὶ βαρύτητα ἀκούειν τε ἅμα καὶ εἰδέναι· ἃ δὲ οἵ c τε γραμματισταὶ περὶ αὐτῶν καὶ οἱ ἑρμηνῆς διδάσκουσιν, οὔτε αἰσθάνεσθαι τῷ ὁρᾶν ἢ ἀκούειν οὔτε ἐπίστασθαι.

ΣΩ. Ἄριστά γ', ὦ Θεαίτητε, καὶ οὐκ ἄξιόν σοι πρὸς ταῦτα ἀμφισβητῆσαι, ἵνα καὶ αὐξάνῃ. Ἀλλ' ὅρα δὴ καὶ τόδε ἄλλο προσιόν, καὶ σκόπει πῇ αὐτὸ διωσόμεθα.

ΘΕΑΙ. Τὸ ποῖον δή ;

ΣΩ. Τὸ τοιόνδε· εἴ τις ἔροιτο· « Ἆρα δυνατὸν ὅτου τις d ἐπιστήμων γένοιτό ποτε, ἔτι ἔχοντα μνήμην αὐτοῦ τούτου καὶ σῳζόμενον, τότε ὅτε μέμνηται μὴ ἐπίστασθαι αὐτὸ τοῦτο ὃ μέμνηται » ; μακρολογῶ δέ, ὡς ἔοικε, βουλόμενος ἐρέσθαι εἰ μαθών τίς τι μεμνημένος μὴ οἶδε.

ΘΕΑΙ. Καὶ πῶς, ὦ Σώκρατες ; τέρας γὰρ ἂν εἴη ὃ λέγεις.

ΣΩ. Μὴ οὖν ἐγὼ ληρῶ ; σκόπει δέ. Ἆρα τὸ ὁρᾶν οὐκ αἰσθάνεσθαι λέγεις καὶ τὴν ὄψιν αἴσθησιν ;

ΘΕΑΙ. Ἔγωγε.

ΣΩ. Οὐκοῦν ὁ ἰδών τι ἐπιστήμων ἐκείνου γέγονεν ὃ εἶδεν e κατὰ τὸν ἄρτι λόγον ;

ΘΕΑΙ. Ναί.

ΣΩ. Τί δέ ; μνήμην οὐ λέγεις μέντοι τι ;

ΘΕΑΙ. Ναί.

ΣΩ. Πότερον οὐδενὸς ἢ τινός ;

ΘΕΑΙ. Τινὸς δήπου.

b 8 ὁρῶμέν : ὁρῶνμεν Y || b 10 καὶ τὸ χρῶμα B : τε καί- TY om. W || c 6 πῇ : ποῦ W || d 2 ἔτι ἔχοντα : ἐπέ- B || d 6 καὶ om. W.

SOCRATE. — Donc de ce qu'on a appris et de ce qu'on a senti, de quelque chose comme cela?

THÉÉTÈTE. — Naturellement.

SOCRATE. — Ce qu'on a vu, on en a parfois souvenir?

THÉÉTÈTE. — On en a souvenir.

SOCRATE. — Même les yeux fermés? Ou bien l'a-t-on perdu rien qu'à les fermer?

THÉÉTÈTE. — Mais il serait étrange, Socrate, d'affirmer chose pareille.

164 a SOCRATE. — Il le faut bien pourtant, si nous voulons sauver l'argument précédent. Sinon, il s'en va[1].

THÉÉTÈTE. — Pour moi, par Zeus, j'ai bien quelque soupçon, mais je ne comprends pas suffisamment: donne-moi plutôt l'explication.

SOCRATE. — La voici : celui qui a vu a pris science de ce qu'il voyait ; car vision, sensation, science, sont identiques, nous en sommes convenus.

THÉÉTÈTE. — Parfaitement.

SOCRATE. — Mais celui qui a vu, et qui, donc, a pris science de ce qu'il a vu, s'il ferme les yeux, garde souvenir, mais ne voit point. N'est-ce pas vrai?

THÉÉTÈTE. — Si fait.

b SOCRATE. — Mais ne pas voir, c'est ne pas savoir, puisque voir est savoir.

THÉÉTÈTE. — C'est vrai.

SOCRATE. — Il arrive donc que, ce dont on a pris science, tout en s'en souvenant on ne le sait pas, du moment qu'on ne le voit pas: hypothèse dont nous avons dit que la réalisation serait monstrueuse.

THÉÉTÈTE. — Ce que tu dis là est parfaitement vrai.

SOCRATE. — L'impossible apparaît donc se réaliser si science et sensation sont affirmées identiques.

THÉÉTÈTE. — Ce semble.

SOCRATE. — Il faut donc les dire différentes.

THÉÉTÈTE. — J'en ai peur.

c SOCRATE. — Que serait donc alors la science? C'est à son

1. « Il s'en va » (οἴχεται) au sens de « il est perdu, il meurt » ; cf. *Philèbe*, 14 a ; *Phédon*, 70 A, 84 B ; mais, plus loin (203 d/e), le même verbe aura le sens de « s'évader ». Platon n'est, naturellement, pas seul à personnifier ainsi le λόγος ; cf. Gorgias (*Hélène*), et Aristophane (*les Nuées*).

ΣΩ. Οὐκοῦν ὧν ἔμαθε καὶ ὧν ᾔσθετο, τοιουτωνί τινων;

ΘΕΑΙ. Τί μήν;

ΣΩ. Ὃ δὴ εἶδέ τις, μέμνηταί που ἐνίοτε;

ΘΕΑΙ. Μέμνηται.

ΣΩ. Ἦ καὶ μύσας; ἢ τοῦτο δράσας ἐπελάθετο;

ΘΕΑΙ. Ἀλλὰ δεινόν, ὦ Σώκρατες, τοῦτό γε φάναι.

ΣΩ. Δεῖ γε μέντοι, εἰ σώσομεν τὸν πρόσθε λόγον· εἰ δὲ μή, οἴχεται. 164 a

ΘΕΑΙ. Καὶ ἐγώ, νὴ τὸν Δία, ὑποπτεύω, οὐ μὴν ἱκανῶς γε συννοῶ· ἀλλ' εἰπὲ πῇ.

ΣΩ. Τῇδε· ὁ μὲν ὁρῶν ἐπιστήμων, φαμέν, τούτου γέγονεν οὗπερ ὁρῶν· ὄψις γὰρ καὶ αἴσθησις καὶ ἐπιστήμη ταὐτὸν ὡμολόγηται.

ΘΕΑΙ. Πάνυ γε.

ΣΩ. Ὁ δέ γε ὁρῶν καὶ ἐπιστήμων γεγονὼς οὗ ἑώρα, ἐὰν μύσῃ, μέμνηται μέν, οὐχ ὁρᾷ δὲ αὐτό. Ἦ γάρ;

ΘΕΑΙ. Ναί.

ΣΩ. Τὸ δέ γε « οὐχ ὁρᾷ » « οὐκ ἐπίσταταί » ἐστιν, εἴπερ καὶ τὸ « ὁρᾷ » « ἐπίσταται ». b

ΘΕΑΙ. Ἀληθῆ.

ΣΩ. Συμβαίνει ἄρα, οὗ τις ἐπιστήμων ἐγένετο, ἔτι μεμνημένον αὐτὸν μὴ ἐπίστασθαι, ἐπειδὴ οὐχ ὁρᾷ· ὃ τέρας ἔφαμεν ἂν εἶναι εἰ γίγνοιτο.

ΘΕΑΙ. Ἀληθέστατα λέγεις.

ΣΩ. Τῶν ἀδυνάτων δή τι συμβαίνειν φαίνεται ἐάν τις ἐπιστήμην καὶ αἴσθησιν ταὐτὸν φῇ εἶναι.

ΘΕΑΙ. Ἔοικεν.

ΣΩ. Ἄλλο ἄρα ἑκάτερον φατέον.

ΘΕΑΙ. Κινδυνεύει.

ΣΩ. Τί οὖν δῆτ' ἂν εἴη ἐπιστήμη; πάλιν ἐξ ἀρχῆς, ὡς c

164 a 1 σώσομεν Dissen: -οιμεν codd. || **a** 6 ὁρῶν: -ᾷ YW || **b** 1 ἐστιν... **b** 2 ἐπίσταται om. B[1] || **b** 2 ὁρᾷ: -ᾶν Y || **b** 5 αὐτὸν μή: αὐτὸν ἤ ut uidetur B[1] αὐτὸ μή Hirschig || **b** 6 ἔφαμεν: ἂν ἔφ- W || **c** 1 post ἐπιστήμη add. μή (sed punctis notatum) B.

début, semble-t-il, qu'il nous faut reprendre la question. Mais, qu'allons-nous faire là, Théétète?

THÉÉTÈTE. — Quoi donc?

SOCRATE. — Nous m'avons l'air d'avoir fait comme un coq de mauvaise race, nous empressant, bien avant d'être vainqueurs, d'abandonner le débat pour chanter victoire.

THÉÉTÈTE. — Comment cela?

SOCRATE. — A la mode des antilogiques il semble que, sur des accords de mots, nous avons conclu notre propre accord et que cette façon de triompher de l'argument nous a contentés. Ainsi nous qui nous défendons d'être des disputeurs et prétendons être des philosophes, nous sommes tom-
d bés, sans le savoir, dans les mêmes errements que ces terribles gens.

THÉÉTÈTE. — Je ne comprends pas encore bien ce que tu veux dire.

SOCRATE. — Je vais donc essayer de te faire voir clairement ce que je pense là-dessus. Nous avons demandé si, ce qu'on a appris et se rappelle, on peut ne pas le savoir. Nous avons démontré que celui qui a vu et ferme les yeux se souvient, mais ne voit pas; nous avons ainsi démontré qu'à la fois il ne sait pas et pourtant se souvient, et déclaré que c'est là une impossibilité. Ainsi était anéanti et le mythe de Protagoras, et le tien, en même temps, qui identifie science et sensation.

e THÉÉTÈTE. — Apparemment.

SOCRATE. — Mais point réellement, j'imagine, mon cher, si du moins le père du premier mythe vivait, car lui aurait paré bien des coups : mais il n'y a plus là qu'un orphelin, et nous le traînons dans la boue. D'autant que les tuteurs même que Protagoras lui a laissés lui refusent tout secours, notre Théodore le premier. C'est donc nous qui nous risquerons, par scrupule de justice, à lui porter secours.

THÉODORE. — Ce n'est point moi, Socrate, c'est bien plu-
165 a tôt Callias, le fils d'Hipponicos, qui en est le tuteur. Nous avons été, nous, un peu plus prompts à quitter les arguments abstraits pour la géométrie. Néanmoins, nous te saurons gré si tu le veux bien secourir.

SOCRATE. — Bien parlé, Théodore. Considère donc mon secours, tel que je l'apporte. A de bien plus terribles admis-

ἔοικεν, λεκτέον. Καίτοι τί ποτε μέλλομεν, ὦ Θεαίτητε, δρᾶν ;

ΘΕΑΙ. Τίνος πέρι ;

ΣΩ. Φαινόμεθά μοι ἀλεκτρυόνος ἀγεννοῦς δίκην πρὶν νενικηκέναι ἀποπηδήσαντες ἀπὸ τοῦ λόγου ᾄδειν.

ΘΕΑΙ. Πῶς δή ;

ΣΩ. Ἀντιλογικῶς ἐοίκαμεν πρὸς τὰς τῶν ὀνομάτων ὁμολογίας ἀνομολογησάμενοι καὶ τοιούτῳ τινὶ περιγενόμενοι τοῦ λόγου ἀγαπᾶν, καὶ οὐ φάσκοντες ἀγωνισταὶ ἀλλὰ φιλόσοφοι εἶναι λανθάνομεν ταὐτὰ ἐκείνοις τοῖς d δεινοῖς ἀνδράσιν ποιοῦντες.

ΘΕΑΙ. Οὔπω μανθάνω ὅπως λέγεις.

ΣΩ. Ἀλλ' ἐγὼ πειράσομαι δηλῶσαι περὶ αὐτῶν ὅ γε δὴ νοῶ. Ἠρόμεθα γὰρ δὴ εἰ μαθὼν καὶ μεμνημένος τίς τι μὴ ἐπίσταται, καὶ τὸν ἰδόντα καὶ μύσαντα μεμνημένον ὁρῶντα δὲ οὔ ἀποδείξαντες, οὐκ εἰδότα ἀπεδείξαμεν καὶ ἅμα μεμνημένον· τοῦτο δ' εἶναι ἀδύνατον. Καὶ οὕτω δὴ μῦθος ἀπώλετο ὁ Πρωταγόρειος, καὶ ὁ σὸς ἅμα ὁ τῆς ἐπιστήμης καὶ αἰσθήσεως ὅτι ταὐτόν ἐστιν.

ΘΕΑΙ. Φαίνεται. e

ΣΩ. Οὔ τι ἄν, οἶμαι, ὦ φίλε, εἴπερ γε ὁ πατὴρ τοῦ ἑτέρου μύθου ἔζη, ἀλλὰ πολλὰ ἂν ἤμυνε· νῦν δὲ ὀρφανὸν αὐτὸν ἡμεῖς προπηλακίζομεν. Καὶ γὰρ οὐδ' οἱ ἐπίτροποι, οὓς Πρωταγόρας κατέλιπεν, βοηθεῖν ἐθέλουσιν, ὧν Θεόδωρος εἷς ὅδε. Ἀλλὰ δὴ αὐτοὶ κινδυνεύσομεν τοῦ δικαίου ἕνεκ' αὐτῷ βοηθεῖν.

ΘΕΟ. Οὐ γὰρ ἐγώ, ὦ Σώκρατες, ἀλλὰ μᾶλλον Καλλίας ὁ Ἱππονίκου τῶν ἐκείνου ἐπίτροπος· ἡμεῖς δέ πως θᾶττον 165 a ἐκ τῶν ψιλῶν λόγων πρὸς τὴν γεωμετρίαν ἀπενεύσαμεν. Χάριν γε μέντοι σοὶ ἕξομεν ἐὰν αὐτῷ βοηθῇς.

ΣΩ. Καλῶς λέγεις, ὦ Θεόδωρε. Σκέψαι οὖν τήν γ'

d 1 φιλόσοφοι : σοφοὶ Y || **d** 4 δηλῶσαι : ἁπλῶσαι B || **e** 3 πολλὰ om. T || **e** 6 εἷς om. T || **165 a** 3 σοὶ om. B.

sions encore que tout à l'heure nous amènerait, en effet, l'inattention au sens des mots, qui, le plus habituellement, gouverne nos affirmations comme nos négations. Est-ce à toi que j'adresse l'explication ou bien à Théétète ?

THÉODORE. — Aux deux à la fois. Mais que le plus jeune b réponde : ses chutes seront moins humiliantes.

SOCRATE. — Je pose donc la plus redoutable question. La formule en est, j'imagine, à peu près ceci : « est-il possible à qui sait de ne pas savoir ce qu'il sait ? »

THÉODORE. — Que répondrons-nous donc, Théétète ?

THÉÉTÈTE. — Que c'est bien impossible, tel est du moins mon avis.

SOCRATE. — Pas impossible, si tu poses que voir est savoir. Comment, en effet, sortiras-tu de l'inextricable question, du puits où, comme on dit, t'enfermerait le questionneur imperturbable qui, la main sur un de tes yeux, te demande- c rait si tu vois son habit avec ton œil fermé ?

THÉÉTÈTE. — Je dirai, j'imagine : « avec cet œil-là, non ; avec l'autre, oui ».

SOCRATE. — N'est-ce pas là voir et, à la fois, ne pas voir le même objet ?

THÉÉTÈTE. — Oui, au moins d'une certaine manière.

SOCRATE. — Je ne fais nul cas de cela, dira-t-il, et n'ai point posé de question sur la manière, mais je demande si, ce que tu sais, tout aussi bien tu ne le sais pas [1]. Or, en ce moment, il est clair que tu vois ce que tu ne vois pas. Tu as accordé, en fait, que voir est savoir et que ne pas voir est ne pas savoir. De cela donc déduis quelles conséquences tu dois tirer.

d THÉÉTÈTE. — Eh bien, je déduis qu'il s'ensuit le contraire de ce que j'ai posé.

SOCRATE. — Peut-être, admirable jeune homme, aurais-tu à subir bien d'autres défaites pareilles au cas où l'on te demanderait s'il y a savoir aigu et savoir obtus, savoir de près et pas de loin, savoir intense et savoir modéré, et mille autres choses insidieuses où te guetterait le fantassin léger,

1. Le discuteur éristique, dont les questions sont autant de pièges, ne peut accepter que l'interlocuteur se fasse expliquer la question ou réponde par un « distinguo » ; voir, à ce propos, le débat entre Euthydème et Socrate (*Euthyd.*, 295 b-296 d). Il y a, dispersés dans Platon, tous les éléments d'une *Logique du Sophisme*.

ἐμὴν βοήθειαν. Τῶν γὰρ ἄρτι δεινότερα ἄν τις ὁμολογήσειεν μὴ προσέχων τοῖς ῥήμασι τὸν νοῦν, ᾗ τὸ πολὺ εἰθίσμεθα φάναι τε καὶ ἀπαρνεῖσθαι. Σοὶ λέγω ὅπῃ, ἢ Θεαιτήτῳ ;

ΘΕΟ. Εἰς τὸ κοινὸν μὲν οὖν, ἀποκρινέσθω δὲ ὁ νεώτερος· σφαλεὶς γὰρ ἧττον ἀσχημονήσει. b

ΣΩ. Λέγω δὴ τὸ δεινότατον ἐρώτημα, ἔστι δὲ οἶμαι τοιόνδε τι· « Ἆρα οἷόν τε τὸν αὐτὸν εἰδότα τι τοῦτο ὃ οἶδεν μὴ εἰδέναι ; »

ΘΕΟ. Τί δὴ οὖν ἀποκρινούμεθα, ὦ Θεαίτητε ;

ΘΕΑΙ. Ἀδύνατόν που, οἶμαι ἔγωγε.

ΣΩ. Οὔκ, εἰ τὸ ὁρᾶν γε ἐπίστασθαι θήσεις. Τί γὰρ χρήσῃ ἀφύκτῳ ἐρωτήματι, τὸ λεγόμενον ἐν φρέατι συσχόμενος, ὅταν ἐρωτᾷ ἀνέκπληκτος ἀνήρ, καταλαβὼν τῇ χειρὶ σοῦ τὸν ἕτερον ὀφθαλμόν, εἰ ὁρᾷς τὸ ἱμάτιον τῷ κατειλημμένῳ ; c

ΘΕΑΙ. Οὐ φήσω οἶμαι τούτῳ γε, τῷ μέντοι ἑτέρῳ.

ΣΩ. Οὐκοῦν ὁρᾷς τε καὶ οὐχ ὁρᾷς ἅμα ταὐτόν ;

ΘΕΑΙ. Οὕτω γέ πως.

ΣΩ. Οὐδὲν ἐγώ, φήσει, τοῦτο οὔτε τάττω οὔτ᾽ ἠρόμην τὸ ὅπως, ἀλλ᾽ εἰ ὃ ἐπίστασαι, τοῦτο καὶ οὐκ ἐπίστασαι. Νῦν δὲ ὃ οὐχ ὁρᾷς ὁρῶν φαίνῃ. Ὡμολογηκὼς δὲ τυγχάνεις τὸ ὁρᾶν ἐπίστασθαι καὶ τὸ μὴ ὁρᾶν μὴ ἐπίστασθαι. Ἐξ οὖν τούτων λογίζου τί σοι συμβαίνει.

ΘΕΑΙ. Ἀλλὰ λογίζομαι ὅτι τἀναντία οἷς ὑπεθέμην. d

ΣΩ. Ἴσως δέ γ᾽, ὦ θαυμάσιε, πλείω ἂν τοιαῦτ᾽ ἔπαθες εἴ τίς σε προσηρώτα εἰ ἐπίστασθαι ἔστι μὲν ὀξύ, ἔστι δὲ ἀμβλύ, καὶ ἐγγύθεν μὲν ἐπίστασθαι, πόρρωθεν δὲ μή, καὶ σφόδρα καὶ ἠρέμα τὸ αὐτό, καὶ ἄλλα μυρία, ἃ ἐλλοχῶν ἂν

a 6 προσέχων : προσχὼν YW || **b** 2 δεινότατον : -τερον W || **b** 7 γε om. W || θήσεις : φή- W || **b** 8 συσχόμενος : συνεχό- B[1]W || **c** 3 ἑτέρῳ : γ᾽ ἑτ- W || **c** 7 εἰ ὃ : εἴτ᾽ B || **c** 8 ὃ om. W (sed ὃ in ras. supra lin.) || **d** 2 δέ γ᾽ ὦ TY : δ᾽ ἐγὼ B δέ γε ὦ W || **d** 3 δὲ : δὲ καὶ W || **d** 4 δὲ om. Y || **d** 5 ἐλλοχῶν : ἐνλο- BT || ἂν : ἄν τις W.

mercenaire des combats de parole. Quand tu aurais posé l'identité de science et sensation, il se jetterait sur les sensations de l'ouïe, de l'odorat et des autres sens, te réfuterait sans e te laisser de répit et ne te lâcherait point que, t'ayant stupéfié de sa tant enviable sagesse, il ne te passe le nœud autour des jambes. Te tenant alors maîtrisé, pieds et poings liés, il te rançonnerait de tout l'argent dont il vous aurait plu de convenir. Quelle réplique, diras-tu peut-être, Protagoras apportera-t-il donc au secours de ses doctrines ? N'essaierons-nous point de la formuler [1] ?

Théétète. — J'en suis d'accord.

Apologie de Protagoras.

166 a Socrate. — Tout ce que, pour sa défense, nous venons dire ainsi, il foncera là-contre, j'imagine, en grand mépris de nous, et dira : « Voilà bien ce brave Socrate ! Un enfant a pris peur, auquel il demandait si le même homme peut, tout à la fois, se rappeler une chose et ne la point savoir. L'enfant a pris peur et a dit non, parce qu'il ne pouvait prévoir ; et le bafoué, c'est moi : Socrate a fait arguments pour démontrer cela. Mais, là-dessus, ô trop facile Socrate, voici la vérité. Quand, d'un point de mes doctrines, c'est par voie d'interrogation que tu fais l'examen, si, l'interlocuteur répondant ce que j'aurais moi-même répondu, tu le bats, b c'est moi que tu réfutes ; s'il répond choses différentes, tu ne réfutes que l'interlocuteur. Sans plus tarder, crois-tu donc qu'on t'accorde que le souvenir présent d'une impression passée est semblable impression que l'impression passée, qu'on n'éprouve plus ? Il s'en faut de beaucoup. Crois-tu qu'on recule devant l'aveu que, savoir et ne pas savoir, le même homme le peut touchant le même objet ? Ou, si l'on n'ose cet aveu, qu'on te cède jamais qu'identique est le sujet pendant qu'il se désassimile et le sujet avant qu'il se désassimile ? Ou plutôt qu'il y ait le sujet et non pas les sujets, pluralité qui devient infinie, pour peu, du moins, que le sujet c successivement se désassimile, s'il nous faut, en chasseurs

1. Cette *Apologie* ne sera pas un pur pastiche : ce sera du Protagoras, mais refait et mieux fait. Socrate dira plus loin (171 d/e, p. 201) qu'il a esquissé (ὑπεγράψαμεν), pour aider Protagoras, les lignes de résistance où sa thèse pourrait tenir le plus solidement. Pour ce sens de ὑπογράφειν, cf. *Protagoras*, 326 d.

πελταστικὸς ἀνὴρ μισθοφόρος ἐν λόγοις ἐρόμενος, ἡνίκ' ἐπιστήμην καὶ αἴσθησιν ταὐτὸν ἔθου, ἐμβαλὼν ἂν εἰς τὸ ἀκούειν καὶ ὀσφραίνεσθαι καὶ τὰς τοιαύτας αἰσθήσεις, ἤλεγχεν ἂν ἐπέχων καὶ οὐκ ἀνιεὶς πρὶν θαυμάσας τὴν e πολυάρατον σοφίαν συνεποδίσθης ὑπ' αὐτοῦ, οὗ δή σε χειρωσάμενός τε καὶ συνδήσας ἤδη ἂν τότε ἐλύτρου χρημάτων ὅσων σοί τε κἀκείνῳ ἐδόκει. Τίν' οὖν δὴ ὁ Πρωταγόρας, φαίης ἂν ἴσως, λόγον ἐπίκουρον τοῖς αὐτοῦ ἐρεῖ; ἄλλο τι πειρώμεθα λέγειν;

ΘΕΑΙ. Πάνυ μὲν οὖν.

ΣΩ. Ταῦτά τε δὴ πάντα ὅσα ἡμεῖς ἐπαμύνοντες αὐτῷ λέγομεν, καὶ ὁμόσε οἶμαι χωρήσεται καταφρονῶν ἡμῶν καὶ 166 a λέγων· «Οὗτος δὴ ὁ Σωκράτης ὁ χρηστός, ἐπειδὴ αὐτῷ παιδίον τι ἐρωτηθὲν ἔδεισεν εἰ οἷόν τε τὸν αὐτὸν τὸ αὐτὸ μεμνῆσθαι ἅμα καὶ μὴ εἰδέναι, καὶ δεῖσαν ἀπέφησεν διὰ τὸ μὴ δύνασθαι προορᾶν, γέλωτα δὴ τὸν ἐμὲ ἐν τοῖς λόγοις ἀπέδειξεν. Τὸ δέ, ὦ ῥᾳθυμότατε Σώκρατες, τῇδ' ἔχει· ὅταν τι τῶν ἐμῶν δι' ἐρωτήσεως σκοπῇς, ἐὰν μὲν ὁ ἐρωτηθεὶς οἷάπερ ἂν ἐγὼ ἀποκριναίμην ἀποκρινόμενος σφάλληται, ἐγὼ ἐλέγχομαι, εἰ δὲ ἀλλοῖα, αὐτὸς ὁ ἐρωτηθείς. Αὐτίκα b γὰρ δοκεῖς τινά σοι συγχωρήσεσθαι μνήμην παρεῖναί τῳ ὧν ἔπαθε, τοιοῦτόν τι οὖσαν πάθος οἷον ὅτε ἔπασχε, μηκέτι πάσχοντι; πολλοῦ γε δεῖ. Ἢ αὖ ἀποκνήσειν ὁμολογεῖν οἷόν τ' εἶναι εἰδέναι καὶ μὴ εἰδέναι τὸν αὐτὸν τὸ αὐτό; ἢ ἐάνπερ τοῦτο δείσῃ, δώσειν ποτὲ τὸν αὐτὸν εἶναι τὸν ἀνομοιούμενον τῷ πρὶν ἀνομοιοῦσθαι ὄντι; μᾶλλον δὲ τὸν εἶναί τινα ἀλλ' οὐχὶ τούς, καὶ τούτους γιγνομένους ἀπείρους, ἐάνπερ ἀνομοίωσις γίγνηται, εἰ δὴ ὀνομάτων γε c

d 7 ταὐτὸν : τὸ αὐτὸ W || e 2 συνεποδίσθης : συνεπεδήθης ex -δόσθης W || e 3 τε : γε B || e 4 κἀκείνῳ : καὶ ἐκ- W || e 8 ὅσα : ὅσα γ' W || 166 a 8 ἂν om. T || ἀποκρινόμενος : -άμενος B || σφάλληται : σφάληται Y¹W || b 3 οἷον ὅτε TY : οἷόν τε B οἷόν τε ὅτ' W || b 5 εἰδέναι post εἶναι om. T || b 8 καὶ om. T || c 1 ἀνομοίωσις : -οίως B.

de mots, chacun nous précautionner contre le flair de l'autre ? Ainsi, bienheureux homme », continuera Protagoras, « sois assez valeureux pour t'en prendre à ma propre thèse, si tu le peux. Apporte contre moi la preuve que ce ne sont point pures sensations individuelles que nos sensations successives ou que, leur individualité successive accordée, n'en sort point davantage cette conséquence : ce qui apparaît devient ou, s'il faut dire être, est pour celui-là seul à qui il apparaît. Parler ici de pourceaux et de cynocéphales, ce n'est pas seulement raisonner en pourceau toi-même, mais encore engager tes audi-
d teurs à pareilles grossièretés contre mes écrits. En cela, tu agis mal. Car, moi, j'affirme que la Vérité est telle que je l'ai écrite : mesure est chacun de nous et de ce qui est et de ce qui n'est point. Infinie pourtant est la différence de l'un à l'autre, par le fait même qu'à l'un ceci est et apparaît, à l'autre cela. La sagesse, le sage, beaucoup s'en faut que je les nie. Voici par quoi, au contraire, je définis le sage : toutes choses qui, à l'un de nous, apparaissent et sont mauvaises, savoir en invertir le sens de façon qu'elles lui apparaissent et lui soient bonnes. Cette définition elle-
e même, ne va point la poursuivre dans le mot-à-mot de sa formule. Voici plutôt qui te fera, plus clairement encore, comprendre ce que je veux dire. Rappelle-toi, par exemple, ce que nous disions précédemment : qu'au malade un mets apparaît et est amer qui, à l'homme bien portant, est et apparaît tout le contraire [1]. Rendre l'un des deux plus sage
167 a n'est ni à faire ni, en réalité, faisable ; pas plus qu'accuser d'ignorance le malade parce que ses opinions sont de tel sens et déclarer sage le bien-portant parce que les siennes sont d'un autre sens. Il faut faire l'inversion des états ; car l'une de ces dispositions vaut mieux que l'autre. De même, dans l'éducation, c'est d'une disposition à la disposition qui vaut mieux que se doit faire l'inversion : or le médecin produit cette inversion par ses remèdes, le sophiste par ses discours [2]. D'une opinion fausse, en effet, on n'a jamais fait passer personne à une opinion vraie ; car l'opinion ne peut prononcer ce qui n'est point ni prononcer autre chose que l'impression
b actuelle, et celle-ci est toujours vraie. Je pense, plutôt,

1. Cf. *supra*, 159 c/d.
2. Cf. *Notice*, p. 134/5 ; et comparer Gorgias, *Hélène*, 8, 13 et 14.

δεήσει θηρεύσεις διευλαβεῖσθαι ἀλλήλων ; ἀλλ', ὦ μακάριε »,
φήσει, « γενναιοτέρως ἐπ' αὐτὸ ἐλθὼν ὃ λέγω, εἰ δύνασαι,
ἐξέλεγξον ὡς οὐχὶ ἴδιαι αἰσθήσεις ἑκάστῳ ἡμῶν γίγνονται,
ἢ ὡς ἰδίων γιγνομένων οὐδέν τι ἂν μᾶλλον τὸ φαινόμενον
μόνῳ ἐκείνῳ γίγνοιτο, ἢ εἰ εἶναι δεῖ ὀνομάζειν, εἴη ᾧπερ
φαίνεται· ὗς δὲ δὴ καὶ κυνοκεφάλους λέγων οὐ μόνον αὐτὸς
ὑηνεῖς, ἀλλὰ καὶ τοὺς ἀκούοντας τοῦτο δρᾶν εἰς τὰ συγ-
γράμματά μου ἀναπείθεις, οὐ καλῶς ποιῶν. Ἐγὼ γάρ φημι d
μὲν τὴν ἀλήθειαν ἔχειν ὡς γέγραφα· μέτρον γὰρ ἕκαστον
ἡμῶν εἶναι τῶν τε ὄντων καὶ μή, μυρίον μέντοι διαφέρειν
ἕτερον ἑτέρου αὐτῷ τούτῳ, ὅτι τῷ μὲν ἄλλα ἔστι τε καὶ
φαίνεται, τῷ δὲ ἄλλα. Καὶ σοφίαν καὶ σοφὸν ἄνδρα πολλοῦ
δέω τὸ μὴ φάναι εἶναι, ἀλλ' αὐτὸν τοῦτον καὶ λέγω σοφόν,
ὃς ἄν τινι ἡμῶν, ᾧ φαίνεται καὶ ἔστι κακά, μεταβάλλων
ποιήσῃ ἀγαθὰ φαίνεσθαί τε καὶ εἶναι. Τὸν δὲ λόγον αὖ μὴ
τῷ ῥήματί μου δίωκε, ἀλλ' ὧδε ἔτι σαφέστερον μάθε τί e
λέγω. Οἷον γὰρ ἐν τοῖς πρόσθεν ἐλέγετο ἀναμνήσθητι, ὅτι
τῷ μὲν ἀσθενοῦντι πικρὰ φαίνεται ἃ ἐσθίει καὶ ἔστι, τῷ δὲ
ὑγιαίνοντι τἀναντία ἔστι καὶ φαίνεται. Σοφώτερον μὲν οὖν
τούτων οὐδέτερον δεῖ ποιῆσαι — οὐδὲ γὰρ δυνατόν — οὐδὲ
κατηγορητέον ὡς ὁ μὲν κάμνων ἀμαθὴς ὅτι τοιαῦτα δοξάζει, 167 a
ὁ δὲ ὑγιαίνων σοφὸς ὅτι ἀλλοῖα, μεταβλητέον δ' ἐπὶ θάτερα·
ἀμείνων γὰρ ἡ ἑτέρα ἕξις. Οὕτω δὲ καὶ ἐν τῇ παιδείᾳ ἀπὸ
ἑτέρας ἕξεως ἐπὶ τὴν ἀμείνω μεταβλητέον· ἀλλ' ὁ μὲν
ἰατρὸς φαρμάκοις μεταβάλλει, ὁ δὲ σοφιστὴς λόγοις. Ἐπεὶ
οὔ τί γε ψευδῆ δοξάζοντά τίς τινα ὕστερον ἀληθῆ ἐποίησε
δοξάζειν· οὔτε γὰρ τὰ μὴ ὄντα δυνατὸν δοξάσαι, οὔτε
ἄλλα παρ' ἃ ἂν πάσχῃ, ταῦτα δὲ ἀεὶ ἀληθῆ. Ἀλλ' οἶμαι b

c 2 δεήσει : -σῃ ex -σει W || c 3 αὐτὸ : αὐτῷ Y || c 4 ἡμῶν ἑκάστῳ TY || c 6 μόνῳ : -ον Y || ᾧπερ : ὅπερ W ὃ in marg. b || c 7-8 αὐτὸς ὑηνεῖς : αὐτὸ συηνεῖς T Photius || c 8 εἰς : πρὸς Photius || d 1 γάρ : δέ Y || d 2 γέγραφα : ἔγραψα W et ut uidetur Y[1] || d 6 τὸ : τῷ TY || d 7 ὅς : ὡς T || ᾧ om. W || φαίνεται : -ηται YW || e 2 πρόσθεν : ἔμπρο- TY || 167 a 6 οὔ : οὔτε TY || b 1 παρ' ἃ ἂν YW : παρὰ ἂν B παρὰ ἂν T.

qu'une disposition pernicieuse de l'âme entraînait des opinions de même nature ; par le moyen d'une disposition bienfaisante, on a fait naître d'autres opinions conformes à cette disposition ; représentations que d'aucuns, par inexpérience, appellent vraies ; pour moi, elles ont plus de valeur les unes que les autres ; plus de vérité, pas du tout. Quant aux sages, ami Socrate, je suis bien loin de les aller chercher parmi les grenouilles ; je les trouve, pour le corps, dans les médecins ; pour les plantes, dans les agriculteurs. J'affirme, en effet, que ceux-ci, dans les plantes, au lieu des sensations perni-
c cieuses qu'entraîne la maladie, font naître sensations et dispositions bienfaisantes et saines. De même, ceux des orateurs qui sont sages et bons font qu'aux cités ce sont choses bienfaisantes au lieu de pernicieuses qui semblent justes. Toutes choses, en effet, qui à chaque cité, semblent justes et belles lui sont telles tant qu'elle le décrète ; mais le sage, au lieu de pernicieuses qu'elles peuvent être l'une ou l'autre aux cités, les fait et être et sembler bienfaisantes. Par la même raison, le sophiste capable de donner à ses élèves une telle
d éducation est sage et mérite large salaire de la part de ceux qu'il a élevés. Ainsi il y a des gens plus sages les uns que les autres, sans que personne ait des opinions fausses ; et toi, que tu le veuilles ou non, il te faut supporter d'être mesure ; car la thèse qui t'y oblige, tous ces exemples l'affirment vivante. Si tu la veux reprendre à son principe pour la contredire, contredis-la en opposant discours à discours. Si tu préfères la méthode interrogative, que ce soit par interrogations : c'est là méthode qu'il n'y a point lieu de fuir plus qu'une autre ; elle est, au contraire, la meilleure à poursuivre pour qui
e a du sens. Observe, en ce cas, cette règle : ne pas conduire tes interrogations en esprit d'injustice. Grande, en effet, est la déraison, pour qui se pose en homme soucieux de vertu, de ne s'occuper en ses discours qu'à faire injustice. Or on fait injustice en pareille matière quand on ne pratique point séparément le conteste oratoire, d'une part, et, d'autre part, la discussion dialoguée[1] ; là, jouant et abattant l'adversaire aussi souvent qu'on le peut ; mais, au dialogue, apportant

1. Dans le *Protagoras* (336 b, p. 54, trad. A. Croiset-L. Bodin), c'est Socrate qui dit : « Je croyais qu'une causerie entre gens qui se réunissent et un discours au peuple étaient deux choses distinctes. »

πονηρᾷ ψυχῆς ἕξει δοξάζοντα συγγενῆ αὐτῆς χρηστὴ ἐποίησε δοξάσαι ἕτερα τοιαῦτα, ἃ δή τινες τὰ φαντάσματα ὑπὸ ἀπειρίας ἀληθῆ καλοῦσιν, ἐγὼ δὲ βελτίω μὲν τὰ ἕτερα τῶν ἑτέρων, ἀληθέστερα δὲ οὐδέν. Καὶ τοὺς σοφούς, ὦ φίλε Σώκρατες, πολλοῦ δέω βατράχους λέγειν, ἀλλὰ κατὰ μὲν σώματα ἰατροὺς λέγω, κατὰ δὲ φυτὰ γεωργούς. Φημὶ γὰρ καὶ τούτους τοῖς φυτοῖς ἀντὶ πονηρῶν αἰσθήσεων, ὅταν τι αὐτῶν ἀσθενῇ, χρηστὰς καὶ ὑγιεινὰς αἰσθήσεις τε c καὶ ἕξεις ἐμποιεῖν, τοὺς δέ γε σοφούς τε καὶ ἀγαθοὺς ῥήτορας ταῖς πόλεσι τὰ χρηστὰ ἀντὶ τῶν πονηρῶν δίκαια δοκεῖν εἶναι ποιεῖν. Ἐπεὶ οἷά γ᾽ ἂν ἑκάστῃ πόλει δίκαια καὶ καλὰ δοκῇ, ταῦτα καὶ εἶναι αὐτῇ ἕως ἂν αὐτὰ νομίζῃ· ἀλλ᾽ ὁ σοφὸς ἀντὶ πονηρῶν ὄντων αὐτοῖς ἑκάστων χρηστὰ ἐποίησεν εἶναι καὶ δοκεῖν. Κατὰ δὲ τὸν αὐτὸν λόγον καὶ ὁ σοφιστὴς τοὺς παιδευομένους οὕτω δυνάμενος παιδαγωγεῖν σοφός τε καὶ ἄξιος πολλῶν χρημάτων τοῖς παιδευθεῖσιν. d Καὶ οὕτω σοφώτεροί τέ εἰσιν ἕτεροι ἑτέρων καὶ οὐδεὶς ψευδῆ δοξάζει, καὶ σοί, ἐάντε βούλῃ ἐάντε μή, ἀνεκτέον ὄντι μέτρῳ· σῴζεται γὰρ ἐν τούτοις ὁ λόγος οὗτος. Ὦ σὺ εἰ μὲν ἔχεις ἐξ ἀρχῆς ἀμφισβητεῖν, ἀμφισβήτει λόγῳ ἀντιδιεξελθών· εἰ δὲ δι᾽ ἐρωτήσεων βούλει, δι᾽ ἐρωτήσεων· οὐδὲ γὰρ τοῦτο φευκτέον, ἀλλὰ πάντων μάλιστα διωκτέον τῷ νοῦν ἔχοντι. Ποίει μέντοι οὑτωσί· μὴ ἀδίκει ἐν τῷ ἐρωτᾶν. Καὶ γὰρ πολλὴ ἀλογία ἀρετῆς φάσκοντα ἐπιμε- e λεῖσθαι μηδὲν ἀλλ᾽ ἢ ἀδικοῦντα ἐν λόγοις διατελεῖν. Ἀδικεῖν δ᾽ ἐστὶν ἐν τῷ τοιούτῳ, ὅταν τις μὴ χωρὶς μὲν ὡς ἀγωνιζόμενος τὰς διατριβὰς ποιῆται, χωρὶς δὲ διαλεγόμενος, καὶ ἐν μὲν τῷ παίζῃ τε καὶ σφάλλῃ καθ᾽ ὅσον ἂν δύνηται, ἐν δὲ τῷ διαλέγεσθαι σπουδάζῃ τε καὶ ἐπανορθοῖ

b 2 πονηρᾷ Aldina : -ᾶς codd. || δοξάζοντα : -ας B || αὐτῆς Flor. b : ἑαυτῆς BTYW || χρηστῇ W : -ῇ Y -ὴ BT || **b** 7 μὲν : μὲν τὰ YW || δὲ : δὲ τὰ W || **c** 2 ἕξεις scripsi : ἀληθεῖς codd. ἀληθείας Schleiermacher πάθας Richards || **c** 4 εἶναι secl. Schanz || οἷά γ᾽ : ἅττ᾽ Cobet || **c** 6 ὁ : οὐ Y || **c** 7 καὶ post εἶναι om. W || **d** 4 ἐν τούτοις post οὗτος transp. W || **e** 3 ὡς om. W.

ardeur sérieuse, y redressant l'interlocuteur, faisant état, contre lui, de ces seules chutes qui sont dues ou à ses propres déviations

168 a ou aux mauvais entraînements de leçons antérieures. Si tu agis ainsi, c'est à eux-mêmes que ceux qui fréquentent tes entretiens s'en prendront de leur trouble et de leurs perplexités, et non pas à toi[1]. Ils te rechercheront et t'aimeront, mais se détesteront et, se fuyant eux-mêmes, viendront à la philosophie pour devenir autres et se dépouiller de l'homme qu'ils étaient[2]. A faire le contraire et imiter le grand nombre, tu recueilleras conséquences contraires, et ceux qui te fréquentent, ce n'est point philosophes, c'est ennemis de toute cette

b pratique que tu les feras se déclarer quand ils seront devenus plus âgés. Si donc tu veux m'écouter, c'est dans l'esprit que j'ai dit précédemment, non d'animosité, non de bataille, mais de compréhension bienveillante, qu'il te faut, siégeant ici de compagnie, sincèrement examiner ce que peut bien vouloir dire notre déclaration : que tout se meut, et que ce qui semble à chacun est, comme tel, réel, à l'individu comme à la cité. C'est en partant de ces principes que tu examineras si science et sensation sont identiques ou différentes, et non point, comme tout à l'heure, en partant du sens coutumier des expressions et des mots, qui, tiraillés par le grand nom-

c bre au gré de leurs caprices, leur fournissent le foisonnement de perplexités où, mutuellement, ils s'embarrassent. » Voilà, Théodore, ce qu'à ton compagnon j'ai pu apporter de soutien, selon mes forces, faible secours offert sur mes faibles réserves. Si lui-même eût vécu, plus grande allure aurait eu sa propre défense.

Théodore. — Tu plaisantes, Socrate : tu as mis belle et alerte vigueur à secourir notre homme.

Socrate. — Parole bienveillante, mon ami. Mais dis-moi : tu as remarqué, j'imagine, ce que disait tout à l'heure Protagoras, nous blâmant qu'à un enfant nous adressions

d nos arguments et, des frayeurs de l'enfant, prenions avantage contre ses doctrines à lui, appelant cela du badinage, prônant bien haut sa « mesure de toutes choses » et nous demandant, enfin, d'examiner sérieusement sa propre thèse ?

1. Allusion aux colères soulevées par la critique de Socrate (*Apol.*, 23 c).

2. Le *Sophiste* (230 b/c) décrira ces bienfaits de la réfutation.

τὸν προσδιαλεγόμενον, ἐκεῖνα μόνα αὐτῷ ἐνδεικνύμενος τὰ σφάλματα, ἃ αὐτὸς ὑφ' ἑαυτοῦ καὶ τῶν προτέρων συνουσιῶν **168 a** παρεκέκρουστο. Ἂν μὲν γὰρ οὕτω ποιῇς, ἑαυτοὺς αἰτιάσονται οἱ προσδιατρίβοντές σοι τῆς αὑτῶν ταραχῆς καὶ ἀπορίας ἀλλ' οὐ σέ, καὶ σὲ μὲν διώξονται καὶ φιλήσουσιν, αὑτοὺς δὲ μισήσουσι καὶ φεύξονται ἀφ' ἑαυτῶν εἰς φιλοσοφίαν, ἵν' ἄλλοι γενόμενοι ἀπαλλαγῶσι τῶν οἳ πρότερον ἦσαν· ἐὰν δὲ τἀναντία τούτων δρᾷς ὥσπερ οἱ πολλοί, τἀναντία συμβήσεταί σοι καὶ τοὺς συνόντας ἀντὶ φιλοσόφων μισοῦντας τοῦτο τὸ πρᾶγμα ἀποφανεῖς ἐπειδὰν πρεσβύ- **b** τεροι γένωνται. Ἐὰν οὖν ἐμοὶ πείθῃ, ὃ καὶ πρότερον ἐρρήθη, οὐ δυσμενῶς οὐδὲ μαχητικῶς ἀλλ' ἵλεῳ τῇ διανοίᾳ συγκαθεὶς ὡς ἀληθῶς σκέψῃ τί ποτε λέγομεν, κινεῖσθαί τε ἀποφαινόμενοι τὰ πάντα, τό τε δοκοῦν ἑκάστῳ τοῦτο καὶ εἶναι ἰδιώτῃ τε καὶ πόλει. Καὶ ἐκ τούτων ἐπισκέψῃ εἴτε ταὐτὸν εἴτε καὶ ἄλλο ἐπιστήμη καὶ αἴσθησις, ἀλλ' οὐχ ὥσπερ ἄρτι ἐκ συνηθείας ῥημάτων τε καὶ ὀνομάτων, ἃ οἱ πολλοὶ ὅπῃ ἂν τύχωσιν ἕλκοντες ἀπορίας ἀλλήλοις παν- **c** τοδαπὰς παρέχουσι. » Ταῦτα, ὦ Θεόδωρε, τῷ ἑταίρῳ σου εἰς βοήθειαν προσηρξάμην κατ' ἐμὴν δύναμιν, σμικρὰ ἀπὸ σμικρῶν· εἰ δ' αὐτὸς ἔζη, μεγαλειότερον ἂν τοῖς αὑτοῦ ἐβοήθησεν.

ΘΕΟ. Παίζεις, ὦ Σώκρατες· πάνυ γὰρ νεανικῶς τῷ ἀνδρὶ βεβοήθηκας.

ΣΩ. Εὖ λέγεις, ὦ ἑταῖρε. Καί μοι εἰπέ· ἐνενόησάς που λέγοντος ἄρτι τοῦ Πρωταγόρου καὶ ὀνειδίζοντος ἡμῖν ὅτι πρὸς παιδίον τοὺς λόγους ποιούμενοι τῷ τοῦ παιδὸς φόβῳ **d** ἀγωνιζοίμεθα εἰς τὰ ἑαυτοῦ, καὶ χαριεντισμόν τινα ἀποκαλῶν, ἀποσεμνύνων δὲ τὸ πάντων μέτρον, σπουδάσαι ἡμᾶς διεκελεύσατο περὶ τὸν αὑτοῦ λόγον ;

168 a 2 ἂν : ἐὰν W || **a** 3 προσδιατρίβοντές : προ- W || **a** 5 αὑτοὺς δὲ μισήσουσι om. B[1] || **b** 6 τούτων : τῶν T || **c** 3 προσηρξάμην : -κεσάμην Schneider -κεσα μὲν Coraes || **c** 5 ἐβοήθησεν : -αν B || **d** 1 τῷ : οἱ τῷ B || **d** 2 ἀγωνιζοίμεθα T : -όμεθα BYW || ἑαυτοῦ : αὑτοῦ W.

Théodore. — Comment ne l'aurais-je pas remarqué, Socrate?

Socrate. — Eh bien, ton ordre est-il que nous lui obéissions?

Théodore. — C'est mon désir très vif.

Socrate. — Or tu vois que tous ici, sauf toi, sont des enfants. Si donc nous désirons obéir à cet homme, c'est à moi et à toi de nous faire, l'un à l'autre, questions et réponses en e examinant sérieusement sa thèse, afin qu'il n'ait, du moins, pas ce reproche à nous faire que ce soit par manière de jeu avec de jeunes garçons que, d'un bout à l'autre, nous avons critiqué cette thèse.

Théodore. — Eh quoi, Théétète n'est-il pas, plus que beaucoup de gens à barbe longue, à même de suivre pas à pas l'exploration critique d'une thèse?

Socrate. — Pourtant, pas plus à même que toi, Théodore. Ne t'imagine donc point que, moi, je doive, à ton ami défunt, prêter tout le secours que je puis, et toi, rien. Mais allons, mon très cher, fais-nous cortège un bout du chemin, 169 a jusqu'à l'endroit exact où nous saurons si, en fin de compte, c'est à toi d'être mesure pour les figures de géométrie, ou si tous, aussi bien que toi, se suffisent à eux-mêmes pour juger de l'astronomie et des autres disciplines où tu as maîtrise reconnue.

Théodore. — Il n'est pas facile, Socrate, de rester assis à côté de toi sans avoir à te donner la réplique. J'ai dit une belle sottise tout à l'heure, quand je me suis vanté que tu m'accorderais de ne me point dévêtir et que tu n'emploierais point la contrainte comme les Lacédémoniens. Tu m'as l'air, au contraire, de vouloir plutôt te rapprocher de Skiron. Les Lacédémoniens, en effet, vous mettent dans l'alternative ou b de sortir ou de vous dévêtir. Mais toi, c'est d'Antée que tu m'as l'air de plutôt jouer le rôle : quiconque arrive, tu ne le lâches point que tu ne l'aies contraint à se dévêtir pour te faire face à l'assaut dialectique [1].

Socrate. — Belle image, Théodore, qui exprime très bien ma maladie. Au fait, je suis plus fort que mes modèles. C'est par myriades déjà que je compte les Hercules et Thésées à

1. La comparaison traîne et se répète : le vieux professeur de mathématiques, si éloquent pour louer son élève, est tout dépaysé dans un tel dialogue ; il est risible et charmant.

ΘΕΟ. Πῶς γὰρ οὐκ ἐνενόησα, ὦ Σώκρατες;

ΣΩ. Τί οὖν; κελεύεις πείθεσθαι αὐτῷ;

ΘΕΟ. Σφόδρα γε.

ΣΩ. Ὁρᾷς οὖν ὅτι τάδε πάντα πλὴν σοῦ παιδία ἐστίν. Εἰ οὖν πεισόμεθα τῷ ἀνδρί, ἐμὲ καὶ σὲ δεῖ ἐρωτῶντάς τε καὶ ἀποκρινομένους ἀλλήλοις σπουδάσαι αὐτοῦ περὶ τὸν λόγον, ἵνα μὴ τοῦτό γε ἔχῃ ἐγκαλεῖν, ὡς παίζοντες πρὸς μειράκια διεσκεψάμεθ' αὖ τοῦτον τὸν λόγον. e

ΘΕΟ. Τί δ'; οὐ πολλῶν τοι Θεαίτητος μεγάλους πώγωνας ἐχόντων ἄμεινον ἂν ἐπακολουθήσειε λόγῳ διερευνωμένῳ;

ΣΩ. Ἀλλ' οὔ τι σοῦ γε, ὦ Θεόδωρε, ἄμεινον. Μὴ οὖν οἴου ἐμὲ μὲν τῷ σῷ ἑταίρῳ τετελευτηκότι δεῖν παντὶ τρόπῳ ἐπαμύνειν, σὲ δὲ μηδενί. Ἀλλ' ἴθι, ὦ ἄριστε, ὀλίγον ἐπίσπου, μέχρι τούτου αὐτοῦ ἕως ἂν εἰδῶμεν εἴτε ἄρα σὲ δεῖ διαγραμμάτων πέρι μέτρον εἶναι, εἴτε πάντες ὁμοίως σοὶ ἱκανοὶ ἑαυτοῖς εἴς τε ἀστρονομίαν καὶ τἆλλα ὧν δὴ σὺ πέρι αἰτίαν ἔχεις διαφέρειν. 169 a

ΘΕΟ. Οὐ ῥᾴδιον, ὦ Σώκρατες, σοὶ παρακαθήμενον μὴ διδόναι λόγον, ἀλλ' ἐγὼ ἄρτι παρελήρησα φάσκων σε ἐπιτρέψειν μοι μὴ ἀποδύεσθαι, καὶ οὐχὶ ἀναγκάσειν καθάπερ Λακεδαιμόνιοι· σὺ δέ μοι δοκεῖς πρὸς τὸν Σκίρωνα μᾶλλον τείνειν. Λακεδαιμόνιοι μὲν γὰρ ἀπιέναι ἢ ἀποδύεσθαι κελεύουσι, σὺ δὲ κατ' Ἀνταῖόν τί μοι μᾶλλον δοκεῖς τὸ δρᾶμα δρᾶν· τὸν γὰρ προσελθόντα οὐκ ἀνίης πρὶν ⟨ἂν⟩ ἀναγκάσῃς ἀποδύσας ἐν τοῖς λόγοις προσπαλαῖσαι. b

ΣΩ. Ἄριστά γε, ὦ Θεόδωρε, τὴν νόσον μου ἀπῄκασας· ἰσχυρικώτερος μέντοι ἐγὼ ἐκείνων. Μυρίοι γὰρ ἤδη μοι

e 2 τοῦτό γε YW : τοι τοῦτό γε B τοι τό γε T || e 3 αὖ τοῦτον TYW : αὖ τοῦ τὸν B αὐτοῦ Coisl.[1] edd. || τὸν : τὸ Coisl.[1] || e 5 διερευνωμένῳ : -ου Y || 169 a 2 εἰδῶμεν : ἴδωμεν (sed εἰ supra lin.) W || a 4 τε : γε T || a 8 μοι : με Y || οὐχὶ : οὐκ W || a 9 σκίρωνα : σκίρρ- Y σκείρ- W || b 2 μᾶλλον om. W || b 3 ἂν add. Heindorf.

qui je me suis heurté, champions de la parole, et qui ont fait de moi beau massacre. Mais je n'en quitte point le champ c pour cela : tellement j'ai au corps un terrible amour pour cette gymnastique. Veuille donc, à ton tour, ne me point frustrer de cet assaut, qui, à toi comme à moi, sera tout bénéfice.

Théodore. — Je ne contredis plus : conduis-moi par les chemins que tu voudras. Il me faut, en ce point, subir entièrement la destinée que tu auras ourdie et supporter l'épreuve de ta critique. Mais, au delà du terme par toi fixé d'avance, je ne saurais plus être à ta disposition.

Socrate. — Eh bien, jusque-là suffit. Et prends bien garde à une chose : n'allons point, sans le savoir, donner forme d enfantine à nos arguments, pour qu'on vienne, après cela, nous le reprocher encore.

Théodore. — Je m'appliquerai donc à l'éviter autant que je le pourrai.

Second essai de critique : Protagoras reconnaît vraie l'opinion qui dénie valeur à la sienne.

Socrate. — Abordons la question, cette fois encore, par le même point que précédemment, et voyons si nous eûmes raison ou tort. Nous supportions mal et reprochions à la thèse qu'elle permît à l'individu de se suffire à soi-même en fait de sagesse ; à quoi Protagoras nous concéda que, sur la question du valoir mieux ou valoir moins, certains ont l'avantage, et que ceux-là sont les sages. N'est-ce pas vrai ?

Théodore. — Si fait.

Socrate. — Si lui-même, ici présent, nous faisait ces aveux ; si ce n'étaient point nous, ses défenseurs, qui, en son e nom, les eussions consentis ; nous n'aurions plus à revenir là-dessus pour les bien affermir. Mais, présentement, d'aucuns pourraient se trouver qui nous dénieraient toute autorité pour conclure accords en son nom. Aussi vaut-il mieux qu'avec plus de clarté, sur ce même sujet, nous refassions nos accords ; car, ici, l'écart entre le oui et le non n'est point de petite importance.

Théodore. — Tu dis vrai.

Socrate. — N'allons donc point chercher d'autres arbitres : 170 a c'est en son propre discours que nous trouverons plus court chemin vers une entente.

Ἡρακλέες τε καὶ Θησέες ἐντυχόντες καρτεροὶ πρὸς τὸ λέγειν μάλ' εὖ συγκεκόφασιν, ἀλλ' ἐγὼ οὐδέν τι μᾶλλον ἀφίσταμαι· οὕτω τις ἔρως δεινὸς ἐνδέδυκε τῆς περὶ ταῦτα c γυμνασίας. Μὴ οὖν μηδὲ σὺ φθονήσῃς προσανατριψάμενος σαυτόν τε ἅμα καὶ ἐμὲ ὀνῆσαι.

ΘΕΟ. Οὐδὲν ἔτι ἀντιλέγω, ἀλλ' ἄγε ὅπῃ 'θέλεις· πάντως τὴν περὶ ταῦτα εἱμαρμένην ἣν ἂν σὺ ἐπικλώσῃς δεῖ ἀνατλῆναι ἐλεγχόμενον. Οὐ μέντοι περαιτέρω γε ὧν προτίθεσαι οἷός τ' ἔσομαι παρασχεῖν ἐμαυτόν σοι.

ΣΩ. Ἀλλ' ἀρκεῖ καὶ μέχρι τούτων. Καί μοι πάνυ τήρει τὸ τοιόνδε, μή που παιδικόν τι λάθωμεν εἶδος τῶν λόγων ποιούμενοι, καί τις πάλιν ἡμῖν αὐτὸ ὀνειδίσῃ. d

ΘΕΟ. Ἀλλὰ δὴ πειράσομαί γε καθ' ὅσον ἂν δύνωμαι.

ΣΩ. Τοῦδε τοίνυν πρῶτον πάλιν ἀντιλαβώμεθα οὗπερ τὸ πρότερον, καὶ ἴδωμεν ὀρθῶς ἢ οὐκ ὀρθῶς ἐδυσχεραίνομεν ἐπιτιμῶντες τῷ λόγῳ ὅτι αὐτάρκη ἕκαστον εἰς φρόνησιν ἐποίει. καὶ ἡμῖν συνεχώρησεν ὁ Πρωταγόρας περί τε τοῦ ἀμείνονος καὶ χείρονος διαφέρειν τινάς, οὓς δὴ καὶ εἶναι σοφούς. Οὐχί ;

ΘΕΟ. Ναί.

ΣΩ. Εἰ μὲν τοίνυν αὐτὸς παρὼν ὡμολόγει ἀλλὰ μὴ ἡμεῖς βοηθοῦντες ὑπὲρ αὐτοῦ συνεχωρήσαμεν, οὐδὲν ἂν πάλιν e ἔδει ἐπαναλαβόντας βεβαιοῦσθαι· νῦν δὲ τάχ' ἄν τις ἡμᾶς ἀκύρους τιθείη τῆς ὑπὲρ ἐκείνου ὁμολογίας. Διὸ καλλιόνως ἔχει σαφέστερον περὶ τούτου αὐτοῦ διομολογήσασθαι· οὐ γάρ τι σμικρὸν παραλλάττει οὕτως ἔχον ἢ ἄλλως.

ΘΕΟ. Λέγεις ἀληθῆ.

ΣΩ. Μὴ τοίνυν δι' ἄλλων ἀλλ' ἐκ τοῦ ἐκείνου λόγου ὡς διὰ βραχυτάτων λάβωμεν τὴν ὁμολογίαν. 170 a

b 7 ἐντυχόντες : ἐντυγχάνοντες B || καρτεροὶ B : κρατ- TYW || **c** 3 ὀνῆσαι : νοῆσαι Y || **c** 4 ἀλλ' ἄγε : ἀλλὰ λέγε BW || 'θέλεις : ἐθέλεις Y || **c** 5 ἂν supra lin. add. W : om. BTY || **c** 8 πᾶν ὑπῄρειτο B || **d** 2 δὴ : δεῖ T || **d** 4 ἴδωμεν : εἰδῶμεν B || ἢ οὐκ ὀρθῶς om. W || ἐδυσχεραίνομεν : εἰ δυσ- ut uidetur W[2] || **e** 3 καλλιόνως : κάλλιον ὡς W || **e** 4 αὐτοῦ : αὖ Schanz || **e** 7 ἄλλων : ἄλλου W.

THÉODORE. — Quel chemin ?

SOCRATE. — Celui-ci : ce qui semble à chacun, telle est, je crois, son affirmation, lui est tel qu'il lui semble ?

THÉODORE. — C'est bien là son affirmation.

SOCRATE. — Donc, Protagoras, nous aussi, les opinions que nous exprimons sont opinions de l'homme ou plutôt de tous les hommes. Et nous affirmons qu'il n'y en a pas un à ne point se croire, en telle matière, plus sage que les autres, en telle autre, inférieur à certains. Pas un, au moins dans les plus grands périls, la guerre, la maladie, la tempête sur mer, à ne pas considérer comme des dieux les gens qui, en chacun de ces domaines, sont maîtres et à ne point voir d'avance en eux ses b sauveurs, alors qu'ils n'ont d'autre supériorité que celle-ci : savoir [1]. Et toute forme, peut-on dire, d'activité humaine est pleine de gens en quête de précepteurs et de chefs, pour eux, pour tout ce qui a vie autour d'eux ou est à faire par eux, et de gens qui, par contre, se croient compétents pour enseigner, compétents pour commander. Que dire de toutes ces manifestations, sinon que les hommes eux-mêmes s'y révèlent persuadés qu'il y a, parmi eux, et de la sagesse et de l'ignorance ?

THÉODORE. — C'est la seule chose à dire.

SOCRATE. — Donc la sagesse est, à leur estime, pensée vraie, et l'ignorance, opinion fausse ?

c THÉODORE. — Comment en douter ?

SOCRATE. — A quoi donc, ô Protagoras, nous servira ce débat ? Dirons-nous que les opinions des hommes sont toujours vraies, ou qu'elles sont tantôt vraies, tantôt fausses ? L'une et l'autre réponse, en effet, a cette conséquence plausible qu'il n'y a point toujours vérité, qu'il y a de l'un et de l'autre dans leurs opinions. Demande-toi au fait, Théodore, si vous consentiriez, quelque autre disciple de Protagoras ou toi-même, à maintenir, bon gré mal gré, qu'il n'y a personne à taxer autrui d'ignorance ou à trouver fausse l'opinion d'autrui.

THÉODORE. — Cela n'est point croyable, Socrate.

1. Comparer avec Xénophon, *Mémorables*, III, 9, 10-12. On y prouve, par une énumération confuse (quiconque navigue, ou possède un champ, ou se trouve malade, etc.) que l'incompétent s'empresse toujours de faire appel au compétent. Ces lieux communs du socratisme prennent toujours, chez Platon, un relief autrement puissant.

ΘΕΟ. Πῶς ;

ΣΩ. Οὑτωσί· τὸ δοκοῦν ἑκάστῳ τοῦτο καὶ εἶναί φησί που ᾧ δοκεῖ ;

ΘΕΟ. Φησὶ γὰρ οὖν.

ΣΩ. Οὐκοῦν, ὦ Πρωταγόρα, καὶ ἡμεῖς ἀνθρώπου, μᾶλλον δὲ πάντων ἀνθρώπων δόξας λέγομεν, καὶ φαμὲν οὐδένα ὅντινα οὐ τὰ μὲν αὑτὸν ἡγεῖσθαι τῶν ἄλλων σοφώτερον, τὰ δὲ ἄλλους ἑαυτοῦ, καὶ ἔν γε τοῖς μεγίστοις κινδύνοις, ὅταν ἐν στρατείαις ἢ νόσοις ἢ ἐν θαλάττῃ χειμάζωνται, ὥς πρὸς θεοὺς ἔχειν τοὺς ἐν ἑκάστοις ἄρχοντας, σωτῆρας σφῶν προσδοκῶντας, οὐκ ἄλλῳ τῳ διαφέροντας ἢ τῷ εἰδέναι· καὶ πάντα που μεστὰ τἀνθρώπινα ζητούντων διδασκάλους τε καὶ ἄρχοντας ἑαυτῶν τε καὶ τῶν ἄλλων ζῴων τῶν τε ἐργασιῶν, οἰομένων τε αὖ ἱκανῶν μὲν διδάσκειν, ἱκανῶν δὲ ἄρχειν εἶναι. Καὶ ἐν τούτοις ἅπασι τί ἄλλο φήσομεν ἢ αὐτοὺς τοὺς ἀνθρώπους ἡγεῖσθαι σοφίαν καὶ ἀμαθίαν εἶναι παρὰ σφίσιν ; b

ΘΕΟ. Οὐδὲν ἄλλο.

ΣΩ. Οὐκοῦν τὴν μὲν σοφίαν ἀληθῆ διάνοιαν ἡγοῦνται, τὴν δὲ ἀμαθίαν ψευδῆ δόξαν ;

ΘΕΟ. Τί μήν ; c

ΣΩ. Τί οὖν, ὦ Πρωταγόρα, χρησόμεθα τῷ λόγῳ ; πότερον ἀληθῆ φῶμεν ἀεὶ τοὺς ἀνθρώπους δοξάζειν, ἢ τοτὲ μὲν ἀληθῆ, τοτὲ δὲ ψευδῆ ; ἐξ ἀμφοτέρων γάρ που συμβαίνει μὴ ἀεὶ ἀληθῆ ἀλλ' ἀμφότερα αὐτοὺς δοξάζειν. Σκόπει γάρ, ὦ Θεόδωρε, εἰ ἐθέλοι ἄν τις τῶν ἀμφὶ Πρωταγόραν ἢ σὺ αὐτὸς διαμάχεσθαι ὡς οὐδεὶς ἡγεῖται ἕτερος ἕτερον ἀμαθῆ τε εἶναι καὶ ψευδῆ δοξάζειν.

ΘΕΟ. Ἀλλ' ἄπιστον, ὦ Σώκρατες.

170 a 3 φησί : -εί W || **a** 8 οὐ B : οὖν TY οὔ . οὐ W || αὑτὸν : αὑτῶν Y om. W || **a** 9 γε : τε W || **a** 10 ante νόσοις add. ἐν W || ὡς : ὥσπερ B || **b** 2 καὶ om. Y || **b** 3 ἑαυτῶν : αὑτῶν W || **c** 2 ὦ Πρωταγόρα : τῷ Πρ- ᾳ B[1] || **c** 3, 4 τότε... τότε (sed π supra τ) W : πότε.. πότε BTY || **c** 5 ἀεὶ om. W || **c** 6 ἐθέλοι : θέλοι Y || **c** 8 τε om. W.

d Socrate. — Et pourtant c'est à cette conclusion inévitable qu'en vient la thèse de l'homme mesure universelle.

Théodore. — Comment cela ?

Socrate. — Quand toi, sur le décret de ton jugement intime, tu prononces, devant moi, une opinion sur quelque objet, je veux bien qu'à toi, suivant la thèse de Protagoras, cette opinion soit vraie. Mais, à nous, les autres, de ce jugement porté par toi ne nous appartient-il point d'être juges, ou jugerons-nous toujours vraie ton opinion ? Des myriades, au contraire, n'entrent-ils pas, à chaque fois, en lice contre toi, estimant faux et ton jugement et ta e croyance ?

Théodore. — Si, par Zeus, Socrate, de véritables myriades, comme dit Homère, et tout ce que des hommes peuvent créer d'embarras m'est, par eux, suscité.

Socrate. — Eh bien, nous faut-il dire, avec ta permission, qu'alors tes opinions, pour toi, sont vraies, et, pour ces myriades, fausses ?

Théodore. — Il semble que, d'après la thèse, ce soit inévitable.

Socrate. — Mais pour Protagoras lui-même ? N'est-il pas inévitable, si lui-même en venait à rejeter cette croyance en l'homme mesure tout aussi bien que le grand nombre, qui, 171 a certes, la rejette, que pour personne alors n'existe cette Vérité que prône son livre ? A supposer qu'il y croie et que la foule se refuse à y croire avec lui, sais-tu bien que, d'abord, autant le nombre des « il ne me semble point » dépassera le nombre des « il me semble », d'autant sa Vérité sera non-existante plutôt qu'existante ?

Théodore. — C'est inévitable, si, du moins, son être ou son non-être doit dépendre de l'opinion de chacun.

Socrate. — Et puis voici le plus élégant de l'affaire. En ce qui concerne sa croyance à lui, la croyance des contre-opinants, estimant que c'est une erreur, est, par lui, peut-on dire, reconnue vraie, puisque, à son propre aveu, les opinions de tous prononcent ce qui est.

b Théodore. — Parfaitement.

Socrate. — Donc la sienne propre serait, par lui, reconnue fausse, du moment que celle qui l'estime, lui, être dans le faux, est par lui avouée vraie ?

Théodore. — Nécessairement.

ΣΩ. Καὶ μὴν εἰς τοῦτό γε ἀνάγκης ὁ λόγος ἥκει ὁ πάντων χρημάτων μέτρον ἄνθρωπον λέγων. d

ΘΕΟ. Πῶς δή ;

ΣΩ. Ὅταν σὺ κρίνας τι παρὰ σαυτῷ πρός με ἀποφαίνῃ περί τινος δόξαν, σοὶ μὲν δὴ τοῦτο κατὰ τὸν ἐκείνου λόγον ἀληθὲς ἔστω, ἡμῖν δὲ δὴ τοῖς ἄλλοις περὶ τῆς σῆς κρίσεως πότερον οὐκ ἔστιν κριταῖς γενέσθαι, ἢ ἀεὶ σὲ κρίνομεν ἀληθῆ δοξάζειν ; ἢ μυρίοι ἑκάστοτέ σοι μάχονται ἀντιδοξάζοντες, ἡγούμενοι ψευδῆ κρίνειν τε καὶ οἴεσθαι ;

ΘΕΟ. Νὴ τὸν Δία, ὦ Σώκρατες, μάλα μυρίοι δῆτα, e φησὶν Ὅμηρος, οἵ γέ μοι τὰ ἐξ ἀνθρώπων πράγματα παρέχουσιν.

ΣΩ. Τί οὖν ; βούλει λέγωμεν ὡς σὺ τότε σαυτῷ μὲν ἀληθῆ δοξάζεις, τοῖς δὲ μυρίοις ψευδῆ ;

ΘΕΟ. Ἔοικεν ἔκ γε τοῦ λόγου ἀνάγκη εἶναι.

ΣΩ. Τί δὲ αὐτῷ Πρωταγόρᾳ ; ἆρ' οὐχὶ ἀνάγκη, εἰ μὲν μηδὲ αὐτὸς ᾤετο μέτρον εἶναι ἄνθρωπον μηδὲ οἱ πολλοί, ὥσπερ οὐδὲ οἴονται, μηδενὶ δὴ εἶναι ταύτην τὴν ἀλήθειαν ἣν ἐκεῖνος ἔγραψεν ; εἰ δὲ αὐτὸς μὲν ᾤετο, τὸ δὲ πλῆθος 171 a μὴ συνοίεται, οἶσθ' ὅτι πρῶτον μὲν ὅσῳ πλείους οἷς μὴ δοκεῖ ἢ οἷς δοκεῖ, τοσούτῳ μᾶλλον οὐκ ἔστιν ἢ ἔστιν.

ΘΕΟ. Ἀνάγκη, εἴπερ γε καθ' ἑκάστην δόξαν ἔσται καὶ οὐκ ἔσται.

ΣΩ. Ἔπειτά γε τοῦτ' ἔχει κομψότατον· ἐκεῖνος μὲν περὶ τῆς αὐτοῦ οἰήσεως τὴν τῶν ἀντιδοξαζόντων οἴησιν, ᾗ ἐκεῖνον ἡγοῦνται ψεύδεσθαι, συγχωρεῖ που ἀληθῆ εἶναι ὁμολογῶν τὰ ὄντα δοξάζειν ἅπαντας.

ΘΕΟ. Πάνυ μὲν οὖν.

ΣΩ. Οὐκοῦν τὴν αὑτοῦ ἂν ψευδῆ συγχωροῖ, εἰ τὴν τῶν b ἡγουμένων αὐτὸν ψεύδεσθαι ὁμολογεῖ ἀληθῆ εἶναι ;

ΘΕΟ. Ἀνάγκη.

d 4 πρός με : πρὸς ἐμὲ YW || **d** 7 ἀεὶ σὲ : σὲ ἀεὶ TY || **e** 9 δὴ om. W || **171 a** 3 ἢ οἷς δοκεῖ om. B[1] || **a** 8 ᾗ : ἣ Y ᾗ W || **b** 1 συγχωροῖ : -ηι (sed οῖ supra lin.) W.

Socrate. — Mais les autres ne reconnaissent point être dans le faux ?

Théodore. — Certainement non.

Socrate. — Lui, par contre, avoue que, en cela encore, leur opinion est vraie : ce qu'il a écrit l'exige.

Théodore. — Apparemment.

Socrate. — De tous côtés donc, à commencer par Protagoras, il y aura contestation ; ou, plutôt, de sa part à lui, il y aura adhésion, dès lors qu'il reconnaît pour vraie l'opinion qui le contredit ; dès lors, en effet, Protagoras lui-même c reconnaîtra que ni un chien, ni le premier homme venu, n'est mesure, fût-ce d'une seule chose, s'il ne l'a pas apprise. N'est-ce pas exact ?

Théodore. — C'est exact.

Socrate. — Ainsi contestée universellement, la Vérité de Protagoras ne sera donc vraie pour personne : ni pour un autre que lui, ni pour lui.

Théodore. — C'est traquer à outrance un ami à moi, Socrate.

Socrate. — Mais, au fait, mon ami, il n'est pas du tout évident que nous le poursuivions sur la bonne piste. Du moins y a-t-il chance que lui, plus vieux que nous, soit aussi d plus sage ; et s'il venait, tout d'un coup, ici même, à surgir de terre jusqu'aux épaules, il relèverait bien des sottises par moi proférées, probablement, et par ton adhésion confirmées, et se renfoncerait pour s'enfuir au plus vite. Mais, à nous, force est bien, j'imagine, d'user de nous tels que nous sommes et de simplement dire, en toutes occasions, ce qui nous semble. Cela étant, ne devons-nous pas, à ce moment, affirmer que la conclusion suivante s'impose à tous, quels qu'ils soient : il y a plus sage l'un que l'autre, il y a aussi plus ignorant ?

Théodore. — C'est assurément mon avis.

Socrate. — Ne devons-nous pas affirmer encore qu'il y a, tout au plus, une position où la thèse pourrait tenir : celle e que nous avons esquissée quand nous défendions Protagoras ? Dans la majorité des cas, telles semblent les choses, telles elles sont à chacun, chaudes, sèches, douces, et toutes autres déterminations de ce type. Mais, s'il y a des cas où l'on accordera qu'une tête diffère d'une autre, dans les questions de santé et

ΣΩ. Οἱ δέ γ' ἄλλοι οὐ συγχωροῦσιν ἑαυτοῖς ψεύδεσθαι;

ΘΕΟ. Οὐ γὰρ οὖν.

ΣΩ. Ὁ δέ γ' αὖ ὁμολογεῖ καὶ ταύτην ἀληθῆ τὴν δόξαν ἐξ ὧν γέγραφεν.

ΘΕΟ. Φαίνεται.

ΣΩ. Ἐξ ἁπάντων ἄρα ἀπὸ Πρωταγόρου ἀρξαμένων ἀμφισβητήσεται, μᾶλλον δὲ ὑπό γε ἐκείνου ὁμολογήσεται, ὅταν τῷ τἀναντία λέγοντι συγχωρῇ ἀληθῆ αὐτὸν δοξάζειν, τότε καὶ ὁ Πρωταγόρας αὐτὸς συγχωρήσεται μήτε κύνα c μήτε τὸν ἐπιτυχόντα ἄνθρωπον μέτρον εἶναι μηδὲ περὶ ἑνὸς οὗ ἂν μὴ μάθῃ. Οὐχ οὕτως;

ΘΕΟ. Οὕτως.

ΣΩ. Οὐκοῦν ἐπειδὴ ἀμφισβητεῖται ὑπὸ πάντων, οὐδενὶ ἂν εἴη ἡ Πρωταγόρου Ἀλήθεια ἀληθής, οὔτε τινὶ ἄλλῳ οὔτ' αὐτῷ ἐκείνῳ.

ΘΕΟ. Ἄγαν, ὦ Σώκρατες, τὸν ἑταῖρόν μου καταθέομεν.

ΣΩ. Ἀλλά τοι, ὦ φίλε, ἄδηλον εἰ καὶ παραθέομεν τὸ ὀρθόν. Εἰκός γε ἄρα ἐκεῖνον πρεσβύτερον ὄντα σοφώτερον ἡμῶν εἶναι· καὶ εἰ αὐτίκα ἐντεῦθεν ἀνακύψειε μέχρι τοῦ d αὐχένος, πολλὰ ἂν ἐμέ τε ἐλέγξας ληροῦντα, ὡς τὸ εἰκός, καὶ σὲ ὁμολογοῦντα, καταδὺς ἂν οἴχοιτο ἀποτρέχων. Ἀλλ' ἡμῖν ἀνάγκη οἶμαι χρῆσθαι ἡμῖν αὐτοῖς ὁποῖοί τινές ἐσμεν, καὶ τὰ δοκοῦντα ἀεὶ ταῦτα λέγειν. Καὶ δῆτα καὶ νῦν ἄλλο τι φῶμεν ὁμολογεῖν ἂν τοῦτό γε ὁντινοῦν, τὸ εἶναι σοφώτερον ἕτερον ἑτέρου, εἶναι δὲ καὶ ἀμαθέστερον;

ΘΕΟ. Ἐμοὶ γοῦν δοκεῖ.

ΣΩ. Ἦ καὶ ταύτῃ ἂν μάλιστα ἵστασθαι τὸν λόγον, ᾗ ἡμεῖς ὑπεγράψαμεν βοηθοῦντες Πρωταγόρᾳ, ὡς τὰ μὲν e πολλὰ ᾗ δοκεῖ, ταύτῃ καὶ ἔστιν ἑκάστῳ, θερμά, ξηρά, γλυκέα, πάντα ὅσα τοῦ τύπου τούτου· εἰ δέ που ἔν τισι

b 4 ἑαυτοῖς -οὺς W: || b 8 φαίνεται om. B || b 11 τῷ om. W || συγχωρῇ: -ηθῇ T || c 9 τοι: τι Y || c 10 γε ἄρα B: γε ἄρ' TY γὰρ W || d 6 τὸ: τοῦ TY || d 9 ἵστασθαι: ἵσασθαι Badham || ᾗ: ἡ Y || e 1 ὑπεγράψαμεν: ὑπογράψαντες Y.

de maladie on affirmera certainement de bon gré qu'il n'est point à la portée de la première femmelette venue, du premier gamin, de la première bestiole, de se guérir soi-même en déterminant ce qui est sain pour soi, mais que, là, du moins, ou nulle part, une tête diffère d'une autre.

THÉODORE. — C'est au moins mon avis.

172 a SOCRATE. — Donc, en politique aussi, beau et laid, juste et injuste, pie et impie, tout ce que chaque cité croit tel et décrète légalement tel pour soi, tout cela est tel en vérité pour chacune; et, dans ce domaine, il n'y a nulle part supériorité de sagesse, ni d'individu à individu, ni de cité à cité. Mais, sur l''effet utile ou nuisible qu'auront, pour elle-même, ses décrets, là, certes, ou bien nulle part ailleurs, on avouera que, de conseiller à conseiller, d'opinion qu'adopte une cité à opinion qu'adopte l'autre, il y a différence sous le rapport de la vérité; et l'on n'aurait point ce qu'il faut d'audace pour b affirmer que tout décret qu'une cité croit utile de porter lui sera utile envers et contre tout. C'est seulement là où j'ai dit, dans les questions de juste et d'injuste, de pie et d'impie, que l'on consent à soutenir, en toute rigueur, que rien de cela n'est de nature et ne possède son être en propre; mais, simplement, ce qui semble au groupe devient vrai dès le moment où il semble et aussi longtemps qu'il semble. Tous ceux qui ne veulent aller jusqu'au bout de la thèse de Protagoras, voilà, dirai-je, en quels sentiers ils conduisent leur sagesse. Mais, pour nous, Théodore, l'argument succède à l'argument c et, sortis d'un plus petit, un plus grand nous réclame.

Le philosophe et les sages de ce monde.

THÉODORE. — N'avons-nous pas loisir, Socrate?

SOCRATE. — Il le paraît. A bien des reprises, au fait, ô très vénérable ami, la même réflexion m'est venue, à d'autres propos, qui s'impose à moi présentement : en toute vraisemblance, les gens qui, aux recherches philosophiques, ont longtemps occupé leur vie, quand ils viendront devant les tribunaux, y feront figure de rhéteurs bien risibles[1].

THÉODORE. — Que veux-tu dire?

1. Cf. *Gorgias*, 484 c/e; *Républ.*, 517 d et *Notice*, p. 136/7.

συγχωρήσεται διαφέρειν ἄλλον ἄλλου, περὶ τὰ ὑγιεινὰ καὶ νοσώδη ἐθελῆσαι ἂν φάναι μὴ πᾶν γύναιον καὶ παιδίον, καὶ θηρίον δέ, ἱκανὸν εἶναι ἰᾶσθαι αὑτὸ γιγνῶσκον ἑαυτῷ τὸ ὑγιεινόν, ἀλλὰ ἐνταῦθα δὴ ἄλλον ἄλλου διαφέρειν, εἴπερ που ;

ΘΕΟ. Ἔμοιγε δοκεῖ οὕτως.

ΣΩ. Οὐκοῦν καὶ περὶ πολιτικῶν, καλὰ μὲν καὶ αἰσχρὰ **172 a** καὶ δίκαια καὶ ἄδικα καὶ ὅσια καὶ μή, οἷα ἂν ἑκάστη πόλις οἰηθεῖσα θῆται νόμιμα αὑτῇ, ταῦτα καὶ εἶναι τῇ ἀληθείᾳ ἑκάστῃ, καὶ ἐν τούτοις μὲν οὐδὲν σοφώτερον οὔτε ἰδιώτην ἰδιώτου οὔτε πόλιν πόλεως εἶναι· ἐν δὲ τῷ συμφέροντα ἑαυτῇ ἢ μὴ συμφέροντα τίθεσθαι, ἐνταῦθ', εἴπερ που, αὖ ὁμολογήσει σύμβουλόν τε συμβούλου διαφέρειν καὶ πόλεως δόξαν ἑτέραν ἑτέρας πρὸς ἀλήθειαν, καὶ οὐκ ἂν πάνυ τολμήσειε φῆσαι, ἃ ἂν θῆται πόλις συμφέροντα οἰηθεῖσα αὑτῇ, **b** παντὸς μᾶλλον ταῦτα καὶ συνοίσειν· ἀλλ' ἐκεῖ οὗ λέγω, ἐν τοῖς δικαίοις καὶ ἀδίκοις καὶ ὁσίοις καὶ ἀνοσίοις, ἐθέλουσιν ἰσχυρίζεσθαι ὡς οὐκ ἔστι φύσει αὐτῶν οὐδὲν οὐσίαν ἑαυτοῦ ἔχον, ἀλλὰ τὸ κοινῇ δόξαν τοῦτο γίγνεται ἀληθὲς τότε, ὅταν δόξῃ καὶ ὅσον ἂν δοκῇ χρόνον. Καὶ ὅσοι γε δὴ μὴ παντάπασι τὸν Πρωταγόρου λόγον λέγωσιν, ὧδέ πως τὴν σοφίαν ἄγουσι. Λόγος δὲ ἡμᾶς, ὦ Θεόδωρε, ἐκ λόγου μείζων ἐξ ἐλάττονος καταλαμβάνει. **c**

ΘΕΟ. Οὐκοῦν σχολὴν ἄγομεν, ὦ Σώκρατες ;

ΣΩ. Φαινόμεθα. Καὶ πολλάκις μέν γε δή, ὦ δαιμόνιε, καὶ ἄλλοτε κατενόησα, ἀτὰρ καὶ νῦν, ὡς εἰκότως οἱ ἐν ταῖς φιλοσοφίαις πολὺν χρόνον διατρίψαντες εἰς τὰ δικαστήρια ἰόντες γελοῖοι φαίνονται ῥήτορες.

ΘΕΟ. Πῶς δὴ οὖν λέγεις ;

172 a 6 αὖ om. Y || **a** 7 ante διαφέρειν add. αὖ W || **a** 8 τολμήσειε : -σης T || **b** 2 συνοίσειν : -σει W || οὗ : οὐ Y || **b** 3 καὶ ἀδίκοις om. BT || ἐθέλουσιν ἰσχυρίζεσθαι : -σι δυσχ- W || **b** 4 ἑαυτοῦ : ἐφ' αὑτοῦ Badham || **b** 6 δὴ : ἂν Schanz || **b** 8 ἄγουσι : ἀγχ- W λέγ- Badham || **c** 6 ἰόντες : ἰέντες W.

Socrate. — Ils risquent bien, ceux-là qui ont roulé, depuis leur jeunesse, dans les tribunaux et les plaidoiries, d'être, par rapport à ceux qui furent nourris dans la philosophie et dans d les études qu'elle inspire, comme gens éduqués à servir comparés à des hommes libres.

Théodore. — En quoi donc?

Socrate. — En ce que, à ces derniers, le bien que tu as dit est toujours présent : le loisir, et que, leurs discours, c'est en paix, à loisir qu'ils les font. Vois-nous présentement : c'est déjà la troisième fois que nous entamons discours après discours. Eux font de même si un sujet survient qui, à eux comme à nous, plaise mieux que le sujet en cours, et point ne leur importe longueur ou brièveté dans l'argument, pourvu seulement qu'ils atteignent le vrai. Les autres ne parlent jamais qu'en gens à qui le loisir manque : l'eau qui s'écoule devant e eux n'attend pas[1]. Ils n'ont point liberté d'étendre à leur gré le sujet de leur discours : la nécessité est là, que tient dressée le plaideur adverse, avec l'acte d'accusation, dont les articles, une fois proclamés, sont barrières que ne doit point franchir la plaidoirie et que consacre ce qu'ils appellent le serment réciproque. Ils ne sont jamais que des esclaves plaidant devant leur maître commun, qui siège, ayant en mains une plainte quelconque. Leurs contestes n'ont jamais portée indifférente, mais toujours immédiatement personnelle et, 173 a souvent, leur vie même est le prix de la course. Aussi toutes ces épreuves tendent leurs énergies, aiguisent leur finesse, les rendent savants aux paroles qui flattent le maître, aux manières de faire qui l'enjôlent, leur font des âmes rabougries et tordues. Croissance, rectitude, liberté, tout jeunes, l'esclavage les leur enleva, les contraignit aux pratiques tortueuses, jeta en si graves dangers et si graves craintes leurs âmes encore tendres que, n'y pouvant opposer le juste et le vrai comme support, c'est tout droit au mensonge, aux réci- b procités d'injustice qu'ils se tournent, et ainsi se courbent, recourbent et recroquevillent. Aussi n'y a-t-il plus rien de sain en leur pensée quand leur adolescence se termine en virilité et que leur malice et leur sagesse est parfaite, à ce qu'ils croient. Voilà donc leur portrait, Théodore. Quant

1. Cf. Alcidamas (*Sur les sophistes*, § 11) : il n'est plus temps de méditer quand l'eau coule déjà ; d'autres que nous sont les maîtres de l'heure : il faut être prêts.

ΣΩ. Κινδυνεύουσιν οἱ ἐν δικαστηρίοις καὶ τοῖς τοιούτοις ἐκ νέων κυλινδούμενοι πρὸς τοὺς ἐν φιλοσοφίᾳ καὶ τῇ τοιᾷδε διατριβῇ τεθραμμένους ὡς οἰκέται πρὸς ἐλευθέρους d τεθράφθαι.

ΘΕΟ. Πῇ δή ;

ΣΩ. Ἧι τοῖς μὲν τοῦτο ὃ σὺ εἶπες ἀεὶ πάρεστι, σχολή, καὶ τοὺς λόγους ἐν εἰρήνῃ ἐπὶ σχολῆς ποιοῦνται· ὥσπερ ἡμεῖς νυνὶ τρίτον ἤδη λόγον ἐκ λόγου μεταλαμβάνομεν, οὕτω κἀκεῖνοι, ἐὰν αὐτοὺς ὁ ἐπελθὼν τοῦ προκειμένου μᾶλλον καθάπερ ἡμᾶς ἀρέσῃ· καὶ διὰ μακρῶν ἢ βραχέων μέλει οὐδὲν λέγειν, ἂν μόνον τύχωσι τοῦ ὄντος· οἱ δὲ ἐν ἀσχολίᾳ τε ἀεὶ λέγουσι — κατεπείγει γὰρ ὕδωρ ῥέον — καὶ οὐκ ἐγχωρεῖ περὶ οὗ ἂν ἐπιθυμήσωσι τοὺς λόγους ποιεῖσθαι, e ἀλλ᾽ ἀνάγκην ἔχων ὁ ἀντίδικος ἐφέστηκεν καὶ ὑπογραφὴν παραναγιγνωσκομένην ὧν ἐκτὸς οὐ ῥητέον, ἣν ἀντωμοσίαν καλοῦσιν· οἱ δὲ λόγοι ἀεὶ περὶ ὁμοδούλου πρὸς δεσπότην καθήμενον, ἐν χειρί τινα δίκην ἔχοντα, καὶ οἱ ἀγῶνες οὐδέποτε τὴν ἄλλως ἀλλ᾽ ἀεὶ τὴν περὶ αὐτοῦ, πολλάκις δὲ καὶ περὶ ψυχῆς ὁ δρόμος· ὥστ᾽ ἐξ ἁπάντων τούτων ἔντο- 173 a νοι καὶ δριμεῖς γίγνονται, ἐπιστάμενοι τὸν δεσπότην λόγῳ τε θωπεῦσαι καὶ ἔργῳ ὑπελθεῖν, σμικροὶ δὲ καὶ οὐκ ὀρθοὶ τὰς ψυχάς. Τὴν γὰρ αὔξην καὶ τὸ εὐθύ τε καὶ τὸ ἐλευθέριον ἡ ἐκ νέων δουλεία ἀφῄρηται, ἀναγκάζουσα πράττειν σκολιά, μεγάλους κινδύνους καὶ φόβους ἔτι ἁπαλαῖς ψυχαῖς ἐπιβάλλουσα, οὓς οὐ δυνάμενοι μετὰ τοῦ δικαίου καὶ ἀληθοῦς ὑποφέρειν, εὐθὺς ἐπὶ τὸ ψεῦδός τε καὶ τὸ ἀλλήλους ἀνταδικεῖν τρεπόμενοι πολλὰ κάμπτονται καὶ συγκλῶνται, b ὥσθ᾽ ὑγιὲς οὐδὲν ἔχοντες τῆς διανοίας εἰς ἄνδρας ἐκ μειρακίων τελευτῶσι, δεινοί τε καὶ σοφοὶ γεγονότες, ὡς οἴονται. Καὶ οὗτοι μὲν δὴ τοιοῦτοι, ὦ Θεόδωρε· τοὺς δὲ τοῦ

c 9 καὶ : καὶ ἐν W || d 2 τεθράφθαι : τετρ- BT || e 1 ποιεῖσθαι : -ήσασθαι W || e 3 ἣν... καλοῦσιν secl. Abresch || e 5 τινα : τὴν TY || 173 a 3 ὑπελθεῖν Cobet e Themistio : χαρίσασθαι codd. || a 4 τὸ ἐλευθέριον Themistius : τὸ ἐλεύθερον BTY ἐλεύθερον W.

à ceux qui forment notre chœur, veux-tu que nous les passions en revue ou que, sans nous y arrêter, nous retournions à notre argumentation, pour éviter qu'exagérant ce que nous disions tout à l'heure, nous n'usions avec excès de notre liberté et de notre facile passage de discours à discours?

THÉODORE. — Cela nullement, Socrate : cette revue s'impose, au contraire. Tu l'as, en effet, si bien dit : nous ne sommes point, nous qui formons ce chœur, attachés aux discours comme des serviteurs. Ce sont les discours qui sont nôtres, comme gens de maison, et chacun d'eux demeure jusqu'à ce qu'il nous plaise d'en finir avec lui. Point de juge, en effet, point de spectateur comme en ont en face d'eux les poètes, qui, gourmandeur et commandeur, se tienne en maître en face de nous.

c

SOCRATE. — Parlons donc, puisqu'il le faut, semble-t-il, et que toi, du moins, le juges bon, parlons des maîtres du chœur ; car ceux qui n'apportent aucun génie dans leur pratique de la philosophie, à quoi bon en rien dire? Des premiers, je puis dire que, dès leur jeunesse, ce que, tout d'abord, ils ignorent, c'est quelle route mène à la place publique, à quel endroit se trouvent et le tribunal et la salle du conseil et toutes autres salles de délibération commune dans la cité. Les lois, les décisions, leurs débats ou leur rédaction en décrets, ils n'en ont ni le spectacle ni l'écho. Les brigues des hétairies à l'assaut des magistratures, les réunions, festins, parties agrémentées de joueuses de flûte, ils ne songent même pas en rêves à y prendre part [1]. Ce qui est arrivé de bien ou de mal dans la ville, la tare qu'à celui-ci ont transmise ses ancêtres, hommes ou femmes, le philosophe n'en a nul soupçon, pas plus, dit le proverbe, que du nombre de tonnelets que remplirait la mer. Et qu'il ignore tout cela, lui-même ne le sait point ; car, s'il s'en abstient, ce n'est point par gloriole : c'est qu'en réalité son corps seul a, dans la ville, localisation et séjour. Sa pensée, pour qui tout cela n'est que mesquineries et néant, dont elle ne tient compte, promène partout son vol, comme dit Pindare, « sondant les abîmes de la terre » et

d

e

1. Cf. le discours de Calliclès : à pratiquer trop longtemps la philosophie, on devient ignorant des lois de la cité et des discours qu'il faut tenir dans les réunions publiques ou privées, étranger aux plaisirs, aux désirs, aux mœurs des humains (*Gorgias*, 484 e).

ἡμετέρου χοροῦ πότερον βούλει διελθόντες ἢ ἐάσαντες πάλιν ἐπὶ τὸν λόγον τρεπώμεθα, ἵνα μὴ καί, ὃ νυνδὴ ἐλέγομεν, λίαν πολὺ τῇ ἐλευθερίᾳ καὶ μεταλήψει τῶν λόγων καταχρώμεθα ;

ΘΕΟ. Μηδαμῶς, ὦ Σώκρατες, ἀλλὰ διελθόντες. Πάνυ γὰρ εὖ τοῦτο εἴρηκας, ὅτι οὐχ ἡμεῖς οἱ ἐν τῷ τοιῷδε χορεύ- c οντες τῶν λόγων ὑπηρέται, ἀλλ᾿ οἱ λόγοι ἡμέτεροι ὥσπερ οἰκέται, καὶ ἕκαστος αὐτῶν περιμένει ἀποτελεσθῆναι ὅταν ἡμῖν δοκῇ· οὔτε γὰρ δικαστὴς οὔτε θεατὴς ὥσπερ ποιηταῖς ἐπιτιμήσων τε καὶ ἄρξων ἐπιστατεῖ παρ᾿ ἡμῖν.

ΣΩ. Λέγωμεν δή, ὡς ἔοικεν, ἐπεὶ σοί γε δοκεῖ, περὶ τῶν κορυφαίων· τί γὰρ ἄν τις τούς γε φαύλως διατρίβοντας ἐν φιλοσοφίᾳ λέγοι ; οὗτοι δέ που ἐκ νέων πρῶτον μὲν εἰς ἀγορὰν οὐκ ἴσασι τὴν ὁδόν, οὐδὲ ὅπου δικαστήριον ἢ βου- d λευτήριον ἤ τι κοινὸν ἄλλο τῆς πόλεως συνέδριον· νόμους δὲ καὶ ψηφίσματα λεγόμενα ἢ γεγραμμένα οὔτε ὁρῶσιν οὔτε ἀκούουσι· σπουδαὶ δὲ ἑταιριῶν ἐπ᾿ ἀρχὰς καὶ σύνοδοι καὶ δεῖπνα καὶ σὺν αὐλητρίσι κῶμοι, οὐδὲ ὄναρ πράττειν προσίσταται αὐτοῖς. Εὖ δὲ ἢ κακῶς τι γέγονεν ἐν πόλει, ἤ τί τῳ κακόν ἐστιν ἐκ προγόνων γεγονὸς ἢ πρὸς ἀνδρῶν ἢ γυναικῶν, μᾶλλον αὐτὸν λέληθεν ἢ οἱ τῆς θαλάττης λεγόμενοι χόες. Καὶ ταῦτα πάντ᾿ οὐδ᾿ ὅτι οὐκ οἶδεν, οἶδεν· e οὐδὲ γὰρ αὐτῶν ἀπέχεται τοῦ εὐδοκιμεῖν χάριν, ἀλλὰ τῷ ὄντι τὸ σῶμα μόνον ἐν τῇ πόλει κεῖται αὐτοῦ καὶ ἐπιδημεῖ, ἡ δὲ διάνοια, ταῦτα πάντα ἡγησαμένη σμικρὰ καὶ οὐδέν, ἀτιμάσασα πανταχῇ πέτεται κατὰ Πίνδαρον « τά

b 6 τρεπώμεθα : τρα- W || **c** 2 ἡμέτεροι W : οἱ ἡμ- BTY || **c** 6 λέγωμεν.... 177 **b** 7 διαφέρειν habet Eus. *Praep Euang.* XII, 29 || **c** 6 λέγωμεν... 174 **a** 1 φύσιν ἐρευνωμένη habent Clem. *Stromata* V, 14, 98 et Theodoretus XII, 24-25 || **c** 7 φαύλως : -ους W || **c** 8 που... 177 **b** 7 διαφέρειν habet Iambl. *Protrepticus*, XIV || **d** 5 ante σὺν add. οἱ Clem. || **d** 6 προσίσταται : προΐστ- Eusebii codd. || τι BT Eus. Iamblichi F supra lin. : τις YW Iambl. Clem. || post ἐν add. τῇ W || **d** 7 τῳ : τὸ W Iambl. || **d** 8 αὐτὸν : αὐτοὺς Clem. || **e** 1 οἶδεν, οἶδεν : οἶδεν ὃ εἶδεν B || **e** 4 ἅπαντα ταῦτα W || **e** 5 πέτεται B²W Iambl. : πέταται Eus. Clem. φέρεται BTY || τά τε TYW Eus. : τᾶ τε B τᾶς Clem. (sed τάς τε L).

mesurant ses étendues, « au terme des profondeurs célestes » poursuivant la marche des astres, et, de chaque réalité, scru-
174 a tant la nature en son détail et son ensemble, sans que jamais elle se laisse redescendre à ce qui est immédiatement proche.

THÉODORE. — Que veux-tu dire par là, Socrate ?

SOCRATE. — Ainsi Thalès observait les astres, Théodore, et, le regard aux cieux, venait choir dans le puits. Quelque Thrace, accorte et plaisante soubrette, de le railler, ce dit-on, de son zèle à savoir ce qui se passe au ciel, lui qui ne savait voir ce qu'il avait devant lui, à ses pieds. Cette raillerie vaut
b contre tous ceux qui passent leur vie à philosopher[1]. C'est que, réellement, un tel être ne connaît ni proche ni voisin, ne sait ni ce que fait celui-ci, ni même s'il est homme ou s'il appartient à quelque autre bétail. Mais qu'est-ce que l'homme, par quoi une telle nature se doit distinguer des autres en son activité ou sa passivité propres, voilà quelle est sa recherche et l'investigation à laquelle il consacre ses peines. Tu comprends, j'imagine, Théodore, ou me trompé-je ?

THÉODORE. — Je comprends, et c'est vérité que tu dis.

SOCRATE. — Tel est donc, mon ami, dans le commerce
c privé, notre philosophe ; tel il est aussi dans la vie publique, je le disais au début. Quand, dans le tribunal ou ailleurs, il lui faut, contre son gré, traiter de choses qui sont à ses pieds, sous ses yeux, il prête à rire non point seulement aux femmes Thraces, mais à tout le reste de la foule, de puits en puits, de perplexité en perplexité se laissant choir par manque d'expérience, et sa terrible gaucherie lui donne figure de sot. Dans les assauts d'injures, en effet, il n'a, contre personne, d'insulte appropriée à lancer, car il ne sait quoi que ce soit de mal de qui que ce soit : il a négligé d'en
d apprendre. Aussi demeure-t-il à court et apparaît ridicule. En est-on aux éloges, aux jactances dont les autres se magnifient, il n'affecte point d'en rire : il en rit pour de bon et de façon

1. « Je sais bon gré à la garse milésienne qui, voyant le philosophe Thalès s'amuser continuellement à la contemplation de la voûte céleste et tenir toujours les yeux élevés contremont, lui mit en son passage quelque chose à le faire broncher, pour l'avertir qu'il serait temps d'amuser son pensement aux choses qui étaient dans les nues, quand il aurait pourvu à celles qui étaient à ses pieds... Mais la connaissance de ce que nous avons entre mains est aussi éloignée de nous, et aussi bien au-dessus des nues, que celle des astres... » Montaigne, II, XII.

τε γᾶς ὑπένερθε » καὶ τὰ ἐπίπεδα γεωμετροῦσα, « οὐρανοῦ θ' ὕπερ » ἀστρονομοῦσα, καὶ πᾶσαν πάντῃ φύσιν ἐρευνωμένη τῶν ὄντων ἑκάστου ὅλου, εἰς τῶν ἐγγὺς οὐδὲν αὑτὴν **174 a** συγκαθιεῖσα.

ΘΕΟ. Πῶς τοῦτο λέγεις, ὦ Σώκρατες ;

ΣΩ. Ὥσπερ καὶ Θαλῆν ἀστρονομοῦντα, ὦ Θεόδωρε, καὶ ἄνω βλέποντα, πεσόντα εἰς φρέαρ, Θρᾷττά τις ἐμμελὴς καὶ χαρίεσσα θεραπαινὶς ἀποσκῶψαι λέγεται ὡς τὰ μὲν ἐν οὐρανῷ προθυμοῖτο εἰδέναι, τὰ δ' ἔμπροσθεν αὐτοῦ καὶ παρὰ πόδας λανθάνοι αὐτόν. Ταὐτὸν δὲ ἀρκεῖ σκῶμμα ἐπὶ πάντας ὅσοι ἐν φιλοσοφίᾳ διάγουσι. Τῷ γὰρ ὄντι τὸν **b** τοιοῦτον ὁ μὲν πλησίον καὶ ὁ γείτων λέληθεν, οὐ μόνον ὅτι πράττει, ἀλλ' ὀλίγου καὶ εἰ ἄνθρωπός ἐστιν ἤ τι ἄλλο θρέμμα· τί δέ ποτ' ἐστὶν ἄνθρωπος καὶ τί τῇ τοιαύτῃ φύσει προσήκει διάφορον τῶν ἄλλων ποιεῖν ἢ πάσχειν, ζητεῖ τε καὶ πράγματ' ἔχει διερευνώμενος. Μανθάνεις γάρ που, ὦ Θεόδωρε· ἢ οὔ ;

ΘΕΟ. Ἔγωγε· καὶ ἀληθῆ λέγεις.

ΣΩ. Τοιγάρτοι, ὦ φίλε, ἰδίᾳ τε συγγιγνόμενος ὁ τοιοῦτος ἑκάστῳ καὶ δημοσίᾳ, ὅπερ ἀρχόμενος ἔλεγον, ὅταν ἐν **c** δικαστηρίῳ ἤ που ἄλλοθι ἀναγκασθῇ περὶ τῶν παρὰ πόδας καὶ τῶν ἐν ὀφθαλμοῖς διαλέγεσθαι, γέλωτα παρέχει οὐ μόνον Θρᾴτταις ἀλλὰ καὶ τῷ ἄλλῳ ὄχλῳ, εἰς φρέατά τε καὶ πᾶσαν ἀπορίαν ἐμπίπτων ὑπὸ ἀπειρίας, καὶ ἡ ἀσχημοσύνη δεινή, δόξαν ἀβελτερίας παρεχομένη· ἔν τε γὰρ ταῖς λοιδορίαις ἴδιον ἔχει οὐδὲν οὐδένα λοιδορεῖν, ἅτ' οὐκ εἰδὼς κακὸν οὐδὲν οὐδενὸς ἐκ τοῦ μὴ μεμελετηκέναι· ἀπορῶν οὖν γελοῖος φαίνεται. Ἔν τε τοῖς ἐπαίνοις καὶ ταῖς **d** τῶν ἄλλων μεγαλαυχίαις οὐ προσποιήτως ἀλλὰ τῷ ὄντι

e 6 θ' ὕπερ ἀστρονομοῦσα Burnet : τε ὕπερ ἀστρ- BTY τε ὑπεραστρ- W Iambl. || ἐρευνωμένη : -νάμενος Clementis L || **174 a** 1 τῶν : ὧν B || οὐδὲν : οἶδεν in marg. W || **a** 2 συγκαθεῖσα T || **a** 5 ἄνω βλέποντα : ἀναβλέ- Iambl. || **a** 7 ἐν om. YW || ἔμπροσθεν BTY et in marg. W : ὄπισθεν Wt Iambl. Eus. || **b** 1 πάντας : -α B || ἐν : ἐπὶ W || τὸν : τῶν W[1] || **b** 4 δέ : δή Iambl. || **b** 8 καὶ om. B || **c** 3 ἐν : ὑπ' supra lin. W.

si manifeste qu'on le prend pour un égaré. D'un tyran ou d'un roi s'il entend faire l'éloge, c'est de quelque pâtre, c'est d'un porcher, d'un berger, d'un bouvier qu'il croit entendre vanter la félicité à raison des larges traites qu'ils traient. C'est, d'ailleurs, pense-t-il, un plus difficile et plus sournois bétail que tyrans et rois ont à paître et à traire, et force leur
e est de devenir non moins agrestes que des pâtres, non moins dépourvus de toute éducation parce que privés de tout loisir, dans ce parcage en pleine montagne que leur fait leur clôture de murailles[1]. Si on lui dit qu'un homme a dix mille arpents de terre ou plus encore et que cela fait un prodigieux avoir, bien minime lui paraît ce qu'il entend là, habitué qu'il est à embrasser du regard la terre entière. Les généalogies que l'on va chantant, la noblesse d'un tel, qui, de sept aïeux riches, peut faire l'étalage, totalement obtus et courts de vision
175 a il juge ceux qui les vantent : gens que leur manque d'instruction empêche de tenir constamment leur regard sur l'ensemble et de faire ce calcul que, aïeux et bisaïeux, chacun les a par myriades, myriades qu'on ne saurait nombrer, où riches et gueux, rois et esclaves, Barbares et Hellènes, ont eu dix mille et dix mille fois leur tour en la lignée de n'importe qui. Que l'on se glorifie d'une série de vingt-cinq ancêtres et qu'on se rattache à Hercule, fils d'Amphitryon, lui ne voit là que des chiffres étrangement mesquins. Le vingt-cinquième
b ancêtre d'Amphitryon fut ce que le hasard voulut, sans parler du cinquantième ancêtre de ce vingt-cinquième; et le sage se moque de ceux qui ne savent faire ce calcul ni se désenfler de la sottise qui gonfle leurs âmes. En toutes ces occasions donc il est la risée de la foule, soit qu'il porte trop haut ses dédains, à ce qu'on croit, soit qu'à ses pieds il ne sache voir et, dans le concret, reste à court.

Théodore. — Les choses se passent tout comme tu le dis, Socrate.

Socrate. — Mais qu'un autre, au contraire, ô mon ami, soit attiré par lui vers les hauteurs, qu'il consente à le suivre

1. Montaigne (I, xxiv) traduit curieusement : « Oyent-ils louer leur prince ou un roi ? C'est un pâtre pour eux, *oisif comme un pâtre*, occupé à pressurer et tondre ses bêtes, *mais bien plus rudement qu'un pâtre.* » Le « loisir » que veut Platon est rempli par la société humaine et le dialogue (*Phédon*, 66 b/d, *Phèdre*, 259 a).

γελῶν ἔνδηλος γιγνόμενος ληρώδης δοκεῖ εἶναι. Τύραννόν τε γὰρ ἢ βασιλέα ἐγκωμιαζόμενον, ἕνα τῶν νομέων, οἷον συβώτην ἢ ποιμένα ἤ τινα βουκόλον, ἡγεῖται ἀκούειν εὐδαιμονιζόμενον πολὺ βδάλλοντα· δυσκολώτερον δὲ ἐκείνων ζῷον καὶ ἐπιβουλότερον ποιμαίνειν τε καὶ βδάλλειν νομίζει αὐτούς, ἄγροικον δὲ καὶ ἀπαίδευτον ὑπὸ ἀσχολίας οὐδὲν ἧττον τῶν νομέων τὸν τοιοῦτον ἀναγκαῖον γίγνεσθαι, σηκὸν e ἐν ὄρει τὸ τεῖχος περιβεβλημένον. Γῆς δὲ ὅταν μυρία πλέθρα ἢ ἔτι πλείω ἀκούσῃ ὥς τις ἄρα κεκτημένος θαυμαστὰ πλήθει κέκτηται, πάνσμικρα δοκεῖ ἀκούειν εἰς ἅπασαν εἰωθὼς τὴν γῆν βλέπειν. Τὰ δὲ δὴ γένη ὑμνούντων, ὡς γενναῖός τις ἑπτὰ πάππους πλουσίους ἔχων ἀποφῆναι, παντάπασιν ἀμβλὺ καὶ ἐπὶ σμικρὸν ὁρώντων ἡγεῖται τὸν ἔπαινον, ὑπὸ ἀπαιδευσίας οὐ δυναμένων εἰς τὸ πᾶν ἀεὶ 175 a βλέπειν οὐδὲ λογίζεσθαι ὅτι πάππων καὶ προγόνων μυριάδες ἑκάστῳ γεγόνασιν ἀναρίθμητοι, ἐν αἷς πλούσιοι καὶ πτωχοὶ καὶ βασιλῆς καὶ δοῦλοι βάρβαροί τε καὶ Ἕλληνες πολλάκις μυρίοι γεγόνασιν ὁτῳοῦν· ἀλλ᾽ ἐπὶ πέντε καὶ εἴκοσι καταλόγῳ προγόνων σεμνυνομένων καὶ ἀναφερόντων εἰς Ἡρακλέα τὸν Ἀμφιτρύωνος ἄτοπα αὐτῷ καταφαίνεται τῆς σμικρολογίας, ὅτι δὲ ὁ ἀπ᾽ Ἀμφιτρύωνος εἰς τὸ ἄνω b πεντεκαιεικοστὸς τοιοῦτος ἦν οἵα συνέβαινεν αὐτῷ τύχη, καὶ ὁ πεντηκοστὸς ἀπ᾽ αὐτοῦ, γελᾷ οὐ δυναμένων λογίζεσθαί τε καὶ χαυνότητα ἀνοήτου ψυχῆς ἀπαλλάττειν. Ἐν ἅπασι δὴ τούτοις ὁ τοιοῦτος ὑπὸ τῶν πολλῶν καταγελᾶται, τὰ μὲν ὑπερηφάνως ἔχων, ὡς δοκεῖ, τὰ δ᾽ ἐν ποσὶν ἀγνοῶν τε καὶ ἐν ἑκάστοις ἀπορῶν.

ΘΕΟ. Παντάπασι τὰ γιγνόμενα λέγεις, ὦ Σώκρατες.

ΣΩ. Ὅταν δέ γέ τινα αὐτός, ὦ φίλε, ἑλκύσῃ ἄνω, καὶ

d 3 γελῶν : λέγων Y || **d** 6 ἐκείνων : ἐκεῖνον Y || **d** 7 καὶ post ζῷον om. W || **e** 4 πάνσμικρα : πάνυ μικρὰ Y || εἰς : εἰ W || **e** 7 σμικρόν : -ῶν Y || **175 a** 6 ἀναφερόντων : -ομένων (sed ντων supra lin.) W || **b** 2 οἵα... τύχη : οἷα... τύχῃ B || **b** 3 δυναμένων : -ῳ TY || **b** 6 μὲν : νῦν W[1] || **b** 8 τὰ γιγνόμενα : τὸ -ον W || **b** 9 γέ om. W || ἄνω om. B.

c hors du « quel tort te fais-je ou me fais-tu ? » pour examiner en elles-mêmes la justice et l'injustice, leur essence respective, leur différence à l'égard de tout le reste ou leur distinction mutuelle; que, dépassant les thèmes « si le Roi est heureux avec ses monceaux d'or »[1], on aborde l'enquête sur la royauté, sur le bonheur et le malheur humains en leur sens absolu, leur essence respective, les voies qui conviennent à l'humaine nature pour conquérir l'un, échapper à l'autre ; lorsque, sur toutes ces questions, celui dont l'âme est petite, d aiguisée, chicanière, est tenu de donner et défendre sa réponse, c'est alors son tour de payer le talion. La tête lui tourne, de cette hauteur où il est suspendu. Son regard tombe du ciel en des profondeurs tellement inaccoutumées, qu'il s'angoisse, ne trouve plus que dire et n'arrive qu'à bredouiller. Il est la risée alors, non point de femmes thraces ni de quelque autre gent inculte, incapable de sentir son ridicule, mais de tous ceux qui furent élevés au rebours d'une éducation d'esclaves. Ainsi se comportent l'un et l'autre, Théodore. L'un, qu'une e réelle liberté, un réel loisir ont formé, celui précisément que tu nommes philosophe, peut, sans qu'on s'en indigne, faire figure de simple et de bon à rien quand il choit en des offices serviles, et ne point savoir, par exemple, comment s'installe une couverture de voyage, comment se relève un mets ou s'assaisonnent en flatteries les discours. L'autre peut, de tout cela, faire sagace et prompt service. Mais il ne saurait relever son manteau sur l'épaule droite à la façon d'un homme libre ni s'adapter à l'harmonie des discours pour dignement 176 a chanter la réalité de vie que vivent et les dieux et les mortels bienheureux.

1. Le Roi, par excellence, c'est le roi des Perses. Cette question « si le Roi des Perses est heureux » est posée par quelqu'un à Socrate dans un dialogue que paraphrase le 3e discours de Dion Chrysostome *sur la Royauté*. D'autre part le 4e discours de Dion (de Budé, IV, 98 et suiv.) et le *Panégyrique de Constance* par Julien (86e) racontent, sur l'avarice et la richesse de Darius, des traits qui doivent avoir une origine commune (Louis François, *Essai sur Dion Chrysostome*, p. 189 et suiv.). Dion a, probablement, comme source un dialogue du genre dit socratique. Qu'Antisthène en soit l'auteur, c'est possibilité que M. François a raison de ne pas trop presser (p. 198). Notre passage du *Théétète* était une excellente amorce pour des dialogues de ce genre, « sur la royauté, sur le bonheur et le malheur humains ».

ἐθελήσῃ τις αὐτῷ ἐκβῆναι ἐκ τοῦ « Τί ἐγὼ σὲ ἀδικῶ ἢ σὺ ἐμέ ; » εἰς σκέψιν αὐτῆς δικαιοσύνης τε καὶ ἀδικίας, τί τε ἑκάτερον αὐτοῖν καὶ τί τῶν πάντων ἢ ἀλλήλων διαφέρετον, ἢ ἐκ τοῦ « εἰ βασιλεὺς εὐδαίμων κεκτημένος ταὐ χρυσίον », βασιλείας πέρι καὶ ἀνθρωπίνης ὅλως εὐδαιμονίας καὶ ἀθλιότητος ἐπὶ σκέψιν, ποίω τέ τινε ἐστὸν καὶ τίνα τρόπον ἀνθρώπου φύσει προσήκει τὸ μὲν κτήσασθαι αὐτοῖν, τὸ δὲ ἀποφυγεῖν — περὶ πάντων τούτων ὅταν αὖ δέῃ λόγον διδόναι τὸν σμικρὸν ἐκεῖνον τὴν ψυχὴν καὶ δριμὺν καὶ δικανικόν, πάλιν αὖ τὰ ἀντίστροφα ἀποδίδωσιν· εἰλιγγιῶν τε ἀπὸ ὑψηλοῦ κρεμασθεὶς καὶ βλέπων μετέωρος ἄνωθεν ὑπὸ ἀηθείας ἀδημονῶν τε καὶ ἀπορῶν καὶ βατταρίζων γέλωτα Θρᾴτταις μὲν οὐ παρέχει οὐδ᾽ ἄλλῳ ἀπαιδεύτῳ οὐδενί, οὐ γὰρ αἰσθάνονται, τοῖς δ᾽ ἐναντίως ἢ ὡς ἀνδραπόδοις τραφεῖσι πᾶσιν. Οὗτος δὴ ἑκατέρου τρόπος, ὦ Θεόδωρε, ὁ μὲν τῷ ὄντι ἐν ἐλευθερίᾳ τε καὶ σχολῇ τεθραμμένου, ὃν δὴ φιλόσοφον καλεῖς, ᾧ ἀνεμέσητον εὐήθει δοκεῖν καὶ οὐδενὶ εἶναι ὅταν εἰς δουλικὰ ἐμπέσῃ διακονήματα, οἷον στρωματόδεσμον μὴ ἐπισταμένου συσκευάσασθαι μηδὲ ὄψον ἡδῦναι ἢ θῶπας λόγους· ὁ δ᾽ αὖ τὰ μὲν τοιαῦτα πάντα δυναμένου τορῶς τε καὶ ὀξέως διακονεῖν, ἀναβάλλεσθαι δὲ οὐκ ἐπισταμένου ἐπιδέξια ἐλευθερίως οὐδέ γ᾽ ἁρμονίαν λόγων λαβόντος ὀρθῶς ὑμνῆσαι θεῶν τε καὶ ἀνδρῶν εὐδαιμόνων βίον ἀληθῆ. 176 a

c 2 αὐτῆς W : αὖ τῆς BTY Iambl. Eus. || c 3 διαφέρετον : διε- W || c 4 εἰ om. Y || ταὐ Madvig ex Hesychio : τ' αὖ πολὺ BTW τ' αὖ πολὺν Y πολὺ Iambl. Eusebii codd. et supra lin. t || c 5 βασιλείας BT : ἢ β- YWt Iambl. Eus. || c 6 ἐπὶ σκέψιν Bekker : ἐπίσκεψιν codd. || c 7 κτήσασθαι B²W Iambl, Eus. : -εσθαι BTY || c 8 πάντων τούτων : πάντων οὖν τούτων Y τούτων ἁπάντων B || αὖ : οὖν Y || d 4 βατταρίζων Pierson e Themistio : βαρβαρίζων codd. || d 7 τραφεῖσι πᾶσιν : -σιν ἅπασιν B || e 1 ἐν ἐλευθερίᾳ : ἀνελ- Y || e 2 ᾧ : ὃ Y || e 4 ἐπισταμένου BT Eus. : -άμενος YWt -αμένους Iambl. || συσκευάσασθαι : συνδῆσαι W || e 5 ὁ δ' Yt Iambl. Eus. : οὐδ' BT ὅδ' W || πάντα..· 176 a 1 βίον habet Athenaeus I 21 b || e 6 ἐπισταμένου : -ους Athen. (et mox λαβόντας) || e 7 ἐλευθερίως Athen. : -θέρως codd. || γ' om. W || λόγων : -ον W || 176 a 1 ἀληθῆ om. Athen. secl. Cobet.

Théodore. — Si, à tous, Socrate, tu pouvais persuader ce que tu dis là comme tu me le fais à moi, il y aurait plus grande paix et moindres maux parmi les hommes.

Socrate. — Mais il est impossible que le mal disparaisse, Théodore ; car il y aura toujours, nécessairement, un contraire du bien. Il est tout aussi impossible qu'il ait son siège parmi les dieux : c'est donc la nature mortelle et le lieu d'ici-bas que parcourt fatalement sa ronde. Cela montre quel effort s'impose : d'ici-bas vers là-haut
b s'évader au plus vite. L'évasion, c'est de s'assimiler à Dieu dans la mesure du possible : or on s'assimile en devenant juste et saint dans la clarté de l'esprit. C'est pourtant chose, excellent ami, qui n'est guère facile à persuader : que ce n'est point pour les raisons prêchées par la foule qu'on doit fuir la méchanceté et rechercher la vertu, cultivant celle-ci, évitant celle-là, pour ne point se donner réputation de méchant, mais gagner réputation d'honnête homme. Voilà bien où, moi, je vois, suivant le dicton, un conte de vieille femme. Mais, la vérité, la voici. Dieu n'est, sous aucun rapport et d'aucune façon, injuste : il est, au con-
c traire, suprêmement juste, et rien ne lui ressemble plus que celui de nous qui, à son exemple, est devenu le plus juste possible. C'est à cela que se juge la véritable habileté d'un homme, ou bien sa nullité, son manque absolu de valeur humaine. C'est cela dont la connaissance est sagesse et vertu véritable, dont l'ignorance est bêtise et vice manifeste. Tous ces autres semblants d'habileté et de sagesse, dans les divers pouvoirs politiques, n'aboutissent qu'à la force brutale et,
d dans les arts, au vil métier. A celui qui commet l'injustice et pratique l'impiété en ses discours ou ses actes, mieux vaut donc infiniment ne point concéder qu'il soit à redouter pour son astuce. C'est gloriole, à ces gens, qu'un tel reproche ; ils l'entendent en ce sens qu'ils ne sont point des verbes-creux, fardeaux inutiles de la terre, mais bien les hommes que doivent être, en une cité, ceux qui prétendent y vivre saufs. Il faut donc leur dire ce qui est vrai : qu'ils sont d'autant plus réellement ce qu'ils ne se croient point, qu'au fait ils croient moins l'être. Ils ignorent, en effet, de quelle punition se paie l'injustice, et c'est ce qu'il est le moins permis d'ignorer. Elle n'est point, en effet, ce qu'eux pensent, peines de corps et males morts, que, parfois, esquivent

ΘΕΟ. Εἰ πάντας, ὦ Σώκρατες, πείθοις ἃ λέγεις ὥσπερ ἐμέ, πλείων ἂν εἰρήνη καὶ κακὰ ἐλάττω κατ' ἀνθρώπους εἴη.

ΣΩ. Ἀλλ' οὔτ' ἀπολέσθαι τὰ κακὰ δυνατόν, ὦ Θεόδωρε — ὑπεναντίον γάρ τι τῷ ἀγαθῷ ἀεὶ εἶναι ἀνάγκη — οὔτ' ἐν θεοῖς αὐτὰ ἱδρῦσθαι, τὴν δὲ θνητὴν φύσιν καὶ τόνδε τὸν τόπον περιπολεῖ ἐξ ἀνάγκης. Διὸ καὶ πειρᾶσθαι χρὴ ἐνθένδε ἐκεῖσε φεύγειν ὅτι τάχιστα. Φυγὴ δὲ ὁμοίωσις θεῷ κατὰ **b** τὸ δυνατόν· ὁμοίωσις δὲ δίκαιον καὶ ὅσιον μετὰ φρονήσεως γενέσθαι. Ἀλλὰ γάρ, ὦ ἄριστε, οὐ πάνυ τι ῥᾴδιον πεῖσαι ὡς ἄρα οὐχ ὧν ἕνεκα οἱ πολλοί φασι δεῖν πονηρίαν μὲν φεύγειν, ἀρετὴν δὲ διώκειν, τούτων χάριν τὸ μὲν ἐπιτηδευτέον, τὸ δ' οὔ, ἵνα δὴ μὴ κακὸς καὶ ἵνα ἀγαθὸς δοκῇ εἶναι· ταῦτα μὲν γάρ ἐστιν ὁ λεγόμενος γραῶν ὕθλος, ὡς ἐμοὶ φαίνεται· τὸ δὲ ἀληθὲς ὧδε λέγωμεν. Θεὸς οὐδαμῇ οὐδαμῶς ἄδικος, ἀλλ' ὡς οἷόν τε δικαιότατος, καὶ οὐκ ἔστιν **c** αὐτῷ ὁμοιότερον οὐδὲν ἢ ὃς ἂν ἡμῶν αὖ γένηται ὅτι δικαιότατος. Περὶ τοῦτο καὶ ἡ ὡς ἀληθῶς δεινότης ἀνδρὸς καὶ οὐδενία τε καὶ ἀνανδρία. Ἡ μὲν γὰρ τούτου γνῶσις σοφία καὶ ἀρετὴ ἀληθινή, ἡ δὲ ἄγνοια ἀμαθία καὶ κακία ἐναργής· αἱ δ' ἄλλαι δεινότητές τε δοκοῦσαι καὶ σοφίαι ἐν μὲν πολιτικαῖς δυναστείαις γιγνόμεναι φορτικαί, ἐν δὲ τέχναις βάναυσοι. Τῷ οὖν ἀδικοῦντι καὶ ἀνόσια λέγοντι ἢ πράτ- **d** τοντι μακρῷ ἄριστ' ἔχει τὸ μὴ συγχωρεῖν δεινῷ ὑπὸ πανουργίας εἶναι· ἀγάλλονται γὰρ τῷ ὀνείδει καὶ οἴονται ἀκούειν ὅτι οὐ λῆροί εἰσι, γῆς ἄλλως ἄχθη, ἀλλ' ἄνδρες οἵους δεῖ ἐν πόλει τοὺς σωθησομένους. Λεκτέον οὖν τἀληθές, ὅτι τοσούτῳ μᾶλλόν εἰσιν οἷοι οὐκ οἴονται, ὅτι οὐχὶ οἴονται· ἀγνοοῦσι γὰρ ζημίαν ἀδικίας, ὃ δεῖ ἥκιστα ἀγνοεῖν. Οὐ γάρ ἐστιν ἣν δοκοῦσιν, πληγαί τε καὶ θάνατοι, ὧν ἐνίοτε

a 5 τῷ : τὸ Y || **b** 3 τι om. B || **b** 6 δὴ : om. B δὲ Eus. || **b** 7 μὲν om. B || **b** 8 λέγωμεν BT : -ομεν YW Iambl. Eus. || θεὸς... **c** 3 τοῦτο habet Stob. III, IX, 50 (vol. III, p. 361) || **c** 3 τοῦτο Iambl. Eus. (sed. -ου supra lin. codex I) Stob. : τούτου BTYW || ἡ om. W || **c** 6 καὶ om. T || σοφίαι : σοφαὶ B || **d** 1 ἢ πράττοντι supra lin. habet W || **d** 4 δεῖ : δὴ W.

e totalement leurs injustices, mais punition inéluctable.

THÉODORE. — Quelle punition veux-tu dire ?

SOCRATE. — Deux exemplaires, cher ami, au sein de la réalité sont dressés : l'un, divin et bienheureux ; l'autre, vide de Dieu, plein de misère. Mais ils ne voient point cela : aussi leur sottise, leur déraison extrême les empêche de sentir

177 a qu'ils ne font que se rendre semblables au second par leurs actions injustes et perdre toute ressemblance avec le premier. Leur punition, c'est leur vie même, conforme à l'exemplaire auquel ils se font ressemblants. Mais disons-leur que, s'ils ne se délivrent point de leur habileté, eux morts, ce lieu pur de tout mal ne les recevra point ; qu'ici-bas ils n'auront d'autre société que leur propre ressemblance, méchants à qui les méchants tiennent compagnie : en tels avertissements, ces habiles et ces roués ne croiront entendre absolument que propos d'insensés.

THÉODORE. — C'est très sûr, Socrate.

b SOCRATE. — Je le sais bien, mon ami. Mais il y a, au fait, au moins une déconvenue qu'eux-mêmes éprouvent. Qu'il leur faille s'expliquer, d'homme à homme, sur les choses qu'ils blâment ; qu'ils consentent à être braves, à tenir bon longtemps au lieu de lâchement s'enfuir ; alors il est étrange de voir, excellent ami, comme ils en arrivent finalement à ne plus trouver satisfaisantes pour eux-mêmes leurs propres thèses : cette rhétorique fameuse s'en va, dirait-on, en langueur et c'est d'enfants, au bout du compte, qu'ils font absolument figure. Ces considérations ne sont d'ailleurs que propos accessoires. Quittons-les ici ; sans quoi leur flux con-

c tinuellement débordant ensevelirait notre thème initial. Revenons donc à la question, si tu en es d'avis.

THÉODORE. — A moi, Socrate, de telles considérations ne sont point les plus déplaisantes à entendre ; car elles sont, pour un homme de mon âge, plus faciles à suivre. Si, cependant, tu en es d'avis, revenons sur nos pas.

Retour à la critique : la thèse de l'homme-mesure et les assertions sur le futur.

SOCRATE. — Voici donc où nous en étions de la question. Certains prônent, disions-nous, un être tout en translation et, d'après eux, ce qui semble à chacun, est, à chaque fois, réel, pour celui à qui cela semble. Entre autres assertions qu'ils veulent bien

πάσχουσιν οὐδὲν ἀδικοῦντες, ἀλλὰ ἣν ἀδύνατον ἐκφυγεῖν. e

ΘΕΟ. Τίνα δὴ λέγεις;

ΣΩ. Παραδειγμάτων, ὦ φίλε, ἐν τῷ ὄντι ἑστώτων, τοῦ μὲν θείου εὐδαιμονεστάτου, τοῦ δὲ ἀθέου ἀθλιωτάτου, οὐχ ὁρῶντες ὅτι οὕτως ἔχει, ὑπὸ ἠλιθιότητός τε καὶ τῆς ἐσχάτης ἀνοίας λανθάνουσι τῷ μὲν ὁμοιούμενοι διὰ τὰς ἀδίκους 177 a πράξεις, τῷ δὲ ἀνομοιούμενοι. Οὗ δὴ τίνουσι δίκην ζῶντες τὸν εἰκότα βίον ᾧ ὁμοιοῦνται· ἐὰν δ' εἴπωμεν ὅτι, ἂν μὴ ἀπαλλαγῶσι τῆς δεινότητος, καὶ τελευτήσαντας αὐτοὺς ἐκεῖνος μὲν ὁ τῶν κακῶν καθαρὸς τόπος οὐ δέξεται, ἐνθάδε δὲ τὴν αὑτοῖς ὁμοιότητα τῆς διαγωγῆς ἀεὶ ἕξουσι, κακοὶ κακοῖς συνόντες, ταῦτα δὴ καὶ παντάπασιν ὡς δεινοὶ καὶ πανοῦργοι ἀνοήτων τινῶν ἀκούσονται.

ΘΕΟ. Καὶ μάλα δή, ὦ Σώκρατες.

ΣΩ. Οἶδά τοι, ὦ ἑταῖρε. Ἓν μέντοι τι αὐτοῖς συμβέβηκεν· ὅταν ἰδίᾳ λόγον δέῃ δοῦναί τε καὶ δέξασθαι περὶ b ὧν ψέγουσι, καὶ ἐθελήσωσιν ἀνδρικῶς πολὺν χρόνον ὑπομεῖναι καὶ μὴ ἀνάνδρως φυγεῖν, τότε ἀτόπως, ὦ δαιμόνιε, τελευτῶντες οὐκ ἀρέσκουσιν αὐτοὶ αὑτοῖς περὶ ὧν λέγουσι, καὶ ἡ ῥητορικὴ ἐκείνη πως ἀπομαραίνεται, ὥστε παίδων μηδὲν δοκεῖν διαφέρειν. Περὶ μὲν οὖν τούτων, ἐπειδὴ καὶ πάρεργα τυγχάνει λεγόμενα, ἀποστῶμεν — εἰ δὲ μή, πλείω ἀεὶ ἐπιρρέοντα καταχώσει ἡμῶν τὸν ἐξ ἀρχῆς λόγον — ἐπὶ c δὲ τα ἔμπροσθεν ἴωμεν, εἰ καὶ σοὶ δοκεῖ.

ΘΕΟ. Ἐμοὶ μὲν τὰ τοιαῦτα, ὦ Σώκρατες, οὐκ ἀηδέστερα ἀκούειν· ῥᾴω γὰρ τηλικῷδε ὄντι ἐπακολουθεῖν. Εἰ μέντοι δοκεῖ, πάλιν ἐπανίωμεν.

ΣΩ. Οὐκοῦν ἐνταῦθά που ἦμεν τοῦ λόγου, ἐν ᾧ ἔφαμεν τοὺς τὴν φερομένην οὐσίαν λέγοντας, καὶ τὸ ἀεὶ δοκοῦν ἑκάστῳ τοῦτο καὶ εἶναι τούτῳ ᾧ δοκεῖ, ἐν μὲν τοῖς ἄλλοις

e 3 ὄντι : πάντι W || 177 a 3 ἂν μὴ : ἐὰν μὴ W Iambl. || b 2 ὅταν (sed ὅτ' ἂν) W Iambl. Eus. : ὅτι ἂν BTY || b 3 ψέγουσι : λέγ- dubitanter Richards || ἐθελήσωσιν : θελοῦσιν W || b 4 φυγεῖν W Eus. : φεύγειν BTY Iambl. || b 7 οὖν om. W.

soutenir en toute énergie, celle qui concerne la question de justice n'est pas la moins catégorique : en toute rigueur, d ce qu'une cité a trouvé juste de décréter, cela est juste à la cité qui le décrète aussi longtemps que subsiste son décret. Quant à la question du bien, il n'en est plus un à garder le courage de maintenir jusqu'au bout l'audacieuse formule : ce qu'une cité a trouvé avantageux pour elle de décréter, cela, aussi longtemps que subsiste son décret, lui est, de fait, avantageux [1]. A moins, peut-être, qu'il ne suffise de le dénommer tel. Mais ce serait vraiment se moquer du sujet traité. N'est-il pas vrai ?

THÉODORE. — Totalement.

e SOCRATE. — Qu'on ne nous parle donc point du nom : c'est de l'objet recouvert par le nom que nous avons à faire étude.

THÉODORE. — Parfaitement.

SOCRATE. — Mais ce que la cité nomme de ce nom est précisément ce qu'elle vise en posant ses lois ; et toutes ces lois, autant qu'elle peut croire et faire, c'est comme très utiles à soi-même qu'elle les pose. A-t-elle d'autres visées quand elle légifère ?

THÉODORE. — Aucune autre.

178 a SOCRATE. — Or atteint-elle toujours le but, et n'y a-t-il pas bien des cas où chaque cité le manque ?

THÉODORE. — A mon avis, du moins, il lui arrive de le manquer [2].

SOCRATE. — Le moyen de faire accepter plus universellement encore ces conclusions serait que la question embrassât l'entière extension de la forme où rentre l'utile : or elle s'étend bien, en fait, jusque sur le temps à venir [3]. Lorsqu'en effet nous légiférons, c'est escomptant l'utilité des lois ainsi posées dans le temps à venir. Ce qu'on escompte ainsi, l'appeler un futur serait expression correcte.

THÉODORE. — Absolument.

b SOCRATE. — Eh bien, voici donc quelles questions nous ferons à Protagoras et à tous autres qui soutiennent les

1. Cf. *supra*, 172 a/c.

2. Pour un parallèle exact de ce passage, cf. *Républ.*, 339 c.

3. Nos traités de logique distinguent eux-mêmes entre l'extension actuelle et l'extension possible. Forme (εἶδος) est, ici, synonyme de genre (γένος).

ἐθέλειν διισχυρίζεσθαι καὶ οὐχ ἥκιστα περὶ τὰ δίκαια, ὡς παντὸς μᾶλλον ἃ ἂν θῆται πόλις δόξαντα αὑτῇ, ταῦτα καὶ ἔστι d δίκαια τῇ θεμένῃ, ἕωσπερ ἂν κέηται· περὶ δὲ τἀγαθὰ οὐδένα ἀνδρεῖον ἔθ᾽ οὕτως εἶναι ὥστε τολμᾶν διαμάχεσθαι ὅτι καὶ ἃ ἂν ὠφέλιμα οἰηθεῖσα πόλις ἑαυτῇ θῆται, καὶ ἔστι τοσοῦτον χρόνον ὅσον ἂν κέηται ὠφέλιμα, πλὴν εἴ τις τὸ ὄνομα λέγοι· τοῦτο δέ που σκῶμμ᾽ ἂν εἴη πρὸς ὃ λέγομεν. Ἦ οὐχί ;

ΘΕΟ. Πάνυ γε.

ΣΩ. Μὴ γὰρ λεγέτω τὸ ὄνομα, ἀλλὰ τὸ πρᾶγμα τὸ ὀνο- e μαζόμενον θεωρείτω.

ΘΕΟ. Μὴ γάρ.

ΣΩ. Ἀλλ᾽ ὃ ἂν τοῦτο ὀνομάζῃ, τούτου δήπου στοχάζεται νομοθετουμένη, καὶ πάντας τοὺς νόμους, καθ᾽ ὅσον οἴεταί τε καὶ δύναται, ὡς ὠφελιμωτάτους ἑαυτῇ τίθεται· ἢ πρὸς ἄλλο τι βλέπουσα νομοθετεῖται ;

ΘΕΟ. Οὐδαμῶς. 178 a

ΣΩ. Ἦ οὖν καὶ τυγχάνει ἀεί, ἢ πολλὰ καὶ διαμαρτάνε ἑκάστη ;

ΘΕΟ. Οἶμαι ἔγωγε καὶ διαμαρτάνειν.

ΣΩ. Ἔτι τοίνυν ἐνθένδε ἂν μᾶλλον πᾶς τις ὁμολογήσειεν ταὐτὰ ταῦτα, εἰ περὶ παντός τις τοῦ εἴδους ἐρωτῴη ἐν ᾧ καὶ τὸ ὠφέλιμον τυγχάνει ὄν· ἔστι δέ που καὶ περὶ τὸν μέλλοντα χρόνον. Ὅταν γὰρ νομοθετώμεθα, ὡς ἐσομένους ὠφελίμους τοὺς νόμους τιθέμεθα εἰς τὸν ἔπειτα χρόνον· τοῦτο δὲ « μέλλον » ὀρθῶς ἂν λέγοιμεν.

ΘΕΟ. Πάνυ γε. b

ΣΩ. Ἴθι δή, οὑτωσὶ ἐρωτῶμεν Πρωταγόραν ἢ ἄλλον

c 9 τὰ om. B || **d** 2 τῇ θεμένῃ : τιθε- TY || τἀγαθὰ (τὰ ἀ- W) TW : τἀγαθοῦ B τοῦ ἀγαθοῦ Y et supra lin. W || **d** 3-4 καὶ ἃ ἂν : κἂν W || **d** 6 λέγομεν : ἐλέ- Y || ἢ οὐχί W : οὐχί BTY || **e** 1 λεγέτω... **e** 3 μὴ γάρ om. T || **e** 1 τὸ ὀνομαζόμενον W : ὀ- BTY || **e** 2 θεωρείτω TW : -εῖτο W¹- εῖται BY || **178 a** 2 ante πολλὰ add. καὶ T || **a** 3 ἑκάστη : -ῃ BT || **a** 4 διαμαρτάνειν YW : ἁμ- BT || **a** 6 τις : ἐστι Y² || **a** 10 μέλλον W : μᾶλλον BT et in marg. W μέλλον μᾶλλον Y || λέγοιμεν : ἐλέγχ- (sed λέγ- in marg.) W || **b** 2 ἴθι : ἴσθι W.

mêmes thèses : « Mesure de toutes choses est l'homme, dites-vous, ô Protagoras : du blanc, du lourd, du léger, et, sans aucune exception, de toutes impressions pareilles. Il en a, en effet, le critère en soi-même : donc, telles il les éprouve, telles il les croit, et, par suite, les croit vraies pour lui et, pour lui, existantes. N'est-ce pas exact?

c Théodore. — Si fait.

Socrate. — Et de celles à venir, dirons-nous, ô Protagoras, a-t-il aussi le critère en soi-même et, telles il croit qu'elles seront, est-ce que telles aussi elles deviennent pour lui, sujet de cette croyance? La chaleur, par exemple : l'un, le patient, croit qu'il sera pris de fièvre et qu'il aura tel degré de chaleur; l'autre, le médecin, a la croyance contraire. Suivant laquelle de ces opinions l'avenir se réalisera-t-il? Sera-ce suivant les deux? Au médecin le patient ne sera-t-il, finalement, ni chaud ni fiévreux; mais, à soi-même, l'un et l'autre[1]?

Théodore. — Ce serait vraiment ridicule.

Socrate. — Mais, j'imagine, sur la douceur ou l'âcreté d future d'un vin, c'est l'opinion de l'agriculteur, non point celle du joueur de cithare, qui aura valeur?

Théodore. — Comment donc!

Socrate. — Et, sur la consonance ou dissonance future, le maître de gymnase ne prononcera point plus sûre opinion que le musicien à propos d'un accord que, précisément, l'instant d'après, le maître de gymnase trouvera, lui aussi, consonant.

Théodore. — En aucune façon.

Socrate. — Donc le futur dîneur, non cuisinier, ne peut, durant même les apprêts du festin, porter jugement qui vaille plus que celui du chef sur la saveur future. De ce qui, e actuellement, est ou bien a été savoureux à chacun, notre discussion, en effet, n'a plus à faire débat. Mais de ce qui, dans le futur, à chacun semblera ou sera, chacun est-il, pour soi, le meilleur juge? Est-ce que tu ne serais pas, toi, Protagoras, au moins du futur effet persuasif des discours sur

1. Cf. Aristote, *Métaph.*, 1010 b, 11-14 : « D'ailleurs, comme le dit Platon, en ce qui concerne les choses à venir, l'opinion de l'ignorant n'a certainement pas une autorité égale à celle du médecin, quand il s'agit de savoir, par exemple, si le patient recouvrera ou ne recouvrera pas la santé. »

τινὰ τῶν ἐκείνῳ τὰ αὐτὰ λεγόντων· « Πάντων μέτρον ἄνθρωπός ἐστιν », ὡς φατέ, ὦ Πρωταγόρα, λευκῶν βαρέων κούφων, οὐδενὸς ὅτου οὐ τῶν τοιούτων· ἔχων γὰρ αὐτῶν τὸ κριτήριον ἐν αὑτῷ, οἷα πάσχει τοιαῦτα οἰόμενος, ἀληθῆ τε οἴεται αὑτῷ καὶ ὄντα. Οὐχ οὕτω ;

ΘΕΟ. Οὕτω.

ΣΩ. Ἦ καὶ τῶν μελλόντων ἔσεσθαι, φήσομεν, ὦ Πρωταγόρα, ἔχει τὸ κριτήριον ἐν αὑτῷ, καί οἷα ἂν οἰηθῇ ἔσεσθαι, ταῦτα καὶ γίγνεται ἐκείνῳ τῷ οἰηθέντι ; οἷον θερμή· c ἆρ' ὅταν τις οἰηθῇ ἰδιώτης αὑτὸν πυρετὸν λήψεσθαι καὶ ἔσεσθαι ταύτην τὴν θερμότητα, καὶ ἕτερος, ἰατρὸς δέ, ἀντοιηθῇ, κατὰ τὴν ποτέρου δόξαν φῶμεν τὸ μέλλον ἀποβήσεσθαι, ἢ κατὰ τὴν ἀμφοτέρων, καὶ τῷ μὲν ἰατρῷ οὐ θερμὸς οὐδὲ πυρέττων γενήσεται, ἑαυτῷ δὲ ἀμφότερα ;

ΘΕΟ. Γελοῖον μεντἂν εἴη.

ΣΩ. Ἀλλ' οἶμαι περὶ οἴνου γλυκύτητος καὶ αὐστηρότητος μελλούσης ἔσεσθαι ἡ τοῦ γεωργοῦ δόξα ἀλλ' οὐχ ἡ τοῦ d κιθαριστοῦ κυρία.

ΘΕΟ. Τί μήν ;

ΣΩ. Οὐδ' ἂν αὖ περὶ ἀναρμόστου τε καὶ εὐαρμόστου ἐσομένου παιδοτρίβης ἂν βέλτιον δοξάσειεν μουσικοῦ, ὃ καὶ ἔπειτα αὐτῷ τῷ παιδοτρίβῃ δόξει εὐάρμοστον εἶναι.

ΘΕΟ. Οὐδαμῶς.

ΣΩ. Οὐκοῦν καὶ τοῦ μέλλοντος ἑστιάσεσθαι μὴ μαγειρικοῦ ὄντος, σκευαζομένης θοίνης, ἀκυροτέρα ἡ κρίσις τῆς τοῦ ὀψοποιοῦ περὶ τῆς ἐσομένης ἡδονῆς. Περὶ μὲν γὰρ τοῦ ἤδη ὄντος ἑκάστῳ ἡδέος ἢ γεγονότος μηδέν πω τῷ e λόγῳ διαμαχώμεθα, ἀλλὰ περὶ τοῦ μέλλοντος ἑκάστῳ καὶ δόξειν καὶ ἔσεσθαι πότερον αὐτὸς αὑτῷ ἄριστος κριτής, ἢ σύ, ὦ Πρωταγόρα, τό γε περὶ λόγους πιθανὸν ἑκά-

b 3 τινὰ om. W || b 5 ὅτου οὐ : ὁτουοῦν Y || c 2 θερμή Timaeus Phrynichus : θερμά BTYW || c 3-4 καὶ ἔσεσθαι om. T || d 1 οὐχ : οὐχὶ W || d 4 ἂν om. Y || d 5 ὃ om. T || e 1 ἡδέος : -ως W || e 4 τό γε : τότε BT.

chacun de nous dans le tribunal, meilleur augure que l'un quelconque des profanes ?

THÉODORE. — Assurément, Socrate. Là-dessus, du moins, il se faisait fort de l'emporter sur tous.

SOCRATE. — Oui bien, par Zeus, ô mon doux ami. Autrement personne ne fût venu, pour causer avec lui, lui donner 179 a force argent, s'il n'eût su persuader à ses auditeurs que, de tout le futur, réalités comme opinions, ni devin ni personne autre n'était meilleur juge que lui.

THÉODORE. — C'est la pure vérité.

SOCRATE. — Législation et utilité n'ont-elles pas aussi pour objet le futur, et ne sera-t-il pas admis de tous qu'une cité qui légifère, à bien des reprises, inévitablement, passera à côté du plus utile ?

THÉODORE. — Bien certainement.

SOCRATE. — Nous ne manquerons donc point de mesure b envers ton maître en lui disant que force lui sera de faire cet aveu : un homme est plus sage qu'un autre et c'est le plus sage qui est mesure ; mais que, moi qui ne sais point, force ne m'est en nulle façon d'être mesure, encore que, tout à l'heure, le plaidoyer fait en sa faveur me voulût, bon gré mal gré, forcer à l'être.

THÉODORE. — C'est bien là, me semble-t-il, Socrate, la plus facile prise qu'offre la thèse ; pourtant elle laisse prise encore en ce qu'aux opinions d'autrui elle donne valeur, alors que celles-ci, nous l'avons vu, à ses propres arguments, ne reconnaissent aucune sorte de vérité [1].

c SOCRATE. — Par bien d'autres raisons encore, Théodore, elle se laisserait contraindre à désavouer ainsi l'assertion que toute opinion de qui que ce soit est vraie. Mais, quand il s'agit de l'impression individuelle actuelle, source et des sensations et des opinions où celles-ci se traduisent, la vérité de telles impressions se laissera plus difficilement prendre en défaut. Peut-être, d'ailleurs, est-ce un non-sens que je dis là :

1. Cf. 171 a et suiv. (p. 200) et Aristote, *Métaph.*, 1012 b, 13-18 : « Toutes ces assertions encourent donc ce reproche si souvent fait : elles se détruisent elles-mêmes. Celui qui dit que tout est vrai affirme, entre autres, la vérité de l'assertion contraire à la sienne ; de sorte que la sienne n'est pas vraie ; car celui qui soutient la thèse contraire prétend qu'il n'est pas dans le vrai. » Cf. aussi *Euthydème*, 286 c et notre *Notice*, p. 136.

στῳ ἡμῶν ἐσόμενον εἰς δικαστήριον βέλτιον ἂν προδοξάσαις ἢ τῶν ἰδιωτῶν ὁστισοῦν ;

ΘΕΟ. Καὶ μάλα, ὦ Σώκρατες, τοῦτό γε σφόδρα ὑπισχνεῖτο πάντων διαφέρειν αὐτός.

ΣΩ. Νὴ Δία, ὦ μέλε· ἢ οὐδείς γ' ἂν αὐτῷ διελέγετο διδοὺς πολὺ ἀργύριον, εἰ μὴ τοὺς συνόντας ἔπειθεν ὅτι καὶ **179 a** τὸ μέλλον ἔσεσθαί τε καὶ δόξειν οὔτε μάντις οὔτε τις ἄλλος ἄμεινον κρίνειεν ἂν ἢ αὐτός [αὐτῷ].

ΘΕΟ. Ἀληθέστατα.

ΣΩ. Οὐκοῦν καὶ αἱ νομοθεσίαι καὶ τὸ ὠφέλιμον περὶ τὸ μέλλον ἐστί, καὶ πᾶς ἂν ὁμολογοῖ νομοθετουμένην πόλιν πολλάκις ἀνάγκην εἶναι τοῦ ὠφελιμωτάτου ἀποτυγχάνειν ;

ΘΕΟ. Μάλα γε.

ΣΩ. Μετρίως ἄρα ἡμῖν πρὸς τὸν διδάσκαλόν σου εἰρήσεται ὅτι ἀνάγκη αὐτῷ ὁμολογεῖν σοφώτερόν τε ἄλλον **b** ἄλλου εἶναι καὶ τὸν μὲν τοιοῦτον μέτρον εἶναι, ἐμοὶ δὲ τῷ ἀνεπιστήμονι μηδὲ ὁπωστιοῦν ἀνάγκην εἶναι μέτρῳ γίγνεσθαι, ὡς ἄρτι με ἠνάγκαζεν ὁ ὑπὲρ ἐκείνου λόγος, εἴτ' ἐβουλόμην εἴτε μή, τοιοῦτον εἶναι.

ΘΕΟ. Ἐκείνῃ μοι δοκεῖ, ὦ Σώκρατες, μάλιστα ἁλίσκεσθαι ὁ λόγος, ἁλισκόμενος καὶ ταύτῃ, ᾗ τὰς τῶν ἄλλων δόξας κυρίας ποιεῖ, αὗται δὲ ἐφάνησαν τοὺς ἐκείνου λόγους οὐδαμῇ ἀληθεῖς ἡγούμεναι.

ΣΩ. Πολλαχῇ, ὦ Θεόδωρε, καὶ ἄλλῃ ἂν τό γε τοιοῦτον **c** ἁλοίη μὴ πᾶσαν παντὸς ἀληθῆ δόξαν εἶναι· περὶ δὲ τὸ παρὸν ἑκάστῳ πάθος, ἐξ ὧν αἱ αἰσθήσεις καὶ αἱ κατὰ ταύτας δόξαι γίγνονται, χαλεπώτερον ἑλεῖν ὡς οὐκ ἀληθεῖς.

179 a 1 μή : πῃ Heindorf δή Campbell || **a** 3 αὐτῷ secl. Schleiermacher || **a** 5 καὶ ante αἱ om. Y || **a** 7 ante πόλιν add. τὴν W || ἀνάγκην : -η TY || **a** 10 μετρίως... **b** 3 γίγνεσθαι habet Stob. I, L, 39 (vol. I, p. 480) || **b** 3 ὁπωστιοῦν : -τιν' οὖν W || ἀνάγκην : -η Stob. || **c** 1 πολλαχῇ... **c** 4 ἀληθεῖς habet Stob. ibid. || **c** 1 post πολλαχῇ add, οὖν Stob. || **c** 2 ἁλοίη : ἀλλ' οἴει Stob. || παντὸς : -ως Stob. || **c** 3 αἱ ante αἰσθήσεις om. Stobaei FP || ταύτας : ταῦτα Stob.

hors de prise elles sont, en effet, dès que le hasard les fait être[1]. Ceux qui les affirment évidentes et les proclament sciences auraient ainsi chance de dire ce qui est, et notre Théétète n'a point manqué de coup d'œil en posant son identité de sensation et science. Il nous faut donc serrer la chose d de plus près, comme nous l'ordonna le plaidoyer pour Protagoras, et faire l'examen de cet être mobile en l'auscultant pour voir si sa résonnance annonce intégrité ou fêlure. La bataille engagée autour de lui ne manque ni d'ardeur ni de combattants.

Troisième essai de critique : réfutation du mobilisme.

Théodore. — Il s'en faut qu'elle manque d'ardeur : sur les côtes d'Ionie, elle se développe, au contraire, d'une façon grandiose. Les disciples d'Héraclite, en effet, soutenant la thèse que nous disons, mènent le chœur avec une vigueur extrême.

Socrate. — Raison de plus, mon cher Théodore, pour l'examiner, en la reprenant, cette fois, en son principe, e telle qu'eux-mêmes nous la présentent.

Théodore. — Très certainement. Au fait, Socrate, sur ces doctrines Héraclitiennes ou, comme tu dis, Homériques et de plus antique provenance encore, argumenter avec les gens d'Ephèse en personne, pour autant qu'ils sont à se poser en experts, n'est pas plus possible qu'avec gens que le taon affole. Sans mentir, le mouvement que prêchent leurs livres les emporte. S'arrêter à l'argument, à la question, tranquillement attendre leur tour de répondre ou de 180 a questionner, leur est moins que rien habituel : c'est bien plutôt au-dessous du rien qu'au-dessous du peu qu'est le niveau de tranquillité de ces hommes. Quelque question que tu poses à l'un d'eux, de leur carquois, dirait-on, ils tirent formulettes énigmatiques et te les lancent comme flèches ; et si du sens de l'une tu cherches à te rendre compte, une autre t'a déjà frappé dont le sens est changé tout à neuf[2]. Tu ne viendras jamais à bout de rien avec aucun d'eux, pas plus, d'ailleurs, qu'eux-mêmes entre eux, bien attentifs qu'ils sont à ne

1. La vérité de l'impression individuelle actuelle a été concédée provisoirement plus haut, 171 d (p. 200), 178 e (p. 211).

2. Cf. *Notice*, p. 137/8 et, pour l'image des mots-flèches, *Protagoras*, 342 e.

Ἴσως δὲ οὐδὲν λέγω· ἀνάλωτοι γάρ, εἰ ἔτυχον, εἰσίν, καὶ οἱ φάσκοντες αὐτὰς ἐναργεῖς τε εἶναι καὶ ἐπιστήμας τάχα ἂν ὄντα λέγοιεν, καὶ Θεαίτητος ὅδε οὐκ ἀπὸ σκοποῦ εἴρηκεν αἴσθησιν καὶ ἐπιστήμην ταὐτὸν θέμενος. Προσιτέον οὖν ἐγγυτέρω, ὡς ὁ ὑπὲρ Πρωταγόρου λόγος ἐπέταττε, καὶ **d** σκεπτέον τὴν φερομένην ταύτην οὐσίαν διακρούοντα εἴτε ὑγιὲς εἴτε σαθρὸν φθέγγεται· μάχη δ' οὖν περὶ αὐτῆς οὐ φαύλη οὐδ' ὀλίγοις γέγονεν.

ΘΕΟ. Πολλοῦ καὶ δεῖ φαύλη εἶναι, ἀλλὰ περὶ μὲν τὴν Ἰωνίαν καὶ ἐπιδίδωσι πάμπολυ. Οἱ γὰρ τοῦ Ἡρακλείτου ἑταῖροι χορηγοῦσι τούτου τοῦ λόγου μάλα ἐρρωμένως.

ΣΩ. Τῷ τοι, ὦ φίλε Θεόδωρε, μᾶλλον σκεπτέον καὶ ἐξ ἀρχῆς, ὥσπερ αὐτοὶ ὑποτείνονται. **e**

ΘΕΟ. Παντάπασι μὲν οὖν. Καὶ γάρ, ὦ Σώκρατες, περὶ τούτων τῶν Ἡρακλειτείων ἤ, ὥσπερ σὺ λέγεις, Ὁμηρείων καὶ ἔτι παλαιοτέρων, αὐτοῖς μὲν τοῖς περὶ τὴν Ἔφεσον, ὅσοι προσποιοῦνται ἔμπειροι, οὐδὲν μᾶλλον οἷόν τε διαλεχθῆναι ἢ τοῖς οἰστρῶσιν. Ἀτεχνῶς γὰρ κατὰ τὰ συγγράμματα φέρονται, τὸ δ' ἐπιμεῖναι ἐπὶ λόγῳ καὶ ἐρωτήματι καὶ ἡσυχίως ἐν μέρει ἀποκρίνασθαί τε καὶ ἐρέσθαι ἧττον αὐτοῖς ἔνι ἢ τὸ μηδέν· μᾶλλον δὲ ὑπερβάλλει τὸ οὐδ' οὐδὲν **180 a** πρὸς τὸ μηδὲ σμικρὸν ἐνεῖναι τοῖς ἀνδράσιν ἡσυχίας. Ἀλλ' ἄν τινά τι ἔρῃ, ὥσπερ ἐκ φαρέτρας ῥηματίσκια αἰνιγματώδη ἀνασπῶντες ἀποτοξεύουσι, κἂν τούτου ζητῇς λόγον λαβεῖν τί εἴρηκεν, ἑτέρῳ πεπλήξῃ καινῶς μετωνομασμένῳ. Περανεῖς δὲ οὐδέποτε οὐδὲν πρὸς οὐδένα αὐτῶν· οὐδέ γε ἐκεῖνοι αὐτοὶ πρὸς ἀλλήλους, ἀλλ' εὖ πάνυ φυλάττουσι τὸ

c 8 προσιτέον... 181 **a** 3 τἀναντία habet Eus. *Praep. Euang.* XIV, 4 || **d** 2 διακρούοντα : ἀκού- B || **d** 5 φαύλη δεῖ Y || **d** 6 πάμπολυ : -υν B || **d** 8 τῷ τοι : τοῦτο ut uidetur T || μᾶλλον : μάλα T || καὶ om. TY || **e** 4 καὶ : τε καὶ W Eus. || **e** 5 post ἔμπειροι add. εἶναι Y (et alibi constanter Plato) || οἷόν τε : οἴονται W || **e** 6 κατὰ : καὶ Y || **e** 8 ἀποκρίνασθαί : -εσθαί W Eusebii O || τε καὶ W Eus. : καὶ BTY || **180 a** 1 τὸ οὐδ' οὐδὲν : τὸ δ' οὐδὲν W || **a** 4 ἀνασπῶντες : -νται Y || **a** 6 οὐδέποτε : οὐδέπω W.

b rien laisser se fixer ni dans leur argument ni dans leurs propres âmes, car ils croient, j'imagine, que ce serait là quelque chose d'arrêté ; ce contre quoi ils mènent grande guerre et, pour autant qu'ils peuvent, le rejettent de partout.

Socrate. — Peut-être, Théodore, as-tu vu ces hommes au combat, mais, dans leurs heures de trêve, ne les as-tu point fréquentés, car ils ne te sont point compagnons. Et pourtant, j'imagine que ces doctrines, c'est dans le loisir qu'ils les expliquent aux élèves qu'ils veulent former à leur image.

Théodore. — A quels élèves, excellent ami ? Aucun d'entre c eux n'est élève d'un autre : ils poussent tout seuls, recevant, d'où que le vent souffle, leurs inspirations respectives et chacun tenant pour rien le savoir du voisin[1]. Eux donc, voulais-je dire, jamais ne te rendront raison ni de bon ni de mauvais gré : il faut les prendre et les étudier comme tu ferais un problème[2].

Socrate. — Ta formule est convenable. Quant au problème, les premiers à nous le transmettre ne furent-ils pas d les anciens, voilant de poésie, pour la foule, leur pensée, que les générateurs de tout le reste des choses, Océan et Téthys, ne sont qu'ondes fluentes, et que rien n'est immobile ? Ceux qui vinrent après eux, évidemment plus savants, en firent la démonstration au grand jour, à seule fin que les savetiers mêmes pussent, à les entendre, se pénétrer de leur sagesse, cesser de sottement croire qu'il y a des êtres qui sont immobiles et d'autres qui sont mûs, apprendre qu'au contraire tout se meut et, de cet enseignement, reporter sur eux l'honneur. Mais j'ai failli oublier, Théodore, que d'autres leur ont opposé des déclarations contraires, par exemple :

e « Immobile est le nom où se parfait le Tout[3] »

et tant d'autres déclarations où les Mélisse et les Parménide

1. Les philosophes de la cité platonicienne (*Républ.*, 520 b) n'ont point « poussé tout seuls » : aussi n'ont-ils point le droit d'être des « dilettantes ».

2. « Comme ils ne posent aucun principe, ils suppriment toute discussion et toute raison » (Aristote, *Métaph.*, 1063 b, 11 ; cf. 1006 a, 13). Le *Sophiste* dira (246 d) : « Nous n'avons point souci de leurs personnes ; c'est la vérité que nous cherchons. »

3. D'après le texte qu'ont reconstitué Buttmann et Cobet, Parménide disait que l'être est assujetti « à demeurer entier et immobile ; aussi n'est-ce que pur nom » (οὖλον ἀκίνητόν τ' ἔμεναι· τῷ πάντ'

μηδὲν βέβαιον ἐᾶν εἶναι μήτ᾽ ἐν λόγῳ μήτ᾽ ἐν ταῖς αὑτῶν ψυχαῖς, ἡγούμενοι, ὡς ἐμοὶ δοκεῖ, αὐτὸ στάσιμον εἶναι· τούτῳ δὲ πάνυ πολεμοῦσιν, καὶ καθ᾽ ὅσον δύνανται πανταχόθεν ἐκβάλλουσιν. b

ΣΩ. Ἴσως, ὦ Θεόδωρε, τοὺς ἄνδρας μαχομένους ἑώρακας, εἰρηνεύουσιν δὲ οὐ συγγέγονας· οὐ γὰρ σοὶ ἑταῖροί εἰσιν. Ἀλλ᾽ οἶμαι τὰ τοιαῦτα τοῖς μαθηταῖς ἐπὶ σχολῆς φράζουσιν, οὓς ἂν βούλωνται ὁμοίους αὑτοῖς ποιῆσαι.

ΘΕΟ. Ποίοις μαθηταῖς, ὦ δαιμόνιε ; οὐδὲ γίγνεται τῶν τοιούτων ἕτερος ἑτέρου μαθητής, ἀλλ᾽ αὐτόματοι ἀναφύονται ὁπόθεν ἂν τύχῃ ἕκαστος αὐτῶν ἐνθουσιάσας, καὶ τὸν ἕτερον ὁ ἕτερος οὐδὲν ἡγεῖται εἰδέναι. Παρὰ μὲν οὖν τούτων, ὅπερ ᾖα ἐρῶν, οὐκ ἄν ποτε λάβοις λόγον οὔτε ἑκόντων οὔτε ἀκόντων· αὐτοὺς δὲ δεῖ παραλαβόντας ὥσπερ πρόβλημα ἐπισκοπεῖσθαι. c

ΣΩ. Καὶ μετρίως γε λέγεις. Τὸ δὲ δὴ πρόβλημα ἄλλο τι παρειλήφαμεν παρὰ μὲν τῶν ἀρχαίων μετὰ ποιήσεως ἐπικρυπτομένων τοὺς πολλούς, ὡς ἡ γένεσις τῶν ἄλλων πάντων Ὠκεανός τε καὶ Τηθὺς ῥεύματα τυγχάνει καὶ οὐδὲν ἕστηκε, παρὰ δὲ τῶν ὑστέρων ἅτε σοφωτέρων ἀναφανδὸν ἀποδεικνυμένων, ἵνα καὶ οἱ σκυτοτόμοι αὐτῶν τὴν σοφίαν μάθωσιν ἀκούσαντες καὶ παύσωνται ἠλιθίως οἰόμενοι τὰ μὲν ἑστάναι, τὰ δὲ κινεῖσθαι τῶν ὄντων, μαθόντες δὲ ὅτι πάντα κινεῖται τιμῶσιν αὐτούς ; ὀλίγου δὲ ἐπελαθόμην, ὦ Θεόδωρε, ὅτι ἄλλοι αὖ τἀναντία τούτοις ἀπεφήναντο, οἷον d

† ἀκίνητον τελέθει τῷ παντὶ ὄνομ᾽ εἶναι † e

καὶ ἄλλα ὅσα Μέλισσοί τε καὶ Παρμενίδαι ἐναντιούμενοι

b 1 ante λόγῳ add. τῷ W || **c** 2 ἐνθουσιάσας : -ᾶσθαι W[1] || **c** 4 ὅπερ ᾖα ἐρῶν T Eus. Dam. II 294, 26 : ὅπεριηι ἀέρων B ὅπερ ῆ ἀέρων W ὅπερ ῇ ἐρῶν Y || **c** 7 γε om. YW || τὸ δὲ Eus. : το δε W τό γε BTY || **c** 8 παρὰ : ἢ παρὰ Y || **d** 2 ῥεύματα : καὶ ῥεύματα W ῥεῦμα Eus. || ante τυγχάνει add. <ὄντα> Burnet || **d** 6 μαθόντες δὲ om. TY || **d** 7 δὲ : δεῖν Y || **e** 1 de hoc uersu uide Diels *Vorsokratiker* 18 B, 8,38 || ἀκίνητον : -α Y || **e** 2 καὶ ἄλλα : ἀλλὰ καὶ Y.

se dressent en face d'eux tous et protestent que tout est un et se tient immobile en soi-même, n'ayant point de place en laquelle se mouvoir. Envers tous ces gens, ami, quelle sera notre attitude ? Pas à pas avançant, voilà que, sans y avoir pris garde, entre les deux partis nous nous voyons tombés et si, par quelque issue, nous ne trouvons recours en la fuite, 181 a nous le paierons comme ceux qui, dans les palestres, jouant aux barres, se laissent attraper par les deux partis et tirailler entre les deux camps. Il nous faut donc, à mon avis, examiner d'abord ceux-là mêmes auxquels nous nous sommes attaqués dès le début : les fluents. S'il nous paraît y avoir valeur en ce qu'ils disent, aux efforts qu'ils font pour nous attirer nous joindrons nos propres efforts, essayant d'échapper à l'emprise des autres ; mais si ceux qui immobilisent le Tout nous semblent dire plus vrai, nous chercherons chez eux notre refuge contre ceux qui meuvent jusqu'à l'im- b mobile. Que si les deux partis nous apparaissent ne rien dire de convenable, nous nous donnerons le ridicule de croire qu'il y a valeur en ce que nous disons, nous, gens de rien, après avoir, contre des gens vénérables par l'âge et la sagesse, prononcé un arrêt d'exclusion. Vois donc, Théodore, si nous avons avantage à nous risquer en un tel péril.

Théodore. — Ce qui serait inacceptable, Socrate, ce serait de renoncer à examiner ce que, de part et d'autre, prétendent ces hommes.

Socrate. — L'examen semble s'imposer, puisque tu le désires avec tant d'ardeur. A mon avis, la question initiale c de l'enquête sur le mouvement est celle-ci : que peut-on jamais vouloir dire en affirmant que tout se meut ? Voici ce que j'entends : est-ce d'une seule forme de mouvement que l'on veut parler ou, comme il me paraît, de deux ? Mais que je ne sois point seul à donner mon avis : prends ta part de risque, toi aussi, pour que nous soyons associés dans la punition, si punition doit s'ensuivre. Et dis-moi : appelles-tu se mouvoir changer de place aussi bien que tourner sur place ?

Théodore. — Pour moi, oui.

ὄνομ' ἔσται) tout le devenir qu'ont imaginé les mortels (Cf. *Notice* du *Parménide*, p. 14). Un tel vers se prêtait bien mal à une citation : Platon cite un texte accommodé déjà ou bien l'accommode en citant vaguement de mémoire.

πᾶσι τούτοις διισχυρίζονται, ὡς ἕν τε πάντα ἐστὶ καὶ ἕστηκεν αὐτὸ ἐν αὑτῷ οὐκ ἔχον χώραν ἐν ᾗ κινεῖται. Τούτοις οὖν, ὦ ἑταῖρε, πᾶσι τί χρησόμεθα ; κατὰ σμικρὸν γὰρ προϊόντες λελήθαμεν ἀμφοτέρων εἰς τὸ μέσον πεπτωκότες, καὶ ἂν μή πῃ ἀμυνόμενοι διαφύγωμεν, δίκην δώσομεν ὥσπερ 181 a οἱ ἐν ταῖς παλαίστραις διὰ γραμμῆς παίζοντες, ὅταν ὑπ᾿ ἀμφοτέρων ληφθέντες ἕλκωνται εἰς τἀναντία. Δοκεῖ οὖν μοι τοὺς ἑτέρους πρότερον σκεπτέον, ἐφ᾿ οὕσπερ ὡρμήσαμεν, τοὺς ῥέοντας, καὶ ἐὰν μέν τι φαίνωνται λέγοντες, συνέλξομεν μετ᾿ αὐτῶν ἡμᾶς αὐτούς, τοὺς ἑτέρους ἐκφυγεῖν πειρώμενοι· ἐὰν δὲ οἱ τοῦ ὅλου στασιῶται ἀληθέστερα λέγειν δοκῶσι, φευξόμεθα παρ᾿ αὐτοὺς ἀπ᾿ αὖ τῶν τὰ ἀκίνητα κινούντων. Ἀμφότεροι δ᾿ ἂν φανῶσι μηδὲν μέτριον b λέγοντες, γελοῖοι ἐσόμεθα ἡγούμενοι ἡμᾶς μέν τι λέγειν φαύλους ὄντας, παμπαλαίους δὲ καὶ πασσόφους ἄνδρας ἀποδεδοκιμακότες. Ὅρα οὖν, ὦ Θεόδωρε, εἰ λυσιτελεῖ εἰς τοσοῦτον προϊέναι κίνδυνον.

ΘΕΟ. Οὐδὲν μὲν οὖν ἀνεκτόν, ὦ Σώκρατες, μὴ οὐ διασκέψασθαι τί λέγουσιν ἑκάτεροι τῶν ἀνδρῶν.

ΣΩ. Σκεπτέον ἂν εἴη σοῦ γε οὕτω προθυμουμένου. Δοκεῖ οὖν μοι ἀρχὴ εἶναι τῆς σκέψεως κινήσεως πέρι, ποῖόν τί c ποτε ἄρα λέγοντές φασι τὰ πάντα κινεῖσθαι. Βούλομαι δὲ λέγειν τὸ τοιόνδε· πότερον ἕν τι εἶδος αὐτῆς λέγουσιν ἤ, ὥσπερ ἐμοὶ φαίνεται, δύο ; μὴ μέντοι μόνον ἐμοὶ δοκείτω, ἀλλὰ συμμέτεχε καὶ σύ, ἵνα κοινῇ πάσχωμεν ἄν τι καὶ δέῃ. Καί μοι λέγε· ἆρα κινεῖσθαι καλεῖς ὅταν τι χώραν ἐκ χώρας μεταβάλλῃ ἢ καὶ ἐν τῷ αὐτῷ στρέφηται ;

ΘΕΟ. Ἔγωγε.

e 5 τί om. W || e 6 προϊόντες : ἰόντες (sed προ supra lin.) W || 181 a 8 παρ᾿ αὐτοὺς ἀπ᾿ αὖ τῶν Schleiermacher : παρ᾿ αὐτοὺς ἀπ᾿ αὐτῶν Y ἀπ᾿ αὐτῶν τῶν παρ᾿ αὐτοὺς BW τῶν παρ᾿ αὐτοὺς ἀπ᾿ αὐτῶν T || τὰ : καὶ τὰ TY || b 2 ἡγούμενοι : -μεθα B || b 6 ἀνεκτόν : ἀνετέον Madvig || c 2 φασι om. TY || c 6 καί μοι... d 6 φοράν habet Stob. I, xix, 8 (vol. I, p. 167) || c 7 καὶ om. W.

Socrate. — Voilà donc qui sera une première forme. Mais, demeurant sur place, vieillir ; de blanc devenir noir, ou, d de mou, dur, ou s'altérer par quelque autre altération ; n'est-il pas juste de voir là une nouvelle forme de mouvement ?

Théodore. — A moi, du moins, cela me semble juste.

Socrate. — C'est, à vrai dire, nécessaire. Je dis donc que voilà deux formes de mouvement : altération et translation[1].

Théodore. — Et tu as raison de le dire.

Socrate. — Cette distinction faite, reprenons ici le dialogue avec ceux qui prétendent que tout se meut, et demandons : « Ce tout, dites-vous qu'il se meut à la fois de ces e deux mouvements, translation et altération ; ou qu'il se meut, ici, des deux mouvements ; là, de l'un seulement ? »

Théodore. — Mais, par Zeus, je ne sais, moi, que dire. Eux, j'imagine, diront : des deux mouvements à la fois.

Socrate. — S'ils ne le disent, mon ami, ce qui leur apparaîtra se mouvoir leur apparaîtra aussi bien immobile, et ils n'auront pas plus de droit à la formule « tout se meut » qu'à la formule « tout est immobile ».

Théodore. — Tu dis la pure vérité.

Socrate. — Puisque donc il faut que tout se meuve et qu'il n'y ait, en rien, absence de mouvement, c'est donc de 182 a toutes espèces de mouvement que toujours tout se meut[2].

Théodore. — Nécessairement.

Socrate. — Examine donc cet aspect de leur doctrine. De la chaleur, de la blancheur, de toute détermination que ce soit, n'avons-nous pas dit qu'ils décrivaient la génération à peu près comme suit[3] : translation de chacune d'elles et de la sensation correspondante dans l'intervalle situé entre l'agent et le patient ; le patient devenant sentant et non point sensation ;

1. Voir la même classification dans le *Parménide* (138 b/c, p. 73). Si Socrate l'enseigne à Théétète comme une nouveauté, cela ne veut point dire que notre dialogue soit antérieur au *Parménide*. Théétète, lui, n'a ni lu le *Parménide*, ni entendu disserter le vieux philosophe.

2. Aucune de ces formules ne sera vraie absolument. Il n'est pas vrai que tout soit immobile, si tout se meut au moins d'une espèce de mouvement. Il n'est pas vrai, d'une façon absolue, que tout se meuve, si l'on peut dire, par exemple, que quelque chose n'est pas mû du mouvement d'altération.

3. Cf. 156 d/e.

ΣΩ. Τοῦτο μὲν τοίνυν ἓν ἔστω εἶδος. Ὅταν δὲ ᾖ μὲν ἐν τῷ αὐτῷ, γηράσκῃ δέ, ἢ μέλαν ἐκ λευκοῦ ἢ σκληρὸν ἐκ μαλακοῦ γίγνηται, ἤ τινα ἄλλην ἀλλοίωσιν ἀλλοιῶται, ἆρα οὐκ ἄξιον ἕτερον εἶδος φάναι κινήσεως ; d

ΘΕΟ. Ἔμοιγε δοκεῖ.

ΣΩ. Ἀναγκαῖον μὲν οὖν· δύο δὴ λέγω τούτω εἴδη κινήσεως, ἀλλοίωσιν, τὴν δὲ φοράν.

ΘΕΟ. Ὀρθῶς γε λέγων.

ΣΩ. Τοῦτο τοίνυν οὕτω διελόμενοι διαλεγώμεθα ἤδη τοῖς τὰ πάντα φάσκουσιν κινεῖσθαι καὶ ἐρωτῶμεν· Πότερον πᾶν φατε ἀμφοτέρως κινεῖσθαι, φερόμενόν τε καὶ ἀλλοιούμενον, ἢ τὸ μέν τι ἀμφοτέρως, τὸ δ' ἑτέρως ; e

ΘΕΟ. Ἀλλὰ μὰ Δί' ἔγωγε οὐκ ἔχω εἰπεῖν· οἶμαι δ' ἂν φάναι ἀμφοτέρως.

ΣΩ. Εἰ δέ γε μή, ὦ ἑταῖρε, κινούμενά τε αὐτοῖς καὶ ἑστῶτα φανεῖται, καὶ οὐδὲν μᾶλλον ὀρθῶς ἕξει εἰπεῖν ὅτι κινεῖται τὰ πάντα ἢ ὅτι ἕστηκεν.

ΘΕΟ. Ἀληθέστατα λέγεις.

ΣΩ. Οὐκοῦν ἐπειδὴ κινεῖσθαι αὐτὰ δεῖ, τὸ δὲ μὴ κινεῖσθαι μὴ ἐνεῖναι μηδενί, πάντα δὴ πᾶσαν κίνησιν ἀεὶ κινεῖται. 182 a

ΘΕΟ. Ἀνάγκη.

ΣΩ. Σκόπει δή μοι τόδε αὐτῶν· τῆς θερμότητος ἢ λευκότητος ἢ ὁτουοῦν γένεσιν οὐχ οὕτω πως ἐλέγομεν φάναι αὐτούς, φέρεσθαι ἕκαστον τούτων ἅμα αἰσθήσει μεταξὺ τοῦ ποιοῦντός τε καὶ πάσχοντος, καὶ τὸ μὲν πάσχον αἰσθητικὸν ἀλλ' οὐκ αἴσθησιν ἔτι γίγνεσθαι, τὸ δὲ ποιοῦν ποιόν τι

d 1 ἢ σκληρὸν ἐκ μαλακοῦ post γίγνηται transp. in marg. W || **d** 2 ἀλλοιῶται : -οῦται Stob. || **d** 4 ἔμοιγε δοκεῖ : om. Stob. deleuit Badham || **d** 5 ἀναγκαῖον μὲν οὖν Theodoro tribuit B || εἴδη κινήσεως τούτω T || **d** 6 φοράν W : περι- BTY Stob. || **e** 5 μή : μοι Y || αὐτοῖς W : ἑαυτοῖς BTY || **182 a** 1 ἐνεῖναι W : ἓν εἶναι BTY || **a** 7 αἰσθητικὸν *Laur.* 85, 6 : -θητὸν BTYW -θητὴν Buttmann -θανόμενον Heindorf || **a** 8 ἔτι : om. W secl. Burnet || ποιόν τι ex emend. W : ποιοῦν τι BY ποιοῦν, τι T.

l'agent devenant qualifié et non point qualité ? Peut-être cette « qualité » est-elle pour toi un nom insolite en même temps qu'incompréhensible en sa généralité globale. Je b détaillerai donc. L'agent ne devient ni chaleur ni blancheur, mais chaud et blanc. Il en est ainsi pour tout le reste, car tu te rappelles, j'imagine, ce que, précédemment, nous disions : rien n'est par soi unité définie ; agent et patient ne le sont pas davantage ; mais, se venant unir l'un à l'autre pour engendrer sensations et sensibles, ils deviennent, l'un, qualifié de telles qualifications ; l'autre, sentant.

Théodore. — Je me le rappelle. Comment l'aurais-je oublié ?

Socrate. — Quant aux détails, n'ayons cure de savoir s'ils c les expliquent de cette manière ou d'une autre. Mais l'objet qui amena cet exposé, ne le perdons point de vue, et demandons : « Tout se meut et s'écoule, telle est, n'est-ce pas, votre affirmation ? »

Théodore. — Oui.

Socrate. — Donc des deux formes de mouvement par nous distinguées : translation et altération ?

Théodore. — Comment non, si, du moins, c'est au sens plein du mot qu'il faut que tout se meuve ?

Socrate. — C'est que, s'il n'y avait que translation sans altération, on pourrait dire encore ce qu'est, en son écoulement, le contenu de cette translation, n'est-il pas vrai ?

Théodore. — Oui donc.

d Socrate. — Mais puisqu'il n'y a même pas cela de stable que ce qui s'écoule s'écoule blanc ; puisque cela même change, si bien que, de la blancheur en tant que telle, il y a flux et changement en une autre couleur, de façon qu'on ne la puisse prendre, sous ce rapport, en délit de stabilité, y aura-t-il jamais rien sur quoi l'on puisse mettre un nom de couleur déterminée avec assurance de faire, là, correcte appellation ?

Théodore. — Et le moyen, Socrate ? Le moyen de fixer n'importe quoi de ce genre, puisque, dès que l'on parle, aussi vite se dérobe l'objet, fluent par définition [1] ?

Socrate. — Que dirons-nous alors de toute sensation quel-

1. « Aurait-on le droit de dire, de ce qui passe sans cesse, d'abord qu'il est ceci, ensuite qu'il est tel ? Ne va-t-il pas, tandis que nous parlons, nécessairement devenir autre, se dérober, ne plus être soi ? » (*Cratyle*, 439 d).

ἀλλ᾽ οὐ ποιότητα ; ἴσως οὖν ἡ « ποιότης » ἅμα ἀλλόκοτόν τε φαίνεται ὄνομα καὶ οὐ μανθάνεις ἀθρόον λεγόμενον· κατὰ μέρη οὖν ἄκουε. Τὸ γὰρ ποιοῦν οὔτε θερμότης οὔτε λευ- b κότης, θερμὸν δὲ καὶ λευκὸν γίγνεται, καὶ τἆλλα οὕτω· μέμνησαι γάρ που ἐν τοῖς πρόσθεν ὅτι οὕτως ἐλέγομεν, ἓν μηδὲν αὐτὸ καθ᾽ αὑτὸ εἶναι, μηδ᾽ αὖ τὸ ποιοῦν ἢ πάσχον, ἀλλ᾽ ἐξ ἀμφοτέρων πρὸς ἄλληλα συγγιγνομένων τὰς αἰσθήσεις καὶ τὰ αἰσθητὰ ἀποτίκτοντα τὰ μὲν ποι᾽ ἄττα γίγνεσθαι, τὰ δὲ αἰσθανόμενα.

ΘΕΟ. Μέμνημαι· πῶς δ᾽ οὔ ;

ΣΩ. Τὰ μὲν τοίνυν ἄλλα χαίρειν ἐάσωμεν, εἴτε ἄλλως c εἴτε οὕτως λέγουσιν· οὗ δ᾽ ἕνεκα λέγομεν, τοῦτο μόνον φυλάττωμεν, ἐρωτῶντες· Κινεῖται καὶ ῥεῖ, ὥς φατε, τὰ πάντα ; ἦ γάρ ;

ΘΕΟ. Ναί.

ΣΩ. Οὐκοῦν ἀμφοτέρας ἃς διειλόμεθα κινήσεις, φερόμενά τε καὶ ἀλλοιούμενα ;

ΘΕΟ. Πῶς δ᾽ οὔ ; εἴπερ γε δὴ τελέως κινήσεται.

ΣΩ. Εἰ μὲν τοίνυν ἐφέρετο μόνον, ἠλλοιοῦτο δὲ μή, εἴχομεν ἄν που εἰπεῖν οἷα ἄττα ῥεῖ τὰ φερόμενα· ἢ πῶς λέγομεν ;

ΘΕΟ. Οὕτως.

ΣΩ. Ἐπειδὴ δὲ οὐδὲ τοῦτο μένει, τὸ λευκὸν ῥεῖν τὸ d ῥέον, ἀλλὰ μεταβάλλει, ὥστε καὶ αὐτοῦ τούτου εἶναι ῥοήν, τῆς λευκότητος, καὶ μεταβολὴν εἰς ἄλλην χρόαν, ἵνα μὴ ἁλῷ ταύτῃ μένον, ἆρά ποτε οἷόν τέ τι προσειπεῖν χρῶμα, ὥστε καὶ ὀρθῶς προσαγορεύειν ;

ΘΕΟ. Καὶ τίς μηχανή, ὦ Σώκρατες ; ἢ ἄλλο γέ τι τῶν τοιούτων, εἴπερ ἀεὶ λέγοντος ὑπεξέρχεται ἅτε δὴ ῥέον ;

ΣΩ. Τί δὲ περὶ αἰσθήσεως ἐροῦμεν ὁποιασοῦν, οἷον τῆς

b 3 ἐν : καὶ ἐν BW || πρόσθεν : ἔμπρο- W || b 5 ἀλλ᾽ om. Y || c 1 ἐάσωμεν : -ομεν W || c 3 τὰ om. W || c 11 λέγομεν : -ωμεν B || d 1 τοῦτο : τότε T || d 2 τούτου : τοῦ T.

e conque, vision ou audition, par exemple ? Qu'elles subsistent jamais en cet état de vision ou d'audition ?

THÉODORE. — Il ne le faut point dire, assurément, s'il est entendu que tout se meut.

SOCRATE. — Il ne faut donc point les appeler vision plutôt que non-vision, ni déterminer aucune autre sensation comme telle plutôt que non-telle, si, du moins, tout se meut de toutes espèces de mouvements.

THÉODORE. — Non, en effet.

SOCRATE. — Et pourtant c'est bien dans la sensation que consiste la science : nous l'avons affirmé, moi comme Théétète.

THÉODORE. — Vous l'avez affirmé.

SOCRATE. — Ce n'est donc pas science plus que non-science qu'énonça notre réponse, quand on nous demandait de dire ce qu'est la science.

183 a THÉODORE. — Vraisemblablement.

SOCRATE. — Beau résultat de notre effort à perfectionner cette réponse, alors que nous nous sommes travaillés à démontrer l'universel mouvement pour, précisément, donner à la réponse un aspect correct. Et voici, ce semble, l'aspect que nous obtenons. Si tout se meut, toute réponse qu'on fera, sur quelque sujet qu'on la fasse, sera pareillement correcte : et dire qu'il en est ainsi, et dire qu'il n'en est point ainsi, ou, si tu veux, qu'il n'en devient point ainsi, pour éviter d'immobiliser nos fluents, ne fût-ce que dans nos formules.

THÉODORE. — Ta formule est exacte.

SOCRATE. — Sauf toutefois, Théodore, en ses « ainsi » et « pas ainsi ». Car il ne faut même pas dire ce mot « ainsi », vu que b « ainsi » n'impliquerait plus mouvement ; ni « pas ainsi », cela n'étant point davantage mouvement. Quelque autre vocable reste donc à forger pour ceux qui prônent cette doctrine, car, pour l'heure, ils n'ont plus aucun terme qui s'ajuste à leur hypothèse, sauf, peut-être, que le « pas même ainsi » leur serait encore le mieux adapté dans sa portée indéfinie [1].

THÉODORE. — C'est bien la plus propre expression qui leur convienne.

SOCRATE. — Ainsi, Théodore, de ton ami nous voilà quittes :

1. Cf. Aristote, *Métaph.*, 1008 a, 30-36. « Ils en arrivent enfin à la négation pure : ni ainsi ni pas ainsi. Sans quoi, il y aurait quelque chose de déterminé. »

τοῦ ὁρᾶν ἢ ἀκούειν ; μένειν ποτὲ ἐν αὐτῷ τῷ ὁρᾶν ἢ ἀκούειν ; e

ΘΕΟ. Οὔκουν δεῖ γε, εἴπερ πάντα κινεῖται.

ΣΩ. Οὔτε ἄρα ὁρᾶν προσρητέον τι μᾶλλον ἢ μὴ ὁρᾶν, οὐδέ τιν' ἄλλην αἴσθησιν μᾶλλον ἢ μή, πάντων γε πάντως κινουμένων.

ΘΕΟ. Οὐ γὰρ οὖν.

ΣΩ. Καὶ μὴν αἴσθησίς γε ἐπιστήμη, ὡς ἔφαμεν ἐγώ τε καὶ Θεαίτητος.

ΘΕΟ. Ἦν ταῦτα.

ΣΩ. Οὐδὲν ἄρα ἐπιστήμην μᾶλλον ἢ μὴ ἐπιστήμην ἀπεκρινάμεθα ἐρωτώμενοι ὅτι ἐστὶν ἐπιστήμη.

ΘΕΟ. Ἐοίκατε. 183 a

ΣΩ. Καλὸν ἂν ἡμῖν συμβαίνοι τὸ ἐπανόρθωμα τῆς ἀποκρίσεως, προθυμηθεῖσιν ἀποδεῖξαι ὅτι πάντα κινεῖται, ἵνα δὴ ἐκείνη ἡ ἀπόκρισις ὀρθὴ φανῇ. Τὸ δ', ὡς ἔοικεν, ἐφάνη, εἰ πάντα κινεῖται, πᾶσα ἀπόκρισις, περὶ ὅτου ἄν τις ἀποκρίνηται, ὁμοίως ὀρθὴ εἶναι, οὕτω τ' ἔχειν φάναι καὶ μὴ οὕτω, εἰ δὲ βούλει, γίγνεσθαι, ἵνα μὴ στήσωμεν αὐτοὺς τῷ λόγῳ.

ΘΕΟ. Ὀρθῶς λέγεις.

ΣΩ. Πλήν γε, ὦ Θεόδωρε, ὅτι « οὕτω » τε εἶπον καὶ « οὐχ οὕτω ». Δεῖ δὲ οὐδὲ τοῦτο « οὕτω » λέγειν — οὐδὲ γὰρ ἂν ἔτι κινοῖτο « οὕτω » — οὐδ' αὖ « μὴ οὕτω » — b οὐδὲ γὰρ τοῦτο κίνησις — ἀλλά τιν' ἄλλην φωνὴν θετέον τοῖς τὸν λόγον τοῦτον λέγουσιν, ὡς νῦν γε πρὸς τὴν αὑτῶν ὑπόθεσιν οὐκ ἔχουσι ῥήματα, εἰ μὴ ἄρα τὸ « οὐδ' οὕτως » μάλιστ' ἂν αὐτοῖς ἁρμόττοι, ἄπειρον λεγόμενον.

ΘΕΟ. Οἰκειοτάτη γοῦν διάλεκτος αὕτη αὐτοῖς.

ΣΩ. Οὐκοῦν, ὦ Θεόδωρε, τοῦ τε σοῦ ἑταίρου ἀπηλ-

e 5 οὐδέ : οὔτε Dissen || e 10 ἦν ταῦτα om. T || 183 a 7 αὐτούς : αυτοὺς B αὑτοὺς Schanz || a 9 ὀρθῶς : -ότατα W || a 10 τε : γε W || a 11 post τοῦτο et mox post κινοῖτο add. τὸ Schleiermacher || b 5 μάλιστ' ἂν W : μάλιστα δ' οὕτως ἂν BTY || b 6 γοῦν edd. : γ' οὖν BW οὖν TY.

fini de lui concéder que tout homme, en toutes choses, est
c mesure, à moins qu'on ne dise « homme de sens ». Que science soit sensation, nous ne le lui concéderons pas davantage, du moins pas en suivant la méthode du « tout se meut », et sauf le cas où notre Théétète aurait un autre avis à formuler.

Un entr'acte sur Parménide.

THÉODORE. — Excellemment dit, Socrate : car, cela terminé, je dois aussi être quitte de te répondre. C'était le terme convenu : sitôt que la discussion de la thèse de Protagoras prendrait fin.

d THÉÉTÈTE. — Point toutefois, Théodore, avant que Socrate et toi, de ceux qui proclament le Tout immobile, n'ayez achevé l'examen promis tout à l'heure.

THÉODORE. — Un jeune homme comme toi, Théétète, enseigner à des vieillards l'injustice et le mépris des conventions ? Prépare-toi plutôt à rendre raison à Socrate de ce qui reste encore.

THÉÉTÈTE. — Si lui vraiment le désire. J'aurais eu pourtant plaisir à entendre discuter les doctrines dont je parle.

THÉODORE. — C'est appeler « cavaliers dans la plaine » que de provoquer Socrate aux arguments. Tu n'as qu'à faire questions et tu auras ce plaisir.

e SOCRATE. — Mais je ne crois pas, Théodore, que, sur les sujets où Théétète m'invite, je me rende à son appel.

THÉODORE. — Pourquoi ne point t'y rendre ?

SOCRATE. — Sur Mélissos et les autres partisans de l'unité et de l'immobilité du Tout, j'aurais, honte certes, à risquer une enquête brutale ; moins de honte pourtant qu'à traiter ainsi l'unité qu'est Parménide. Car Parménide m'apparaît, comme le héros d'Homère, « vénérable à mon sens autant que redoutable[1] ». J'ai approché l'homme quand j'étais bien
184 a jeune encore et lui bien vieux : il m'apparut alors avoir des profondeurs absolument sublimes[2]. Aussi craindrais-je que la teneur même de ses paroles ne nous restât incomprise et que sa pensée ne nous dépassât bien plus encore. Ma plus grande crainte est de voir l'objet qui donna l'essor à notre argumentation, la définition de la science, finalement abandonné

1. *Iliade*, III, 172.
2. Cf. *Notice Générale*, p. XIII, et *Notice* du *Parménide*, p. 10.

λάγμεθα, καὶ οὔπω συγχωροῦμεν αὐτῷ πάντ᾽ ἄνδρα πάντων χρημάτων μέτρον εἶναι, ἂν μὴ φρόνιμός τις ᾖ· ἐπιστήμην c τε αἴσθησιν οὐ συγχωρησόμεθα κατά γε τὴν τοῦ πάντα κινεῖσθαι μέθοδον, εἰ μή τί πως ἄλλως Θεαίτητος ὅδε λέγει.

ΘΕΟ. Ἄριστ᾽ εἴρηκας, ὦ Σώκρατες· τούτων γὰρ περανθέντων καὶ ἐμὲ δεῖ ἀπηλλάχθαι σοι ἀποκρινόμενον κατὰ τὰς συνθήκας, ἐπειδὴ τὸ περὶ τοῦ Πρωταγόρου λόγου τέλος σχοίη.

ΘΕΑΙ. Μὴ πρίν γ᾽ ἄν, ὦ Θεόδωρε, Σωκράτης τε καὶ σὺ τοὺς φάσκοντας αὖ τὸ πᾶν ἑστάναι διέλθητε, ὥσπερ ἄρτι d προύθεσθε.

ΘΕΟ. Νέος ὤν, ὦ Θεαίτητε, τοὺς πρεσβυτέρους ἀδικεῖν διδάσκεις ὁμολογίας παραβαίνοντας; ἀλλὰ παρασκευάζου ὅπως τῶν ἐπιλοίπων Σωκράτει δώσεις λόγον.

ΘΕΑΙ. Ἐάνπερ γε βούληται. Ἥδιστα μεντἂν ἤκουσα περὶ ὧν λέγω.

ΘΕΟ. « Ἱππέας εἰς πεδίον » προκαλῇ Σωκράτη εἰς λόγους προκαλούμενος· ἐρώτα οὖν καὶ ἀκούσῃ.

ΣΩ. Ἀλλά μοι δοκῶ, ὦ Θεόδωρε, περί γε ὧν κελεύει Θεαίτητος οὐ πείσεσθαι αὐτῷ. e

ΘΕΟ. Τί δὴ οὖν οὐ πείσεσθαι;

ΣΩ. Μέλισσον μὲν καὶ τοὺς ἄλλους, οἳ ἓν ἑστὸς λέγουσι τὸ πᾶν, αἰσχυνόμενος μὴ φορτικῶς σκοπῶμεν, ἧττον αἰσχύνομαι ἢ ἕνα ὄντα Παρμενίδην. Παρμενίδης δέ μοι φαίνεται, τὸ τοῦ Ὁμήρου, « αἰδοῖός τέ μοι » εἶναι ἅμα « δεινός τε ». Συμπροσέμειξα γὰρ δὴ τῷ ἀνδρὶ πάνυ νέος πάνυ πρεσβύτῃ, καί μοι ἐφάνη βάθος τι ἔχειν παντάπασι γενναῖον. Φοβοῦμαι οὖν μὴ οὔτε τὰ λεγόμενα συνιῶμεν, τί τε 184 a διανοούμενος εἶπε πολὺ πλέον λειπώμεθα, καὶ τὸ μέγιστον,

b 8 οὔπω : οὕτω B || c 2 τε : τε καὶ W || c 3 εἰ W : ἢ εἰ BTY || τί del. Schanz || c 6 δεῖ : ἔδει Burnet || d 10 δοκῶ : -εῖ supra lin. W² || e 3 μὲν om. W || e 7 συμπροσέμειξα : συνέμιξα (sed προσ supra συν) W || 184 a 1 τί τε : μή τι Y || a 2 λειπώμεθα : -όμεθα W.

devant l'invasion turbulente des arguments, pour peu qu'on leur cède l'entrée. D'ailleurs celui qu'à cette heure nous réveillons est d'une complexité inimaginable : le traiter en hors d'œuvre serait lui faire injure ; à l'examiner à fond, il s'amplifiera jusqu'à éclipser la question de la science. Il nous b faut éviter l'un et l'autre danger, mais plutôt nous tourner vers Théétète et, de ses conceptions sur la science, essayer de le délivrer par notre art maïeutique.

Théodore. — Il faut donc en agir ainsi, puisque bon te semble.

Dernier essai de critique : la connaissance par l'âme.

Socrate. — Encore toutefois, Théétète, sur une certaine portion du sujet précédent retiendrai-je ton examen. C'est la sensation qui est science, as-tu répondu, n'est-ce pas ?

Théétète. — Oui.

Socrate. — Si donc l'on te demandait : «Par quoi l'homme voit-il le blanc et le noir ? par quoi perçoit-il, à l'audition, l'aigu et le grave ? » Tu dirais, j'imagine : « par les yeux et par les oreilles ».

Théétète. — Quant à moi, oui.

c Socrate. — La facilité dans le maniement des noms et des expressions, le dédain de la précision minutieuse ne sont point, en général, indice d'un manque de race ; c'est plutôt le contraire qui marque l'âme serve. Mais la nécessité l'impose en certains cas. Elle impose, par exemple, dans le cas présent, de reprendre ce que ta réponse actuelle a d'incorrect. Réfléchis, en effet : quelle réponse est la plus correcte ? Dire que les yeux sont ce par quoi nous voyons, ou ce au moyen de quoi nous voyons ; et les oreilles ce par quoi nous entendons, ou ce au moyen de quoi nous entendons ?

Théétète. — Ce au moyen de quoi nous percevons chaque sensation, penserai-je, Socrate, plutôt que ce par quoi.

d Socrate. — Il serait, en effet, vraiment étrange, mon jeune ami, qu'une pluralité de sensations fussent assises en nous comme dans des chevaux de bois et qu'il n'y eût point une forme unique, âme ou ce que tu voudras, où toutes ensemble convergent, et par laquelle, usant d'elles comme d'instruments, nous percevons tous les sensibles.

Théétète. — Cette explication me semble plus vraie que l'autre.

οὗ ἕνεκα ὁ λόγος ὥρμηται, ἐπιστήμης πέρι τί ποτ᾽ ἐστίν, ἄσκεπτον γένηται ὑπὸ τῶν ἐπεισκωμαζόντων λόγων, εἴ τις αὐτοῖς πείσεται· ἄλλως τε καὶ ὃν νῦν ἐγείρομεν πλήθει ἀμήχανον, εἴτε τις ἐν παρέργῳ σκέψεται, ἀνάξι᾽ ἂν πάθοι, εἴτε ἱκανῶς, μηκυνόμενος τὸ τῆς ἐπιστήμης ἀφανιεῖ. Δεῖ δὲ οὐδέτερα, ἀλλὰ Θεαίτητον ὧν κυεῖ περὶ ἐπιστήμης b πειρᾶσθαι ἡμᾶς τῇ μαιευτικῇ τέχνῃ ἀπολῦσαι.

ΘΕΟ. Ἀλλὰ χρή, εἰ δοκεῖ, οὕτω ποιεῖν.

ΣΩ. Ἔτι τοίνυν, ὦ Θεαίτητε, τοσόνδε περὶ τῶν εἰρημένων ἐπίσκεψαι. Αἴσθησιν γὰρ δὴ ἐπιστήμην ἀπεκρίνω· ἦ γάρ;

ΘΕΑΙ. Ναί.

ΣΩ. Εἰ οὖν τίς σε ὧδ᾽ ἐρωτῴη· « Τῷ τὰ λευκὰ καὶ μέλανα ὁρᾷ ἄνθρωπος καὶ τῷ τὰ ὀξέα καὶ βαρέα ἀκούει »; εἴποις ἂν οἶμαι « Ὄμμασί τε καὶ ὠσίν ».

ΘΕΑΙ. Ἔγωγε.

ΣΩ. Τὸ δὲ εὐχερὲς τῶν ὀνομάτων τε καὶ ῥημάτων καὶ c μὴ δι᾽ ἀκριβείας ἐξεταζόμενον τὰ μὲν πολλὰ οὐκ ἀγεννές, ἀλλὰ μᾶλλον τὸ τούτου ἐναντίον ἀνελεύθερον, ἔστι δὲ ὅτε ἀναγκαῖον, οἷον καὶ νῦν ἀνάγκη ἐπιλαβέσθαι τῆς ἀποκρίσεως ἣν ἀποκρίνῃ, ᾗ οὐκ ὀρθή. Σκόπει γάρ· ἀπόκρισις ποτέρα ὀρθοτέρα, ᾧ ὁρῶμεν τοῦτο εἶναι ὀφθαλμούς, ἢ δι᾽ οὗ ὁρῶμεν, καὶ ᾧ ἀκούομεν ὦτα, ἢ δι᾽ οὗ ἀκούομεν;

ΘΕΑΙ. Δι᾽ ὧν ἕκαστα αἰσθανόμεθα, ἔμοιγε δοκεῖ, ὦ Σώκρατες, μᾶλλον ἢ οἷς.

ΣΩ. Δεινὸν γάρ που, ὦ παῖ, εἰ πολλαί τινες ἐν ἡμῖν d ὥσπερ ἐν δουρείοις ἵπποις αἰσθήσεις ἐγκάθηνται, ἀλλὰ μὴ εἰς μίαν τινὰ ἰδέαν, εἴτε ψυχὴν εἴτε ὅτι δεῖ καλεῖν, πάντα ταῦτα συντείνει, ᾗ διὰ τούτων οἷον ὀργάνων αἰσθανόμεθα ὅσα αἰσθητά.

ΘΕΑΙ. Ἀλλά μοι δοκεῖ οὕτω μᾶλλον ἢ ἐκείνως.

b 1 ὧν : ὃν B || ἐπιστήμης πέρι W || b 9 ante βαρέα add. τὰ W || c 2 δι᾽ om. Y || c 3 ἐναντίον om. Y || d 3 ὅτι : ὅ TY || d 4 ᾗ : ἡ Y || ὀργάνων : -ῳ ut uidetur B¹.

SOCRATE. — Ce que je te veux faire préciser en cela, c'est s'il y a en nous un pouvoir, toujours le même, par lequel, avec les yeux comme moyens, nous atteignons le blanc et le noir et, par le moyen des autres sens, d'autres sensibles, et si, e interrogé, tu serais capable de rapporter tout cela au corps ? Peut-être vaut-il mieux que la réponse à cela vienne de toi directement plutôt que d'être laborieusement cherchée par moi en ton lieu et place. Dis-moi : chacun des sens au moyen desquels tu perçois le chaud, le sec, le léger, le doux, est-ce que tu ne l'attribues pas au corps ? Le rapportes-tu à quelque autre chose ?

THÉÉTÈTE. — A rien d'autre.

SOCRATE. — Accorderas-tu de bon gré que ce que tu perçois par le canal d'une faculté t'est imperceptible par le canal 185 a d'une autre ? Que la perception qui te vient par l'ouïe ne peut te venir par la vue, que celle qui te vient par la vue ne peut te venir par le canal de l'ouïe ?

THÉÉTÈTE. — Comment pourrais-je m'y refuser ?

SOCRATE. — Si donc ta pensée conçoit quelque chose qui appartienne aux deux perceptions à la fois, ce n'est ni par le canal du premier de ces organes, ni par le canal du second, que t'en pourrait venir la perception commune.

THÉÉTÈTE. — Certainement non.

SOCRATE. — Ainsi, relativement au son et à la couleur, ce premier caractère commun est-il saisi par ta pensée, que tous les deux sont ?

THÉÉTÈTE. — Oui certes.

SOCRATE. — Et donc aussi que chacun d'eux est différent de l'autre, mais identique à soi-même ?

b THÉÉTÈTE. — Comment donc !

SOCRATE. — Qu'ensemble ils sont deux et que chacun est un ?

THÉÉTÈTE. — Oui encore.

SOCRATE. — Et leur dissemblance ou ressemblance mutuelle, es-tu capable d'en faire l'examen ?

THÉÉTÈTE. — Peut-être.

SOCRATE. — Tout cela donc, par quel canal, à leur sujet, t'en vient la pensée ? Ni par le canal de l'ouïe, en effet, ni par celui de la vue ne peut être saisi ce qu'ils ont de commun. Voici encore qui témoigne de ce que nous disons : s'il était possible de déterminer, pour tous les deux, leur salinité ou

ΣΩ. Τοῦδέ τοι ἕνεκα αὐτά σοι διακριβοῦμαι, εἴ τινι ἡμῶν αὐτῶν τῷ αὐτῷ διὰ μὲν ὀφθαλμῶν ἐφικνούμεθα λευκῶν τε καὶ μελάνων, διὰ δὲ τῶν ἄλλων ἑτέρων αὖ τινῶν, καὶ ἕξεις ἐρωτώμενος πάντα τὰ τοιαῦτα εἰς τὸ σῶμα ἀνα- (e) φέρειν ; ἴσως δὲ βέλτιον σὲ λέγειν αὐτὰ ἀποκρινόμενον μᾶλλον ἢ ἐμὲ ὑπὲρ σοῦ πολυπραγμονεῖν. Καί μοι λέγε· θερμὰ καὶ σκληρὰ καὶ κοῦφα καὶ γλυκέα δι' ὧν αἰσθάνῃ, ἆρα οὐ τοῦ σώματος ἕκαστα τίθης ; ἢ ἄλλου τινός ;

ΘΕΑΙ. Οὐδενὸς ἄλλου.

ΣΩ. Ἦ καὶ ἐθελήσεις ὁμολογεῖν ἃ δι' ἑτέρας δυνάμεως αἰσθάνῃ, ἀδύνατον εἶναι δι' ἄλλης ταῦτ' αἰσθέσθαι, οἷον ἃ (185 a) δι' ἀκοῆς, δι' ὄψεως, ἢ ἃ δι' ὄψεως, δι' ἀκοῆς ;

ΘΕΑΙ. Πῶς γὰρ οὐκ ἐθελήσω ;

ΣΩ. Εἴ τι ἄρα περὶ ἀμφοτέρων διανοῇ, οὐκ ἂν διά γε τοῦ ἑτέρου ὀργάνου, οὐδ' αὖ διὰ τοῦ ἑτέρου περὶ ἀμφοτέρων αἰσθάνοι' ἄν.

ΘΕΑΙ. Οὐ γὰρ οὖν.

ΣΩ. Περὶ δὴ φωνῆς καὶ περὶ χρόας πρῶτον μὲν αὐτὸ τοῦτο περὶ ἀμφοτέρων ἦ διανοῇ, ὅτι ἀμφοτέρω ἐστόν ;

ΘΕΑΙ. Ἔγωγε.

ΣΩ. Οὐκοῦν καὶ ὅτι ἑκάτερον ἑκατέρου μὲν ἕτερον, ἑαυτῷ δὲ ταὐτόν ;

ΘΕΑΙ. Τί μήν ; (b)

ΣΩ. Καὶ ὅτι ἀμφοτέρω δύο, ἑκάτερον δέ ἕν ;

ΘΕΑΙ. Καὶ τοῦτο.

ΣΩ. Οὐκοῦν καὶ εἴτε ἀνομοίω εἴτε ὁμοίω ἀλλήλοιν, δυνατὸς εἶ ἐπισκέψασθαι ;

ΘΕΑΙ. Ἴσως.

ΣΩ. Ταῦτα δὴ πάντα διὰ τίνος περὶ αὐτοῖν διανοῇ ; οὔτε γὰρ δι' ἀκοῆς οὔτε δι' ὄψεως οἷόν τε τὸ κοινὸν λαμβάνειν περὶ αὐτῶν. Ἔτι δὲ καὶ τόδε τεκμήριον περὶ οὗ

d 8 ἐφικνούμεθα : διικν- TY || **e** 4 σκληρὰ : ξηρὰ TY || **185 a** 1 ταῦτ' : ταύτης TY τούτων uulg. || **a** 9 ἦ om. W || **b** 6 ἴσως : ἴσως πως W.

non-salinité, tu sais pouvoir dire ce par quoi tu la détermines,
c et ce n'est, apparemment, ni la vue ni l'ouïe, mais quelque chose d'autre.

Théétète. — Naturellement. N'est-ce pas la faculté dont la langue est l'instrument ?

Socrate. — Bonne réponse. Mais par quel instrument s'exerce la faculté qui te révélera ce qui est commun à ces sensibles, comme à tout le reste, et que tu désignes par « est » ou « n'est pas » et par tous autres termes énumérés, à leur sujet, dans nos dernières questions ? A tous ces communs quels organes affecteras-tu, dont puisse se servir, comme instrument pour percevoir chacun d'eux, ce qui, en nous, perçoit ?.

Théétète. — Tu veux parler de l'être et du non-être, de la ressemblance et dissemblance, de l'identité et de la différence, de l'unité enfin et de tout autre nombre concevable à
d leur sujet[1]. Evidemment ta question vise aussi le pair, l'impair et autres déterminations qui s'ensuivent, et, pour tout cela, tu demandes au moyen de quel organe corporel nous en avons, par l'âme, la perception.

Socrate. — Tu suis merveilleusement, Théétète : c'est tout à fait cela que je demande.

Théétète. — Mais, par Zeus, Socrate, je ne saurais trouver de réponse, sinon qu'à mon avis, la première chose à dire est que les communs n'ont point, comme les sensibles,
e d'organe propre. C'est l'âme qui, elle-même et par elle-même, m'apparaît faire, en tous objets, cet examen des communs.

Socrate. — Tu es beau, Théétète. Théodore était dans le faux en te disant laid ; car qui parle bien est beau et bon. Tu es non-seulement beau, mais bienfaisant pour moi par l'abondance d'arguments dont tu me fais quitte, s'il t'apparaît vraiment que, certaines observations, l'âme les fait elle-même et par son propre canal et, les autres, par le canal des facultés du corps[2]. C'était là, en effet, ma propre persuasion ; mais je désirais que tu l'eusses toi-même.

186 a Théétète. — Mais c'est bien ainsi que la chose, au moins, m'apparaît.

1. Cf. *Notice*, p. 139 et 140, et voir comment la *République* (522 b-526 a) décrit la naissance de l'idée de nombre.

2. *Faculté* et *organe* s'équivalent ici. Cf. J. Souilhé, *Etude sur le terme* δύναμις *dans les dialogues de Platon*, p. 164/5.

λέγομεν· εἰ γὰρ δυνατὸν εἴη ἀμφοτέρω σκέψασθαι ἆρ᾽ ἐστὸν ἁλμυρὼ ἢ οὔ, οἶσθ᾽ ὅτι ἕξεις εἰπεῖν ᾧ ἐπισκέψῃ, καὶ τοῦτο οὔτε ὄψις οὔτε ἀκοὴ φαίνεται, ἀλλά τι ἄλλο. c

ΘΕΑΙ. Τί δ᾽ οὐ μέλλει, ἥ γε διὰ τῆς γλώττης δύναμις ;

ΣΩ. Καλῶς λέγεις. Ἡ δὲ δὴ διὰ τίνος δύναμις τό τ᾽ ἐπὶ πᾶσι κοινὸν καὶ τὸ ἐπὶ τούτοις δηλοῖ σοι, ᾧ τὸ « ἔστιν » ἐπονομάζεις καὶ τὸ « οὐκ ἔστι » καὶ ἃ νυνδὴ ἠρωτῶμεν περὶ αὐτῶν ; τούτοις πᾶσι ποῖα ἀποδώσεις ὄργανα δι᾽ ὧν αἰσθάνεται ἡμῶν τὸ αἰσθανόμενον ἕκαστα ;

ΘΕΑΙ. Οὐσίαν λέγεις καὶ τὸ μὴ εἶναι, καὶ ὁμοιότητα καὶ ἀνομοιότητα, καὶ τὸ ταὐτόν τε καὶ τὸ ἕτερον, ἔτι δὲ ἕν τε καὶ τὸν ἄλλον ἀριθμὸν περὶ αὐτῶν. Δῆλον δὲ ὅτι d καὶ ἄρτιόν τε καὶ περιττὸν ἐρωτᾷς, καὶ τἆλλα ὅσα τούτοις ἕπεται, διὰ τίνος ποτὲ τῶν τοῦ σώματος τῇ ψυχῇ αἰσθανόμεθα.

ΣΩ. Ὑπέρευ, ὦ Θεαίτητε, ἀκολουθεῖς, καὶ ἔστιν ἃ ἐρωτῶ αὐτὰ ταῦτα.

ΘΕΑΙ. Ἀλλὰ μὰ Δία, ὦ Σώκρατες, ἔγωγε οὐκ ἂν ἔχοιμι εἰπεῖν, πλήν γ᾽ ὅτι μοι δοκεῖ τὴν ἀρχὴν οὐδ᾽ εἶναι τοιοῦτον οὐδὲν τούτοις ὄργανον ἴδιον ὥσπερ ἐκείνοις, ἀλλ᾽ αὐτὴ δι᾽ αὑτῆς ἡ ψυχὴ τὰ κοινά μοι φαίνεται περὶ πάντων ἐπισκοπεῖν. e

ΣΩ. Καλὸς γὰρ εἶ, ὦ Θεαίτητε, καὶ οὐχ, ὡς ἔλεγε Θεόδωρος, αἰσχρός· ὁ γὰρ καλῶς λέγων καλός τε καὶ ἀγαθός. Πρὸς δὲ τῷ καλῷ εὖ ἐποίησάς με μάλα συχνοῦ λόγου ἀπαλλάξας, εἰ φαίνεταί σοι τὰ μὲν αὐτὴ δι᾽ αὑτῆς ἡ ψυχὴ ἐπισκοπεῖν, τὰ δὲ διὰ τῶν τοῦ σώματος δυνάμεων. Τοῦτο γὰρ ἦν ὃ καὶ αὐτῷ μοι ἐδόκει, ἐβουλόμην δὲ καὶ σοὶ δόξαι.

ΘΕΑΙ. Ἀλλὰ μὴν φαίνεταί γε. 186 a

b 10 ἀμφοτέρω BW : -έρως TY || c 5 καὶ ἃ W : ἃ BTY || νυνδὴ ἠρωτῶμεν TW : νυνδὴ πρώτῳ μὲν B νῦν διερωτῶμεν Y || c 8 τὸ om. W || d 6 ἐρωτῶ : -ᾷς Y || d 9 ὄργανον ἴδιον : ὀργανίδιον B || e 1 πάντων : ἀπ- W || e 4 τε : γε W || e 7 ἐπισκοπεῖν : -οῦσα W.

Socrate. — En quel rang poses-tu donc l'être ? Car c'est bien lui qui a la plus universelle extension [1].

Théétète. — Je le range, pour moi, au nombre de ces objets que l'âme s'efforce d'atteindre elle-même et sans intermédiaire.

Socrate. — Le semblable aussi et le dissemblable et l'identique et le différent ?

Théétète. — Oui.

Socrate. — Et le beau, le laid, le bien, le mal ?

Théétète. — C'est de telles déterminations surtout que l'âme me paraît examiner l'être en les comparant mutuellement, quand elle met en balance, dans son calcul intérieur,
b passé, présent et avenir.

Socrate. — Fais halte ici. La sécheresse du sec, n'est-ce pas par le tact qu'elle la sentira, et la mollesse du mou pareillement ?

Théétète. — Si.

Socrate. — Mais sur leur être, la dualité de leur être, leur mutuelle opposition, l'être enfin de cette opposition, c'est l'âme elle-même qui, d'un retour fréquent sur chacun et de leur confrontation mutuelle, essaie de dégager pour nous un jugement.

Théétète. — Parfaitement.

Socrate. — Donc, sitôt nés et par don de nature, hommes
c et bêtes ont pouvoir de sensation pour toutes impressions qui, par le canal du corps, cheminent vers l'âme. Mais les raisonnements qui confrontent ces impressions en leurs rapports à l'être et à l'utile, c'est par l'effort, avec le temps, au prix d'un multiple labeur et d'un long écolage qu'ils parviennent à se former en ceux où, toutefois, ils se forment [2] ?

Théétète. — Absolument.

Socrate. — Celui-là peut-il atteindre la vérité qui n'atteint même pas jusqu'à l'être ?

Théétète. — Impossible.

Socrate. — Et là où l'on n'atteindra pas la vérité, pourra-t-on jamais avoir science ?

1. Le *Sophiste* dira (243 d) que c'est « le plus grand et le chef de bande » et montrera qu'il « circule à travers tous les genres » (259 a).

2. Cf. *Timée*, 51 a. Pour Aristote (*Métaph.*, 992 a/b), la connaissance de l'universel sera un privilège quasi-divin.

ΣΩ. Ποτέρων οὖν τίθης τὴν οὐσίαν ; τοῦτο γὰρ μάλιστα ἐπὶ πάντων παρέπεται.

ΘΕΑΙ. Ἐγὼ μὲν ὧν αὐτὴ ἡ ψυχὴ καθ' αὑτὴν ἐπορέγεται.

ΣΩ. Ἦ καὶ τὸ ὅμοιον καὶ τὸ ἀνόμοιον καὶ τὸ ταὐτὸν καὶ ἕτερον ;

ΘΕΑΙ. Ναί.

ΣΩ. Τί δέ ; καλὸν καὶ αἰσχρὸν καὶ ἀγαθὸν καὶ κακόν ;

ΘΕΑΙ. Καὶ τούτων μοι δοκεῖ ἐν τοῖς μάλιστα πρὸς ἄλληλα σκοπεῖσθαι τὴν οὐσίαν, ἀναλογιζομένη ἐν ἑαυτῇ τὰ γεγονότα καὶ τὰ παρόντα πρὸς τὰ μέλλοντα. b

ΣΩ. Ἔχε δή· ἄλλο τι τοῦ μὲν σκληροῦ τὴν σκληρότητα διὰ τῆς ἐπαφῆς αἰσθήσεται, καὶ τοῦ μαλακοῦ τὴν μαλακότητα ὡσαύτως ;

ΘΕΑΙ. Ναί.

ΣΩ. Τὴν δέ γε οὐσίαν καὶ ὅτι ἐστὸν καὶ τὴν ἐναντιότητα πρὸς ἀλλήλω καὶ τὴν οὐσίαν αὖ τῆς ἐναντιότητος αὐτὴ ἡ ψυχὴ ἐπανιοῦσα καὶ συμβάλλουσα πρὸς ἄλληλα κρίνειν πειρᾶται ἡμῖν.

ΘΕΑΙ. Πάνυ μὲν οὖν.

ΣΩ. Οὐκοῦν τὰ μὲν εὐθὺς γενομένοις πάρεστι φύσει αἰσθάνεσθαι ἀνθρώποις τε καὶ θηρίοις, ὅσα διὰ τοῦ σώματος παθήματα ἐπὶ τὴν ψυχὴν τείνει· τὰ δὲ περὶ τούτων ἀναλογίσματα πρός τε οὐσίαν καὶ ὠφέλειαν μόγις καὶ ἐν χρόνῳ διὰ πολλῶν πραγμάτων καὶ παιδείας παραγίγνεται οἷς ἂν καὶ παραγίγνηται ; c

ΘΕΑΙ. Παντάπασι μὲν οὖν.

ΣΩ. Οἷόν τε οὖν ἀληθείας τυχεῖν, ᾧ μηδὲ οὐσίας ;

ΘΕΑΙ. Ἀδύνατον.

ΣΩ. Οὗ δὲ ἀληθείας τις ἀτυχήσει, ποτὲ τούτου ἐπιστήμων ἔσται ;

186 a 7 ante ἕτερον add. τὸ W || **b** 2 ἄλλο τι : ἀλλ' ὅτι W || **b** 7 τῆς : τὴν Y || **b** 9 πειρᾶται : -ᾶσθαι TY || **c** 7 ᾧ : οὗ Heindorf || **c** 9 οὗ δὲ : οὐδέ (sed rasura supra υ) B.

d Théétète. — Comment le pourrait-on, Socrate ?

Socrate. — Ce n'est donc point dans les impressions que réside la science, mais dans le raisonnement sur les impressions ; car l'être et la vérité, ici, ce semble, se peuvent atteindre, et, là, ne le peuvent[1].

Théétète. — Apparemment.

Socrate. — Appelleras-tu donc du même nom et ceci et cela, que séparent de telles différences ?

Théétète. — Ce ne serait pas juste.

Socrate. — Quel nom donc vas-tu restituer à l'un : au voir, entendre, odorer, se refroidir, s'échauffer ?

e Théétète. — Sentir. Voilà mon terme : quel autre trouver ?

Socrate. — Et, d'un nom général, tu appelles tout cela sensation ?

Théétète. — Nécessairement.

Socrate. — A qui, nous l'affirmons, n'appartient point d'atteindre la vérité ; car elle n'atteint point l'être.

Théétète. — Non, certes.

Socrate. — Ni, par conséquent, la science.

Théétète. — Non plus.

Socrate. — Il ne se pourra donc jamais faire, Théétète, que sensation et science soient identiques.

Théétète. — Il appparaît que non, Socrate. Et voilà maintenant prouvé, le plus manifestement possible, que la science est différente de la sensation.

187 a Socrate. — Encore ne fut-ce point l'objet initial de notre dialogue de trouver ce que la science n'est point, mais bien de trouver ce qu'elle est. Toutefois ce nous est une sérieuse avance de n'avoir plus du tout à la chercher dans la sensation, mais dans l'acte, quelque nom qu'il porte, par lequel l'âme s'applique seule et directement à l'étude des êtres[2].

1. Cf. *Phédon*, 65 b et suiv. : les sensations du corps n'ont ni exactitude ni clarté, et, si l'âme doit atteindre quelque chose de la vérité et de l'être, ce ne peut être que dans le raisonnement (ἐν τῷ λογίζεσθαι). Sur la portée de cette solution, cf. *Notice*, p. 139/140, et comparer Malebranche, *Entretiens sur la Métaphysique*, V, 2 : « Ce ne sont point nos sens, mais la raison jointe à nos sens, qui nous éclaire et nous fait connaître la vérité. »

2. Cet acte a deux moments : pensée discursive, puis intuition. Théétète n'envisagera que le premier.

ΘΕΑΙ. Καὶ πῶς ἄν, ὦ Σώκρατες ;

ΣΩ. Ἐν μὲν ἄρα τοῖς παθήμασιν οὐκ ἔνι ἐπιστήμη, d
ἐν δὲ τῷ περὶ ἐκείνων συλλογισμῷ· οὐσίας γὰρ καὶ ἀληθείας ἐνταῦθα μέν, ὡς ἔοικε, δυνατὸν ἅψασθαι, ἐκεῖ δὲ ἀδύνατον.

ΘΕΑΙ. Φαίνεται.

ΣΩ. Ἦ οὖν ταὐτὸν ἐκεῖνό τε καὶ τοῦτο καλεῖς, τοσαύτας διαφορὰς ἔχοντε ;

ΘΕΑΙ. Οὔκουν δὴ δίκαιόν γε.

ΣΩ. Τί οὖν δὴ ἐκείνῳ ἀποδίδως ὄνομα, τῷ ὁρᾶν ἀκούειν ὀσφραίνεσθαι ψύχεσθαι θερμαίνεσθαι ;

ΘΕΑΙ. Αἰσθάνεσθαι ἔγωγε· τί γὰρ ἄλλο ; e

ΣΩ. Σύμπαν ἄρ᾽ αὐτὸ καλεῖς αἴσθησιν ;

ΘΕΑΙ. Ἀνάγκη.

ΣΩ. Ὧι γε, φαμέν, οὐ μέτεστιν ἀληθείας ἅψασθαι· οὐδὲ γὰρ οὐσίας.

ΘΕΑΙ. Οὐ γὰρ οὖν.

ΣΩ. Οὐδ᾽ ἄρ᾽ ἐπιστήμης.

ΘΕΑΙ. Οὐ γάρ.

ΣΩ. Οὐκ ἄρ᾽ ἂν εἴη ποτέ, ὦ Θεαίτητε, αἴσθησίς τε καὶ ἐπιστήμη ταὐτόν.

ΘΕΑΙ. Οὐ φαίνεται, ὦ Σώκρατες. Καὶ μάλιστά γε νῦν καταφανέστατον γέγονεν ἄλλο ὂν αἰσθήσεως ἐπιστήμη.

ΣΩ. Ἀλλ᾽ οὔ τι μὲν δὴ τούτου γε ἕνεκα ἠρχόμεθα δια- 187 a
λεγόμενοι, ἵνα εὕρωμεν τί ποτ᾽ οὐκ ἔστ᾽ ἐπιστήμη, ἀλλὰ τί ἔστιν. Ὅμως δὲ τοσοῦτόν γε προβεβήκαμεν, ὥστε μὴ ζητεῖν αὐτὴν ἐν αἰσθήσει τὸ παράπαν ἀλλ᾽ ἐν ἐκείνῳ τῷ ὀνόματι, ὅτι ποτ᾽ ἔχει ἡ ψυχή, ὅταν αὐτὴ καθ᾽ αὑτὴν πραγματεύηται περὶ τὰ ὄντα.

d 7 ἦ οὖν TY : ἢ οὐ W ἢ οὔ : B (Theaeteto tribuens) || ταὐτὸν : -όν, B || τοῦτο YW : ταὐτὸ T ταὐτὸν B || **d** 9 δὴ : ἂν δὴ TY || **e** 12 καταφανέστατον : -τερον Y || **187 a** 6 ante πραγματεύηται add. ἡ ψυχὴ Y.

Théétète. — Mais le nom de cet acte, Socrate, est, à ce que je crois, juger.

Socrate. — Tu as raison de le croire, ami. Considère donc maintenant si, reprenant la question à neuf, tout ce qui précède étant effacé, tu y vois quelque peu plus clair au point où tu es rendu de ton avance. Dis-moi donc encore une fois ce qu'est la science.

b

Seconde définition : la science est l'opinion vraie.

Théétète. — Dire que ce soit toute espèce d'opinion, Socrate, c'est impossible, puisqu'il y a aussi une opinion fausse ; mais il y a chance que l'opinion vraie soit science et mettons que ce soit là ma réponse. Si, en effet, le progrès de la discussion modifie notre façon de voir actuelle, nous essaierons de trouver quelque autre formule.

Socrate. — Voilà comme il faut parler, Théétète, avec confiance, plutôt que d'hésiter à répondre, comme tu le faisais au début. A risquer l'épreuve, en effet, de deux choses l'une : ou nous trouverons la solution que nous poursuivons, ou nous ne croirons plus autant savoir ce que nous ignorons totalement ; et ce ne serait certes point là un gain à dédaigner. Quelle est donc ton affirmation actuelle ? Y ayant deux formes d'opinion, l'une vraie, l'autre fausse, c'est l'opinion vraie que tu définis science ?

c

Théétète. — Oui, quant à moi : c'est là, pour l'heure, l'idée que je m'en fais.

Socrate. — Vaut-il encore la peine, à propos de l'opinion, de revenir sur un point ?

Théétète. — Sur quel point veux-tu dire ?

d

Socrate. — Une chose me trouble maintenant qui m'a déjà préoccupé bien des fois : aussi mon embarras était grand, et à l'égard de moi-même, et à l'égard d'autrui, de ne savoir dire ce qu'est cet accident auquel nous sommes sujets et de quelle façon il se produit.

Théétète. — Quel accident ?

Le problème de l'erreur. Les deux dilemmes : savoir ou ne pas savoir ; être ou non-être.

Socrate. — L'opinion fausse. A bien considérer maintenant, j'hésite encore s'il nous vaut mieux la laisser de côté ou bien l'examiner d'autre façon que nous ne l'avons fait tout à l'heure.

Théétète. — Pourquoi hésiter, Socrate, pour peu que l'examen apparaisse nécessaire ? Tout à l'heure,

ΘΕΑΙ. Ἀλλὰ μὴν τοῦτό γε καλεῖται, ὦ Σώκρατες, ὡς ἐγᾦμαι, δοξάζειν.

ΣΩ. Ὀρθῶς γὰρ οἴει, ὦ φίλε. Καὶ ὅρα δὴ νῦν πάλιν ἐξ ἀρχῆς, πάντα τὰ πρόσθεν ἐξαλείψας, εἴ τι μᾶλλον καθορᾷς, ἐπειδὴ ἐνταῦθα προελήλυθας. Καὶ λέγε αὖθις τί ποτ᾽ ἐστὶν ἐπιστήμη. b

ΘΕΑΙ. Δόξαν μὲν πᾶσαν εἰπεῖν, ὦ Σώκρατες, ἀδύνατον, ἐπειδὴ καὶ ψευδής ἐστι δόξα· κινδυνεύει δὲ ἡ ἀληθὴς δόξα ἐπιστήμη εἶναι, καί μοι τοῦτο ἀποκεκρίσθω. Ἐὰν γὰρ μὴ φανῇ προϊοῦσιν ὥσπερ τὸ νῦν, ἄλλο τι πειρασόμεθα λέγειν.

ΣΩ. Οὕτω μέντοι χρή, ὦ Θεαίτητε, λέγειν προθύμως μᾶλλον, ἢ ὡς τὸ πρῶτον ὤκνεις ἀποκρίνεσθαι. Ἐὰν γὰρ οὕτω δρῶμεν, δυοῖν θάτερα, ἢ εὑρήσομεν ἐφ᾽ ὃ ἐρχόμεθα, ἢ ἧττον οἰησόμεθα εἰδέναι ὃ μηδαμῇ ἴσμεν· καίτοι οὐκ ἂν εἴη μεμπτὸς μισθὸς ὁ τοιοῦτος. Καὶ δὴ καὶ νῦν τί φῄς; δυοῖν ὄντοιν ἰδέαιν δόξης, τοῦ μὲν ἀληθινοῦ, ψευδοῦς δὲ τοῦ ἑτέρου, τὴν ἀληθῆ δόξαν ἐπιστήμην ὁρίζῃ; c

ΘΕΑΙ. Ἔγωγε· τοῦτο γὰρ αὖ νῦν μοι φαίνεται.

ΣΩ. Ἆρ᾽ οὖν ἔτ᾽ ἄξιον περὶ δόξης ἀναλαβεῖν πάλιν —

ΘΕΑΙ. Τὸ ποῖον δὴ λέγεις;

ΣΩ. Θράττει μέ πως νῦν τε καὶ ἄλλοτε δὴ πολλάκις, ὥστ᾽ ἐν ἀπορίᾳ πολλῇ πρὸς ἐμαυτὸν καὶ πρὸς ἄλλον γεγονέναι, οὐκ ἔχοντα εἰπεῖν τί ποτ᾽ ἐστὶ τοῦτο τὸ πάθος παρ᾽ ἡμῖν καὶ τίνα τρόπον ἐγγιγνόμενον. d

ΘΕΑΙ. Τὸ ποῖον δή;

ΣΩ. Τὸ δοξάζειν τινὰ ψευδῆ. Σκοπῶ δὴ καὶ νῦν ἔτι διστάζων, πότερον ἐάσομεν αὐτὸ ἢ ἐπισκεψόμεθα ἄλλον τρόπον ἢ ὀλίγον πρότερον.

ΘΕΑΙ. Τί μήν, ὦ Σώκρατες, εἴπερ γε καὶ ὁπητιοῦν φαί-

b 5 ἡ om. W || c 1 θάτερα : -ον Y || c 4 ἰδέαιν codd. : εἰδέοιν uulg. || c 6 αὖ : ἂν Y || μοι νῦν W || d 7 ἐάσομεν : -ωμεν B || αὐτό : -όν Y || ἐπισκεψόμεθα : -ώμεθα B || d 9 ὁπητιοῦν Burnet : ὁπηγοῦν B ὅπηι γοῦν W ὁπηουν T ὀπη οὖν Y.

en effet, quand Théodore et toi vous parliez du loisir, vous disiez
e fort justement que rien, en pareilles discussions, ne nous presse[1].

Socrate. — Tu as raison de me rappeler ce souvenir : peut-être, en effet, n'est-il point hors de propos que nous revenions, pour ainsi dire, sur la trace. Mieux vaut, j'imagine, petit et bon achèvement que grand remuage qui n'aboutit point.

Théétète. — Comment donc !

Socrate. — Eh bien, comment, au juste, posons-nous la question ? En tous les cas où nous parlons d'opinion fausse, où nous disons que l'un de nous juge faux, et l'autre, vrai, affirmons-nous cette distinction comme fondée en nature ?

Théétète. — Nous l'affirmons effectivement.

188 a Socrate. — Or ne sommes-nous pas en cette alternative, devant toutes les questions comme devant chacune, ou de savoir ou de ne pas savoir ? Qu'apprendre et oublier se placent, en effet, dans l'intervalle de ces deux termes, c'est chose que je laisse de côté pour le présent ; car cela ne touche en rien l'argument actuel.

Théétète. — En ce cas, Socrate, il ne reste rien d'autre, en chaque question, que de savoir ou ne pas savoir.

Socrate. — N'est-il pas dès lors inévitable que tout acte d'opinion porte ou sur ce que sait, ou sur ce que ne sait pas celui qui le forme ?

Théétète. — Inévitable.

b Socrate. — Or ce qu'on sait, ne pas le savoir ; ce qu'on ne sait pas, le savoir, sont choses impossibles.

Théétète. — Comment seraient-elles possibles ?

Socrate. — Serait-ce donc que, dans l'opinion fausse, on prendrait des choses qu'on sait, non pour cela même qu'elles sont, mais pour d'autres choses qu'on sait, et que, tout en sachant les unes et les autres, on ignorerait pourtant les unes comme les autres ?

Théétète. — Mais c'est impossible, Socrate.

Socrate. — Serait-ce donc que l'on prendrait les choses mêmes que l'on sait pour d'autres que l'on ne sait point, et peut-on, si l'on ne connaît ni Théétète ni Socrate, venir à penser que Socrate est Théétète, ou Théétète, Socrate ?

1. Ces allusions au « loisir » sont distribuées intentionnellement (154 e, 172 c, 187 e), pour rattacher, au reste du dialogue, la grande digression centrale.

νεται δεῖν ; ἄρτι γὰρ οὐ κακῶς γε σὺ καὶ Θεόδωρος ἐλέγετε σχολῆς πέρι, ὡς οὐδὲν ἐν τοῖς τοιοῖσδε κατεπείγει.

ΣΩ. Ὀρθῶς ὑπέμνησας· ἴσως γὰρ οὐκ ἀπὸ καιροῦ πάλιν e ὥσπερ ἴχνος μετελθεῖν. Κρεῖττον γάρ που σμικρὸν εὖ ἢ πολὺ μὴ ἱκανῶς περᾶναι.

ΘΕΑΙ. Τί μήν ;

ΣΩ. Πῶς οὖν ; τί δὴ καὶ λέγομεν ; ψευδῆ φαμεν ἑκάστοτε εἶναι δόξαν, καί τινα ἡμῶν δοξάζειν ψευδῆ, τὸν δ' αὖ ἀληθῆ, ὡς φύσει οὕτως ἐχόντων ;

ΘΕΑΙ. Φαμὲν γὰρ δή.

ΣΩ. Οὐκοῦν τόδε γ' ἔσθ' ἡμῖν περὶ πάντα καὶ καθ' 188 a ἕκαστον, ἤτοι εἰδέναι ἢ μὴ εἰδέναι ; μανθάνειν γὰρ καὶ ἐπιλανθάνεσθαι μεταξὺ τούτων ὡς ὄντα χαίρειν λέγω ἐν τῷ παρόντι· νῦν γὰρ ἡμῖν πρὸς λόγον ἐστὶν οὐδέν.

ΘΕΑΙ. Ἀλλὰ μήν, ὦ Σώκρατες, ἄλλο γ' οὐδὲν λείπεται περὶ ἕκαστον πλὴν εἰδέναι ἢ μὴ εἰδέναι.

ΣΩ. Οὐκοῦν ἤδη ἀνάγκη τὸν δοξάζοντα δοξάζειν ἢ ὧν τι οἶδεν ἢ μὴ οἶδεν ;

ΘΕΑΙ. Ἀνάγκη.

ΣΩ. Καὶ μὴν εἰδότα γε μὴ εἰδέναι τὸ αὐτὸ ἢ μὴ εἰδότα εἰδέναι ἀδύνατον. b

ΘΕΑΙ. Πῶς δ' οὔ ;

ΣΩ. Ἆρ' οὖν ὁ τὰ ψευδῆ δοξάζων, ἃ οἶδε, ταῦτα οἴεται οὐ ταῦτα εἶναι ἀλλὰ ἕτερα ἄττα ὧν οἶδε, καὶ ἀμφότερα εἰδὼς ἀγνοεῖ αὖ ἀμφότερα ;

ΘΕΑΙ. Ἀλλ' ἀδύνατον, ὦ Σώκρατες.

ΣΩ. Ἀλλ' ἆρα, ἃ μὴ οἶδεν, ἡγεῖται αὐτὰ εἶναι ἕτερα ἄττα ὧν μὴ οἶδε, καὶ τοῦτ' ἔστι τῷ μήτε Θεαίτητον μήτε Σωκράτη εἰδότι εἰς τὴν διάνοιαν λαβεῖν ὡς ὁ Σωκράτης Θεαίτητος ἢ ὁ Θεαίτητος Σωκράτης ;

e 5 τί : ἔτι W || **188 a** 1 τόδε γ' ἔσθ' : τοῦτο γ' ἐστὶν W || **a** 3 λέγω : -ομεν W || **b** 4 εἶναι : εἰδέναι (sed γρ. εἶναι in marg.) W || **b** 5 αὖ om. BT || **b** 9 εἰδότι : -α W || **b** 10 ὁ om. TY.

c THÉÉTÈTE. — Et comment l'imaginer ?

SOCRATE. — Et pourtant, ce qu'on sait, on ne peut le prendre pour ce qu'on ne sait pas, ni, ce qu'on ne sait pas, pour ce qu'on sait.

THÉÉTÈTE. — Ce serait monstrueux.

SOCRATE. — Par quelle autre voie donc se pourrait former une opinion fausse ? Ces hypothèses exclues, en effet, il est impossible que se produise une opinion quelconque, puisque, de tout, nous avons ou savoir ou non-savoir et qu'en aucun des termes de cette alternative n'apparaît possible l'opinion fausse.

THÉÉTÈTE. — C'est il ne se peut plus vrai.

SOCRATE. — Serait-ce qu'il ne faudrait point diriger notre recherche de ce point de vue, mais, au lieu de poursuivre l'opposition entre savoir et ne pas savoir, nous attacher à d l'être et au non-être ?

THÉÉTÈTE. — Que veux-tu dire ?

SOCRATE. — Que l'explication simple pourrait bien être celle-ci : l'opinion qui, sur quelque objet que ce soit, affirme ce qui n'est point, ne peut pas ne pas être une opinion fausse, quelle que soit la pensée où elle se forme.

THÉÉTÈTE. — Cela encore est vraisemblable, Socrate.

SOCRATE. — Comment donc faire ? Que répondrons-nous, Théétète, à qui nous objectera : « Est-ce là dire chose qui soit possible à personne ? Y aura-t-il un homme dont l'opinion puisse énoncer ce qui n'est point, soit relativement à quelque être, soit absolument[1] ? » Nous donc, ce semble, e à cela répondrons : « Oui, si cet homme croit, et que ce qu'il croit ne soit point vrai ». Ou bien que dire ?

THÉÉTÈTE. — Cela même.

SOCRATE, — Y a-t-il d'autres cas où pareille chose arrive ?

THÉÉTÈTE. — Quoi ?

SOCRATE. — Que l'on voie certaine chose tout en n'en voyant pas une.

THÉÉTÈTE. — Et le moyen ?

SOCRATE. — Mais qui voit une certaine chose voit certaine des choses qui sont. Ou bien penses-tu que l'Un soit des choses qui ne sont point ?

1. Les sophistes le niaient (cf. *Notice*, p. 141, note 3; *Euthydème*, 284 a-287 a), mais Platon l'a nié lui-même (*Républ.*, 478 b/e).

ΘΕΑΙ. Καὶ πῶς ἄν ; c

ΣΩ. Ἀλλ' οὐ μήν, ἅ γέ τις οἶδεν, οἴεταί που ἃ μὴ οἶδεν αὐτὰ εἶναι, οὐδ' αὖ ἃ μὴ οἶδεν, ἃ οἶδεν.

ΘΕΑΙ. Τέρας γὰρ ἔσται.

ΣΩ. Πῶς οὖν ἄν τις ἔτι ψευδῆ δοξάσειεν ; ἐκτὸς γὰρ τούτων ἀδύνατόν που δοξάζειν, ἐπείπερ πάντ' ἢ ἴσμεν ἢ οὐκ ἴσμεν, ἐν δὲ τούτοις οὐδαμοῦ φαίνεται δυνατὸν ψευδῆ δοξάσαι.

ΘΕΑΙ. Ἀληθέστατα.

ΣΩ. Ἆρ' οὖν οὐ ταύτῃ σκεπτέον ὃ ζητοῦμεν, κατὰ τὸ εἰδέναι καὶ μὴ εἰδέναι ἰόντας, ἀλλὰ κατὰ τὸ εἶναι καὶ μή ; d

ΘΕΑΙ. Πῶς λέγεις:

ΣΩ. Μὴ ἁπλοῦν ᾖ ὅτι ὁ τὰ μὴ ὄντα περὶ ὁτουοῦν δοξάζων οὐκ ἔσθ' ὡς οὐ ψευδῆ δοξάσει, κἂν ὁπωσοῦν ἄλλως τὰ τῆς διανοίας ἔχῃ.

ΘΕΑΙ. Εἰκός γ' αὖ, ὦ Σώκρατες.

ΣΩ. Πῶς οὖν ; τί ἐροῦμεν, ὦ Θεαίτητε, ἐάν τις ἡμᾶς ἀνακρίνῃ. « Δυνατὸν δὲ ὁτῳοῦν ὃ λέγεται, καί τις ἀνθρώπων τὸ μὴ ὂν δοξάσει, εἴτε περὶ τῶν ὄντων του εἴτε αὐτὸ καθ' αὑτό » ; καὶ ἡμεῖς δή, ὡς ἔοικεν, πρὸς ταῦτα φήσομεν· « Ὅταν γε μὴ ἀληθῆ οἴηται οἰόμενος »· ἢ πῶς e ἐροῦμεν ;

ΘΕΑΙ. Οὕτως.

ΣΩ. Ἦ οὖν καὶ ἄλλοθί που τὸ τοιοῦτόν ἐστιν ;

ΘΕΑΙ. Τὸ ποῖον ;

ΣΩ. Εἴ τις ὁρᾷ μέν τι, ὁρᾷ δὲ οὐδέν.

ΘΕΑΙ. Καὶ πῶς ;

ΣΩ. Ἀλλὰ μὴν εἰ ἕν γέ τι ὁρᾷ, τῶν ὄντων τι ὁρᾷ. Ἢ σὺ οἴει ποτὲ τὸ ἓν ἐν τοῖς μὴ οὖσιν εἶναι ;

c 3 ἃ οἶδεν om. BW || c 5 τις om. TY || c 6 πάντ' ἢ edd. : πάντα ἢ YW πάντῃ B πάντα T || c 10 ὃ ζητοῦμεν : ἐζη- B || d 1 εἶναι W : εἰδέναι BTY || d 6 γ' : γὰρ W || d 8 δὲ : δὴ Heindorf || λέγεται : -ετε Buttmann || d 10 δή : δέ W || e 1 ἀληθῆ μὴ TY || e 6 εἴ : ἢ Heindorf || e 8 εἰ supra lin. habet Y || e 9 τὸ ἓν B : τὸ ὂν YW ἓν T.

THÉÉTÈTE. — Non certes.

SOCRATE. — Celui donc qui voit une certaine chose voit certaine chose qui est.

THÉÉTÈTE. — Apparemment.

189 a SOCRATE. — Et celui qui entend certaine chose entend une certaine chose, et qui est.

THÉÉTÈTE. — Oui.

SOCRATE. — Et qui touche certaine chose touche une certaine chose, et qui est, en tant qu'une.

THÉÉTÈTE. — Oui encore.

SOCRATE. — Or, au fait, qui juge juge une certaine chose?

THÉÉTÈTE. — Nécessairement.

SOCRATE. — Mais qui juge une certaine chose ne juge-t-il pas certaine chose qui est?

THÉÉTÈTE. — Je l'accorde.

SOCRATE. — Celui donc qui juge ce qui n'est pas ne juge aucune chose.

THÉÉTÈTE. — Apparemment.

SOCRATE. — Mais, ne juger aucune chose, c'est ne pas juger du tout[1].

THÉÉTÈTE. — Cela semble évident.

b SOCRATE. — Impossible donc de juger ce qui n'est point, soit relativement à des êtres, soit absolument.

THÉÉTÈTE. — Apparemment.

SOCRATE. — Juger faux est donc autre chose que juger choses qui ne sont point.

THÉÉTÈTE. — Autre chose, ce semble.

SOCRATE. — Ce n'est donc point de cette façon ni de celle que nous examinions précédemment que s'établit en nous l'opinion fausse.

THÉÉTÈTE. — Certainement non.

SOCRATE. — Serait-ce donc de la façon que voici que se produit ce que nous appelons de ce nom?

THÉÉTÈTE. — De quelle façon?

1. Malebranche dira : « Il est certain que le néant ou le faux n'est point visible ou intelligible. Ne rien voir, ce n'est point voir ; penser à rien, c'est ne point penser. » Mais, si le rapport inexistant qui constitue une fausseté ne peut être aperçu, « ce rapport, qui n'est point, peut être cru. » (*Recherche de la vérité,* livre IV, éd. Jules Simon, II, 98 ; cf. *ibid.*, p. 298).

ΘΕΑΙ. Οὐκ ἔγωγε.

ΣΩ. Ὁ ἄρα ἕν γέ τι ὁρῶν ὄν τι ὁρᾷ.

ΘΕΑΙ. Φαίνεται.

ΣΩ. Καὶ ὁ ἄρα τι ἀκούων ἕν γέ τι ἀκούει καὶ ὄν τι ἀκούει. 189 a

ΘΕΑΙ. Ναί.

ΣΩ. Καὶ ὁ ἁπτόμενος δή του ἑνός γέ του ἅπτεται καὶ ὄντος, εἴπερ ἑνός;

ΘΕΑΙ. Καὶ τοῦτο.

ΣΩ. Ὁ δὲ δὴ δοξάζων οὐχ ἕν γέ τι δοξάζει;

ΘΕΑΙ. Ἀνάγκη.

ΣΩ. Ὁ δ' ἕν τι δοξάζων οὐκ ὄν τι;

ΘΕΑΙ. Συγχωρῶ.

ΣΩ. Ὁ ἄρα μὴ ὂν δοξάζων οὐδὲν δοξάζει;

ΘΕΑΙ. Οὐ φαίνεται.

ΣΩ. Ἀλλὰ μὴν ὅ γε μηδὲν δοξάζων τὸ παράπαν οὐδὲ δοξάζει.

ΘΕΑΙ. Δῆλον, ὡς ἔοικεν.

ΣΩ. Οὐκ ἄρα οἷόν τε τὸ μὴ ὂν δοξάζειν, οὔτε περὶ τῶν ὄντων οὔτε αὐτὸ καθ' αὑτό. b

ΘΕΑΙ. Οὐ φαίνεται.

ΣΩ. Ἄλλο τι ἄρ' ἐστὶ τὸ ψευδῆ δοξάζειν τοῦ τὰ μὴ ὄντα δοξάζειν.

ΘΕΑΙ. Ἄλλο ἔοικεν.

ΣΩ. Οὔτ' ἄρ' οὕτως οὔτε ὡς ὀλίγον πρότερον ἐσκοποῦμεν, ψευδής ἐστι δόξα ἐν ἡμῖν.

ΘΕΑΙ. Οὐ γὰρ οὖν δή.

ΣΩ. Ἀλλ' ἆρα ὧδε γιγνόμενον τοῦτο προσαγορεύομεν;

ΘΕΑΙ. Πῶς;

e 11 ὄν : ἕν B || 189 a 1 γέ : τέ Schanz || ὄν τι W : ὄν BTY || a 2 ἀκούει secl. Burnet || a 4 ὁ : ὅ τί W || δή του : -που BW || a 5 post ὄντος add. ἅπτεται uulg. || a 7 οὐχ ἕν γέ τι W : οὐχ ἕν τι BT οὐδέν τι Y || a 13 οὐδὲ : οὐ Y || b 3 οὐ om. W || b 7 οὔτ' ἄρ' Heusde : οὐ γὰρ codd. || b 9 οὖν : οὐ B || b 10 ὧδε : ὧδὲ αὐτὸ W || γιγνόμενον τοῦτο : τοῦ γιγνομένου Y.

L'erreur par substitution.

SOCRATE. — Nous affirmons fausse, au titre de méprise, l'opinion de l'homme c qui, confondant en sa pensée un être avec un autre être, affirme l'un pour l'autre. Ce faisant, en effet, c'est toujours sur un être que porte son opinion, mais sur l'un en place de l'autre, et manquer ainsi ce qu'on vise pourrait à bon droit s'appeler juger faux.

THÉÉTÈTE. — Ton explication me paraît très juste. Lorsque, en effet, ce qui est beau, on le juge laid et, ce qui est laid, beau, alors on juge véritablement faux.

SOCRATE. — Tu fais bien voir, Théétète, le peu d'estime et le peu de crainte que je t'inspire.

THÉÉTÈTE. — En quoi donc spécialement ?

SOCRATE. — Tu comptes, j'imagine, que ton « véritable- d ment faux » passera sans que je l'attaque, sans que je demande si le vite se peut faire lentement, le léger, lourdement, et tout autre contraire se faire, non dans le sens de sa propre nature, mais dans le sens de la nature contraire, à l'opposé de la sienne propre. Dispute dont je m'abstiendrai, pour ne point donner tort à ta hardiesse. Mais trouves-tu satisfaisant, comme tu l'affirmes, que juger faux soit se méprendre ?

THÉÉTÈTE. — Satisfaisant pour moi.

SOCRATE. — Il est donc possible, d'après ta propre opinion, de poser en sa pensée une chose pour autre chose qu'elle n'est.

THÉÉTÈTE. — C'est certes possible.

SOCRATE. — A la pensée qui fait cette confusion, n'est-il e pas nécessaire de penser soit l'une et l'autre, soit l'une ou l'autre de ces choses ?

THÉÉTÈTE. — Nécessaire assurément. Toutes les deux : soit ensemble, soit l'une après l'autre.

SOCRATE. — Excellent. Mais appelles-tu penser ce que j'appelle de ce nom ?

THÉÉTÈTE. — Qu'appelles-tu de ce nom ?

SOCRATE. — Un discours que l'âme se tient tout au long à elle-même sur les objets qu'elle examine. C'est en homme qui ne sait point que je t'expose cela. C'est ainsi, en effet, que je me figure l'âme en son acte de penser ; ce n'est pas autre chose, pour elle, que dialoguer, s'adresser à elle-même les questions et les réponses, passant de l'affirmation à la négation. Quand

ΣΩ. Ἀλλοδοξίαν τινὰ οὖσαν ψευδῆ φαμεν εἶναι δόξαν, ὅταν τίς ⟨τι⟩ τῶν ὄντων ἄλλο αὖ τῶν ὄντων ἀνταλλαξά- c μενος τῇ διανοίᾳ φῇ εἶναι. Οὕτω γὰρ ὃν μὲν ἀεὶ δοξάζει, ἕτερον δὲ ἀνθ᾽ ἑτέρου, καὶ ἁμαρτάνων οὗ ἐσκόπει δικαίως ἂν καλοῖτο ψευδῆ δοξάζων.

ΘΕΑΙ. Ὀρθότατά μοι νῦν δοκεῖς εἰρηκέναι. Ὅταν γάρ τις ἀντὶ καλοῦ αἰσχρὸν ἢ ἀντὶ αἰσχροῦ καλὸν δοξάζῃ, τότε ὡς ἀληθῶς ψευδῆ δοξάζει.

ΣΩ. Δῆλος εἶ, ὦ Θεαίτητε, καταφρονῶν μου καὶ οὐ δεδιώς.

ΘΕΑΙ. Τί μάλιστα ;

ΣΩ. Οὐκ ἂν οἶμαι σοὶ δοκῶ τοῦ ἀληθῶς ψευδοῦς ἀντιλαβέσθαι, ἐρόμενος εἰ οἷόν τε ταχὺ βραδέως ἢ κοῦφον d βαρέως ἢ ἄλλο τι ἐναντίον μὴ κατὰ τὴν αὑτοῦ φύσιν ἀλλὰ κατὰ τὴν τοῦ ἐναντίου γίγνεσθαι ἑαυτῷ ἐναντίως. Τοῦτο μὲν οὖν, ἵνα μὴ μάτην θαρρήσῃς, ἀφίημι. Ἀρέσκει δέ, ὡς φῄς, τὸ τὰ ψευδῆ δοξάζειν ἀλλοδοξεῖν εἶναι ;

ΘΕΑΙ. Ἔμοιγε.

ΣΩ. Ἔστιν ἄρα κατὰ τὴν σὴν δόξαν ἕτερόν τι ὡς ἕτερον καὶ μὴ ὡς ἐκεῖνο τῇ διανοίᾳ τίθεσθαι.

ΘΕΑΙ. Ἔστι μέντοι.

ΣΩ. Ὅταν οὖν τοῦθ᾽ ἡ διάνοιά του δρᾷ, οὐ καὶ ἀνάγκη e αὐτὴν ἤτοι ἀμφότερα ἢ τὸ ἕτερον διανοεῖσθαι ;

ΘΕΑΙ. Ἀνάγκη μὲν οὖν· ἤτοι ἅμα γε ἢ ἐν μέρει.

ΣΩ. Κάλλιστα. Τὸ δὲ διανοεῖσθαι ἆρ᾽ ὅπερ ἐγὼ καλεῖς ;

ΘΕΑΙ. Τί καλῶν ;

ΣΩ. Λόγον ὃν αὐτὴ πρὸς αὑτὴν ἡ ψυχὴ διεξέρχεται περὶ ὧν ἂν σκοπῇ. Ὥς γε μὴ εἰδώς σοι ἀποφαίνομαι. Τοῦτο γάρ μοι ἰνδάλλεται διανοουμένη οὐκ ἄλλο τι ἢ διαλέγεσθαι, αὐτὴ ἑαυτὴν ἐρωτῶσα καὶ ἀποκρινομένη, καὶ 190 a φάσκουσα καὶ οὐ φάσκουσα. Ὅταν δὲ ὁρίσασα, εἴτε

c 1 τι edd. : om. BTYW || c 6 καλὸν αἰσχροῦ Y[1] || c 7 ψευδῆ δοξάζει W : δοξάζει ψευδῆ BTY || d 1-2 βραδέος... βαρέος Y || e 7 γε : τε Y.

elle a, soit dans un mouvement plus ou moins lent, soit même dans un élan plus rapide, défini son arrêt ; que, dès lors, elle demeure constante en son affirmation et ne doute plus, c'est là ce que nous posons être, chez elle, opinion. Si bien que cet acte de juger s'appelle pour moi discourir, et l'opinion, un discours exprimé, non certes devant un autre et oralement, mais silencieusement et à soi-même[1]. Et toi ?

Théétète. — Moi aussi.

Socrate. — Celui donc qui prend l'un pour l'autre s'affirme aussi à soi-même, ce semble, que l'un est l'autre.

b Théétète. — Comment donc !

Socrate. — Eh bien, rappelle-toi si jamais tu t'es dit à toi-même que, le plus sûrement du monde, le beau même est laid, ou l'injuste, juste. Ou bien encore, point capital, examine si tu as jamais entrepris de te persuader à toi-même que, le plus sûrement du monde, l'un est l'autre ; s'il n'est pas vrai que, tout au contraire, pas même en rêve tu n'eus jamais l'audace de te dire à toi-même que, d'une façon totalement catégorique, les impairs sont pairs, ou de te soutenir quelque autre assertion de ce genre.

Théétète. — Tu dis vrai.

c Socrate. — Croiras-tu que quelque autre, en santé ou bien en folie, puisse oser sérieusement s'affirmer à soi-même, essayer de se persuader à soi-même que, nécessairement, le bœuf est cheval ou le deux, un[2] ?

Théétète. — Par Zeus, je ne le crois point.

Socrate. — Si donc se tenir discours à soi-même est juger, personne ne pourra, sur l'un et l'autre tenant discours et jugeant, quand avec l'un et l'autre son âme est en contact, dire et juger que l'un est l'autre. Il faut que tu me concèdes

d toi-même cette formule, car voici ce que je veux dire par là : personne ne juge que le beau est laid ni qu'autres opposés analogues se confondent.

1. Cf. *Sophiste*, 263 e et suiv. ; et, pour une description vivante de ce dialogue intérieur, *Philèbe*, 38 c/e.

2. Même dans l'hypothèse d'un Dieu trompeur, dira Malebranche (*Recherche de la Vérité*, livre VI, éd. J. Simon, II, p. 387), « je sens... que je ne pourrais douter que je fusse ou que 2 fois 2 fussent égaux à 4, parce que *j'aperçois ces choses de simple vue sans l'usage de la mémoire.* »

βραδύτερον εἴτε καὶ ὀξύτερον ἐπᾴξασα, τὸ αὐτὸ ἤδη φῇ καὶ μὴ διστάζῃ, δόξαν ταύτην τίθεμεν αὐτῆς. Ὥστ' ἔγωγε τὸ δοξάζειν λέγειν καλῶ καὶ τὴν δόξαν λόγον εἰρημένον, οὐ μέντοι πρὸς ἄλλον οὐδὲ φωνῇ, ἀλλὰ σιγῇ πρὸς αὑτόν· σὺ δὲ τί;

ΘΕΑΙ Κἀγώ.

ΣΩ. Ὅταν ἄρα τις τὸ ἕτερον ἕτερον δοξάζῃ, καὶ φησίν, ὡς ἔοικε, τὸ ἕτερον ἕτερον εἶναι πρὸς ἑαυτόν.

ΘΕΑΙ. Τί μήν; b

ΣΩ. Ἀναμιμνῄσκου δὴ εἰ πώποτ' εἶπες πρὸς σεαυτὸν ὅτι παντὸς μᾶλλον τό τοι καλὸν αἰσχρόν ἐστιν ἢ τὸ ἄδικον δίκαιον. Ἦ καί, τὸ πάντων κεφάλαιον, σκόπει εἴ ποτ' ἐπεχείρησας σεαυτὸν πείθειν ὡς παντὸς μᾶλλον τὸ ἕτερον ἕτερόν ἐστιν, ἢ πᾶν τοὐναντίον οὐδ' ἐν ὕπνῳ πώποτε ἐτόλμησας εἰπεῖν πρὸς σεαυτὸν ὡς παντάπασιν ἄρα τὰ περιττὰ ἄρτιά ἐστιν ἤ τι ἄλλο τοιοῦτον.

ΘΕΑΙ. Ἀληθῆ λέγεις.

ΣΩ. Ἄλλον δέ τινα οἴει ὑγιαίνοντα ἢ μαινόμενον τολμῆσαι σπουδῇ πρὸς ἑαυτὸν εἰπεῖν ἀναπείθοντα αὑτὸν ὡς ἀνάγκη τὸν βοῦν ἵππον εἶναι ἢ τὰ δύο ἕν; c

ΘΕΑΙ. Μὰ Δί' οὐκ ἔγωγε.

ΣΩ. Οὐκοῦν εἰ τὸ λέγειν πρὸς ἑαυτὸν δοξάζειν ἐστίν, οὐδεὶς ἀμφότερά γε λέγων καὶ δοξάζων καὶ ἐφαπτόμενος ἀμφοῖν τῇ ψυχῇ εἴποι ἂν καὶ δοξάσειεν ὡς τὸ ἕτερον ἕτερόν ἐστιν. Ἐατέον δὲ καὶ σοὶ τὸ ῥῆμα [περὶ τοῦ ἑτέρου]· λέγω γὰρ αὐτὸ τῇδε, μηδένα δοξάζειν ὡς τὸ αἰσχρὸν καλὸν ἢ ἄλλο τι τῶν τοιούτων. d

190 a 3 καὶ post εἴτε om. Y || a 4 ταύτην : -ης Y || b 2 (et mox b 7) πρὸς σεαυτόν : πρὸς ἑαυτόν W || b 4 εἴ ποτ' : εἴτ' B || b 8 τι : τοι Y || c 3 τὸν ἵππον βοῦν YW || c 6 καὶ post δοξάζων om. T || c 8 δὲ καὶ : δ' ἔσται Campbell || ῥῆμα [——] recte Burnet: ῥῆμα περὶ τοῦ ἑτέρου TY (tuentur Campbell Wohlrab) ῥῆμα ἐπὶ τῶν ἐν μέρει, ἐπειδὴ τὸ ῥῆμα ἕτερον τῷ ἑτέρῳ κατὰ ῥῆμα ταὐτόν ἐστιν (ἐστι W) περὶ τοῦ ἑτέρου BW Coisl. (tuentur, omisso περὶ τοῦ ἑτέρου, Hermann omissoque ῥῆμα ante ἕτερον Badham Schanz) ῥῆμα ἐν τῷ μέρει Archer Hind uel ἐπὶ τῶν ἐν μέρει Ritter.

Théétète. — Mais, Socrate, je te la concède et je suis de l'avis que tu exprimes là.

Socrate. — Donc, opinant sur l'un et l'autre, impossible que l'un, on le juge autre.

Théétète. — Ce semble.

Socrate. — D'autre part, n'opinant que sur l'un et point du tout sur l'autre, on ne jugera jamais que l'un est l'autre.

Théétète. — Tu dis vrai : sans quoi l'âme serait forcée d'avoir contact avec cela même qui est absent de son opinion[1].

Socrate. — Donc ni l'opinion qui porte sur l'un et l'autre, ni celle qui ne porte que sur l'un, ne peut se méprendre en e jugeant. Par suite, définir l'opinion fausse un jugement qui prend l'un pour l'autre ne serait rien dire ; car ce n'est pas plus sous cet aspect que sous les précédents que se révèle en nous l'opinion fausse.

Théétète. — Il semble que non.

Socrate. — Et pourtant, Théétète, si elle ne doit se révéler possible, nous serons contraints d'avouer bon nombre d'absurdités.

Théétète. — Lesquelles donc ?

Socrate. — Je ne te les dirai point avant d'avoir parfaitement achevé mon examen. J'aurais honte, en effet, pour nous, si notre embarras sur ce point nous contraignait aux 191 a aveux dont je parle. Mais, la découverte faite, je suppose, et délivrés de notre embarras, alors seulement nous pourrons parler de ces aveux comme infligés à autrui, nous que le ridicule ne pourra plus atteindre. Que si notre embarras demeure sans issue, aussi ravalés, j'imagine, que gens vaincus par le mal de mer, nous laisserons l'argument nous piétiner et maltraiter à sa guise. Par une dernière issue, cependant, je trouve où faire passer notre enquête. Ecoute.

Théétète. — Parle sans plus d'ambages.

Socrate. — Je nierai que nous ayons eu raison d'avouer ce que nous avons avoué : qu'on ne peut prendre ce qu'on b sait pour ce qu'on ne sait pas et, par là, se tromper. Il y a, au contraire, quelque biais par où c'est possible.

Théétète. — Veux-tu parler de ce dont, moi-même, j'eus

1. Nous dirions : « absent de sa représentation » ou « de sa conscience ».

ΘΕΑΙ. Ἀλλ', ὦ Σώκρατες, ἐῶ τε καί μοι δοκεῖ ὡς λέγεις.

ΣΩ. Ἄμφω μὲν ἄρα δοξάζοντα ἀδύνατον τὸ ἕτερον ἕτερον δοξάζειν.

ΘΕΑΙ. Ἔοικεν.

ΣΩ. Ἀλλὰ μὴν τὸ ἕτερόν γε μόνον δοξάζων, τὸ δὲ ἕτερον μηδαμῇ, οὐδέποτε δοξάσει τὸ ἕτερον ἕτερον εἶναι.

ΘΕΑΙ. Ἀληθῆ λέγεις· ἀναγκάζοιτο γὰρ ἂν ἐφάπτεσθαι καὶ οὗ μὴ δοξάζει.

ΣΩ. Οὔτ' ἄρ' ἀμφότερα οὔτε τὸ ἕτερον δοξάζοντι ἐγχωρεῖ ἀλλοδοξεῖν. Ὥστ' εἴ τις ὁριεῖται δόξαν εἶναι e ψευδῆ τὸ ἑτεροδοξεῖν, οὐδὲν ἂν λέγοι· οὔτε γὰρ ταύτῃ οὔτε κατὰ τὰ πρότερα φαίνεται ψευδὴς ἐν ἡμῖν οὖσα δόξα.

ΘΕΑΙ. Οὐκ ἔοικεν.

ΣΩ. Ἀλλὰ μέντοι, ὦ Θεαίτητε, εἰ τοῦτο μὴ φανήσεται ὄν, πολλὰ ἀναγκασθησόμεθα ὁμολογεῖν καὶ ἄτοπα.

ΘΕΑΙ. Τὰ ποῖα δή;

ΣΩ. Οὐκ ἐρῶ σοι πρὶν ἂν πανταχῇ πειραθῶ σκοπῶν. Αἰσχυνοίμην γὰρ ἂν ὑπὲρ ἡμῶν, ἐν ᾧ ἀποροῦμεν, ἀναγκαζομένων ὁμολογεῖν οἷα λέγω. Ἀλλ' ἐὰν εὕρωμεν καὶ ἐλεύθεροι 191 a γενώμεθα, τότ' ἤδη περὶ τῶν ἄλλων ἐροῦμεν ὡς πασχόντων, ἐκτὸς τοῦ γελοίου ἑστῶτες· ἐὰν δὲ πάντῃ ἀπορήσωμεν, ταπεινωθέντες οἶμαι τῷ λόγῳ παρέξομεν ὡς ναυτιῶντες πατεῖν τε καὶ χρῆσθαι ὅτι ἂν βούληται. Ἧι οὖν ἔτι πόρον τινὰ εὑρίσκω τοῦ ζητήματος ἡμῖν, ἄκουε.

ΘΕΑΙ. Λέγε μόνον.

ΣΩ. Οὐ φήσω ἡμᾶς ὀρθῶς ὁμολογῆσαι, ἡνίκα ὡμολογήσαμεν ἅ τις οἶδεν, ἀδύνατον δοξάσαι ἃ μη οἶδεν εἶναι αὐτὰ καὶ ψευσθῆναι· ἀλλά πῃ δυνατόν. b

ΘΕΑΙ. Ἆρα λέγεις ὃ καὶ ἐγὼ τότε ὑπώπτευσα, ἡνίκ'

d 4 τὸ YW : τότε B τό** T τό γε Heindorf || **d** 11 τὸ : τῷ W || **e** 8 πειραθῶ : -ασθῶ Y || **e** 9 post ἀποροῦμεν add. καὶ Y || **191 a** 2 πασχόντων Y : πασχόντων αὐτὰ BT et re uera W -αὐτοὶ Ast -αὐτό, αὐτοὶ Heindorf || **b** 1 πῃ : τί supra lin. W².

tantôt le soupçon, quand nous expliquions le fait par cet exemple-ci : parfois, moi qui connais Socrate, à voir de loin quelque autre que je ne connaissais pas, je l'ai pris pour Socrate, que je connais ? Il se passe bien, en telle conjoncture, quelque chose de semblable à ce que tu dis là.

SOCRATE. — N'avons-nous pas écarté cette explication, parce qu'elle nous faisait, de ce que nous savons, avoir non-savoir en même temps que savoir ?

THÉÉTÈTE. — Si, absolument.

SOCRATE. — Ne la posons donc point comme solution. En voici une, au contraire, en qui nous trouverons peut-être c quelque complaisance, peut-être aussi de la résistance. Mais, dans l'extrémité où nous sommes, force est bien de ne laisser aucun argument sans le retourner en tous sens pour en faire l'épreuve. Vois donc s'il y a quelque chose à prendre dans ce que je vais dire. Est-il possible, commençant par ne point savoir une chose, d'arriver ensuite à l'apprendre ?

Substitution de souvenirs : les empreintes dans la cire.

THÉÉTÈTE. — Oui, certes.

SOCRATE. — Puis d'apprendre autre chose et autre chose encore ?

THÉÉTÈTE. — Pourquoi non ?

SOCRATE. — Suppose donc, pour le besoin de l'argument, qu'il y ait en nos âmes une cire imprégnable : en l'un de nous, plus abondante, en l'autre moins ; en celui-ci plus pure, en celui-là plus encrassée ; et plus dure ou bien, chez d d'aucuns, plus molle, ou, chez certains, réalisant une juste moyenne.

THÉÉTÈTE. — Très bien.

SOCRATE. — C'est un don, affirmerons-nous, de la mère des Muses, Mnémosyne : tout ce que nous désirons conserver en mémoire de ce que nous avons vu, entendu ou nous-mêmes conçu, se vient, en cette cire que nous présentons accueillante aux sensations et conceptions, graver en relief comme marques d'anneaux que nous y imprimerions. Ce qui s'empreint, nous en aurions mémoire et science tant qu'en persiste l'image. Ce qui s'efface ou n'a pas réussi à e s'empreindre, nous l'oublierions et ne le saurions point.

THÉÉTÈTE. — Soit.

SOCRATE. — Celui donc qui possède une science ainsi acquise, quand il considérera quelque objet qu'actuellement il voit

αὐτὸ ἔφαμεν τοιοῦτον εἶναι, ὅτι ἐνίοτ' ἐγὼ γιγνώσκων Σωκράτη, πόρρωθεν δὲ ὁρῶν ἄλλον ὃν οὐ γιγνώσκω, ᾠήθην εἶναι Σωκράτη ὃν οἶδα ; γίγνεται γὰρ δὴ ἐν τῷ τοιούτῳ οἷον λέγεις.

ΣΩ. Οὐκοῦν ἀπέστημεν αὐτοῦ, ὅτι ἃ ἴσμεν ἐποίει ἡμᾶς εἰδότας μὴ εἰδέναι ;

ΘΕΑΙ. Πάνυ μὲν οὖν.

ΣΩ. Μὴ γὰρ οὕτω τιθῶμεν, ἀλλ' ὧδε· ἴσως πῃ ἡμῖν συγχωρήσεται, ἴσως δὲ ἀντιτενεῖ. Ἀλλὰ γὰρ ἐν τοιούτῳ c ἐχόμεθα, ἐν ᾧ ἀνάγκη πάντα μεταστρέφοντα λόγον βασανίζειν. Σκόπει οὖν εἴ τι λέγω. Ἆρα ἔστιν μὴ εἰδότα τι πρότερον ὕστερον μαθεῖν ;

ΘΕΑΙ. Ἔστι μέντοι.

ΣΩ. Οὐκοῦν καὶ αὖθις ἕτερον καὶ ἕτερον ;

ΘΕΑΙ. Τί δ' οὔ ;

ΣΩ. Θὲς δή μοι λόγου ἕνεκα ἐν ταῖς ψυχαῖς ἡμῶν ἐνὸν κήρινον ἐκμαγεῖον, τῷ μὲν μεῖζον, τῷ δ' ἔλαττον, καὶ τῷ μὲν καθαρωτέρου κηροῦ, τῷ δὲ κοπρωδεστέρου, καὶ σκληροτέρου, ἐνίοις δὲ ὑγροτέρου, ἔστι δ' οἷς μετρίως ἔχοντος. d

ΘΕΑΙ. Τίθημι.

ΣΩ. Δῶρον τοίνυν αὐτὸ φῶμεν εἶναι τῆς τῶν Μουσῶν μητρὸς Μνημοσύνης, καὶ εἰς τοῦτο ὅτι ἂν βουληθῶμεν μνημονεῦσαι ὧν ἂν ἴδωμεν ἢ ἀκούσωμεν ἢ αὐτοὶ ἐννοήσωμεν, ὑπέχοντας αὐτὸ ταῖς αἰσθήσεσι καὶ ἐννοίαις, ἀποτυποῦσθαι, ὥσπερ δακτυλίων σημεῖα ἐνσημαινομένους· καὶ ὃ μὲν ἂν ἐκμαγῇ, μνημονεύειν τε καὶ ἐπίστασθαι ἕως ἂν ἐνῇ τὸ εἴδωλον αὐτοῦ· ὃ δ' ἂν ἐξαλειφθῇ ἢ μὴ οἷόν τε γένηται ἐκμαγῆναι, ἐπιλελῆσθαί τε καὶ μὴ ἐπίστασθαι. e

ΘΕΑΙ. Ἔστω οὕτως.

ΣΩ. Ὁ τοίνυν ἐπιστάμενος μὲν αὐτά, σκοπῶν δέ τι ὧν

b 10 ante ἴσως add. καὶ TY || **c** 1 ἐν : ἐν τῷ TY || **c** 2 ἐν ᾧ : νῷ B || μεστὰ τρέφωντα TY || **c** 8 ἐνὸν : ἓν Y || **c** 10 καὶ σκληροτέρου om. W || **d** 5 ἂν om. TY || ἴδωμεν : εἰδῶμεν BW[1] || ἀκούσωμεν : -ούωμεν BT || **d** 6 ὑπέχοντας : -ες W || **d** 9 ὃ δ' ἂν B[2]W : ὅταν B ὅτἂν δὲ T ὅταν δὲ Y.

ou entend, examine bien s'il n'aurait pas une possibilité de juger faux.

Théétète. — Laquelle ?

Socrate. — D'identifier ce qu'il sait, tantôt avec ce qu'il sait, tantôt avec ce qu'il ne sait pas. Car ce sont là des hypothèses qu'en nos précédentes concessions nous eûmes tort d'avouer impossibles.

Théétète. — Et que dis-tu maintenant ?

192 a Socrate. — Voici ce qu'il en faut dire, en y distinguant, dès le principe, les cas suivants[1]. Ce qu'on sait pour en avoir le souvenir en l'âme, mais sans en avoir la sensation actuelle, le confondre avec une autre chose qu'on sait, dont on a également l'empreinte sans la sensation actuelle, est impossible. De même, ce qu'on sait, le confondre avec ce qu'on ne sait pas et dont on ne garde pas le sceau imprimé en soi ; ou ce qu'on ne sait point, avec ce qu'on ne sait également point ; ou ce qu'on ne sait point, avec ce qu'on sait. De même, ce dont on a sensation actuelle, le confondre avec quelque autre chose dont on a sensation actuelle ; ou ce dont on a sensation b actuelle, avec ce dont on ne l'a point, ou ce dont on ne l'a point, avec autre chose dont on l'a. De même, ce qu'on sait pour en avoir, cette fois, et sensation actuelle et marque concordante avec cette sensation, le confondre avec quelque autre chose que l'on sait, dont on a sensation actuelle et dont on garde également une marque concordante avec cette sensation, c'est un cas plus irréalisable encore, s'il se peut, que les cas précédents. Ce que, de même, on sait pour en avoir, en même temps que la sensation actuelle, le souvenir fidèle, impossible de le confondre avec ce qu'on sait ; aussi bien de confondre ce qu'on sait, dont on a sensation actuelle pareillement confirmée, avec ce dont c on n'a que sensation actuelle ; ou ce qu'on ne sait point ni ne saisit en sensation actuelle, avec ce qu'on ne sait ni ne saisit en sensation actuelle ; ou ce qu'on ne sait ni ne saisit point en sensation actuelle, avec ce qu'on ne sait point ; ou ce qu'on ne sait point et dont on n'a point sensation actuelle, avec ce dont on n'a point sensation actuelle. Voilà tous cas où il est surabondamment impossible que l'on juge faux. Restent donc les cas suivants où, si elle se doit produire quelque part, se produira l'opinion fausse.

1. Socrate se plaît à « effarer » Théétète ; cf. *Notice*, p. 143.

ὁρᾷ ἢ ἀκούει, ἄθρει εἰ ἄρα τοιῷδε τρόπῳ ψευδῆ ἂν δοξάσαι.

ΘΕΑΙ. Ποίῳ δή τινι;

ΣΩ. Ἃ οἶδεν, οἰηθεὶς εἶναι τοτὲ μὲν ἃ οἶδε, τοτὲ δὲ ἃ μή. Ταῦτα γὰρ ἐν τοῖς πρόσθεν οὐ καλῶς ὡμολογήσαμεν ὁμολογοῦντες ἀδύνατα.

ΘΕΑΙ. Νῦν δὲ πῶς λέγεις;

ΣΩ. Δεῖ ὧδε λέγεσθαι περὶ αὐτῶν ἐξ ἀρχῆς διοριζο- (192 a) μένους ὅτι ὃ μέν τις οἶδεν, σχὼν αὐτοῦ μνημεῖον ἐν τῇ ψυχῇ, αἰσθάνεται δὲ αὐτὸ μή, οἰηθῆναι ἕτερόν τι ὧν οἶδεν, ἔχοντα καὶ ἐκείνου τύπον, αἰσθανόμενον δὲ μή, ἀδύνατον. Καὶ ὅ γε οἶδεν αὖ, οἰηθῆναι εἶναι ὃ μὴ οἶδε μηδ' ἔχει αὐτοῦ σφραγῖδα· καὶ ὃ μὴ οἶδεν, ὃ μὴ οἶδεν αὖ· καὶ ὃ μὴ οἶδεν, ὃ οἶδε· καὶ ὃ αἰσθάνεταί γε, ἕτερόν τι ὧν αἰσθάνεται οἰηθῆναι εἶναι· καὶ ὃ αἰσθάνεται, ὧν τι μὴ αἰσθάνεται· καὶ ὃ μὴ αἰσθάνεται, ὧν μὴ αἰσθάνεται· καὶ ὃ μὴ αἰσθάνεται, (b) ὧν αἰσθάνεται. Καὶ ἔτι γε αὖ καὶ ὃ οἶδε καὶ αἰσθάνεται καὶ ἔχει τὸ σημεῖον κατὰ τὴν αἴσθησιν, οἰηθῆναι αὖ ἕτερόν τι ὧν οἶδε καὶ αἰσθάνεται καὶ ἔχει αὖ καὶ ἐκείνου τὸ σημεῖον κατὰ τὴν αἴσθησιν, ἀδυνατώτερον ἔτι ἐκείνων, εἰ οἷόν τε. Καὶ ὃ οἶδε καὶ [ὃ] αἰσθάνεται ἔχων τὸ μνημεῖον ὀρθῶς, ὃ οἶδεν οἰηθῆναι ἀδύνατον· καὶ ὃ οἶδε καὶ αἰσθάνεται ἔχων κατὰ ταὐτά, ὃ αἰσθάνεται· καὶ ὃ αὖ μὴ οἶδε μηδὲ αἰσθά- (c) νεται, ὃ μὴ οἶδε μηδὲ αἰσθάνεται· καὶ ὃ μὴ οἶδε μηδὲ αἰσθάνεται, ὃ μὴ οἶδε· καὶ ὃ μὴ οἶδε μηδὲ αἰσθάνεται, ὃ μὴ αἰσθάνεται· πάντα ταῦτα ὑπερβάλλει ἀδυναμίᾳ τοῦ ἐν αὐτοῖς ψευδῆ τινα δοξάσαι. Λείπεται δὴ ἐν τοῖς τοιοῖσδε, εἴπερ που ἄλλοθι, τὸ τοιοῦτον γενέσθαι.

e 5 δή τινι : τινὶ δὴ W || **192 a** 2 σχῶν : ἔχων YW || **a** 3 ante οἰηθῆναι add. τοῦτο BW || τι : τι εἶναι W || **a** 4 αἰσθανόμενον : -ος W || **a** 6 σφραγῖδα : -ῖσαι Y || **b** 1 ὧν μή : ὧν B || καὶ... **b** 2 ὧν αἰσθάνεται habet in marg. B || **b** 2 ὃ W : ὧν BTY || **b** 3 ante ἔχει add. ὦ B ὧν T (sed utrumque punctis notatum) || αὖ : αὐτὸ W || **b** 5 ἐκείνων : ἐκεῖνον W || **b** 6 ὃ secl. Bonitz || τὸ μνημεῖον... **b** 7 ἔχων habet in marg. BT || **c** 2 ante primum ὃ μὴ add. οἰηθῆναι W || **c** 3 ὃ μὴ οἶδε· καὶ.. **c** 4 αἰσθάνεται habet in marg. B || **c** 4 ἀδυναμίᾳ : -ίαν Y.

Théétète. — Quels cas au juste ? Pour qu'au moins j'y comprenne un peu davantage ; car, pour l'heure, je n'arrive pas à suivre.

Socrate. — De choses que l'on sait faire confusion avec autres choses qu'on sait et dont on a sensation actuelle ; ou avec choses qu'on ne sait point, mais dont on a sensation actuelle ; ou la faire, de choses que l'on sait et dont on a sen-
d sation actuelle, avec autres choses que l'on sait et dont on a sensation actuelle.

Théétète. — Voilà qui me dépasse encore plus que tout à l'heure.

Socrate. — Laisse-moi donc te le répéter sous la forme suivante. Je sais qui est Théodore et me rappelle en moi-même quel il est, et j'ai, de Théétète, connaissance analogue. N'est-il pas vrai que, parfois les voyant, parfois ne les voyant pas, parfois les touchant et parfois non, parfois les entendant ou percevant par quelque autre sensation, parfois aussi n'ayant de vous aucune sensation, je n'en ai pas moins, de vous, souvenir et science en moi-même ?

e Théétète. — Parfaitement.

Socrate. — Voici donc le premier point à comprendre dans les explications que je te veux donner : on peut, de choses qu'on sait, n'avoir point sensation actuelle ; on peut, tout aussi bien, l'avoir.

Théétète. — C'est vrai.

Socrate. — Ne peut-on pas aussi, de choses qu'on ne sait point, fréquemment ne pas même avoir sensation actuelle et, fréquemment, avoir seulement cette sensation ?

Théétète. — Cela encore est possible.

Socrate. — Vois donc s'il te sera maintenant plus facile
193 a le suivre. Socrate, connaissant Théodore et Théétète, mais ne voyant ni l'un ni l'autre et n'ayant aucune autre sensation actuelle à leur sujet, jamais en lui-même ne jugera que Théétète est Théodore. Y a-t-il, en ce que je dis, quelque chose ou rien ?

Théétète. — Quelque chose, et qui est vérité.

Socrate. — Or cet exemple était le premier des cas que j'ai distingués au début.

Théétète. — En effet.

Socrate. — Voici le second : connaissant l'un de vous, mais ne connaissant point l'autre et n'ayant sensation actuelle

ΘΕΑΙ. Ἐν τίσι δή ; ἐὰν ἄρα ἐξ αὐτῶν τι μᾶλλον μάθω· νῦν μὲν γὰρ οὐχ ἕπομαι.

ΣΩ. Ἐν οἷς οἶδεν, οἰηθῆναι αὐτὰ ἕτερ᾽ ἄττα εἶναι ὧν οἶδε καὶ αἰσθάνεται· ἢ ὧν μὴ οἶδεν, αἰσθάνεται δέ· ἢ ὧν οἶδε καὶ αἰσθάνεται, ὧν οἶδεν αὖ καὶ αἰσθάνεται. d

ΘΕΑΙ. Νῦν πολὺ πλέον ἀπελείφθην ἢ τότε.

ΣΩ. Ὧδε δὴ ἀνάπαλιν ἄκουε. Ἐγὼ εἰδὼς Θεόδωρον καὶ ἐν ἐμαυτῷ μεμνημένος οἷός ἐστι, καὶ Θεαίτητον κατὰ ταὐτά, ἄλλο τι ἐνίοτε μὲν ὁρῶ αὐτούς, ἐνίοτε δὲ οὔ, καὶ ἅπτομαί ποτ᾽ αὐτῶν, τοτὲ δ᾽ οὔ, καὶ ἀκούω ἤ τινα ἄλλην αἴσθησιν αἰσθάνομαι, τοτὲ δ᾽ αἴσθησιν μὲν οὐδεμίαν ἔχω περὶ ὑμῶν, μέμνημαι δὲ ὑμᾶς οὐδὲν ἧττον καὶ ἐπίσταμαι αὐτὸς ἐν ἐμαυτῷ ;

ΘΕΑΙ. Πάνυ μὲν οὖν. e

ΣΩ. Τοῦτο τοίνυν πρῶτον μάθε ὧν βούλομαι δηλῶσαι, ὅτι ἔστι μὲν ἃ οἶδε μὴ αἰσθάνεσθαι, ἔστιν δὲ αἰσθάνεσθαι.

ΘΕΑΙ. Ἀληθῆ.

ΣΩ. Οὐκοῦν καὶ ἃ μὴ οἶδε, πολλάκις μὲν ἔστι μηδὲ αἰσθάνεσθαι, πολλάκις δὲ αἰσθάνεσθαι μόνον ;

ΘΕΑΙ. Ἔστι καὶ τοῦτο.

ΣΩ. Ἰδὲ δὴ ἐάν τι μᾶλλον νῦν ἐπίσπῃ. Σωκράτης εἰ γιγνώσκει Θεόδωρον καὶ Θεαίτητον, ὁρᾷ δὲ μηδέτερον, 193 a μηδὲ ἄλλη αἴσθησις αὐτῷ πάρεστι περὶ αὐτῶν, οὐκ ἄν ποτε ἐν ἑαυτῷ δοξάσειεν ὡς ὁ Θεαίτητός ἐστι Θεόδωρος. Λέγω τι ἢ οὐδέν ;

ΘΕΑΙ. Ναί, ἀληθῆ γε.

ΣΩ. Τοῦτο μὲν τοίνυν ἐκείνων πρῶτον ἦν ὧν ἔλεγον.

ΘΕΑΙ. Ἦν γάρ.

ΣΩ. Δεύτερον τοίνυν, ὅτι τὸν μὲν γιγνώσκων ὑμῶν, τὸν

c 10-**d** 1 ἢ ὧν οἶδε : ἢ ἃ — Ast ἢ ἐν οἷς — Ritter || **d** 3 ἄκουε om. Y || **d** 6 ποτ᾽ secl. Schanz || **d** 9 ἐν BW : om. B[1]TY || **e** 3 ὅτι BW : ὡς B[1]TY || ἔστιν δὲ... **e** 5 μηδὲ αἰσθάνεσθαι om. B || **e** 8 εἰ γιγνώσκει W : ἐπιγι- BTY ἐπεὶ γι- Ast || **193 a** 6 ἦν : οὖν Y.

ni de l'un, ni de l'autre, je ne confondrai jamais celui qui m'est connu avec celui qui ne l'est point.

Théétète. — C'est juste.

b Socrate. — Troisième exemple : n'ayant, ni de l'un, ni de l'autre, ni connaissance ni actuelle sensation, je ne confondrai jamais l'un, qui ne m'est point connu, avec quelque autre de ceux qui ne me sont point connus. Imagine-toi entendre une seconde fois, dans leur ensemble et leur suite, les cas précédemment exposés, où jamais, sur toi et Théodore, je ne porterai jugement faux, soit que je vous connaisse ou que je vous ignore tous deux, soit que je connaisse l'un et ne connaisse point l'autre. Répète, en mettant « sensations », le même raisonnement, si, effectivement, tu peux suivre.

Théétète. — Je suis.

Socrate. — Il reste, en fait, que l'on puisse juger faux en l'occurrence que voici. Je sais qui tu es et qui est Théodore. c J'ai, dans cette fameuse cire, comme imprimées par des bagues, vos marques à tous deux. De loin et de façon insuffisante vous voyant tous les deux, je m'efforce de rapporter la marque propre de chacun à la propre sensation visuelle que j'en ai ; de faire entrer et ajuster celle-ci en sa propre trace afin que se réalise la reconnaissance. Mais je viens à manquer ces ajustements ; comme gens qui se chaussent à rebours, j'intervertis les choses et porte la sensation visuelle que j'ai de chacun sur la marque appartenant à l'autre. Ou bien des troubles comme ceux que subit la vision dans les miroirs, transportant à gauche ce qui est à d droite, se produisent en moi et m'induisent en erreur [1]. C'est alors qu'en fait il arrive et de prendre une chose pour une autre et de juger faux.

Théétète. — C'est, en effet, vraisemblable, Socrate. Tu décris merveilleusement le trouble auquel est sujette l'opinion.

Socrate. — Un autre cas encore est celui où, connaissant l'un et l'autre et, de l'un, ayant, en plus de cette connaissance, la sensation actuelle, mais ne l'ayant point de l'autre, la connaissance que j'ai du premier n'est point conforme à cette sensation ; cas précédemment exposé par moi, mais à propos duquel tu ne m'as point compris.

1. Voir la description de ce phénomène dans le *Timée*, 46 a/c.

δὲ μὴ γιγνώσκων, αἰσθανόμενος δὲ μηδέτερον, οὐκ ἄν ποτε αὖ οἰηθείην ὃν οἶδα εἶναι ὃν μὴ οἶδα.

ΘΕΑΙ. Ὀρθῶς.

ΣΩ. Τρίτον δέ, μηδέτερον γιγνώσκων μηδὲ αἰσθανόμενος οὐκ ἂν οἰηθείην ὃν μὴ οἶδα ἕτερόν τιν᾽ εἶναι ὧν μὴ οἶδα. Καὶ τἆλλα τὰ πρότερα πάνθ᾽ ἑξῆς νόμιζε πάλιν ἀκηκοέναι, ἐν οἷς οὐδέποτ᾽ ἐγὼ περὶ σοῦ καὶ Θεοδώρου τὰ ψευδῆ δοξάσω, οὔτε γιγνώσκων οὔτε ἀγνοῶν ἄμφω, οὔτε τὸν μέν, τὸν δ᾽ οὐ γιγνώσκων· καὶ περὶ αἰσθήσεων κατὰ ταὐτά, εἰ ἄρα ἕπῃ. b

ΘΕΑΙ. Ἕπομαι.

ΣΩ. Λείπεται τοίνυν τὰ ψευδῆ δοξάσαι ἐν τῷδε, ὅταν γιγνώσκων σὲ καὶ Θεόδωρον, καὶ ἔχων ἐν ἐκείνῳ τῷ κηρίνῳ ὥσπερ δακτυλίων σφῷν ἀμφοῖν τὰ σημεῖα, διὰ μακροῦ καὶ μὴ ἱκανῶς ὁρῶν ἄμφω προθυμηθῶ, τὸ οἰκεῖον ἑκατέρου σημεῖον ἀποδοὺς τῇ οἰκείᾳ ὄψει, ἐμβιβάσας προσαρμόσαι εἰς τὸ ἑαυτῆς ἴχνος, ἵνα γένηται ἀναγνώρισις, εἶτα τούτων ἀποτυχὼν καὶ ὥσπερ οἱ ἔμπαλιν ὑποδούμενοι παραλλάξας προσβάλω τὴν ἑκατέρου ὄψιν πρὸς τὸ ἀλλότριον σημεῖον, ἢ καὶ οἷα τὰ ἐν τοῖς κατόπτροις τῆς ὄψεως πάθη, δεξιὰ εἰς ἀριστερὰ μεταρρεούσης, ταὐτὸν παθὼν διαμάρτω· τότε δὴ συμβαίνει ἡ ἑτεροδοξία καὶ τὸ ψευδῆ δοξάζειν. c d

ΘΕΑΙ. Ἔοικε γάρ, ὦ Σώκρατες. Θαυμασίως ὡς λέγεις τὸ τῆς δόξης πάθος.

ΣΩ. Ἔτι τοίνυν καὶ ὅταν ἀμφοτέρους γιγνώσκων τὸν μὲν πρὸς τῷ γιγνώσκειν αἰσθάνωμαι, τὸν δὲ μή, τὴν δὲ γνῶσιν τοῦ ἑτέρου μὴ κατὰ τὴν αἴσθησιν ἔχω, ὃ ἐν τοῖς πρόσθεν οὕτως ἔλεγον καί μου τότε οὐκ ἐμάνθανες.

b 1 μηδέτερον : μὴ δ᾽ ἕτ- W || **b** 2 τιν᾽ : τ᾽ Y || **b** 6 καὶ om. W || **b** 9 τὰ : τὸ Wagner || **b** 10 κηρίνῳ : -ίῳ W || **c** 1 ἀμφοῖν : αὐτοῖν B || **c** 5 ὑποδούμενοι : ἀποδ- Y || παραλλάξας : -λὰξ W || **c** 6 προσβάλω : -βάλλω W || ἑκατέρου : -έρω Y || **c** 7-**d** 1 δεξιὰ..ἀριστερὰ : -ιᾶς..-ὰν Ast || **d** 1 μεταρρεούσης : -φερούσης Buttmann || **d** 6 τῷ : τὸ B || αἰσθάνωμαι : -ομαι BW || **d** 8 μου : μοι W.

Théétète. — Non, vraiment.

Socrate. — Voici donc ce que je disais : connaissant l'un, e ayant de lui sensation actuelle, la connaissance qu'on en a étant conforme à cette sensation, jamais on ne confondra cet un avec quelque autre que l'on connaît, dont on a sensation actuelle, et dont la connaissance qu'on a est, cette fois encore, conforme à l'actuelle sensation. Était-ce bien cela ?

Théétète. — Oui.

Socrate. — Restait donc, en somme, le cas présentement en question, où l'opinion fausse, disons nous, se produit par le fait suivant. On connaît l'un et l'autre ; on voit l'un et 194 a l'autre, ou l'on a, de l'un et de l'autre, quelque autre sensation. Mais les deux marques, on ne les a point, pour chacun, correspondantes à sa sensation propre ; au contraire, on tire comme un archer maladroit, on décline du but et le manque, et c'est là ce qui s'appelle proprement l'erreur.

Théétète. — C'est juste.

Socrate. — Et quand, à l'une des marques, s'ajoute la sensation actuelle ; à l'autre, point ; que la marque dont il n'y a point sensation soit appliquée sur la sensation actuellement présente, totalement faux est alors l'acte de la pensée. En un mot, sur ce qu'on n'a jamais ni su ni perçu, impos-b sible, à ce qu'il semble, qu'il y ait ni erreur, ni opinion fausse, si, du moins, à cette heure, il y a quelque chose de sain en ce que nous disons. Mais, en ce dont nous avons et connaissance et actuelle sensation, c'est là même que tourne et vire l'opinion, fausse et vraie tour à tour : si elle ajuste tout droit et tout franc l'empreinte voulue dans l'impression actuelle, elle est vraie ; de biais et de travers, elle est fausse [1].

Théétète. — N'est-ce donc pas là, Socrate, une belle description ?

Socrate. — Ecoute le complément et tu admireras plus c encore ; car juger vrai est beau, mais juger faux est laid.

Théétète. — Comment le nier ?

Socrate. — Or voici, affirme-t-on, d'où viennent l'un et

1. Platon distingue ici l'ἀποτύπωμα, empreinte en relief, *imago expressa*, et le τύπος, *forma impressa* (Ast), moule creux. Quand le τύπος se présente à nouveau sous forme de sensation ou *impression* actuelle, la reconnaissance sera parfaite si l'empreinte-souvenir s'emboîte exactement dans l'impression-sensation.

ΘΕΑΙ. Οὐ γὰρ οὖν.

ΣΩ. Τοῦτο μὴν ἔλεγον, ὅτι γιγνώσκων τὸν ἕτερον καὶ αἰσθανόμενος, καὶ τὴν γνῶσιν κατὰ τὴν αἴσθησιν αὐτοῦ e ἔχων, οὐδέποτε οἰήσεται εἶναι αὐτὸν ἕτερόν τινα ὧν γιγνώσκει τε καὶ αἰσθάνεται καὶ τὴν γνῶσιν αὖ καὶ ἐκείνου ἔχει κατὰ τὴν αἴσθησιν. Ἦν γὰρ τοῦτο;

ΘΕΑΙ. Ναί.

ΣΩ. Παρελείπετο δέ γέ που τὸ νῦν λεγόμενον, ἐν ᾧ δή φαμεν τὴν ψευδῆ δόξαν γίγνεσθαι τὸ ἄμφω γιγνώσκοντα καὶ ἄμφω ὁρῶντα ἤ τινα ἄλλην αἴσθησιν ἔχοντα ἀμφοῖν τὼ 194 a σημείω μὴ κατὰ τὴν αὐτοῦ αἴσθησιν ἑκάτερον ἔχειν, ἀλλ' οἷον τοξότην φαῦλον ἱέντα παραλλάξαι τοῦ σκοποῦ καὶ ἁμαρτεῖν, ὃ δὴ καὶ ψεῦδος ἄρα ὠνόμασται.

ΘΕΑΙ. Εἰκότως γε.

ΣΩ. Καὶ ὅταν τοίνυν τῷ μὲν παρῇ αἴσθησις τῶν σημείων, τῷ δὲ μή, τὸ δὲ τῆς ἀπούσης αἰσθήσεως τῇ παρούσῃ προσαρμόσῃ, πάντῃ ταύτῃ ψεύδεται ἡ διάνοια. Καὶ ἑνὶ λόγῳ, περὶ ὧν μὲν μὴ οἶδέ τις μηδ' ἐπῄσθετο πώποτε, οὐκ ἔστιν, ὡς ἔοικεν, οὔτε ψεύδεσθαι οὔτε ψευδὴς δόξα, εἴ τι b νῦν ἡμεῖς ὑγιὲς λέγομεν· περὶ δὲ ὧν ἴσμεν τε καὶ αἰσθανόμεθα, ἐν αὐτοῖς τούτοις στρέφεται καὶ ἑλίττεται ἡ δόξα ψευδὴς καὶ ἀληθὴς γιγνομένη, καταντικρὺ μὲν καὶ κατὰ τὸ εὐθὺ τὰ οἰκεῖα συνάγουσα ἀποτυπώματα καὶ τύπους ἀληθής, εἰς πλάγια δὲ καὶ σκολιὰ ψευδής.

ΘΕΑΙ. Οὐκοῦν καλῶς, ὦ Σώκρατες, λέγεται;

ΣΩ. Ἔτι τοίνυν καὶ τάδε ἀκούσας μᾶλλον αὐτὸ ἐρεῖς. c Τὸ μὲν γὰρ τἀληθὲς δοξάζειν καλόν, τὸ δὲ ψεύδεσθαι αἰσχρόν.

ΘΕΑΙ. Πῶς δ' οὔ;

ΣΩ. Ταῦτα τοίνυν φασὶν ἐνθένδε γίγνεσθαι. Ὅταν μὲν

d 10 ante γιγνώσκων add. <ὁ> Heindorf ‖ τὸν : τὸ W ‖ **e** 2 ὧν : ὃν B ‖ **194 a** 1 τὼ σημείω Y : τῷ σημείῳ TW² τὸ σημεῖον BW ‖ **a** 2 ἔχειν : ἔχῃ B ‖ **a** 9 μηδ' ἐπῄσθετο B : μηδὲ ἐπείθετο ἐπῄσθετο B¹ ut uidetur μηδὲ ᾔσθετο TYW ‖ **b** 5 τύπους B : τυποῦσα TYW,

l'autre. La cire est-elle, en quelque âme, profonde, abondante, lisse, pétrie comme il faut, ce qui se transmet par le canal des sensations et se vient graver en ce cœur de l'âme, ainsi appelé par Homère pour faire entendre sa ressemblance avec la cire, alors donc et en de telles âmes d produit des marques pures, qui pénètrent à suffisante profondeur et acquièrent longue durée. Ceux qui les ont telles d'abord apprennent facilement et puis retiennent fidèlement, enfin ne font point diverger sensations et marques et ne forment, au contraire, que jugements vrais. Claires comme sont ces marques, en effet, logées à l'aise et au large, ils ont vite fait de les rapporter aux impressions originelles qui leur répondent : celles-ci reçoivent alors le nom d'êtres et ce sont de tels gens qui reçoivent le nom de sages. Cela ne te semble-t-il pas exact ?

Théétète. — Merveilleusement.

e Socrate. — Mais d'aucuns auront le cœur velu, qu'a célébré le poète sage en toute sapience ; d'aucuns un cœur encrassé et de cire impure, ou bien trop humide ou trop sec. Le cœur humide fait les mémoires faciles, mais oublieuses ; le cœur sec produit les qualités inverses. En ceux donc qui l'ont velu et rude, comme pierreux, par le mélange de terre et de crasse qui l'emplit, les empreintes ne sont point du tout claires. Point claires non plus celles des cœurs secs : la profondeur y manque. Point claires, enfin, celles des cœurs humides : 195 a elles se fondent ensemble et vite deviennent confuses. Qu'elles soient, en outre, accumulées les unes sur les autres à cause du manque d'espace, parce que cette âme de l'âme se trouve trop petite, moins claires encore elles seront que dans les cas précédents[1]. Voilà donc tous hommes ainsi faits qu'ils peuvent juger faux. Quelque chose qu'en effet ils voient, entendent ou conçoivent, lui vite attribuer son signe propre leur est impossible : ils sont lents, se brouillent en leurs attributions et voient de travers, entendent de travers, conçoivent de travers la plupart du temps. Aussi dit-on de tels hommes qu'ils n'ont que des idées fausses des êtres et sont des ignorants.

1. On retrouvera ces classifications des types de mémoires dans Aristote, *De Memoria*, cap. I, et dans notre Malebranche, *Recherche de la Vérité*, livre II, chap. vi. Mais la plus ancienne exposition de ce genre est le chapitre 35 du premier livre du *Régime*. Cf. notre *Notice*, p. 152.

ὁ κηρός του ἐν τῇ ψυχῇ βαθύς τε καὶ πολὺς καὶ λεῖος καὶ μετρίως ὠργασμένος ᾖ, τὰ ἰόντα διὰ τῶν αἰσθήσεων, ἐνσημαινόμενα εἰς τοῦτο τὸ τῆς ψυχῆς « κέαρ », ὃ ἔφη Ὅμηρος αἰνιττόμενος τὴν τοῦ κηροῦ ὁμοιότητα, τότε μὲν καὶ τούτοις καθαρὰ τὰ σημεῖα ἐγγιγνόμενα καὶ ἱκανῶς τοῦ d βάθους ἔχοντα πολυχρόνιά τε γίγνεται καὶ εἰσὶν οἱ τοιοῦτοι πρῶτον μὲν εὐμαθεῖς, ἔπειτα μνήμονες, εἶτα οὐ παραλλάττουσι τῶν αἰσθήσεων τὰ σημεῖα ἀλλὰ δοξάζουσιν ἀληθῆ. Σαφῆ γὰρ καὶ ἐν εὐρυχωρίᾳ ὄντα ταχὺ διανέμουσιν ἐπὶ τὰ αὑτῶν ἕκαστα ἐκμαγεῖα, ἃ δὴ ὄντα καλεῖται, καὶ σοφοὶ δὴ οὗτοι καλοῦνται. Ἦ οὐ δοκεῖ σοι;

ΘΕΑΙ. Ὑπερφυῶς μὲν οὖν.

ΣΩ. Ὅταν τοίνυν λάσιόν του τὸ κέαρ ᾖ, ὃ δὴ ἐπῄνεσεν e ὁ πάσσοφος ποιητής, ἢ ὅταν κοπρῶδες καὶ μὴ καθαροῦ τοῦ κηροῦ, ἢ ὑγρὸν σφόδρα ἢ σκληρόν, ὧν μὲν ὑγρὸν εὐμαθεῖς μέν, ἐπιλήσμονες δὲ γίγνονται, ὧν δὲ σκληρόν, τἀναντία. Οἱ δὲ δὴ λάσιον καὶ τραχὺ λιθῶδές τι ἢ γῆς ἢ κόπρου συμμιγείσης ἔμπλεων ἔχοντες ἀσαφῆ τὰ ἐκμαγεῖα ἴσχουσιν. Ἀσαφῆ δὲ καὶ οἱ τὰ σκληρά· βάθος γὰρ οὐκ ἔνι. Ἀσαφῆ δὲ καὶ οἱ τὰ ὑγρά· ὑπὸ γὰρ τοῦ συγχεῖσθαι ταχὺ γίγνεται 195 a ἀμυδρά. Ἐὰν δὲ πρὸς πᾶσι τούτοις ἐπ᾽ ἀλλήλων συμπεπτωκότα ᾖ ὑπὸ στενοχωρίας, ἐάν του σμικρὸν ᾖ τὸ ψυχάριον, ἔτι ἀσαφέστερα ἐκείνων. Πάντες οὖν οὗτοι γίγνονται οἷοι δοξάζειν ψευδῆ. Ὅταν γάρ τι ὁρῶσιν ἢ ἀκούωσιν ἢ ἐπινοῶσιν, ἕκαστα ἀπονέμειν ταχὺ ἑκάστοις οὐ δυνάμενοι βραδεῖς τέ εἰσι καὶ ἀλλοτριονομοῦντες παρορῶσί τε καὶ παρακούουσι καὶ παρανοοῦσι πλεῖστα, καὶ καλοῦνται αὖ οὗτοι ἐψευσμένοι τε δὴ τῶν ὄντων καὶ ἀμαθεῖς.

c 7 ὠργασμένος Suidas, Timaeus : εἰργασμένος BTW -ένον Y || d 5 διανέμουσιν : -βαίνουσιν ex emend. B || e 1 του τὸ : τοῦτο τὸ BW || e 2 πάσσοφος schol. : πάντα σοφὸς codd. || 195 a 2 ἀλλήλων : -οις W || a 3 ἐάν του : ἑαυτοῦ W[1] || a 6 ἕκαστα Heindorf : -οι codd. || a 7 τε καὶ : καὶ W || a 8 ante πλεῖστα add. καὶ (sed punctis notatum) W.

b THÉÉTÈTE. — Tu parles le plus exactement du monde, Socrate.

SOCRATE. — Affirmerons-nous donc qu'il y a en nous des opinions fausses ?

THÉÉTÈTE. — Très fermement.

SOCRATE. — Et des vraies aussi ?

THÉÉTÈTE. — Et des vraies.

SOCRATE. — Nous estimons donc, dès lors, adéquatement établie entre nous, comme chose la plus certaine du monde, l'existence de ces deux sortes d'opinions ?

THÉÉTÈTE. — Comme chose merveilleusement certaine.

SOCRATE. — Terrible, Théétète, réellement terrible et odieux risque bien d'être un bavard d'âge mûr.

THÉÉTÈTE. — Pourquoi donc ? A quel propos dis-tu cela ?

c SOCRATE. — C'est ma peine à comprendre qui m'est pénible et mon trop réel bavardage. Comment, en effet, se servir d'un autre mot pour un homme qui tiraille en tous sens les arguments, si lourd d'esprit qu'aucune preuve ne l'ébranle, et qui, une fois engagé dans un argument, ne sait plus s'en dépêtrer ?

THÉÉTÈTE. — Mais où trouves-tu donc, en toi, motif de peine ?

SOCRATE. — Je n'ai pas seulement de la peine. J'ai peur aussi de ce qu'il me faudra répondre au cas où l'on me demanderait : « O Socrate, tu as donc trouvé l'opinion fausse, et qu'elle n'est ni dans les sensations en leur rapport mutuel d ni dans les pensées, mais bien dans l'ajustement de la sensation à la pensée ? » Oui, répondrai-je, j'imagine, me rengorgeant d'avoir, avec toi, fait si belle trouvaille.

THÉÉTÈTE. — A mon avis au moins, Socrate, ce n'est point si laid résultat que la démonstration présentement achevée.

SOCRATE. — « Ainsi, d'après toi, » continuera le questionneur, « l'homme que nous concevons en notre seule pensée, sans le voir, nous ne le confondrons jamais avec un cheval qu'également nous ne voyons ni ne touchons, mais seulement concevons, sans avoir, par ailleurs, de lui, aucune sensation ? » Je répondrai, j'imagine, que je l'entends bien ainsi.

THÉÉTÈTE. — Et tu auras raison.

e SOCRATE. — « Eh bien », dira-t-il, « le onze, qui n'est

ΘΕΑΙ. Ὀρθότατα ἀνθρώπων λέγεις, ὦ Σώκρατες. b

ΣΩ. Φῶμεν ἄρα ἐν ἡμῖν ψευδεῖς δόξας εἶναι;

ΘΕΑΙ. Σφόδρα γε.

ΣΩ. Καὶ ἀληθεῖς δή;

ΘΕΑΙ. Καὶ ἀληθεῖς.

ΣΩ. Ἤδη οὖν οἰόμεθα ἱκανῶς ὡμολογῆσθαι ὅτι παντὸς μᾶλλον ἐστὸν ἀμφοτέρα τούτω τὼ δόξα;

ΘΕΑΙ. Ὑπερφυῶς μὲν οὖν.

ΣΩ. Δεινόν τε, ὦ Θεαίτητε, ὡς ἀληθῶς κινδυνεύει καὶ ἀηδὲς εἶναι ἀνὴρ ἀδολέσχης.

ΘΕΑΙ. Τί δέ; πρὸς τί τοῦτ' εἶπες;

ΣΩ. Τὴν ἐμαυτοῦ δυσμαθίαν δυσχεράνας καὶ ὡς ἀληθῶς c ἀδολεσχίαν. Τί γὰρ ἄν τις ἄλλο θεῖτο ὄνομα, ὅταν ἄνω κάτω τοὺς λόγους ἕλκῃ τις ὑπὸ νωθείας οὐ δυνάμενος πεισθῆναι, καὶ ᾖ δυσαπάλλακτος ἀφ' ἑκάστου λόγου;

ΘΕΑΙ. Σὺ δὲ δὴ τί δυσχεραίνεις;

ΣΩ. Οὐ δυσχεραίνω μόνον ἀλλὰ καὶ δέδοικα ὅτι ἀποκρινοῦμαι ἄν τις ἔρηταί με· « Ὦ Σώκρατες, ηὕρηκας δὴ ψευδῆ δόξαν, ὅτι οὔτε ἐν ταῖς αἰσθήσεσίν ἐστι πρὸς ἀλλήλας οὔτ' ἐν ταῖς διανοίαις, ἀλλ' ἐν τῇ συνάψει αἰσθήσεως d πρὸς διάνοιαν »; φήσω δὲ ἐγὼ οἶμαι καλλωπιζόμενος ὥς τι ηὑρηκότων ἡμῶν καλόν.

ΘΕΑΙ. Ἔμοιγε δοκεῖ, ὦ Σώκρατες, οὐκ αἰσχρὸν εἶναι τὸ νῦν ἀποδεδειγμένον.

ΣΩ. « Οὐκοῦν », φησί, « λέγεις ὅτι αὖ τὸν ἄνθρωπον ὃν διανοούμεθα μόνον, ὁρῶμεν δ' οὔ, ἵππον οὐκ ἄν ποτε οἰηθείημεν εἶναι, ὃν αὖ οὔτε ὁρῶμεν οὔτε ἁπτόμεθα, διανοούμεθα δὲ μόνον καὶ ἄλλ' οὐδὲν αἰσθανόμεθα περὶ αὐτοῦ »; ταῦτα οἶμαι φήσω λέγειν.

ΘΕΑΙ. Καὶ ὀρθῶς γε.

ΣΩ. « Τί οὖν », φησί, « τὰ ἕνδεκα, ἃ μηδὲν ἄλλο ἢ δια- e

b 9 τε B: γε TYW || **b** 11 τί ante τοῦτ' om. Y || **c** 8 ὅτι om. B || **d** 6 φησί: φήσει Paris. 1812 || αὖ τὸν: αὐτὸν ex emend. Ven. 185 αὐτὸν τὸν Heindorf || **d** 8 ὃν αὖ: ὃ νῦν TY || **e** 1 φησί: φῄς BW φήσει Steph.

objet que de la pensée, ne se pourra, d'après cet argument, jamais confondre avec le douze, qu'on ne peut aussi que concevoir? » Allons : à toi de répondre.

Théétète. — Eh bien donc, je répondrai : en tant qu'objets offerts par la vue ou le tact, on peut confondre onze avec douze ; mais, si on ne les a que dans sa pensée, jamais, à leur sujet, on ne fera cette confusion de jugement.

Socrate. — Eh quoi? Imagines-tu cela pour un homme qui prend comme objets de son examen cinq et sept? Je ne 196 a dis pas cinq hommes et sept hommes ou quoi que ce soit de pareil. Mais le cinq même et le sept même, présents, affirmons-nous, comme souvenirs dans la masse de cire et sur qui nous nions que se puisse faire un jugement faux, y eut-il jamais homme les examinant en eux-mêmes, s'adressant à lui-même explications et questions sur la quantité qu'ils font, et finissant par dire et croire, l'un qu'ils font onze, l'autre qu'ils font douze, ou bien est-ce tout le monde qui dit et croit qu'ils font douze?

Théétète. — Non, par Zeus : il y en a beaucoup, au b contraire, à dire onze ; et que le nombre considéré devienne plus grand, plus grosse sera l'erreur[1]. Car j'imagine que tu veux parler de toute espèce de nombre.

Socrate. — Et tu as raison de le supposer. Réfléchis maintenant si ce qu'on fait alors n'est point tout simplement prendre pour onze le douze même, le douze imprimé dans la cire?

Théétète. — Il semble bien.

Socrate. — N'est-ce donc pas là revenir à nos premiers arguments? Celui qu'affecte une telle méprise confond ce qu'il sait avec autre chose qu'il sait. Or, cela, nous l'avons déclaré impossible, et ce fut même là la raison contraignante que nous apportâmes du non-être de l'opinion fausse, de ne c point, en un seul et même objet, contraindre un seul et même homme à savoir et, en même temps, ne pas savoir.

Théétète. — C'est l'absolue vérité.

Socrate. — C'est donc tout autre chose qu'il nous faut

1. Malebranche dit, à propos des opérations que l'on ferait par la pensée : « Lorsqu'il y aurait plusieurs nombres à ajouter ou à soustraire ou, ce qui est la même chose, lorsque ces nombres sont grands et qu'on ne peut les ajouter que par parties, on en oublierait toujours quelqu'une. » (*Recherche de la Vérité*, II, 365/6).

νοεῖταί τις, ἄλλο τι ἐκ τούτου τοῦ λόγου οὐκ ἄν ποτε οἰηθείη δώδεκα εἶναι, ἃ μόνον αὖ διανοεῖται » ; ἴθι οὖν δή, σὺ ἀποκρίνου.

ΘΕΑΙ. Ἀλλ' ἀποκρινοῦμαι ὅτι ὁρῶν μὲν ἄν τις ἢ ἐφαπτόμενος οἰηθείη τὰ ἕνδεκα δώδεκα εἶναι, ἃ μέντοι ἐν τῇ διανοίᾳ ἔχει, οὐκ ἄν ποτε περὶ αὐτῶν ταῦτα δοξάσειεν οὕτως.

ΣΩ. Τί οὖν ; οἴει τινὰ πώποτε αὐτὸν ἐν αὑτῷ πέντε καὶ ἑπτά, λέγω δὲ μὴ ἀνθρώπους ἑπτὰ καὶ πέντε προθέμενον σκοπεῖν μηδ' ἄλλο τοιοῦτον, ἀλλ' αὐτὰ πέντε καὶ ἑπτά, ἅ φαμεν ἐκεῖ μνημεῖα ἐν τῷ ἐκμαγείῳ εἶναι καὶ ψευδῆ ἐν αὐτοῖς οὐκ εἶναι δοξάσαι, ταῦτα αὐτὰ εἴ τις ἀνθρώπων ἤδη πώποτε ἐσκέψατο λέγων πρὸς αὑτὸν καὶ ἐρωτῶν πόσα ποτ' ἐστίν, καὶ ὁ μέν τις εἶπεν οἰηθεὶς ἕνδεκα αὐτὰ εἶναι, ὁ δὲ δώδεκα, ἢ πάντες λέγουσί τε καὶ οἴονται δώδεκα αὐτὰ εἶναι ; 196 a

ΘΕΑΙ. Οὐ μὰ τὸν Δία, ἀλλὰ πολλοὶ δὴ καὶ ἕνδεκα· ἐὰν δέ γε ἐν πλείονι ἀριθμῷ τις σκοπῆται, μᾶλλον σφάλλεται. Οἶμαι γάρ σε περὶ παντὸς μέλλειν ἀριθμοῦ λέγειν. b

ΣΩ. Ὀρθῶς γὰρ οἴει· καὶ ἐνθυμοῦ μή τι τότε γίγνεται ἄλλο ἢ αὐτὰ τὰ δώδεκα τὰ ἐν τῷ ἐκμαγείῳ ἕνδεκα οἰηθῆναι.

ΘΕΑΙ. Ἔοικέ γε.

ΣΩ. Οὐκοῦν εἰς τοὺς πρώτους πάλιν ἀνήκει λόγους ; ὁ γὰρ τοῦτο παθών, ὃ οἶδεν, ἕτερον αὐτὸ οἴεται εἶναι ὧν αὖ οἶδεν, ὃ ἔφαμεν ἀδύνατον, καὶ τούτῳ αὐτῷ ἠναγκάζομεν μὴ εἶναι ψευδῆ δόξαν, ἵνα μὴ τὰ αὐτὰ ὁ αὐτὸς ἀναγκάζοιτο εἰδὼς μὴ εἰδέναι ἅμα. c

ΘΕΑΙ. Ἀληθέστατα.

ΣΩ. Οὐκοῦν ἄλλ' ὁτιοῦν δεῖ ἀποφαίνειν τὸ τὰ ψευδῆ

e 3 οὖν δή : δὴ οὖν Y || **196 a** 2 αὐτὰ : αὐτὰ τὰ Heindorf || **a** 3 φαμεν : ἔφ- Ast || **a** 7 εἶναι αὐτὰ Y || **b** 3 μέλλειν scripsi : μᾶλλον ante ἀριθμοῦ B post ἀρ- TY om. W || **b** 4 μή : δή W || τότε W : ποτε BTY || **b** 8 ἀνήκει : ἀνῆκε W ἂν ἥκοι susp. Campbell || **b** 9 αὖ : ἂν Y || **c** 4 δεῖ : δὴ Y || τὸ : τοῦ TY || τὰ om. W.

découvrir en l'acte de juger faux qu'une divergence de la pensée avec la sensation. Si c'était cela, jamais, en effet, dans les seules pensées nous ne pourrions errer. En réalité donc, ou bien il n'y a point d'opinion fausse, ou bien, ce qu'on sait, il est possible de ne le pas savoir. De ces deux assertions laquelle choisis-tu ?

Théétète. — Embarrassante option que tu proposes là, Socrate.

d Socrate. — Et, pourtant, les garder toutes deux, l'argument risque bien de ne le point permettre. Mais, au fait, car il faut bien tout tenter : si nous entreprenions de braver toute honte ?

Théétète. — En quoi faisant ?

Socrate. — En consentant à dire quelle sorte de chose cela peut bien être : savoir.

Théétète. — Et qu'y a-t-il en cela qui brave toute honte ?

Socrate. — Tu sembles ne point avoir conscience que, d'un bout à l'autre, notre argumentation n'a été qu'enquête, sur la science, de gens qui ne savaient pas ce qu'elle peut bien être.

Théétète. — J'en ai, au contraire, parfaitement conscience.

Socrate. — Ne te semble-t-il pas alors effronté, quand on ne sait rien de la science, de déclarer quelle sorte de chose e c'est que savoir ? Au fait, Théétète, il y a beau temps que nous surabondons en manières vicieuses de dialoguer. Des myriades de fois nous avons dit, en effet, « nous connaissons » et « nous ne connaissons pas », « nous savons » et « nous ne savons pas » ; comme si nous nous fussions compris l'un l'autre au moment où, de la science, nous ignorions tout encore. Mais c'est, si tu veux, jusque dans l'instant présent que nous venons de nous servir et du « ignorer » et du « comprendre », comme si l'usage en eût convenu à gens à qui manque la science.

Théétète. — Mais de quelle façon discuteras-tu, Socrate, si tu en évites l'usage ?

197 a Socrate. — D'aucune, tel que je suis ; de plus d'une, si j'étais un contradicteur. Si un homme de cette trempe se trouvait ici maintenant, il affirmerait bien se passer de ces termes et, sous nos yeux, rabrouerait vivement mes explications. Puisqu'au fait nous ne sommes que piètres gens, veux-tu que j'ose dire quelle sorte de chose c'est que savoir ? A mon avis, d'ailleurs, nous y trouverons profit.

δοξάζειν ἢ διανοίας πρὸς αἴσθησιν παραλλαγήν. Εἰ γὰρ τοῦτ' ἦν, οὐκ ἄν ποτε ἐν αὐτοῖς τοῖς διανοήμασιν ἐψευδόμεθα. Νῦν δὲ ἤτοι οὐκ ἔστι ψευδὴς δόξα, ἢ ἅ τις οἶδεν, οἷόν τε μὴ εἰδέναι. Καὶ τούτων πότερα αἱρῇ ;

ΘΕΑΙ. Ἄπορον αἵρεσιν προτίθης, ὦ Σώκρατες.

ΣΩ. Ἀλλὰ μέντοι ἀμφότερά γε κινδυνεύει ὁ λόγος οὐκ ἐάσειν. Ὅμως δέ — πάντα γὰρ τολμητέον — τί εἰ ἐπιχειρήσαιμεν ἀναισχυντεῖν ; d

ΘΕΑΙ. Πῶς;

ΣΩ. Ἐθελήσαντες εἰπεῖν ποῖόν τί ποτ' ἐστὶ τὸ ἐπίστασθαι.

ΘΕΑΙ. Καὶ τί τοῦτο ἀναίσχυντον ;

ΣΩ. Ἔοικας οὐκ ἐννοεῖν ὅτι πᾶς ἡμῖν ἐξ ἀρχῆς ὁ λόγος ζήτησις γέγονεν ἐπιστήμης ὡς οὐκ εἰδόσι τί ποτ' ἐστίν.

ΘΕΑΙ. Ἐννοῶ μὲν οὖν.

ΣΩ. Ἔπειτ' οὐκ ἀναιδὲς δοκεῖ μὴ εἰδότας ἐπιστήμην ἀποφαίνεσθαι τὸ ἐπίστασθαι οἷόν ἐστιν ; ἀλλὰ γάρ, ὦ Θεαίτητε, πάλαι ἐσμὲν ἀνάπλεῳ τοῦ μὴ καθαρῶς διαλέγεσθαι. Μυριάκις γὰρ εἰρήκαμεν τὸ « γιγνώσκομεν » καὶ « οὐ γιγνώσκομεν », καὶ « ἐπιστάμεθα « καὶ « οὐκ ἐπιστάμεθα », ὥς τι συνιέντες ἀλλήλων ἐν ᾧ ἔτι ἐπιστήμην ἀγνοοῦμεν· εἰ δὲ βούλει, καὶ νῦν ἐν τῷ παρόντι κεχρήμεθ' αὖ τῷ « ἀγνοεῖν » τε καὶ « συνιέναι », ὡς προσῆκον αὐτοῖς χρῆσθαι εἴπερ στερόμεθα ἐπιστήμης. e

ΘΕΑΙ. Ἀλλὰ τίνα τρόπον διαλέξῃ, ὦ Σώκρατες, τούτων ἀπεχόμενος ;

ΣΩ. Οὐδένα ὤν γε ὃς εἰμί, εἰ μέντοι ἦ ἀντιλογικός· οἷος ἀνὴρ εἰ καὶ νῦν παρῆν, τούτων τ' ἂν ἔφη ἀπέχεσθαι καὶ ἡμῖν σφόδρ' ἂν ἃ ἐγὼ λέγω ἐπέπληττεν. Ἐπειδὴ οὖν ἐσμεν φαῦλοι, βούλει τολμήσω εἰπεῖν οἷόν ἐστι τὸ ἐπίστασθαι; φαίνεται γάρ μοι προὔργου τι ἂν γενέσθαι. 197 a

c 7 ante δόξα add. ἢ B || c 8 πότερα : -αν BT || d 1 ἀλλὰ : ἄλλα W || 197 a 3 post ἂν add. ἀκούων W.

THÉÉTÈTE. — Ose, bien sûr, par Zeus. D'ailleurs, si tu n'arrives pas à te passer de ces termes, on t'aura large indulgence.

Posséder et avoir. Exemple du colombier.

SOCRATE. — As-tu donc entendu comment, maintenant, on définit le savoir ?

THÉÉTÈTE. — Peut-être ; mais, dans le moment présent, je ne me le rappelle pas.

b SOCRATE. — C'est, dit-on, quelque chose comme le fait d'avoir la science [1].

THÉÉTÈTE. — C'est vrai.

SOCRATE. — Nous ferons, nous, un léger changement et nous dirons : le fait de posséder la science.

THÉÉTÈTE. — Quelle sera donc, selon toi, la différence entre l'un et l'autre ?

SOCRATE. — Il n'y en a peut-être aucune. Mais veuille d'abord entendre mon idée avant d'en faire avec moi la critique.

THÉÉTÈTE. — Si, toutefois, j'en suis capable.

SOCRATE. — Au fait, il m'apparaît que posséder est différent d'avoir. Un habit, par exemple, qu'on aurait acheté et qu'on détiendrait sans le porter, nous ne dirons point qu'on l'a, mais bien qu'on le possède.

THÉÉTÈTE. — C'est juste.

c SOCRATE. — Vois donc si l'on peut de même posséder la science sans l'avoir. Tel serait le cas d'oiseaux des champs, colombes ou autres, qu'on aurait pris à la chasse et pour qui, chez soi, l'on bâtirait un colombier où les élever. En un certain sens, j'imagine, nous pourrions affirmer qu'on les a sans cesse, puisqu'on les possède. N'est-ce pas vrai ?

THÉÉTÈTE. — Si.

SOCRATE. — Mais, dans un autre sens, on n'en aurait aucun. D'une puissance seulement on disposerait à leur sujet, une fois qu'en une clôture à soi on se les serait mis sous la main : celle de les prendre et les avoir quand on voudrait, attrapant tour à tour l'un ou l'autre qu'il plairait,
d puis le relâchant, et cela se pouvant faire autant de fois que bon semblerait.

1. Cf. *Euthydème*, 277 b ; *Notice*, p. 143.

ΘΕΑΙ. Τόλμα τοίνυν νὴ Δία. Τούτων δὲ μὴ ἀπεχομένῳ σοι ἔσται πολλὴ συγγνώμη.

ΣΩ. Ἀκήκοας οὖν ὃ νῦν λέγουσιν τὸ ἐπίστασθαι;

ΘΕΑΙ. Ἴσως· οὐ μέντοι ἔν γε τῷ παρόντι μνημονεύω.

ΣΩ. Ἐπιστήμης που ἕξιν φασὶν αὐτὸ εἶναι. b

ΘΕΑΙ. Ἀληθῆ.

ΣΩ. Ἡμεῖς τοίνυν σμικρὸν μεταθώμεθα καὶ εἴπωμεν ἐπιστήμης κτῆσιν.

ΘΕΑΙ. Τί οὖν δὴ φήσεις τοῦτο ἐκείνου διαφέρειν;

ΣΩ. Ἴσως μὲν οὐδέν· ὃ δ' οὖν δοκεῖ ἀκούσας συνδοκίμαζε.

ΘΕΑΙ. Ἐάνπερ γε οἷός τ' ὦ.

ΣΩ. Οὐ τοίνυν μοι ταὐτὸν φαίνεται τὸ κεκτῆσθαι τῷ ἔχειν. Οἷον ⟨εἰ⟩ ἱμάτιον πριάμενός τις καὶ ἐγκρατὴς ὢν μὴ φοροῖ, ἔχειν μὲν οὐκ ἂν αὐτὸν αὐτό, κεκτῆσθαί γε μὴν φαῖμεν.

ΘΕΑΙ. Ὀρθῶς γε.

ΣΩ. Ὅρα δὴ καὶ ἐπιστήμην εἰ δυνατὸν οὕτω κεκτημένον c μὴ ἔχειν, ἀλλ' ὥσπερ εἴ τις ὄρνιθας ἀγρίας, περιστερὰς ἤ τι ἄλλο, θηρεύσας οἴκοι κατασκευασάμενος περιστερεῶνα τρέφοι, τρόπον μὲν γάρ ἄν πού τινα φαῖμεν αὐτὸν αὐτὰς ἀεὶ ἔχειν, ὅτι δὴ κέκτηται. Ἦ γάρ;

ΘΕΑΙ. Ναί.

ΣΩ. Τρόπον δέ γ' ἄλλον οὐδεμίαν ἔχειν, ἀλλὰ δύναμιν μὲν αὐτῷ περὶ αὐτὰς παραγεγονέναι, ἐπειδὴ ἐν οἰκείῳ περιβόλῳ ὑποχειρίους ἐποιήσατο, λαβεῖν καὶ σχεῖν ἐπειδὰν βούληται, θηρευσαμένῳ ἣν ἂν ἀεὶ ἐθέλῃ, καὶ πάλιν ἀφιέναι, d καὶ τοῦτο ἐξεῖναι ποιεῖν ὁποσάκις ἂν δοκῇ αὐτῷ.

b 5 οὖν δή: δὴ οὖν W || **b** 8 ἐάνπερ γε BT : ἐάν γέ περ W ἐάνπερ Y || **b** 9 ταὐτόν μοι W || τῷ κεκτῆσθαι τὸ B || **b** 10 εἰ add. uulg. || **b** 11 φοροῖ YW : -ῶ B -ῷ T -ῶν b || γε μὴν W : γε δὴ B γε TY δέ γε uulg. || **b** 13 ante ὀρθῶς add. καὶ TY || **c** 2 ante περιστερὰς add. ἢ W || ἤ τι : εἴ τι Y || **c** 4 γὰρ om. W || **c** 9 σχεῖν : ἔχειν TY.

Théétète. — C'est exact.

Socrate. — Par une fiction nouvelle, en réplique à cette cire que, précédemment, nous modelions dans les âmes en je ne sais quelle figure, fabriquons, cette fois, en chaque âme, une espèce de colombier contenant toutes variétés d'oiseaux : les uns par bandes bien distinctes, les autres par petits groupes, le reste par unités solitaires qui vont et viennent à travers tous les autres au caprice de leur vol[1].

e Théétète. — Supposons donc la chose faite. Qu'en adviendra-t-il ?

Socrate. — Il nous faut d'abord affirmer que, dans l'enfant, cette cage est vide, puis, en place d'oiseaux, nous figurer des sciences. La science qu'aussitôt acquise on enferme en cette clôture, on a, dirons-nous, appris par enseignement ou soi-même découvert l'objet propre dont elle est science, et voilà ce que c'est que savoir.

Théétète. — Soit.

198 a Socrate. — Maintenant, à celle qu'il plaira de ces sciences, donner la chasse, la prendre, l'avoir, la relâcher ; considère de quels noms cela doit s'appeler : soit des mêmes noms qu'au premier moment de l'acquisition, soit de noms différents. Voici qui te fera comprendre plus clairement ce que je veux dire. L'arithmétique, en effet, est bien, d'après toi, un art ?

Théétète. — Oui.

Socrate. — Conçois-la comme une chasse aux sciences dans tout le domaine du pair et de l'impair.

Théétète. — Je la conçois ainsi.

Socrate. — C'est à cet art, j'imagine, qu'on doit d'avoir b soi-même sous la main les sciences des nombres et de les pouvoir transmettre à d'autres quand on s'en fait transmetteur.

Thééthète. — Oui.

Socrate. — Or, en nos appellations, transmettre, c'est enseigner ; recevoir, c'est apprendre, et avoir par le fait de posséder en ce colombier, c'est savoir.

1. Nos souvenirs-idées ne sont, pas plus que nos sensations, jetés pêle-mêle en notre esprit. La façon dont Platon figure ici leur distribution est analogue à celle dont il représentera les rapports ontologiques entre les Formes : les unes constituant des groupes plus ou moins étendus, les autres faisant bande à part, d'autres « circulant à travers le reste » comme agents de liaison ou de séparation (*Sophiste*, 253 c/e).

ΘΕΑΙ. Ἔστι ταῦτα.

ΣΩ. Πάλιν δή, ὥσπερ ἐν τοῖς πρόσθεν κήρινόν τι ἐν ταῖς ψυχαῖς κατεσκευάζομεν οὐκ οἶδ᾽ ὅτι πλάσμα, νῦν αὖ ἐν ἑκάστῃ ψυχῇ ποιήσωμεν περιστερεῶνά τινα παντοδαπῶν ὀρνίθων, τὰς μὲν κατ᾽ ἀγέλας οὔσας χωρὶς τῶν ἄλλων, τὰς δὲ κατ᾽ ὀλίγας, ἐνίας δὲ μόνας διὰ πασῶν ὅπῃ ἂν τύχωσι πετομένας.

ΘΕΑΙ. Πεποιήσθω δή. Ἀλλὰ τί τοὐντεῦθεν ; e

ΣΩ. Παιδίων μὲν ὄντων φάναι χρὴ εἶναι τοῦτο τὸ ἀγγεῖον κενόν, ἀντὶ δὲ τῶν ὀρνίθων ἐπιστήμας νοῆσαι· ἣν δ᾽ ἂν ἐπιστήμην κτησάμενος καθείρξῃ εἰς τὸν περίβολον, φάναι αὐτὸν μεμαθηκέναι ἢ ηὑρηκέναι τὸ πρᾶγμα οὗ ἦν αὕτη ἡ ἐπιστήμη, καὶ τὸ ἐπίστασθαι τοῦτ᾽ εἶναι.

ΘΕΑΙ. Ἔστω.

ΣΩ. Τὸ τοίνυν πάλιν ἣν ἂν βούληται τῶν ἐπιστημῶν **198 a** θηρεύειν καὶ λαβόντα ἴσχειν καὶ αὖθις ἀφιέναι σκόπει τίνων δεῖται ὀνομάτων, εἴτε τῶν αὐτῶν ὧν τὸ πρῶτον ὅτε ἐκτᾶτο εἴτε ἑτέρων. Μαθήσῃ δ᾽ ἐνθένδε σαφέστερον τί λέγω. Ἀριθμητικὴν μὲν γὰρ λέγεις τέχνην ;

ΘΕΑΙ. Ναί.

ΣΩ. Ταύτην δὴ ὑπόλαβε θήραν ἐπιστημῶν ἀρτίου τε καὶ περιττοῦ παντός.

ΘΕΑΙ. Ὑπολαμβάνω.

ΣΩ. Ταύτῃ δὴ οἶμαι τῇ τέχνῃ αὐτός τε ὑποχειρίους τὰς ἐπιστήμας τῶν ἀριθμῶν ἔχει καὶ ἄλλῳ παραδίδωσιν ὁ **b** παραδιδούς.

ΘΕΑΙ. Ναί.

ΣΩ. Καὶ καλοῦμέν γε παραδιδόντα μὲν διδάσκειν, παραλαμβάνοντα δὲ μανθάνειν, ἔχοντα δὲ δὴ τῷ κεκτῆσθαι ἐν τῷ περιστερεῶνι ἐκείνῳ ἐπίστασθαι.

d 4 τοῖς : τῷ W || **d** 5 κατεσκευάζομεν : κατα- W || **e** 2 χρὴ εἶναι : χρῆναι W || **e** 4 καθείρξῃ : -ει W || **198 a** 4 ἐνθένδε : ἐντεῦθεν B || **a** 5 μὲν om. YW || **b** 1 ἄλλῳ TW : ἄλλο B[1] ἄλλα Y || **b** 5 δὲ δὴ : δὴ BY.

Théétète. — Parfaitement.

Socrate. — A ce qui suit de là prête maintenant ton attention. Un arithméticien accompli peut-il ne pas savoir tous les nombres? De tous nombres, en effet, il y a, en son âme, sciences.

Théétète. — Comment donc!

c Socrate. — Un tel homme peut-il jamais ou nombrer en soi-même ces nombres intérieurs, ou nombrer quelqu'un des objets externes qui ont nombre?

Théétète. — Comment ne le pourrait-il?

Socrate. — Mais nombrer se définira pour nous, simplement, examiner quel nombre se trouve réalisé.

Théétète. — Certainement.

Socrate. — Ce que cet homme sait, il apparaît donc l'examiner comme s'il ne le savait pas, lui qui, nous en sommes convenus, sait tout nombre. Il t'arrive bien d'entendre, j'imagine, de telles objections[1].

Théétète. — Cela m'arrive.

d Socrate. — Donc nous reviendrons à l'image de la possession et de la chasse des colombes, et nous dirons qu'il y avait là double chasse : l'une, avant acquisition et visant la possession ; l'autre, par qui possède, mais désire prendre et avoir en mains ce que, depuis longtemps, il possède[2]. De même, les sciences que l'on possédait depuis longtemps pour les avoir apprises et que l'on savait, on peut, celles-là même, les rapprendre à nouveau, revenir saisir chaque science singulière, avoir ainsi cette science que l'on possédait depuis longtemps, mais qu'on n'avait point immédiatement tangible en sa pensée?

Théétète. — C'est vrai.

Socrate. — C'était là, tout à l'heure, le sens de ma question : de quels noms nous servir pour parler soit de l'arithméticien qui se met en devoir de nombrer, soit du grammairien qui se met en devoir de lire? Est-ce donc en homme qui sait

1. Les sophistes de l'*Euthydème* les ont naturellement faites et se sont servis, comme on va le faire ici, de l'exemple des lettres : quelqu'un qui sait ses lettres, s'il apprend une page par cœur, n'apprend-il pas ce qu'il sait? (276 e-277 a/b).

2. Platon fond ici, dans un symbole d'une clarté achevée, l'explication logique et l'image qu'il avait employées séparément dans l'*Eu-*

ΘΕΑΙ. Πάνυ μὲν οὖν.

ΣΩ. Τῷ δὲ δὴ ἐντεῦθεν ἤδη πρόσσχες τὸν νοῦν. Ἀριθμητικὸς γὰρ ὢν τελέως ἄλλο τι πάντας ἀριθμοὺς ἐπίσταται; πάντων γὰρ ἀριθμῶν εἰσιν αὐτῷ ἐν τῇ ψυχῇ ἐπιστῆμαι.

ΘΕΑΙ. Τί μήν;

ΣΩ. Ἦ οὖν ὁ τοιοῦτος ἀριθμοῖ ἄν ποτέ τι ἢ αὐτὸς c πρὸς αὑτὸν αὐτὰ ἢ ἄλλο τι τῶν ἔξω ὅσα ἔχει ἀριθμόν;

ΘΕΑΙ. Πῶς γὰρ οὔ;

ΣΩ. Τὸ δὲ ἀριθμεῖν γε οὐκ ἄλλο τι θήσομεν τοῦ σκοπεῖσθαι πόσος τις ἀριθμὸς τυγχάνει ὤν.

ΘΕΑΙ. Οὕτως.

ΣΩ. Ὃ ἄρα ἐπίσταται, σκοπούμενος φαίνεται ὡς οὐκ εἰδώς, ὃν ὡμολογήκαμεν ἅπαντα ἀριθμὸν εἰδέναι. Ἀκούεις γάρ που τὰς τοιαύτας ἀμφισβητήσεις.

ΘΕΑΙ. Ἔγωγε.

ΣΩ. Οὐκοῦν ἡμεῖς ἀπεικάζοντες τῇ τῶν περιστερῶν d κτήσει τε καὶ θήρᾳ ἐροῦμεν ὅτι διττὴ ἦν ἡ θήρα, ἡ μὲν πρὶν ἐκτῆσθαι τοῦ κεκτῆσθαι ἕνεκα, ἡ δὲ κεκτημένῳ τοῦ λαβεῖν καὶ ἔχειν ἐν ταῖς χερσὶν ἃ πάλαι ἐκέκτητο. Οὕτως δὲ καὶ ὧν πάλαι ἐπιστῆμαι ἦσαν αὐτῷ μαθόντι καὶ ἠπίστατο αὐτά, πάλιν ἔστι καταμανθάνειν ταὐτὰ ταῦτα ἀναλαμβάνοντα τὴν ἐπιστήμην ἑκάστου καὶ ἴσχοντα, ἣν ἐκέκτητο μὲν πάλαι, πρόχειρον δ᾽ οὐκ εἶχε τῇ διανοίᾳ;

ΘΕΑΙ. Ἀληθῆ.

ΣΩ. Τοῦτο δὴ ἄρτι ἠρώτων, ὅπως χρὴ τοῖς ὀνόμασι e χρώμενον λέγειν περὶ αὐτῶν, ὅταν ἀριθμήσων ἴῃ ὁ ἀριθμητικὸς ἤ τι ἀναγνωσόμενος ὁ γραμματικός, ὡς ἐπιστάμενος

b 8 τῷ δὲ W : τῶδε B τῷ TY || **b** 9 ἐπίσταται : -σαι B || **b** 10 ἐπιστῆμαι ἐν τῇ ψυχῇ W || **c** 1 ἦ οὖν : τί οὖν Badham || **c** 2 αὐτὰ : om. Vatic. Δ ἐντὸς Cornarius || **c** 5 πόσος : ὁπόσός T || **c** 8 ὄν : ὢν T || **d** 3 ἐκτῆσθαι : κεκτ- W² || **d** 4 ἔχειν : σχεῖν Naber || οὕτως : ὄντως T || **d** 5 μαθόντι καὶ W : μαθόντι BTY μαθών τ᾽ Badham || **e** 1 δὴ : δ᾽ Y.

qu'en telles occasions l'un et l'autre se remet en voie d'apprendre, de soi-même, des choses qu'il sait?

THÉÉTÈTE. — Mais ce serait étrange, Socrate.

SOCRATE. — Affirmerons-nous donc que ce sont des choses qu'il ne sait point qu'il va lire et nombrer, lui à qui nous
199 a avons donné de savoir toutes lettres et tous nombres?

THÉÉTÈTE. — Mais cela encore serait irrationnel.

SOCRATE. — Consens-tu donc que nous disions : des noms point ne nous chaut, ni du sens où le premier venu s'amuse à tirailler le savoir et l'apprendre? Nous, qui avons défini qu'autre chose est posséder la science, autre chose l'avoir, nous affirmons que ne point posséder ce que l'on possède est impossible : aussi n'arrive-t-il jamais que, ce qu'on sait, on ne le sache point, encore qu'à son sujet l'on puisse concevoir une fausse opinion. Ce qu'on a peut bien, en effet, n'en être
b point la science propre, mais quelque autre prise en sa place, quand, faisant la chasse à quelque science déterminée, dans leur vol qui se croise on se trompe et saisit l'une au lieu de l'autre. En telle occasion, donc, on s'est figuré que le onze était douze, parce que c'est la science du onze qu'au lieu de celle du douze on a prise en cette chasse intérieure, comme l'on prendrait un ramier en voulant prendre une colombe.

THÉÉTÈTE. — Voilà une explication.

SOCRATE. — Quand, par contre, c'est celle qu'on voulait prendre que l'on prend, alors, n'est-ce pas, on est sans erreur et c'est choses qui sont que l'on énonce en son jugement; de
c cette manière, il y a vraie et fausse opinion et, des difficultés qui précédemment nous chagrinaient, aucune ne nous entrave plus? Peut-être l'affirmeras-tu avec moi. Sinon que feras-tu?

THÉÉTÈTE. — J'affirme comme toi.

SOCRATE. — Du « ne point savoir ce qu'on sait » nous voici, en effet, délivrés; car ne point posséder ce qu'on possède est conséquence à laquelle nous n'arrivons plus en aucun cas, erreur ou non-erreur. Mais plus redoutable, au fait, serait une autre conséquence qu'il me semble entrevoir.

thydème. Socrate y établissait, en effet (277 e/278 a), la distinction entre les deux sens d'apprendre : découvrir, ou ressaisir l'objet déjà découvert ; et Clinias comparait géomètres, astronomes et calculateurs à des chasseurs (209 b/c), mais l'image avait un tout autre but qu'ici.

ἄρα ἐν τῷ τοιούτῳ πάλιν ἔρχεται μαθησόμενος παρ᾽ ἑαυτοῦ ἃ ἐπίσταται;

ΘΕΑΙ. Ἀλλ᾽ ἄτοπον, ὦ Σώκρατες.

ΣΩ. Ἀλλ᾽ ἃ οὐκ ἐπίσταται φῶμεν αὐτὸν ἀναγνώσεσθαι καὶ ἀριθμήσειν, δεδωκότες αὐτῷ πάντα μὲν γράμματα 199 a πάντα δὲ ἀριθμὸν ἐπίστασθαι;

ΘΕΑΙ. Ἀλλὰ καὶ τοῦτ᾽ ἄλογον.

ΣΩ. Βούλει οὖν λέγωμεν ὅτι τῶν μὲν ὀνομάτων οὐδὲν ἡμῖν μέλει, ὅπῃ τις χαίρει ἕλκων τὸ ἐπίστασθαι καὶ μανθάνειν, ἐπειδὴ δὲ ὡρισάμεθα ἕτερον μέν τι τὸ κεκτῆσθαι τὴν ἐπιστήμην, ἕτερον δὲ τὸ ἔχειν, ὃ μέν τις ἔκτηται μὴ κεκτῆσθαι ἀδύνατόν φαμεν εἶναι, ὥστε οὐδέποτε συμβαίνει ὅ τις οἶδεν μὴ εἰδέναι, ψευδῆ μέντοι δόξαν οἷόν τ᾽ εἶναι περὶ αὐτοῦ λαβεῖν; μὴ γὰρ ἔχειν τὴν ἐπιστήμην τούτου b οἷόν τε, ἀλλ᾽ ἑτέραν ἀντ᾽ ἐκείνης, ὅταν θηρεύων τινά πού ποτ᾽ ἐπιστήμην διαπετομένων ἀνθ᾽ ἑτέρας ἑτέραν ἁμαρτὼν λάβῃ, τότε ἄρα τὰ ἕνδεκα δώδεκα ᾠήθη εἶναι, τὴν τῶν ἕνδεκα ἐπιστήμην ἀντὶ τῆς τῶν δώδεκα λαβὼν τὴν ἐν ἑαυτῷ οἷον φάτταν ἀντὶ περιστερᾶς.

ΘΕΑΙ. Ἔχει γὰρ οὖν λόγον.

ΣΩ. Ὅταν δέ γε ἣν ἐπιχειρεῖ λαβεῖν λάβῃ, ἀψευδεῖν τε καὶ τὰ ὄντα δοξάζειν τότε, καὶ οὕτω δὴ εἶναι ἀληθῆ τε καὶ ψευδῆ δόξαν, καὶ ὧν ἐν τοῖς πρόσθεν ἐδυσχεραίνομεν οὐδὲν ἔτ᾽ c ἐμποδὼν γίγνεσθαι; ἴσως οὖν μοι συμφήσεις· ἢ πῶς ποιήσεις;

ΘΕΑΙ. Οὕτως.

ΣΩ. Καὶ γὰρ τοῦ μὲν ἃ ἐπίστανται μὴ ἐπίστασθαι ἀπηλλάγμεθα· ἃ γὰρ κεκτήμεθα μὴ κεκτῆσθαι οὐδαμοῦ ἔτι συμβαίνει, οὔτε ψευσθεῖσί τινος οὔτε μή. Δεινότερον μέντοι πάθος ἄλλο παραφαίνεσθαί μοι δοκεῖ.

e 7 ἀλλ᾽ ἃ οὐκ : ἀλλὰ οὐκ W || 199 a 7 ἔκτηται : κέ- YW || b 2 πού ποτ᾽ W : ἀπ᾽ αὐτοῦ BTY || b 4 τότε W : ὅτε BTY || b 8 ἐπιχειρεῖ : -ῇ W || c 1 πρόσθεν : ἔμπρο- YW || ἔτ᾽ W : om. BTY || c 4 ἐπίστανται : -αται Ven. 185 || c 5 οὐδαμοῦ : μη- Y || c 7 ἄλλο : ἄλλό τι W || παραφαίνεσθαί BT : φαίνεσθαί W παρεμ- Y.

Théétète. — Quelle conséquence?

Socrate. — Dans le cas où ce serait d'une confusion entre sciences que viendrait à naître l'opinion fausse.

Théétète. — Et alors?

d Socrate. — D'abord, un objet dont on a science, cet objet même, l'ignorer non par fait d'ignorance, mais par le fait de sa propre science; puis juger que cet objet est autre et que l'autre est lui ; comment ne serait-ce pas là grande déraison, cette âme qui, une fois que la science lui est présente, ne connaît rien, mais ignore tout? A suivre une telle raison, en effet, plus d'obstacle à ce que l'ignorance venant à se produire ait pour effet de faire connaître, et la cécité, de faire voir, puisqu'aussi bien celui de la science serait de faire ignorer.

e Théétète. — C'est peut-être, Socrate, que nous avons eu tort de ne figurer, par nos oiseaux, seulement que des sciences. Il eût fallu mettre aussi des non-sciences qui, aux sciences mêlées, avec elles croiseraient leur vol à travers l'âme : ainsi le chasseur prendrait tantôt science et tantôt non-science du même objet, et jugerait faux par l'effet de la non-science, vrai par l'effet de la science.

Socrate. — Il serait malaisé, Théétète, de ne te point faire compliment. Et pourtant examine une fois encore l'explication que tu proposes. Qu'il en soit, en effet, comme tu le 200 a dis : celui qui prendra la non-science, celui-là, tu l'affirmes, jugera faux, n'est-ce pas?

Théétète. — Oui.

Socrate. — Mais il ne croira certes point juger faux.

Théétète. — Comment le pourrait-il?

Socrate. — Au contraire il croira juger vrai, et c'est en homme qui sait qu'il considérera les objets mêmes sur lesquels il est dans l'erreur.

Théétète. — Comment donc !

Socrate. — C'est de science donc qu'il croira que son butin de chasse est fait, et non point de non-science [1].

Théétète. — Évidemment.

1. L'homme, a dit le *Charmide* (171 d; cf. 166 c-172 a), qui aurait la science et de ses sciences et de ses non-sciences, qui saurait quelles choses il sait et quelles choses il ne sait pas, serait universellement infaillible.

ΘΕΑΙ. Τὸ ποῖον ;

ΣΩ. Εἰ ἡ τῶν ἐπιστημῶν μεταλλαγὴ ψευδὴς γενήσεταί ποτε δόξα.

ΘΕΑΙ. Πῶς δή ;

ΣΩ. Πρῶτον μὲν τό τινος ἔχοντα ἐπιστήμην τοῦτο αὐτὸ ἀγνοεῖν, μὴ ἀγνωμοσύνῃ ἀλλὰ τῇ ἑαυτοῦ ἐπιστήμῃ· ἔπειτα ἕτερον αὖ τοῦτο δοξάζειν, τὸ δ' ἕτερον τοῦτο, πῶς οὐ πολλὴ ἀλογία, ἐπιστήμης παραγενομένης γνῶναι μὲν τὴν ψυχὴν μηδέν, ἀγνοῆσαι δὲ πάντα ; ἐκ γὰρ τούτου τοῦ λόγου κωλύει οὐδὲν καὶ ἄγνοιαν παραγενομένην γνῶναί τι ποιῆσαι καὶ τυφλότητα ἰδεῖν, εἴπερ καὶ ἐπιστήμη ἀγνοῆσαί ποτέ τινα ποιήσει. d

ΘΕΑΙ. Ἴσως γάρ, ὦ Σώκρατες, οὐ καλῶς τὰς ὄρνιθας ἐτίθεμεν ἐπιστήμας μόνον τιθέντες, ἔδει δὲ καὶ ἀνεπιστημοσύνας τιθέναι ὁμοῦ συνδιαπετομένας ἐν τῇ ψυχῇ, καὶ τὸν θηρεύοντα τοτὲ μὲν ἐπιστήμην λαμβάνοντα, τοτὲ δ' ἀνεπιστημοσύνην τοῦ αὐτοῦ πέρι ψευδῆ μὲν δοξάζειν τῇ ἀνεπιστημοσύνῃ, ἀληθῆ δὲ τῇ ἐπιστήμῃ. e

ΣΩ. Οὐ ῥᾴδιόν γε, ὦ Θεαίτητε, μὴ ἐπαινεῖν σε· ὃ μέντοι εἶπες πάλιν ἐπίσκεψαι. Ἔστω μὲν γὰρ ὡς λέγεις· ὁ δὲ δὴ τὴν ἀνεπιστημοσύνην λαβὼν ψευδῆ μέν, φῄς, δοξάσει. Ἦ γάρ ; 200 a

ΘΕΑΙ. Ναί.

ΣΩ. Οὐ δήπου καὶ ἡγήσεταί γε ψευδῆ δοξάζειν.

ΘΕΑΙ. Πῶς γάρ ;

ΣΩ. Ἀλλ' ἀληθῆ γε, καὶ ὡς εἰδὼς διακείσεται περὶ ὧν ἔψευσται.

ΘΕΑΙ. Τί μήν ;

ΣΩ. Ἐπιστήμην ἄρα οἰήσεται τεθηρευκὼς ἔχειν ἀλλ' οὐκ ἀνεπιστημοσύνην.

ΘΕΑΙ. Δῆλον.

e 2 μόνον ἐπιστήμας W ‖ e 5 δοξάζειν : -ει B ‖ e 8 ὡς : ὃ W ‖ 200 a 6 ἀλλ' et mox γε om. Y ‖ a 9 τεθηρευκώς : -ρακώς W.

SOCRATE. — Ainsi, après un long circuit, nous voici dans le même embarras qu'au départ. Notre critique, en effet, b se moquera : « Est-il possible, excellentes gens, dira-t-il, de savoir l'une et l'autre, science et non-science, et de prendre pourtant l'une d'elles, qu'on sait, pour quelque autre de celles qu'on sait? Ou de ne savoir ni l'une ni l'autre et, la science ou non-science qu'on ne sait point, la prendre pour une autre qu'on ne sait point? Ou de savoir l'une et point l'autre et de prendre celle qu'on sait pour celle qu'on ne sait point? Ou de croire que celle qu'on ne sait point est celle que l'on sait? Ou bien me direz-vous que sciences et non-sciences sont, à leur tour, objet de nouvelles sciences, dont le possesseur les tient enfermées en je ne sais quels nouveaux et ridicules colombiers ou bien en je ne sais quelle invention c de cire et, tant qu'il les possède, sait, lors même qu'il ne les a point immédiatement tangibles en son âme[1]? Et vous laisserez-vous ainsi contraindre à toujours revenir au même point par des myriades de circuits sans jamais gagner d'un pas? » A cela, Théétète, que répondrons-nous?

THÉÉTÈTE. — Mais, par Zeus, Socrate, je ne trouve, moi, rien à répondre.

SOCRATE. — Ne serait-ce donc point, mon fils, qu'avec raison l'argument nous gourmande, qui nous démontre notre tort de chercher l'opinion fausse avant de chercher la science d et sans nous préoccuper de celle-ci? Or il est impossible de connaître la première avant de s'être fait, de ce que peut bien être la science, une conception adéquate.

THÉÉTÈTE. — Force est bien, Socrate, au point où nous en sommes, de penser comme tu dis.

Le fait décisif : la preuve judiciaire.

SOCRATE. — Comment donc, reprenant à son début la question, pourrait-on définir la science? Car nous n'en sommes pas encore à renoncer, j'imagine?

THÉÉTÈTE. — Aucunement, du moment que tu ne renonces point toi-même.

SOCRATE. — Dis alors de quelle façon nous la pourrions le mieux définir sans nous contredire nous-mêmes?

1. Le principe de ce raisonnement est le même que celui du fameux argument dit « du troisième homme ». Cf. *Notice* du *Parménide*, p. 22.

ΣΩ. Οὐκοῦν μακρὰν περιελθόντες πάλιν ἐπὶ τὴν πρώτην πάρεσμεν ἀπορίαν. Ὁ γὰρ ἐλεγκτικὸς ἐκεῖνος γελάσας φήσει· « Πότερον », ὦ βέλτιστοι, « ἀμφοτέρας τις εἰδώς, **b** ἐπιστήμην τε καὶ ἀνεπιστημοσύνην, ἣν οἶδεν, ἑτέραν αὐτὴν οἴεταί τινα εἶναι ὧν οἶδεν ; ἢ οὐδετέραν εἰδώς, ἣν μὴ οἶδε, δοξάζει ἑτέραν ὧν οὐκ οἶδεν ; ἢ τὴν μὲν εἰδώς, τὴν δ' οὔ, ἣν οἶδεν, ἣν μὴ οἶδεν ; ἢ ἣν μὴ οἶδεν, ἣν οἶδεν ἡγεῖται ; ἢ πάλιν αὖ μοι ἐρεῖτε ὅτι τῶν ἐπιστημῶν καὶ ἀνεπιστημοσυνῶν εἰσὶν αὖ ἐπιστῆμαι, ἃς ὁ κεκτημένος ἐν ἑτέροις τισὶ γελοίοις περιστερεῶσιν ἢ κηρίνοις πλάσμασι καθείρξας, ἕωσπερ ἂν κεκτῆται ἐπίσταται, καὶ ἐὰν μὴ **c** προχείρους ἔχῃ ἐν τῇ ψυχῇ ; καὶ οὕτω δὴ ἀναγκασθήσεσθε εἰς ταὐτὸν περιτρέχειν μυριάκις οὐδὲν πλέον ποιοῦντες » ; τί πρὸς ταῦτα, ὦ Θεαίτητε, ἀποκρινούμεθα ;

ΘΕΑΙ. Ἀλλὰ μὰ Δί', ὦ Σώκρατες, ἔγωγε οὐκ ἔχω τί χρὴ λέγειν.

ΣΩ. Ἆρ' οὖν ἡμῖν, ὦ παῖ, καλῶς ὁ λόγος ἐπιπλήττει καὶ ἐνδείκνυται ὅτι οὐκ ὀρθῶς ψευδῆ δόξαν προτέραν ζητοῦμεν ἐπιστήμης, ἐκείνην ἀφέντες ; τὸ δ' ἐστὶν ἀδύνα- **d** τον γνῶναι πρὶν ἄν τις ἐπιστήμην ἱκανῶς λάβῃ τί ποτ' ἐστίν.

ΘΕΑΙ. Ἀνάγκη, ὦ Σώκρατες, ἐν τῷ παρόντι ὡς λέγεις οἴεσθαι.

ΣΩ. Τί οὖν τις ἐρεῖ πάλιν ἐξ ἀρχῆς ἐπιστήμην ; οὐ γάρ που ἀπεροῦμέν γέ πω ;

ΘΕΑΙ. Ἥκιστα, ἐάνπερ μὴ σύ γε ἀπαγορεύῃς.

ΣΩ. Λέγε δή, τί ἂν αὐτὸ μάλιστα εἰπόντες ἥκιστ' ἂν ἡμῖν αὐτοῖς ἐναντιωθεῖμεν ;

b 1 εἰδώς : ἰδὼν Y || **b** 2 ἐπιστήμην : -ημοσύνην W || **b** 3 τινα : τ' W || οὐδετέραν W : οὐδετέραν αὐτὴν BTY (e superiore ἑτέραν αὐτὴν natum) οὐδετέραν αὐτοῖν uulg. || **c** 8 προτέραν : ἑτέραν B || **d** 6 γάρ που W : γάρ πω BTY γέ πω Schanz || **d** 7 γέ πω : γέ που W om. Schanz || **d** 8 ἀπαγορεύῃς : -σῃς T[1] -εις B[1] || **d** 9 δή : δέ W || αὐτὸ : αὐτῷ W || ἂν : ἂν αὐτὸ B.

e THÉÉTÈTE. — Comme nous avions entrepris de le faire précédemment, Socrate ; car je ne trouve point, moi, d'autre réponse.

SOCRATE. — Qu'était-ce donc ?

THÉÉTÈTE. — Que l'opinion vraie est la science. Infaillible est, peut-on dire, le juger vrai et, dans ce qu'il engendre, il n'y a que beaux et bons produits.

SOCRATE. — Le guide qui conduisait au gué, Théétète, disait : « Nous verrons bien quand nous y serons. » Si, de même, ici, nous faisons notre enquête en allant de l'avant, peut-201 a être ce que nous cherchons se viendra-t-il jeter en travers de notre marche et se dénoncer de soi-même. Mais, à rester sur place, on n'éclaircirait rien.

THÉÉTÈTE. — Tu as raison : allons donc de l'avant et faisons l'enquête.

SOCRATE. — Il ne faut, ici, que très brève enquête ; car il y a un art où tout te signifie que la science n'est point cela.

THÉÉTÈTE. — Par quels signes donc, et quel art est-ce ?

SOCRATE. — Celui des plus grands maîtres de sagesse, de ceux que l'on appelle rhéteurs et orateurs plaidants. L'espèce de persuasion que produit leur art propre, ils ne l'obtiennent point, en effet, par enseigner, mais par faire naître telles opinions qui leur plaisent[1]. Ou crois-tu qu'il y ait des maîtres b assez habiles pour, à qui ne fut point témoin de tel vol d'argent ou de telle autre violence, pouvoir, dans le temps que s'écoule un peu d'eau, apprendre adéquatement la vérité du fait ?

THÉÉTÈTE. — La leur apprendre, point du tout, je crois, mais les en persuader.

SOCRATE. — Et ce persuader, n'est-ce point, dans ta pensée, amener à une opinion ?

THÉÉTÈTE. — Comment donc !

SOCRATE. — Quand donc persuasion juste a été donnée aux juges sur des faits que, seul, un témoin oculaire, et nul autre que lui, peut savoir, en ces faits qu'alors ils jugent sur simple c audition, sur l'opinion vraie qu'on leur a donnée, dépourvu de science est leur jugement, droite est leur persuasion, puisque leur sentence est correcte ?

THÉÉTÈTE. — Absolument.

1. Cf. *Phèdre*, 260 a, 272 e ; et surtout *Gorgias*, 455 a.

ΘΕΑΙ. Ὅπερ ἐπεχειροῦμεν, ὦ Σώκρατες, ἐν τῷ πρόσθεν· e
οὐ γὰρ ἔχω ἔγωγε ἄλλο οὐδέν.

ΣΩ. Τὸ ποῖον;

ΘΕΑΙ. Τὴν ἀληθῆ δόξαν ἐπιστήμην εἶναι. Ἀναμάρτητόν γέ πού ἐστιν τὸ δοξάζειν ἀληθῆ, καὶ τὰ ὑπ' αὐτοῦ γιγνόμενα πάντα καλὰ καὶ ἀγαθὰ γίγνεται.

ΣΩ. Ὁ τὸν ποταμὸν καθηγούμενος, ὦ Θεαίτητε, ἔφη ἄρα δείξειν αὐτό· καὶ τοῦτο ἐὰν ἰόντες ἐρευνῶμεν, τάχ' ἂν ἐμπόδιον γενόμενον αὐτὸ φήνειεν τὸ ζητούμενον, μένουσι δὲ δῆλον οὐδέν. 201 a

ΘΕΑΙ. Ὀρθῶς λέγεις· ἀλλ' ἴωμέν γε καὶ σκοπῶμεν.

ΣΩ. Οὐκοῦν τοῦτό γε βραχείας σκέψεως· τέχνη γάρ σοι ὅλη σημαίνει μὴ εἶναι ἐπιστήμην αὐτό.

ΘΕΑΙ. Πῶς δή; καὶ τίς αὕτη;

ΣΩ. Ἡ τῶν μεγίστων εἰς σοφίαν, οὓς δὴ καλοῦσιν ῥήτοράς τε καὶ δικανικούς. Οὗτοι γάρ που τῇ ἑαυτῶν τέχνῃ πείθουσιν οὐ διδάσκοντες ἀλλὰ δοξάζειν ποιοῦντες ἃ ἂν βούλωνται. Ἢ σὺ οἴει δεινούς τινας οὕτω διδασκάλους εἶναι, ὥστε οἷς μὴ παρεγένοντό τινες ἀποστερούμενοι b χρήματα ἤ τι ἄλλο βιαζόμενοι, τούτους δύνασθαι πρὸς ὕδωρ σμικρὸν διδάξαι ἱκανῶς τῶν γενομένων τὴν ἀλήθειαν;

ΘΕΑΙ. Οὐδαμῶς ἔγωγε οἶμαι, ἀλλὰ πεῖσαι μέν.

ΣΩ. Τὸ πεῖσαι δ' οὐχὶ δοξάσαι λέγεις ποιῆσαι;

ΘΕΑΙ. Τί μήν;

ΣΩ. Οὐκοῦν ὅταν δικαίως πεισθῶσιν δικασταὶ περὶ ὧν ἰδόντι μόνον ἔστιν εἰδέναι, ἄλλως δὲ μή, ταῦτα τότε ἐξ ἀκοῆς κρίνοντες, ἀληθῆ δόξαν λαβόντες, ἄνευ ἐπιστήμης c ἔκριναν, ὀρθὰ πεισθέντες, εἴπερ εὖ ἐδίκασαν;

ΘΕΑΙ. Παντάπασι μὲν οὖν.

e 1 ἐπεχειροῦμεν : ἐπι- W || e 5 γέ : γάρ W || 201 a 3 γε : τε W || a 7 ἢ om. B || a 9 ἃ : ὃ W || b 1 οἷς : εἰ Naber || ἀποστερούμενοι Y : -ουμένοις BTW || b 2 βιαζόμενοι scripsi : -ζομένοις BTYW || τούτους : τούτοις B || b 3 σμικρὸν : μι- W || b 8 ἰδόντι TY² : εἶδον τί B εἰδόντι Y εἰδότι W || ἄλλως : ἄλλῳ Ast.

Socrate. — Et pourtant non, ami ; si, du moins, l'opinion vraie à l'usage du tribunal était identique à la science, jamais le juge le plus compétent ne prononcerait, sans science, une opinion droite. Or, il semble bien, au contraire, qu'elles diffèrent l'une de l'autre.

Troisième définition : l'opinion vraie accompagnée de raison.

Théétète. — Là-dessus, Socrate, un mot qu'à quelqu'un j'ai ouï dire m'était sorti de mémoire et, maintenant, me revient. Il disait que l'opinion vraie accompagnée de raison est science et que, d dépourvue de raison, elle est en dehors de toute science. Ainsi les choses dont il n'y a point de raison ne seraient point objets de science : c'est le terme même qu'il employait. Mais celles qui comportent une raison seraient objets de science.

Socrate. — Comme voilà belles paroles ! Mais cette division en objets de science et non-objets de science, dis-moi par quelle voie il l'établissait, pour voir si nous avons effectivement, toi et moi, ouï la chose en même façon.

Théétète. — Mais je ne sais si je retrouverai : par contre, à l'entendre exposer par un autre, je crois que je pourrais suivre.

e Socrate. — Écoute donc un songe en échange d'un songe. J'ai cru, moi aussi, entendre dire à certains que ce qu'on peut appeler les premiers éléments, dont nous et tout le reste sommes composés, ne comportent point de raison [1]. En soi et par soi, chacun d'eux se pourrait seulement nommer. Impossible d'en dire rien de plus, ni qu'il est, ni qu'il n'est pas ; 202 a car ce serait déjà être et non-être qu'on lui ajouterait : or il ne faut rien lui accoler, si c'est lui et lui seul que l'on veut dire. Ni « même », en effet, ni « cela », ni « chacun », ni « seul », ni « ceci » ne doivent s'y accoler, non plus que tant d'autres déterminations similaires ; car, partout circulant, à tout s'accolant, elles n'en restent pas moins différentes de ce à quoi elles s'ajoutent, et lui donc devrait, à supposer qu'il fût en lui-même exprimable et comportât sa raison propre, s'exprimer sans le secours d'aucune autre détermination. Or b il est impossible qu'aucun de ces éléments premiers s'exprime en une raison ; car il n'a rien de plus que de se pouvoir

1. Cf. *Notice*, p. 153 ; Aristote, *Metaph.*, 1043 b, 23 et suiv. ; et

ΣΩ. Οὐκ ἄν, ὦ φίλε, εἴ γε ταὐτὸν ἦν δόξα τε ἀληθὴς εἰς δικαστήριον καὶ ἐπιστήμη, ὀρθά ποτ' ἂν δικαστὴς ἄκρος ἐδόξαζεν ἄνευ ἐπιστήμης· νῦν δὲ ἔοικεν ἄλλο τι ἑκάτερον εἶναι.

ΘΕΑΙ. Ὅ γε ἐγώ, ὦ Σώκρατες, εἰπόντος του ἀκούσας ἐπελελήσμην, νῦν δ' ἐννοῶ· ἔφη δὲ τὴν μὲν μετὰ λόγου ἀληθῆ δόξαν ἐπιστήμην εἶναι, τὴν δὲ ἄλογον ἐκτὸς ἐπιστή- d μης· καὶ ὧν μὲν μή ἐστι λόγος, οὐκ ἐπιστητὰ εἶναι, οὑτωσὶ καὶ ὀνομάζων, ἃ δ' ἔχει, ἐπιστητά.

ΣΩ. Ἦ καλῶς λέγεις. Τὰ δὲ δὴ ἐπιστητὰ ταῦτα καὶ μὴ πῇ διῄρει, λέγε, εἰ ἄρα κατὰ ταὐτὰ σύ τε κἀγὼ ἀκηκόαμεν.

ΘΕΑΙ. Ἀλλ' οὐκ οἶδα εἰ ἐξευρήσω· λέγοντος μεντἂν ἑτέρου, ὡς ἐγῷμαι, ἀκολουθήσαιμ' ἄν.

ΣΩ. Ἄκουε δὴ ὄναρ ἀντὶ ὀνείρατος. Ἐγὼ γὰρ αὖ ἐδόκουν ἀκούειν τινῶν ὅτι τὰ μὲν πρῶτα οἱονπερεὶ στοιχεῖα, e ἐξ ὧν ἡμεῖς τε συγκείμεθα καὶ τἆλλα, λόγον οὐκ ἔχοι. Αὐτὸ γὰρ καθ' αὑτὸ ἕκαστον ὀνομάσαι μόνον εἴη, προσειπεῖν δὲ οὐδὲν ἄλλο δυνατόν, οὔθ' ὡς ἔστιν, οὔθ' ὡς οὐκ ἔστιν· ἤδη γὰρ ἂν οὐσίαν ἢ μὴ οὐσίαν αὐτῷ προστίθεσθαι, 202 a δεῖν δὲ οὐδὲν προσφέρειν, εἴπερ αὐτὸ ἐκεῖνο μόνον τις ἐρεῖ. Ἐπεὶ οὐδὲ τὸ « αὐτὸ » οὐδὲ τὸ « ἐκεῖνο » οὐδὲ τὸ « ἕκαστον » οὐδὲ τὸ « μόνον » οὐδὲ « τοῦτο » προσοιστέον οὐδ' ἄλλα πολλὰ τοιαῦτα· ταῦτα μὲν γὰρ περιτρέχοντα πᾶσι προσφέρεσθαι, ἕτερα ὄντα ἐκείνων οἷς προστίθεται, δεῖν δέ, εἴπερ ἦν δυνατὸν αὐτὸ λέγεσθαι καὶ εἶχεν οἰκεῖον αὑτοῦ λόγον, ἄνευ τῶν ἄλλων ἁπάντων λέγεσθαι. Νῦν δὲ ἀδύνατον εἶναι ὁτιοῦν τῶν πρώτων ῥηθῆναι λόγῳ· οὐ γὰρ b εἶναι αὐτῷ ἀλλ' ἢ ὀνομάζεσθαι μόνον — ὄνομα γὰρ μόνον

c 5 εἰς δικαστήριον scripsi : καὶ δικαστήριον TYW καὶ -ήρια B κατὰ -ήρια Jowett καὶ -ηρία Madvig || **c** 8 ἐγώ om. Y || **d** 2 ὧν : ᾧ B || **d** 3 ὀνομάζων : -ζω BW || ἃ δ' : ἀλλ' BW || **d** 7 ἀκολουθήσαιμ' ἄν Schanz : -θησαίμην BTW -θήσαιμι Y || **e** 2 ἔχοι BT : -ουσιν Y -ει W || **e** 4 οὔθ' ὡς οὐκ ἔστιν om. Y || **202 a** 2 δεῖν : δεῖ TY || **a** 4 τοῦτο : τὸ τοῦτο Heindorf τὸ τὸ Buttmann || **b** 2 αὐτῷ : αὐτὸ Bonitz.

nommer : un nom, voilà son seul avoir. Quant aux composés où ils s'assemblent, en même façon qu'ils s'entrelacent pour les former, en même façon aussi leur noms s'entrelacent pour constituer une raison : car c'est l'entrelacement des noms qui fait tout l'être d'une raison. Ainsi les éléments seraient irrationnels et inconnaissables, mais saisissables par les sens ; mais les syllabes seraient connaissables, exprimables, objets de jugements pour l'opinion vraie. Quand donc, sans en concevoir la raison, quelqu'un s'est formé une opinion
c droite de quelque objet, son âme est dans le vrai au regard de cet objet, mais elle ne le connaît pas. Qui ne peut, en effet, ni donner ni recevoir la raison d'un objet, de cet objet n'a point science. Mais qu'à ce qu'il a déjà vienne s'ajouter cette raison, alors il a toutes les vertus que j'ai dites et possède la perfection de la science. Est-ce là ou non ce que tu as rêvé entendre ?

Théétète. — C'est absolument cela.

Socrate. — Cela te satisfait-il donc et poses-tu, d'après cela, que l'opinion vraie accompagnée de raison est science ?

Théétète. — Assurément.

d Socrate. — Serait-ce, ô Théétète, qu'à l'instant, — comme cela —, nous aurions aujourd'hui mis la main sur ce que, depuis si longtemps, tant de sages ont vieilli à chercher sans le pouvoir trouver ?

Théétète. — A ce qu'il me semble, au moins, Socrate, la présente formule est une définition excellente.

Socrate. — Vraisemblablement, elle l'est bien en fait. Que pourra-t-il, en effet, y avoir de science en dehors de la raison et de l'opinion droite ? Une chose pourtant, en ce qu'on vient de dire, me déplaît.

Théétète. — Qu'est-ce donc ?

Socrate. — Ce qu'on y a dit, semble-t-il, de plus élégant :
e que les éléments sont inconnaissables et tout le genre syllabes, connaissable.

Théétète. — N'est-ce pas correct ?

Socrate. — C'est ce qu'il nous faut savoir : nous avons, l'on peut dire, en garants de la thèse, les modèles mêmes qui lui ont servi à formuler tous ses principes.

G. M. Gillespie, *The Logic of Antisthenes* (Archiv f. Gesch. d. Phil., XXVI, 4, p. 478-500 et XXVII, 1, p. 17-38).

ἔχειν — τὰ δὲ ἐκ τούτων ἤδη συγκείμενα, ὥσπερ αὐτὰ πέπλεκται, οὕτω καὶ τὰ ὀνόματα αὐτῶν συμπλακέντα λόγον γεγονέναι· ὀνομάτων γὰρ συμπλοκὴν εἶναι λόγου οὐσίαν. Οὕτω δὴ τὰ μὲν στοιχεῖα ἄλογα καὶ ἄγνωστα εἶναι, αἰσθητὰ δέ· τὰς δὲ συλλαβὰς γνωστάς τε καὶ ῥητὰς καὶ ἀληθεῖ δόξῃ δοξαστάς. Ὅταν μὲν οὖν ἄνευ λόγου τὴν ἀληθῆ δόξαν τινός τις λάβῃ, ἀληθεύειν μὲν αὐτοῦ τὴν ψυχὴν c περὶ αὐτό, γιγνώσκειν δ᾽ οὔ· τὸν γὰρ μὴ δυνάμενον δοῦναί τε καὶ δέξασθαι λόγον ἀνεπιστήμονα εἶναι περὶ τούτου· προσλαβόντα δὲ λόγον δυνατόν τε ταῦτα πάντα γεγονέναι καὶ τελείως πρὸς ἐπιστήμην ἔχειν. Οὕτως σὺ τὸ ἐνύπνιον ἢ ἄλλως ἀκήκοας;

ΘΕΑΙ. Οὕτω μὲν οὖν παντάπασιν.

ΣΩ. Ἀρέσκει οὖν σε καὶ τίθεσαι ταύτῃ, δόξαν ἀληθῆ μετὰ λόγου ἐπιστήμην εἶναι;

ΘΕΑΙ. Κομιδῇ μὲν οὖν.

ΣΩ. Ἆρ᾽, ὦ Θεαίτητε, νῦν οὕτω τῇδε τῇ ἡμέρᾳ εἰλή- d φαμεν ὃ πάλαι καὶ πολλοὶ τῶν σοφῶν ζητοῦντες πρὶν εὑρεῖν κατεγήρασαν;

ΘΕΑΙ. Ἐμοὶ γοῦν δοκεῖ, ὦ Σώκρατες, καλῶς λέγεσθαι τὸ νῦν ῥηθέν.

ΣΩ. Καὶ εἰκός γε αὐτὸ τοῦτο οὕτως ἔχειν· τίς γὰρ ἂν καὶ ἔτι ἐπιστήμη εἴη χωρὶς λόγου τε καὶ ὀρθῆς δόξης; Ἓν μέντοι τί με τῶν ῥηθέντων ἀπαρέσκει.

ΘΕΑΙ. Τὸ ποῖον δή;

ΣΩ. Ὃ καὶ δοκεῖ λέγεσθαι κομψότατα, ὡς τὰ μὲν στοιχεῖα ἄγνωστα, τὸ δὲ τῶν συλλαβῶν γένος γνωστόν. e

ΘΕΑΙ. Οὐκοῦν ὀρθῶς;

ΣΩ. Ἰστέον δή· ὥσπερ γὰρ ὁμήρους ἔχομεν τοῦ λόγου τὰ παραδείγματα οἷς χρώμενος εἶπε πάντα ταῦτα.

b 3 ἔχειν : -ει BW || **b** 5 ὀνομάτων... **c** 5 ἔχειν habet Stob. II, iv, 16 (= *Flor.* LXXXI 15) vol. II, p. 31 Wachsmuth || **b** 5 οὐσίαν : -ας W || **c** 1 τινός τις : τὴν ὅστις W || **c** 5 σὺ : σοι BW || **d** 3 κατεγηράσαμεν W || **d** 6 αὐτὸ : αὖ Heindorf || **d** 7 λόγου Y : τοῦ λόγου BTW.

THÉÉTÈTE. — Quels modèles ?

SOCRATE. — Ceux que nous offrent les lettres : éléments et syllabes. Crois-tu qu'on ait eu autre chose en vue en formulant tout ce que nous racontons ?

THÉÉTÈTE. — Non, pas autre chose.

203 a

Des éléments inconnaissables peuvent-ils faire un tout connaissable ?

SOCRATE. — Il faut donc y revenir et les mettre à l'épreuve, ou plutôt nous y mettre nous-mêmes, et voir si ce fut là, ou non, notre façon d'apprendre les lettres. Première question : est-il vrai que les syllabes aient une raison et que les éléments soient irrationnels ?

THÉÉTÈTE. — Peut-être.

SOCRATE. — Probablement, à mon propre avis. Je suppose donc qu'on t'interroge sur la première syllabe de Socrate : « Théétète », demande-t-on, « dis-moi, qu'est-ce que SO ? » Que répondras-tu ?

THÉÉTÈTE. — Que c'est S et O.

SOCRATE. — En cela donc tu as la raison de la syllabe ?

THÉÉTÈTE. — Je le crois.

b SOCRATE. — Voyons, dis-moi, en même façon, la raison de l'S.

THÉÉTÈTE. — Et comment, d'un élément, dire les éléments ? Car, au fait, Socrate, l'S est une consonne, un simple bruit, comme un sifflement de la langue ; le B, par contre, n'a ni un son ni un bruit à lui propre, et c'est le cas de presque tous les éléments[1]. Aussi est-il absolument juste de les dire irrationnels, puisque ceux mêmes qui sont les plus clairs n'ont à eux que leur son, mais n'ont aucune sorte de raison.

SOCRATE. — Voilà donc, mon ami, un point bien établi par nous en ce qui concerne la science.

THÉÉTÈTE. — Apparemment.

c SOCRATE. — Et quoi ? Que l'élément soit inconnaissable et la syllabe, connaissable, l'avons-nous correctement démontré ?

THÉÉTÈTE. — C'est probable.

SOCRATE. — Voyons-y donc : la syllabe est-elle, pour nous,

1. On trouvera dispersés, dans le *Cratyle*, les fragments d'une théorie des éléments : leur appellation (393 e), leur division suivant qu'ils ont un son ou un bruit, ou ni son ni bruit propres (424 c), leur vertu sémantique (426 c-427 d), etc.

ΘΕΑΙ. Ποῖα δή ;

ΣΩ. Τὰ τῶν γραμμάτων στοιχεῖά τε καὶ συλλαβάς. Ἦ οἴει ἄλλοσέ ποι βλέποντα ταῦτα εἰπεῖν τὸν εἰπόντα ἃ λέγομεν ;

ΘΕΑΙ. Οὔκ, ἀλλ' εἰς ταῦτα.

ΣΩ. Βασανίζωμεν δὴ αὐτὰ ἀναλαμβάνοντες, μᾶλλον δὲ ἡμᾶς αὐτούς, οὕτως ἢ οὐχ οὕτως γράμματα ἐμάθομεν. Φέρε πρῶτον· ἆρ' αἱ μὲν συλλαβαὶ λόγον ἔχουσι, τὰ δὲ στοιχεῖα ἄλογα ; 203 a

ΘΕΑΙ. Ἴσως.

ΣΩ. Πάνυ μὲν οὖν καὶ ἐμοὶ φαίνεται. Σώκράτους γοῦν εἴ τις ἔροιτο τὴν πρώτην συλλαβὴν οὑτωσί· « Ὦ Θεαίτητε, λέγε τί ἐστι ΣΩ » ; τί ἀποκρινῇ ;

ΘΕΑΙ. Ὅτι σῖγμα καὶ ὦ.

ΣΩ. Οὐκοῦν τοῦτον ἔχεις λόγον τῆς συλλαβῆς ;

ΘΕΑΙ. Ἔγωγε.

ΣΩ. Ἴθι δή, οὕτως εἰπὲ καὶ τὸν τοῦ σῖγμα λόγον. b

ΘΕΑΙ. Καὶ πῶς τοῦ στοιχείου τις ἐρεῖ στοιχεῖα ; καὶ γὰρ δή, ὦ Σώκρατες, τό τε σῖγμα τῶν ἀφώνων ἐστί, ψόφος τις μόνον, οἷον συριττούσης τῆς γλώττης· τοῦ δ' αὖ βῆτα οὔτε φωνὴ οὔτε ψόφος, οὐδὲ τῶν πλείστων στοιχείων. Ὥστε πάνυ εὖ ἔχει τὸ λέγεσθαι αὐτὰ ἄλογα, ὧν γε τὰ ἐναργέστατα αὐτὰ φωνὴν μόνον ἔχει, λόγον δὲ οὐδ' ὁντινοῦν.

ΣΩ. Τουτὶ μὲν ἄρα, ὦ ἑταῖρε, κατωρθώκαμεν περὶ ἐπιστήμης.

ΘΕΑΙ. Φαινόμεθα.

ΣΩ. Τί δέ ; τὸ μὴ γνωστὸν εἶναι τὸ στοιχεῖον ἀλλὰ τὴν συλλαβὴν ἆρ' ὀρθῶς ἀποδεδείγμεθα ; c

ΘΕΑΙ. Εἰκός γε.

ΣΩ. Φέρε δή, τὴν συλλαβὴν πότερον λέγομεν τὰ ἀμφό-

203 b 2 τις ἐρεῖ : ἐρεῖς W || **b** 6 εὖ ἔχει τό : ἔχει τὸ εὖ TY || **b** 7 ἐναργέστατα : ἐνερ- W || αὐτὰ TY : ἑπτὰ add. in marg. T αὐτὰ τὰ ἑπτὰ BW || **c** 4 λέγομεν : -ωμεν B.

les deux éléments et, s'il y en a plus de deux, la totalité des éléments, ou bien une certaine forme unique issue de leur assemblage ?

THÉÉTÈTE. — C'est, en notre idée, je crois, la totalité.

SOCRATE. — Vois-le donc sur deux lettres, S et O. Elles forment, à elles deux, la première syllabe de mon nom. Qui connaît celle-ci ne connaît-il pas ces deux lettres ensemble ?

d THÉÉTÈTE. — Comment donc !

SOCRATE. — Il connaît donc l'S et l'O.

THÉÉTÈTE. — Oui.

SOCRATE. — Eh quoi ? Est-ce que l'une prise après l'autre lui est inconnue, et ne sait-il ni l'une ni l'autre alors qu'il connaît l'une et l'autre ?

THÉÉTÈTE. — Mais ce serait étrange et irrationnel, Socrate.

SOCRATE. — Mais, s'il faut nécessairement connaître chacune à part pour connaître les deux ensemble, il faudra, de toute nécessité, connaître d'avance les éléments si l'on veut jamais connaître la syllabe. Et voilà cette belle raison qui s'évade et nous échappe.

e THÉÉTÈTE. — Certes, bien soudainement.

SOCRATE. — C'est que nous n'avons pas su la tenir en belle garde. Ce qu'il aurait fallu, peut-être, c'eût été poser comme syllabe, non point les éléments, mais une certaine forme unique, issue des éléments, douée de sa propre unité formelle et différente des éléments [1].

THÉÉTÈTE. — Parfaitement ; et la vérité est peut-être en ce sens plutôt qu'en l'autre.

SOCRATE. — C'est ce qu'il nous faut examiner, car il ne faudrait point livrer, sans plus virile défense, une si grande et si noble raison.

THÉÉTÈTE. — Non, certes.

SOCRATE. — Maintenons donc notre affirmation présente :

204 a forme unique issue du mutuel ajustage des éléments, voilà ce qu'est la syllabe, dans le cas des lettres et dans tous autres cas pareillement.

THÉÉTÈTE. — Parfaitement.

SOCRATE. — Elle ne doit donc point avoir de parties.

1. Aristote dira (*Métaph.*, 1041 b, 16-19) que la syllabe est quelque chose de plus que les lettres, voyelle et consonne ; ainsi la chair est quelque chose de plus que le feu et la terre, le chaud et le froid.

τερα στοιχεῖα, καὶ ἐὰν πλείω ᾖ ἢ δύο, τὰ πάντα, ἢ μίαν τινὰ ἰδέαν γεγονυῖαν συντεθέντων αὐτῶν;

ΘΕΑΙ. Τὰ ἅπαντα ἔμοιγε δοκοῦμεν.

ΣΩ. Ὅρα δὴ ἐπὶ δυοῖν, σῖγμα καὶ ὦ. Ἀμφότερά ἐστιν ἡ πρώτη συλλαβὴ τοῦ ἐμοῦ ὀνόματος. Ἄλλο τι ὁ γιγνώσκων αὐτὴν τὰ ἀμφότερα γιγνώσκει;

ΘΕΑΙ. Τί μήν; d

ΣΩ. Τὸ σῖγμα καὶ τὸ ὦ ἄρα γιγνώσκει.

ΘΕΑΙ. Ναί.

ΣΩ. Τί δ'; ἑκάτερον ἄρ' ἀγνοεῖ, καὶ οὐδέτερον εἰδὼς ἀμφότερα γιγνώσκει;

ΘΕΑΙ. Ἀλλὰ δεινὸν καὶ ἄλογον, ὦ Σώκρατες.

ΣΩ. Ἀλλὰ μέντοι εἴ γε ἀνάγκη ἑκάτερον γιγνώσκειν, εἴπερ ἀμφότερά τις γνώσεται, προγιγνώσκειν τὰ στοιχεῖα ἅπασα ἀνάγκη τῷ μέλλοντί ποτε γνώσεσθαι συλλαβήν, καὶ οὕτως ἡμῖν ὁ καλὸς λόγος ἀποδεδρακὼς οἰχήσεται.

ΘΕΑΙ. Καὶ μάλα γε ἐξαίφνης. e

ΣΩ. Οὐ γὰρ καλῶς αὐτὸν φυλάττομεν. Χρῆν γὰρ ἴσως τὴν συλλαβὴν τίθεσθαι μὴ τὰ στοιχεῖα ἀλλ' ἐξ ἐκείνων ἕν τι γεγονὸς εἶδος, ἰδέαν μίαν αὐτὸ αὑτοῦ ἔχον, ἕτερον δὲ τῶν στοιχείων.

ΘΕΑΙ. Πάνυ μὲν οὖν· καὶ τάχα γ' ἂν μᾶλλον οὕτως ἢ 'κείνως ἔχοι.

ΣΩ. Σκεπτέον καὶ οὐ προδοτέον οὕτως ἀνάνδρως μέγαν τε καὶ σεμνὸν λόγον.

ΘΕΑΙ. Οὐ γὰρ οὖν.

ΣΩ. Ἐχέτω δὴ ὡς νῦν φαμεν, μία ἰδέα ἐξ ἑκάστων 204 a τῶν συναρμοττόντων στοιχείων γιγνομένη ἡ συλλαβή, ὁμοίως ἔν τε γράμμασι καὶ ἐν τοῖς ἄλλοις ἅπασι.

ΘΕΑΙ. Πάνυ μὲν οὖν.

ΣΩ. Οὐκοῦν μέρη αὐτῆς οὐ δεῖ εἶναι.

d 10 οὕτως : οὗτος BW || **e** 7 'κείνως : ἐκείνως YW || **204 a** 1 ἐχέτω : ἔχε· ἔστω Madvig ἔστω Heindorf Schanz aut μίαν ἰδέαν.. γιγνομένην Heindorf || ὡς : ὡς καὶ T.

THÉÉTÈTE. — Pourquoi ?

Argument dialectique.

SOCRATE. — En ce qui a parties, le tout est nécessairement la totalité des parties. Ou bien ce que tu entends par le tout, est-ce encore, issue des parties, une certaine forme unique différente de la totalité des parties[1] ?

THÉÉTÈTE. — Ainsi, du moins, je l'entends.

SOCRATE. — Mais la somme et le tout désignent-ils donc,
b pour toi, chose identique ou choses différentes ?

THÉÉTÈTE. — Je n'ai, là-dessus, rien de clair ; mais, sur la règle que tu m'as donnée de répondre courageusement, je vais au-devant du risque et dis qu'ils sont différents.

SOCRATE. — Le courage est bien placé, Théétète. La réponse l'est-elle ? Cela reste à voir.

THÉÉTÈTE. — Il faut donc voir.

SOCRATE. — Il y aurait ainsi différence entre le tout et la somme, d'après la thèse présente ?

THÉÉTÈTE. — Oui.

SOCRATE. — Qu'en va-t-il advenir ? La totalité et la somme peuvent-elles différer ? Que, par exemple, nous disions un, deux,
c trois, quatre, cinq, six ; ou deux fois trois, ou trois fois deux, ou quatre plus deux, ou trois plus deux plus un ; en toutes ces formules exprimons-nous la même chose ou choses différentes ?

THÉÉTÈTE. — La même chose.

SOCRATE. — Qui n'est autre que six ?

THÉÉTÈTE. — Pas autre.

SOCRATE. — Est-ce que, dans chacune de ces façons de nombrer, ce n'était pas ce six qui, pour nous, exprimait la somme ?

THÉÉTÈTE. — Si.

SOCRATE. — Et, maintenant, n'est-ce rien dire que dire la totalité ?

THÉÉTÈTE. — Si, nécessairement.

SOCRATE. — Est-ce dire autre chose que six ?

Ce « quelque chose de plus » est, pour Aristote (*ib.*, 1041 b, 25 et suiv.), cause, essence et forme ; comparer *Théétète, infra,* 205 d.

1. Pour la définition du *tout* comme forme unique et distincte, cf. *Parménide,* 157 e (p. 102) ; Aristote, *Métaph.*, 1016 a, 4 et 1023 b, 36. Pour cette comparaison entre les termes « tout », « somme », « totalité », cf. Arist. *Métaph.*, 1023 b, 26-1024 a, 10.

ΘΕΑΙ. Τί δή;

ΣΩ. Ὅτι οὗ ἂν ᾖ μέρη, τὸ ὅλον ἀνάγκη τὰ πάντα μέρη εἶναι. Ἢ καὶ τὸ ὅλον ἐκ τῶν μερῶν λέγεις γεγονὸς ἕν τι εἶδος ἕτερον τῶν πάντων μερῶν;

ΘΕΑΙ. Ἔγωγε.

ΣΩ. Τὸ δὲ δὴ πᾶν καὶ τὸ ὅλον πότερον ταὐτὸν καλεῖς ἢ ἕτερον ἑκάτερον; b

ΘΕΑΙ. Ἔχω μὲν οὐδὲν σαφές, ὅτι δὲ κελεύεις προθύμως ἀποκρίνασθαι, παρακινδυνεύων λέγω ὅτι ἕτερον.

ΣΩ. Ἡ μὲν προθυμία, ὦ Θεαίτητε, ὀρθή· εἰ δὲ καὶ ἡ ἀπόκρισις, σκεπτέον.

ΘΕΑΙ. Δεῖ γε δή.

ΣΩ. Οὐκοῦν διαφέροι ἂν τὸ ὅλον τοῦ παντός, ὡς ὁ νῦν λόγος;

ΘΕΑΙ. Ναί.

ΣΩ. Τί δὲ δή; τὰ πάντα καὶ τὸ πᾶν ἔσθ' ὅτι διαφέρει; οἷον ἐπειδὰν λέγωμεν ἕν, δύο, τρία, τέτταρα, πέντε, ἕξ, καὶ ἐὰν δὶς τρία ἢ τρὶς δύο ἢ τέτταρά τε καὶ δύο ἢ τρία c καὶ δύο καὶ ἕν, πότερον ἐν πᾶσι τούτοις τὸ αὐτὸ ἢ ἕτερον λέγομεν;

ΘΕΑΙ. Τὸ αὐτό.

ΣΩ. Ἆρ' ἄλλο τι ἢ ἕξ;

ΘΕΑΙ. Οὐδέν.

ΣΩ. Οὐκοῦν ἐφ' ἑκάστης λέξεως πᾶν τὰ ἓξ εἰρήκαμεν;

ΘΕΑΙ. Ναί.

ΣΩ. Πάλιν δ' οὐδὲν λέγομεν τὰ πάντα λέγοντες;

ΘΕΑΙ. Ἀνάγκη.

ΣΩ. Ἦ ἄλλο τι ἢ τὰ ἕξ;

a 11 ταὐτὸν : αὐτὸν T || b 6 γε δή W : δέ γε δή BTY || b 10 ὅτι : ὅτε W || c 1 τε om. W || τρία καὶ : τρία τε καὶ W || c 2 τὸ αὐτὸ : ταυτὸν W || c 4 τὸ αὐτό W : τὸ αὐτόν B ταὐτόν TY || c 7 πᾶν τὰ Turicenses : πάντα W πάντα τὰ BTY || εἰρήκαμεν : εὑ- TY || c 9 πάλιν : πᾶν olim πάλιν δὲ πᾶν nunc Campbell || οὐδὲν : οὐχ ἓν Hermann || τὰ πάντα : τὸ πᾶν Schleiermacher || c 11 ἢ om. TY

Théétète. — Nullement.

d Socrate. — Donc, en toutes choses constituées par un nombre, c'est la même chose que nous appelons la somme et la totalité ?

Théétète. — Apparemment.

Socrate. — Expliquons-nous donc, à ce sujet, sur les questions suivantes. Le nombre qui constitue l'arpent et l'arpent sont la même chose, n'est-ce pas ?

Théétète. — Oui.

Socrate. — Et le nombre du stade pareillement.

Théétète. — Oui.

Socrate. — De même le nombre de l'armée et l'armée, et ainsi de suite pour toutes choses de ce genre. Car le total de leur nombre est, en chacune, la somme de leur réalité.

Théétète. — Oui.

e Socrate. — Mais le nombre de chacune est-il autre chose que ses parties ?

Théétète. — Pas autre chose.

Socrate. — Donc tout ce qui a parties est constitué de parties ?

Théétète. — Apparemment.

Socrate. — Mais que la totalité des parties soit la somme, c'est chose avérée, si le total du nombre doit, lui aussi, être la somme.

Théétète. — D'accord.

Socrate. — Le tout n'est donc point constitué de parties. Sans quoi il serait une somme, vu qu'il serait la totalité des parties.

Théétète. — Il ne l'est point, semble-t-il.

Socrate. — La partie peut-elle être partie d'autre chose que du tout ?

Théétète. — Oui : de la somme.

205 a Socrate. — C'est virilement batailler, Théétète. Mais la somme, n'est-ce pas quand rien ne lui manque qu'elle est vraiment une somme [1] ?

Théétète. — Nécessairement.

Socrate. — Ne sera-ce pas aussi un tout, ce à quoi absolument rien ne manque ? N'est-il pas vrai aussi que ce à quoi

1. Même définition dans Arist. *Phys.*, 207 a et passim. Sur cette discussion dialectique, cf. *Parménide*, p. 84 et p. 102 (notes).

ΘΕΑΙ. Οὐδέν.

ΣΩ. Ταὐτὸν ἄρα ἕν γε τοῖς ὅσα ἐξ ἀριθμοῦ ἐστι τό τε **d** πᾶν προσαγορεύομεν καὶ τὰ ἅπαντα ;

ΘΕΑΙ. Φαίνεται.

ΣΩ. Ὧδε δὴ περὶ αὐτῶν λέγωμεν. Ὁ τοῦ πλέθρου ἀριθμὸς καὶ τὸ πλέθρον ταὐτόν· ἢ γάρ ;

ΘΕΑΙ. Ναί.

ΣΩ. Καὶ ὁ τοῦ σταδίου δὴ ὡσαύτως.

ΘΕΑΙ. Ναί.

ΣΩ. Καὶ μὴν καὶ ὁ τοῦ στρατοπέδου γε καὶ τὸ στρατόπεδον, καὶ πάντα τὰ τοιαῦτα ὁμοίως ; ὁ γαρ ἀριθμὸς πᾶς τὸ ὂν πᾶν ἕκαστον αὐτῶν ἐστιν.

ΘΕΑΙ. Ναί.

ΣΩ. Ὁ δὲ ἑκάστων ἀριθμὸς μῶν ἄλλο τι ἢ μέρη ἐστίν ; **e**

ΘΕΑΙ. Οὐδέν.

ΣΩ. Ὅσα ἄρα ἔχει μέρη, ἐκ μερῶν ἂν εἴη ;

ΘΕΑΙ. Φαίνεται.

ΣΩ. Τὰ δέ γε πάντα μέρη τὸ πᾶν εἶναι ὡμολόγηται, εἴπερ καὶ ὁ πᾶς ἀριθμὸς τὸ πᾶν ἔσται.

ΘΕΑΙ. Οὕτως.

ΣΩ. Τὸ ὅλον ἄρ᾽ οὐκ ἔστιν ἐκ μερῶν. Πᾶν γὰρ ἂν εἴη τὰ πάντα ὂν μέρη.

ΘΕΑΙ. Οὐκ ἔοικεν.

ΣΩ. Μέρος δ᾽ ἔσθ᾽ ὅτου ἄλλου ἐστὶν ὅπερ ἐστὶν ἢ τοῦ ὅλου ;

ΘΕΑΙ. Τοῦ παντός γε.

ΣΩ. Ἀνδρικῶς γε, ὦ Θεαίτητε, μάχῃ. Τὸ πᾶν δὲ οὐχ **205 a** ὅταν μηδὲν ἀπῇ, αὐτὸ τοῦτο πᾶν ἐστιν ;

ΘΕΑΙ. Ἀνάγκη.

ΣΩ. Ὅλον δὲ οὐ ταὐτὸν τοῦτο ἔσται, οὗ ἂν μηδαμῇ

d 2 προσαγορεύομεν : -ευόμενον W || **d** 4 ante περὶ add. τὰ W || **d** 9 καὶ post μὴν om. TY || **d** 11 ὂν πᾶν : πᾶν ὂν Heindorf || **e** 5 ὡμολόγηται : ὁμολογεῖται B.

quelque chose manque ne sera ni tout, ni somme, puisqu'une même déficience aura, sur lui, dans les deux cas, le même effet?

Théétète. — Il me semble maintenant qu'il n'y a aucune différence entre somme et tout.

Socrate. — Or n'avons-nous pas dit que, là où il y a parties, la somme et le tout sera la totalité des parties?

Théétète. — Parfaitement.

Socrate. — Revenons donc à ce que j'avais entamé tout à l'heure : si la syllabe n'est point les éléments, n'est-il pas inévitable qu'elle n'ait point ces éléments comme parties, ou b qu'alors, à eux identique, au même titre qu'eux elle soit connaissable?

Théétète. — Si fait.

Socrate. — N'est-ce pas pour éviter cela que nous l'avions posée différente des éléments?

Théétète. — Si.

Socrate. — Eh quoi? Si ce ne sont pas les éléments qui sont parties de la syllabe, as-tu d'autres principes à fournir qui soient parties de la syllabe sans cependant en être les éléments?

Théétète. — D'aucune sorte. Si je devais, en effet, Socrate, admettre en elle quelque composition, il serait bien un peu ridicule de laisser de côté les éléments pour aller lui chercher ailleurs des composants.

Socrate. — Il serait donc absolument acquis, Théétète, c en conclusion du présent argument, que la syllabe est une forme unique et indivisible.

Théétète. — Il semble.

Socrate. — Te souviens-tu donc, mon cher, qu'il y a peu de temps nous avons accepté ce que nous prenions pour une excellente formule [1]? Les premiers composants dont tout le reste est fait ne comporteraient point de raison, parce qu'en soi et par soi, chacun d'eux serait incomposé. Ni en lui accolant le terme « être » on ne saurait s'exprimer correctement à son égard, ni en lui accolant « ceci », car ce serait en dire choses qui sont différentes de lui, étrangères à lui, et là même serait la cause qui le ferait irrationnel et inconnaissable.

1. Cf. *supra*, 202 a/c, p. 248/9.

μηδὲν ἀποστατῇ ; οὗ δ᾽ ἂν ἀποστατῇ, οὔτε ὅλον οὔτε πᾶν, ἅμα γενόμενον ἐκ τοῦ αὐτοῦ τὸ αὐτό ;

ΘΕΑΙ. Δοκεῖ μοι νῦν οὐδὲν διαφέρειν πᾶν τε καὶ ὅλον.

ΣΩ. Οὐκοῦν ἐλέγομεν ὅτι οὗ ἂν μέρη ᾖ, τὸ ὅλον τε καὶ πᾶν τὰ πάντα μέρη ἔσται ;

ΘΕΑΙ. Πάνυ γε.

ΣΩ. Πάλιν δή, ὅπερ ἄρτι ἐπεχείρουν, οὐκ, εἴπερ ἡ συλλαβὴ μὴ τὰ στοιχεῖά ἐστιν, ἀνάγκη αὐτὴν μὴ ὡς μέρη b ἔχειν ἑαυτῆς τὰ στοιχεῖα, ἢ ταὐτὸν οὖσαν αὐτοῖς ὁμοίως ἐκείνοις γνωστὴν εἶναι ;

ΘΕΑΙ. Οὕτως.

ΣΩ. Οὐκοῦν τοῦτο ἵνα μὴ γένηται, ἕτερον αὐτῶν αὐτὴν ἐθέμεθα ;

ΘΕΑΙ. Ναί.

ΣΩ. Τί δ᾽ ; εἰ μὴ τὰ στοιχεῖα συλλαβῆς μέρη ἐστίν, ἔχεις ἄλλ᾽ ἄττα εἰπεῖν ἃ μέρη μέν ἐστι συλλαβῆς, οὐ μέντοι στοιχεῖά γ᾽ ἐκείνης ;

ΘΕΑΙ. Οὐδαμῶς. Εἰ γάρ, ὦ Σώκρατες, μόρι᾽ ἄττ᾽ αὐτῆς συγχωροίην, γελοῖόν που τὰ στοιχεῖα ἀφέντα ἐπ᾽ ἄλλα ἰέναι.

ΣΩ. Παντάπασι δή, ὦ Θεαίτητε, κατὰ τὸν νῦν λόγον c μία τις ἰδέα ἀμέριστος συλλαβὴ ἂν εἴη.

ΘΕΑΙ. Ἔοικεν.

ΣΩ. Μέμνησαι οὖν, ὦ φίλε, ὅτι ὀλίγον ἐν τῷ πρόσθεν ἀπεδεχόμεθα ἡγούμενοι εὖ λέγεσθαι ὅτι τῶν πρώτων οὐκ εἴη λόγος ἐξ ὧν τἆλλα σύγκειται, διότι αὐτὸ καθ᾽ αὐτὸ ἕκαστον εἴη ἀσύνθετον, καὶ οὐδὲ τὸ « εἶναι » περὶ αὐτοῦ ὀρθῶς ἔχοι προσφέροντα εἰπεῖν, οὐδὲ « τοῦτο », ὡς ἕτερα καὶ ἀλλότρια λεγόμενα, καὶ αὕτη δὴ ἡ αἰτία ἄλογόν τε καὶ ἄγνωστον αὐτὸ ποιοῖ;

205 a 5 ἂν : ἂν μὴ TY || **a** 7 καὶ : καὶ τὸ W || **a** 9 πᾶν : τὸ πᾶν W || ἔσται : ἐστίν W || **b** 2 ἑαυτῆς : αὐτῆς W || **b** 9 ἔχεις om. B || **b** 11 εἰ γάρ om. TY || μορι᾽ ἄττα αὐτῆς W : μόρια ταύτης BTY || **c** 6 καθ᾽ αὑτό : τὸ καθ᾽ αὑτὸν Y || **c** 8 τοῦτο : τὸ τοῦτο Heindorf τὸ τό Buttmann || ὡς : οὕτως ὡς Y || **c** 9 αὕτη : αὐτὴ W || ἄλογόν... **d** 1 αἰτία in marg. habet W || ἄλογόν : ἀλόγων W || τε : τι TY || ποιοῖ : -εῖ W[2] (ex priore οῖ manet ῖ integrum post εῖ).

Théétète. — Je m'en souviens.

d Socrate. — Est-ce une autre cause, est-ce la même qui lui procure son unité de forme et son indivisibilité ? Pour moi, je n'en vois point d'autre.

Théétète. — C'est qu'en effet il n'y en a point, semble-t-il.

Socrate. — La syllabe ne vient-elle pas, du coup, se ranger dans la même forme que lui, puisqu'à la fois elle est sans parties et formellement une ?

Théétète. — Absolument.

Socrate. — Si donc la syllabe est une pluralité d'éléments, un tout dont ces éléments sont les parties, les syllabes seront connaissables et exprimables au même titre que les éléments, puisque la totalité des parties nous est apparue identique au tout.

e Théétète. — Assurément.

Socrate. — Si elle est, par contre, une et indivisible, au même titre la syllabe, au même titre l'élément sont inconnaissables : car la même cause aura en eux les mêmes effets.

Théétète. — Je ne vois rien à dire là-contre.

Socrate. — Il est donc pour nous inadmissible qu'on dise la syllabe connaissable et exprimable, et que, de l'élément, on affirme le contraire.

Théétète. — Oui certes, si nous nous fions à l'argument.

206 a *Argument d'expérience : l'alphabet et la musique.*

Socrate. — Mais quoi ? A une explication tout opposée ne ferais-tu pas plus favorable accueil, conscient que tu es de ta propre expérience au temps où tu apprenais les lettres[1] ?

Théétète. — Quelle expérience ?

Socrate. — Que tu n'eus d'autre effort, d'un bout à l'autre de ton apprentissage, que de discerner les éléments à l'œil et à l'oreille, chacun pour soi, un par un, de façon à n'être point déconcerté par leurs changements de position, soit à l'audition, soit à la lecture ?

Théétète. — Ce que tu dis là est très vrai.

Socrate. — Avoir achevé l'apprentissage de la cithare

1. Le *Cratyle* (424 c) en appelle à l'exemple de ceux qui, étudiant les rythmes, partent des valeurs de chaque élément, puis de chaque syllabe.

ΘΕΑΙ. Μέμνημαι.

ΣΩ. Ἦ οὖν ἄλλη τις ἢ αὕτη ἡ αἰτία τοῦ μονοειδές τε καὶ ἀμέριστον αὐτὸ εἶναι ; ἐγὼ μὲν γὰρ οὐχ ὁρῶ ἄλλην. d

ΘΕΑΙ. Οὐ γὰρ οὖν δὴ φαίνεται.

ΣΩ. Οὐκοῦν εἰς ταὐτὸν ἐμπέπτωκεν ἡ συλλαβὴ εἶδος ἐκείνῳ, εἴπερ μέρη τε μὴ ἔχει καὶ μία ἐστὶν ἰδέα ;

ΘΕΑΙ. Παντάπασι μὲν οὖν.

ΣΩ. Εἰ μὲν ἄρα πολλὰ στοιχεῖα ἡ συλλαβή ἐστιν καὶ ὅλον τι, μέρη δ' αὐτῆς ταῦτα, ὁμοίως αἵ τε συλλαβαὶ γνωσταὶ καὶ ῥηταὶ καὶ τὰ στοιχεῖα, ἐπείπερ τὰ πάντα μέρη τῷ ὅλῳ ταὐτὸν ἐφάνη.

ΘΕΑΙ. Καὶ μάλα. e

ΣΩ. Εἰ δέ γε ἕν τε καὶ ἀμερές, ὁμοίως μὲν συλλαβή, ὡσαύτως δὲ στοιχεῖον ἄλογόν τε καὶ ἄγνωστον· ἡ γὰρ αὐτὴ αἰτία ποιήσει αὐτὰ τοιαῦτα.

ΘΕΑΙ. Οὐκ ἔχω ἄλλως εἰπεῖν.

ΣΩ. Τοῦτο μὲν ἄρα μὴ ἀποδεχώμεθα, ὃς ἂν λέγῃ συλλαβὴν μὲν γνωστὸν καὶ ῥητόν, στοιχεῖον δὲ τοὐναντίον.

ΘΕΑΙ. Μὴ γάρ, εἴπερ τῷ λόγῳ πεισόμεθα.

ΣΩ. Τί δ' αὖ ; τοὐναντίον λέγοντος ἆρ' οὐ μᾶλλον ἂν ἀποδέξαιο ἐξ ὧν αὐτὸς σύνοισθα σαυτῷ ἐν τῇ τῶν γραμμάτων μαθήσει ; 206 a

ΘΕΑΙ. Τὸ ποῖον ;

ΣΩ. Ὡς οὐδὲν ἄλλο μανθάνων διετέλεσας ἢ τὰ στοιχεῖα ἔν τε τῇ ὄψει διαγιγνώσκειν πειρώμενος καὶ ἐν τῇ ἀκοῇ αὐτὸ καθ' αὑτὸ ἕκαστον, ἵνα μὴ ἡ θέσις σε ταράττοι λεγομένων τε καὶ γραφομένων.

ΘΕΑΙ. Ἀληθέστατα λέγεις.

ΣΩ. Ἐν δὲ κιθαριστοῦ τελέως μεμαθηκέναι μῶν ἄλλο τι

d 1 αὕτη : αὐτὴ YW || ἡ om. W secl. Bonitz || τοῦ : τὸ Bonitz || τε W et in ras. B : τι TY || **d** 5 τε : γε Naber || **e** 6 τοῦτο : τούτου Heindorf || **e** 7 γνωστὸν : ἄγνωστον B[1]T || **e** 8 πεισόμεθα YW coniecerat Richards : -θόμεθα BT || **206 a** 6 τε W : om. BTY.

b fut-il autre chose que pouvoir suivre chaque son de l'oreille et dire quelle corde l'émettait; et ce sont bien là, tout le monde l'accordera, les éléments de la musique?

Théétète. — Sans conteste.

Socrate. — Si donc c'est de notre propre expérience en fait d'éléments et de syllabes qu'il nous faut partir pour conjecturer le reste, bien supérieur est le genre élément pour la clarté de la connaissance, affirmerons-nous, bien plus approprié que la syllabe à une maîtrise parfaite de chaque objet d'étude. Et qui viendra nous affirmer que la syllabe est connaissable et l'élément naturellement inconnaissable, celui-là, estimerons-nous, ne dit, qu'il le veuille ou non, que plaisanteries [1].

Théétète. — Assurément.

c *Les sens possibles du mot raison.*

Socrate. — De cela, d'ailleurs, on trouverait d'autres preuves, ce me semble. Mais n'oublions point, à les rechercher, ce que nous nous proposions : voir ce que peut bien signifier cette raison qui, s'ajoutant à l'opinion droite, engendre la suprême perfection de science.

Théétète. — Voyons-le donc.

Socrate. — Allons, que peut-on bien vouloir nous faire entendre par cette raison? Elle a, ce semble, l'un des trois sens suivants.

Théétète. — Quels sens donc?

d Socrate. — Le premier serait : faire connaître clairement sa propre pensée par expression vocale articulée en verbes et en noms; ainsi qu'en un miroir ou dans l'eau, amener son opinion à se réfléchir dans le courant de l'émission vocale. Ne te semble-t-il point que ce soit là une raison?

Théétète. — A moi, si. Au moins, de celui qui fait cela, nous disons qu'il exprime.

Socrate. — C'est donc là chose que le premier venu peut faire, qui plus vite, qui plus lentement : manifester son jugement sur quelque sujet que ce soit, s'il n'est sourd ou muet de naissance. A ce compte, tous ceux qui ont quelque

1. Comparer *Cratyle*, 426 a : on ne peut expliquer les propriétés des mots dérivés que par celles des mots primitifs, et quiconque, ignorant ceux-ci, entreprend de disserter sur ceux-là, « ne dira que des niaiseries ».

ἣν ἧ τὸ τῷ φθόγγῳ ἑκάστῳ δύνασθαι ἐπακολουθεῖν, ποίας b
χορδῆς εἴη· ἃ δὴ στοιχεῖα πᾶς ἂν ὁμολογήσειε μουσικῆς
λέγεσθαι ;

ΘΕΑΙ. Οὐδὲν ἄλλο.

ΣΩ. Ὧν μὲν ἄρ᾽ αὐτοὶ ἔμπειροί ἐσμεν στοιχείων καὶ
συλλαβῶν, εἰ δεῖ ἀπὸ τούτων τεκμαίρεσθαι καὶ εἰς τὰ ἄλλα,
πολὺ τὸ τῶν στοιχείων γένος ἐναργεστέραν τε τὴν γνῶσιν
ἔχειν φήσομεν καὶ κυριωτέραν τῆς συλλαβῆς πρὸς τὸ λαβεῖν τελέως ἕκαστον μάθημα, καὶ ἐάν τις φῇ συλλαβὴν μὲν
γνωστόν, ἄγνωστον δὲ πεφυκέναι στοιχεῖον, ἑκόντα ἢ
ἄκοντα παίζειν ἡγησόμεθ᾽ αὐτόν.

ΘΕΑΙ. Κομιδῇ μὲν οὖν.

ΣΩ. Ἀλλὰ δὴ τούτου μὲν ἔτι κἂν ἄλλαι φανεῖεν ἀπο- c
δείξεις, ὥς ἐμοὶ δοκεῖ· τὸ δὲ προκείμενον μὴ ἐπιλαθώμεθα
δι᾽ αὐτὰ ἰδεῖν, ὅτι δή ποτε καὶ λέγεται τὸ μετὰ δόξης
ἀληθοῦς λόγον προσγενόμενον τὴν τελεωτάτην ἐπιστήμην
γεγονέναι.

ΘΕΑΙ. Οὐκοῦν χρὴ ὁρᾶν.

ΣΩ. Φέρε δή, τί ποτε βούλεται τὸν λόγον ἡμῖν σημαί-
νειν ; τριῶν γὰρ ἕν τί μοι δοκεῖ λέγειν.

ΘΕΑΙ. Τίνων δή ;

ΣΩ. Τὸ μὲν πρῶτον εἴη ἂν τὸ τὴν αὑτοῦ διάνοιαν ἐμ- d
φανῆ ποιεῖν διὰ φωνῆς μετὰ ῥημάτων τε καὶ ὀνομάτων,
ὥσπερ εἰς κάτοπτρον ἢ ὕδωρ τὴν δόξαν ἐκτυπούμενον εἰς
τὴν διὰ τοῦ στόματος ῥοήν. Ἢ οὐ δοκεῖ σοι τὸ τοιοῦτον
λόγος εἶναι ;

ΘΕΑΙ. Ἔμοιγε. Τὸν γοῦν αὐτὸ δρῶντα λέγειν φαμέν.

ΣΩ. Οὐκοῦν αὖ τοῦτό γε πᾶς ποιεῖν δυνατὸς θᾶττον ἢ
σχολαίτερον, τὸ ἐνδείξασθαι τί δοκεῖ περὶ ἑκάστου αὐτῷ,
ὁ μὴ ἐνεὸς ἢ κωφὸς ἀπ᾽ ἀρχῆς· καὶ οὕτως ὅσοι τι ὀρθὸν

b 1 τὸ om. B || **b** 2 ἃ δὴ : ἀλλ᾽ ἢ B || **c** 1 ἔτι κἂν om. TY || **c** 7 τὸν λόγον : τὸ λόγος Stallbaum || **d** 4 στόματος : σώμ- W || **d** 6 γοῦν W : οὖν BTY || **d** 7 αὖ W : om. BTY || δυνατὸς : -ὸν Y || **d** 9 ἐνεὸς : ἐνν- Y || ἢ κωφὸς ἀπ᾽ ἀρχῆς : secl. Cobet ἄφωνος in marg. T || ὀρθὸν : -ῶς Y.

e opinion droite apparaîtront l'avoir accompagnée de raison : il ne se produira plus nulle part d'opinion droite séparée de la science.

THÉÉTÈTE. — C'est vrai.

La raison définie comme énumération des éléments.

SOCRATE. — N'allons point cependant condamner à la légère, comme n'ayant rien dit, celui qui a donné de la science la définition que nous examinons présentement. Peut-être, en effet, n'est-ce point cela qu'entendait son auteur, mais bien, à toute demande de définition, pouvoir, au questionneur, rendre 207 a réponse par le moyen des éléments.

THÉÉTÈTE. — Comment l'entends-tu, Socrate?

SOCRATE. — Dans le sens où Hésiode, à propos du chariot, parle « des cent pièces du chariot ». Pièces que moi je ne saurais énumérer, ni, je pense, toi non plus. Nous serions tout contents, à qui nous demanderait ce qui fait un chariot, de pouvoir énumérer les roues, l'essieu, le train de dessus, le demi-cercle du siège, le timon.

THÉÉTÈTE. — Parfaitement.

SOCRATE. — Celui-là, peut-être, aurait de nous la même idée que si, interrogés sur ton nom, nous répondions en l'épelant par syllabes. Il penserait que nous sommes ridi- b cules, jugeant, certes, droitement et donnant telle explication qu'actuellement nous donnons, de nous imaginer être des grammairiens, avoir et formuler en grammairiens la raison du nom de Théétète; et qu'il n'y a rien, là, d'une explication scientifique : il faut qu'auparavant, éléments par éléments, on ait, avec l'opinion droite, achevé de parcourir l'objet ; ce que, d'ailleurs, précédemment, nous avions, je crois, déjà dit.

THÉÉTÈTE. — Nous l'avons dit, en effet.

SOCRATE. — Que donc, sur le chariot aussi, nous avons, certes, opinion droite. Mais que celui-là seulement qui pourra, de l'une à l'autre des cent pièces, parcourir l'essence c du chariot [1], aura, par cette adjonction, ajouté la raison à l'opinion vraie et substitué, à son état de simple opinion, la

1. Comparer l'exemple de la montre, dans Condillac (*Cours d'Étude*, I, 8, p. 69-71). Mais Condillac accepterait de dire, avec Platon, que la science n'est pas dans l'énumération, même complète. Son analyse, qui décompose et recompose, cherche, elle aussi, l'essence

δοξάζουσι, πάντες αὐτὸ μετὰ λόγου φανοῦνται ἔχοντες, καὶ οὐδαμοῦ ἔτι ὀρθὴ δόξα χωρὶς ἐπιστήμης γενήσεται. e

ΘΕΑΙ. Ἀληθῆ.

ΣΩ. Μὴ τοίνυν ῥᾳδίως καταγιγνώσκωμεν τὸ μηδὲν εἰρηκέναι τὸν ἀποφηνάμενον ἐπιστήμην ὃ νῦν σκοποῦμεν. Ἴσως γὰρ ὁ λέγων οὐ τοῦτο ἔλεγεν, ἀλλὰ τὸ ἐρωτηθέντα τί ἕκαστον δυνατὸν εἶναι τὴν ἀπόκρισιν διὰ τῶν στοιχείων ἀποδοῦναι τῷ ἐρομένῳ.

207 a

ΘΕΑΙ. Οἷον τί λέγεις, ὦ Σώκρατες ;

ΣΩ. Οἷον καὶ Ἡσίοδος περὶ ἁμάξης λέγει τὸ « ἑκατὸν δέ τε δούραθ᾽ ἁμάξης ». Ἃ ἐγὼ μὲν οὐκ ἂν δυναίμην εἰπεῖν, οἶμαι δὲ οὐδὲ σύ· ἀλλ᾽ ἀγαπῷμεν ἂν ἐρωτηθέντες ὅτι ἐστὶν ἅμαξα, εἰ ἔχοιμεν εἰπεῖν τροχοί, ἄξων, ὑπερτερία, ἄντυγες, ζυγόν.

ΘΕΑΙ. Πάνυ μὲν οὖν.

ΣΩ. Ὁ δέ γε ἴσως οἴοιτ᾽ ἂν ἡμᾶς, ὥσπερ ἂν τὸ σὸν ὄνομα ἐρωτηθέντας καὶ ἀποκρινομένους κατὰ συλλαβήν, γελοίους εἶναι, ὀρθῶς μὲν δοξάζοντας καὶ λέγοντας ἃ λέγομεν, οἰομένους δὲ γραμματικοὺς εἶναι καὶ ἔχειν τε καὶ λέγειν γραμματικῶς τὸν τοῦ Θεαιτήτου ὀνόματος λόγον· τὸ δ᾽ οὐκ εἶναι ἐπιστημόνως οὐδὲν λέγειν, πρὶν ἂν διὰ τῶν στοιχείων μετὰ τῆς ἀληθοῦς δόξης ἕκαστον περαίνῃ τις, ὅπερ καὶ ἐν τοῖς πρόσθε που ἐρρήθη. b

ΘΕΑΙ. Ἐρρήθη γάρ.

ΣΩ. Οὕτω τοίνυν καὶ περὶ ἁμάξης ἡμᾶς μὲν ὀρθὴν ἔχειν δόξαν, τὸν δὲ διὰ τῶν ἑκατὸν ἐκείνων δυνάμενον διελθεῖν αὐτῆς τὴν οὐσίαν, προσλαβόντα τοῦτο, λόγον τε προσειληφέναι τῇ ἀληθεῖ δόξῃ καὶ ἀντὶ δοξαστικοῦ τεχνικόν τε καὶ c

e 1 φανοῦνται μετὰ λόγου TY || **e** 5 τὸν ἀποφηνάμενον : τοῦ -ένου Heindorf || **e** 6 τί : τί ἐστιν W || **207 a** 5 ἀγαπῷμεν edd. : -ῶμεν BTY -ώημεν W || ἂν ἐρωτηθέντες : ἀνερ- B || **a** 6 ἔχοιμεν : -ομεν Y || ὑπερτερία Kuhn : -τηρία BW -τήρια TY || **a** 10 ἀποκρινομένους : ἀποκρινα- W || **b** 2 τε om. W || **b** 6 πρόσθε που ἐρρήθη TW : πρόσθεν ου ἐρ- B ἔμπροσθεν προέρ- Y || **b** 9 τὸν : τὸ Turicenses || διὰ : διά τοῦ T || τῶν : τὸν T.

compétence technique et la science en ce qui concerne l'essence du chariot ; car, par ce parcours des éléments, c'est le parcours du tout qu'il achève.

THÉÉTÈTE. — Cela ne te semble-t-il pas bonne explication, Socrate?

SOCRATE. — Te semble-t-elle bonne à toi, ami, et admets-tu que ce complet parcours des éléments soit, pour chaque objet, sa raison, et le parcours par syllabes, ou par plus grands ensembles encore, absence totale de raison? Là-dessus d dis-moi ton avis : alors nous l'examinerons.

THÉÉTÈTE. — Mais j'admets cela complètement.

SOCRATE. — Est-ce dans la pensée que, d'un objet quelconque, un homme quelconque a science quand il croit devoir attribuer une même chose, tantôt au même objet, tantôt à l'autre, ou quand, au même objet, il juge appartenir tantôt une chose, tantôt une autre?

THÉÉTÈTE. — Par Zeus, je n'ai point cette pensée.

SOCRATE. — Oublies-tu alors qu'en ton apprentissage des lettres, à tes débuts, toi-même et les autres faisiez pareilles fautes?

THÉÉTÈTE. — Veux-tu dire qu'à la même syllabe c'était e tantôt telle lettre, tantôt telle autre que nous croyions appartenir, et qu'une même lettre, nous la posions tantôt dans la syllabe qu'il fallait et tantôt dans une autre?

SOCRATE. — C'est cela même que je veux dire.

THÉÉTÈTE. — Non, par Zeus, je ne l'oublie point et ne crois point non plus qu'on soit parvenu à la science tant qu'on en est encore là.

SOCRATE. — Eh bien, suppose qu'en telle occasion quelqu'un, en train d'écrire « Théétète », croie devoir écrire et 208 a écrive « THE »; et que, voulant après cela écrire « Théodore », il croie devoir écrire et écrive « TE ». Affirmerons-nous qu'il sait la première syllabe de vos noms?

THÉÉTÈTE. — Mais cela fut entendu tout à l'heure entre nous : celui qui en est là ne sait pas encore.

SOCRATE. — Rien l'empêche-t-il, sur la deuxième syllabe et la troisième et la quatrième, d'en être au même point?

ou l'unité formelle, et il ne décompose point sa montre sans observer « comment le mouvement, communiqué par un premier ressort, passe de roue en roue jusqu'à l'aiguille qui marque les heures ».

ἐπιστήμονα περὶ ἁμάξης οὐσίας γεγονέναι, διὰ στοιχείων τὸ ὅλον περάναντα.

ΘΕΑΙ. Οὐκοῦν εὖ δοκεῖ σοι, ὦ Σώκρατες ;

ΣΩ. Εἴ σοί, ὦ ἑταῖρε, δοκεῖ, καὶ ἀποδέχῃ τὴν διὰ στοιχείου διέξοδον περὶ ἑκάστου λόγον εἶναι, τὴν δὲ κατὰ συλλαβὰς ἢ καὶ κατὰ μεῖζον ἔτι ἀλογίαν, τοῦτό μοι λέγε, ἵν' αὐτὸ ἐπισκοπῶμεν. d

ΘΕΑΙ. Ἀλλὰ πάνυ ἀποδέχομαι.

ΣΩ. Πότερον ἡγούμενος ἐπιστήμονα εἶναι ὁντινοῦν ὁτουοῦν, ὅταν τὸ αὐτὸ τοτὲ μὲν τοῦ αὐτοῦ δοκῇ αὐτῷ εἶναι, τοτὲ δὲ ἑτέρου, ἢ καὶ ὅταν τοῦ αὐτοῦ τοτὲ μὲν ἕτερον, τοτὲ δὲ ἕτερον δοξάζῃ ;

ΘΕΑΙ. Μὰ Δί' οὐκ ἔγωγε.

ΣΩ. Εἶτα ἀμνημονεῖς ἐν τῇ τῶν γραμμάτων μαθήσει κατ' ἀρχὰς σαυτόν τε καὶ τοὺς ἄλλους δρῶντας αὐτά ;

ΘΕΑΙ. Ἆρα λέγεις τῆς αὐτῆς συλλαβῆς τοτὲ μὲν ἕτερον, τοτὲ δὲ ἕτερον ἡγουμένους γράμμα, καὶ τὸ αὐτὸ τοτὲ μὲν e εἰς τὴν προσήκουσαν, τοτὲ δὲ εἰς ἄλλην τιθέντας συλλαβήν ;

ΣΩ. Ταῦτα λέγω.

ΘΕΑΙ. Μὰ Δί' οὐ τοίνυν ἀμνημονῶ, οὐδέ γέ πω ἡγοῦμαι ἐπίστασθαι τοὺς οὕτως ἔχοντας.

ΣΩ. Τί οὖν ; ὅταν ἐν τῷ τοιούτῳ καιρῷ « Θεαίτητον » γράφων τις θῆτα καὶ εἶ οἴηταί τε δεῖν γράφειν καὶ γράψῃ, καὶ αὖ « Θεόδωρον » ἐπιχειρῶν γράφειν ταῦ καὶ εἶ οἴηταί 208 a τε δεῖν γράφειν καὶ γράψῃ, ἆρ' ἐπίστασθαι φήσομεν αὐτὸν τὴν πρώτην τῶν ὑμετέρων ὀνομάτων συλλαβήν ;

ΘΕΑΙ. Ἀλλ' ἄρτι ὡμολογήσαμεν τὸν οὕτως ἔχοντα μήπω εἰδέναι.

ΣΩ. Κωλύει οὖν τι καὶ περὶ τὴν δευτέραν συλλαβὴν καὶ τρίτην καὶ τετάρτην οὕτως ἔχειν τὸν αὐτόν ;

d 3 post εἶναι add. καὶ W || **d** 4 τοτὲ Schanz : τότε W ὅτε BTY || αὐτῷ : αὐτὸ B || **e** 2 εἰς ante ἄλλην om. Y || **e** 7 οἴηταί edd. : οἴεταί codd. et mox **a** 1 || τε om. W || γράψῃ : -ει Y et mox **a** 2 || **208 a** 2 τε : τι W || αὐτὸν : αὐτὸ Y || **a** 3 ὑμετέρων : ἡμ- Y.

THÉÉTÈTE. — Rien, assurément.

SOCRATE. — Est-ce qu'alors, possédant son parcours éléments par éléments, il écrira « Théétète » avec opinion droite, quand il écrira ce nom dans l'ordre voulu?

THÉÉTÈTE. — Évidemment.

b SOCRATE. — Ne sera-t-il pas alors encore dépourvu de science, mais jugeant droitement, à en croire nos affirmations?

THÉÉTÈTE. — Si.

SOCRATE. — Mais il aura pourtant la raison s'ajoutant à l'opinion droite. Car la marche suivie d'un élément à l'autre, il la possédait quand il a écrit : et c'est en elle que, d'un commun accord, nous avons fait consister la raison.

THÉÉTÈTE. — C'est vrai.

SOCRATE. — Il y a donc, ami, une opinion droite, accompagnée de raison, qu'on ne doit pas encore appeler science.

THÉÉTÈTE. — J'en ai peur.

SOCRATE. — Trésors de rêve donc, ce semble, que notre nouvelle richesse, où nous croyions tenir la plus authentique raison de science. Ou bien ne faut-il pas encore prononcer la c condamnation? Peut-être, en effet, n'est-ce point cette définition que l'on choisira, mais plutôt la dernière de ces trois formes dont l'une quelconque, disions-nous, s'imposait comme définition de la raison à qui définit la science par l'opinion droite accompagnée de raison.

THÉÉTÈTE. — Tu m'en fais souvenir heureusement: il reste encore une formule. La première était la pensée reflétée, pour ainsi dire, en image vocale. La seconde, tout à l'heure exposée, était : la marche qui, d'un élément à l'autre, progresse jusqu'au tout. Mais la troisième, comment l'exprimes-tu?

La raison définie comme différence caractéristique.

SOCRATE. — Comme l'exprimerait le vulgaire : avoir quelque signe à fournir qui distingue, de tout le reste, l'objet en question.

THÉÉTÈTE. — Sur quel objet pourrais-tu me donner un exemple de cette sorte de raison?

d SOCRATE. — Soit, en exemple, si tu veux, le soleil. Tu le trouverais, pour toi, suffisamment déterminé si l'on dit : c'est le plus brillant des corps qui se meuvent dans le ciel autour de la terre.

THÉÉTÈTE. — Parfaitement.

ΘΕΑΙ. Οὐδέν γε.

ΣΩ. Ἆρ᾽ οὖν τότε τὴν διὰ στοιχείου διέξοδον ἔχων γράψει « Θεαίτητον » μετὰ ὀρθῆς δόξης, ὅταν ἑξῆς γράφῃ;

ΘΕΑΙ. Δῆλον δή.

ΣΩ. Οὐκοῦν ἔτι ἀνεπιστήμων ὤν, ὀρθὰ δὲ δοξάζων, ὥς b φαμεν ;

ΘΕΑΙ. Ναί.

ΣΩ. Λόγον γε ἔχων μετὰ ὀρθῆς δόξης. Τὴν γὰρ διὰ τοῦ στοιχείου ὁδὸν ἔχων ἔγραφεν, ἣν δὴ λόγον ὡμολογήσαμεν.

ΘΕΑΙ. Ἀληθῆ.

ΣΩ. Ἔστιν ἄρα, ὦ ἑταῖρε, μετὰ λόγου ὀρθὴ δόξα, ἣν οὔπω δεῖ ἐπιστήμην καλεῖν.

ΘΕΑΙ. Κινδυνεύει.

ΣΩ. Ὄναρ δή, ὡς ἔοικεν, ἐπλουτήσαμεν οἰηθέντες ἔχειν τὸν ἀληθέστατον ἐπιστήμης λόγον. Ἢ μήπω κατηγορῶμεν ; ἴσως γὰρ οὐ τοῦτό τις αὐτὸν ὁριεῖται, ἀλλὰ τὸ λοιπὸν c εἶδος τῶν τριῶν, ὧν ἕν γέ τι ἔφαμεν λόγον θήσεσθαι τὸν ἐπιστήμην ὁριζόμενον δόξαν εἶναι ὀρθὴν μετὰ λόγου.

ΘΕΑΙ. Ὀρθῶς ὑπέμνησας· ἔτι γὰρ ἓν λοιπόν. Τὸ μὲν γὰρ ἦν διανοίας ἐν φωνῇ ὥσπερ εἴδωλον, τὸ δ᾽ ἄρτι λεχθὲν διὰ στοιχείου ὁδὸς ἐπὶ τὸ ὅλον· τὸ δὲ δὴ τρίτον τί λέγεις ;

ΣΩ. Ὅπερ ἂν οἱ πολλοὶ εἴποιεν, τὸ ἔχειν τι σημεῖον εἰπεῖν ᾧ τῶν ἁπάντων διαφέρει τὸ ἐρωτηθέν.

ΘΕΑΙ. Οἷον τίνα τίνος ἔχεις μοι λόγον εἰπεῖν ;

ΣΩ. Οἷον, εἰ βούλει, ἡλίου πέρι ἱκανὸν οἶμαί σοι εἶναι d ἀποδέξασθαι, ὅτι τὸ λαμπρότατόν ἐστι τῶν κατὰ τὸν οὐρανὸν ἰόντων περὶ γῆν.

ΘΕΑΙ. Πάνυ μὲν οὖν.

b 1 δὲ om. W || **b** 4 γὰρ om. Y || **b** 5 ἔγραφεν : -ψεν W || **b** 7 ἀληθῆ : -ῶς Y || **b** 8 ἄρα ἔστιν W || **b** 9 καλεῖν : -εῖ B || **c** 2 ἔφαμεν : φαμὲν W || **c** 7 πολλοὶ : λοιποὶ Y || **d** 2 ἀποδέξασθαι : ὑπο- W || κατὰ τὸν οὐρανὸν : κατ᾽ οὐρ- W || **d** 3 περὶ γῆν ἰόντων W || **d** 4 πάνυ μὲν οὖν... 209 **a** 2 λόγον om. B Ven. 185.

SOCRATE. — Voici donc à quoi tend cet exemple, à éclairer ce que nous disions tout à l'heure : la différence une fois saisie qui distingue chaque objet de tous les autres, c'est sa raison, disent certains [1], que tu auras saisie. Mais tant que tu n'atteins qu'un caractère commun, les objets dont tu posséderas la raison ne seront que les objets mêmes sur qui s'étend cette communauté.

e THÉÉTÈTE. — Je comprends ; et voilà, ce me semble, une excellente application du mot raison.

SOCRATE. — Donc, à l'opinion droite qu'on a sur un être quelconque, ajouter la différence qui le distingue de tous les autres, ce sera avoir acquis la science de ce dont on n'avait qu'une simple opinion.

THÉÉTÈTE. — C'est bien là notre affirmation.

SOCRATE. — Or, au fait, Théétète, j'éprouve absolument l'impression de qui s'est approché d'une peinture en perspective, maintenant que je vois de près cette formule : je n'y trouve plus le moindre sens. Tant qu'elle restait à distance lointaine, elle m'apparaissait encore en avoir un.

THÉÉTÈTE. — Comment cela ?

209 a SOCRATE. — Je vais te l'expliquer, si j'en suis capable. Droite est l'opinion que j'ai de toi : si j'y ajoute ta raison, je te connais ; sinon, je ne fais qu'opiner.

THÉÉTÈTE. — Oui.

SOCRATE. — Or la dite raison, c'était l'explication de ta différence.

THÉÉTÈTE. — En effet.

SOCRATE. — Tant que je ne faisais qu'opiner, n'est-ce pas que ce par quoi tu diffères des autres restait absolument hors des atteintes de ma pensée ?

THÉÉTÈTE. — Vraisemblablement.

SOCRATE. — C'était donc quelque caractère commun que je concevais, où tu n'as pas plus de part que n'importe quel autre.

b THÉÉTÈTE. — Nécessairement.

1. Qui Platon vise-t-il ici ? Campbell (*Introd.*, p. XXXVI, et *ad loc.*) veut que ce soient sûrement des socratiques et probablement des Mégariques. Au fait, nous ne savons pas, et ne pouvons qu'entrevoir, par de tels passages, combien de discussions antérieures ou contemporaines à Platon ont dû préparer la théorie aristotélicienne de la

ΣΩ. Λαβὲ δὴ οὗ χάριν εἴρηται. Ἔστι δὲ ὅπερ ἄρτι ἐλέγομεν, ὡς ἄρα τὴν διαφορὰν ἑκάστου ἂν λαμβάνῃς ᾗ τῶν ἄλλων διαφέρει, λόγον, ὥς φασί τινες, λήψῃ· ἕως δ' ἂν κοινοῦ τινος ἐφάπτῃ, ἐκείνων πέρι σοι ἔσται ὁ λόγος ὧν ἂν ἡ κοινότης ᾖ.

ΘΕΑΙ. Μανθάνω· καί μοι δοκεῖ καλῶς ἔχειν λόγον τὸ τοιοῦτον καλεῖν. e

ΣΩ. Ὃς δ' ἂν μετ' ὀρθῆς δόξης περὶ ὁτουοῦν τῶν ὄντων τὴν διαφορὰν τῶν ἄλλων προσλάβῃ, αὐτοῦ ἐπιστήμων γεγονὼς ἔσται οὗ πρότερον ἦν δοξαστής.

ΘΕΑΙ. Φαμέν γε μὴν οὕτω.

ΣΩ. Νῦν δῆτα, ὦ Θεαίτητε, παντάπασιν ἔγωγε, ἐπειδὴ ἐγγὺς ὥσπερ σκιαγραφήματος γέγονα τοῦ λεγομένου, συνίημι οὐδὲ σμικρόν· ἕως δὲ ἀφειστήκη πόρρωθεν, ἐφαίνετό τί μοι λέγεσθαι.

ΘΕΑΙ. Πῶς τί τοῦτο ;

ΣΩ. Φράσω, ἐὰν οἷός τε γένωμαι. Ὀρθὴν ἔγωγε ἔχων 209 a δόξαν περὶ σοῦ, ἐὰν μὲν προσλάβω τὸν σὸν λόγον, γιγνώσκω δή σε, εἰ δὲ μή, δοξάζω μόνον.

ΘΕΑΙ. Ναί.

ΣΩ. Λόγος δέ γε ἦν ἡ τῆς σῆς διαφορότητος ἑρμηνεία.

ΘΕΑΙ. Οὕτως.

ΣΩ. Ἡνίκ' οὖν ἐδόξαζον μόνον, ἄλλο τι ᾧ τῶν ἄλλων διαφέρεις, τούτων οὐδενὸς ἡπτόμην τῇ διανοίᾳ ;

ΘΕΑΙ. Οὐκ ἔοικε.

ΣΩ. Τῶν κοινῶν τι ἄρα διενοούμην, ὧν οὐδὲν σὺ μᾶλλον ἤ τις ἄλλος ἔχει.

ΘΕΑΙ. Ἀνάγκη. b

d 7 διαφέρει W : om. TY || **d** 8 ἐκείνων : -ου W || σοι : ἴσως W || ὧν : ᾧ W || **d** 9 ᾖ : ἦν W || **e** 2 τοιοῦτον : -ο W || **e** 4 ἄλλων : ὄντων W || **e** 5 οὗ : οὗπερ W || **e** 6 μὴν : νῦν W || **e** 7 παντάπασιν ἔγωγε W : -σί γε ἐγὼ T -σί γε ἔγωγε Y || **e** 8 σκιαγραφήματος : -ματα Y || **e** 9 ἀφειστήκη Schanz : ἀφεστήκη T -η Y -ει W || **e** 10 τί om. Y || **209 a** 1 ἔγωγε : ἐγὼ T || **a** 2 γιγνώσκω : in hac uoce redit B || **a** 9 ἔοικε : ἔγωγε B || **a** 10 τι om. Y.

SOCRATE. — Voyons, par Zeus : comment jamais, en telle occasion, est-ce plutôt de toi que je jugeais que de n'importe qui d'autre? Suppose-moi faisant ces réflexions : celui-là est Théétète ; il a un nez, des yeux, une bouche ; ainsi de tous les membres l'un après l'autre. Est-ce une telle pensée qui me pourra jamais faire concevoir Théétète ou Théodore, plutôt, comme on dit, que le dernier des Mysiens?

THÉÉTÈTE. — Comment serait-ce possible?

SOCRATE. — Que, par contre, l'objet que j'ai en pensée c n'ait pas seulement un nez et des yeux, mais le nez camus, les yeux à fleur de tête, est-ce de toi que je jugerai plutôt que de moi-même ou de tous ceux qui ont des traits pareils?

THÉÉTÈTE. — Pas du tout.

SOCRATE. — Mais il faudra, je pense, avant que, sur Théétète, un jugement se forme en mon opinion, il faudra auparavant que sa camardise, gravant en moi sa différence d'avec toutes autres camardises que j'ai vues, l'y ait déposée comme souvenir, et que, avec celle de tous autres traits qui te constituent, cette marque, demain, si je te rencontre, éveille une réminiscence et me fasse juger droitement à ton égard.

d THÉÉTÈTE. — C'est parfaitement vrai.

SOCRATE. — C'est donc sur la différence que porterait, en chaque objet, l'opinion droite elle-même.

THÉÉTÈTE. — Apparemment.

SOCRATE. — Notre adjonction de la raison à l'opinion droite, que serait-ce donc de plus? Si, en effet, cela veut dire adjonction d'un jugement sur ce par quoi un objet diffère des autres, la prescription devient tout à fait ridicule.

THÉÉTÈTE. — Comment?

SOCRATE. — Là où nous avons opinion droite de ce par quoi l'objet diffère des autres, là-même elle nous ordonne de concevoir, en outre, une opinion droite sur ce par quoi l'objet diffère des autres. A ce compte, tourner la scytale, tourner le mortier, tourner tout ce que dit le proverbe ne seraient que

définition. Sur celle-ci, cf. *Métaph.*, VII, 12 (1037 b, 8-1038 b, 35) et remarquer qu'on peut traduire (1038 b, 28) : « la définition est la *raison* qui résulte des différences (λόγος ὁ ἐκ τῶν διαφορῶν) et, précisément, de la dernière différence ». Platon définissait lui-même l'espèce par le genre et la différence (*Métaph.*, 1039 a, 25).

ΣΩ. Φέρε δὴ πρὸς Διός· πῶς ποτε ἐν τῷ τοιούτῳ σὲ μᾶλλον ἐδόξαζον ἢ ἄλλον ὁντινοῦν ; Θὲς γάρ με διανοούμενον ὡς ἔστιν οὗτος Θεαίτητος, ὃς ἂν ᾖ τε ἄνθρωπος καὶ ἔχῃ ῥῖνα καὶ ὀφθαλμοὺς καὶ στόμα καὶ οὕτω δὴ ἓν ἕκαστον τῶν μελῶν· αὕτη οὖν ἡ διάνοια ἔσθ᾽ ὅτι μᾶλλον ποιήσει με Θεαίτητον ἢ Θεόδωρον διανοεῖσθαι, ἢ τῶν λεγομένων Μυσῶν τὸν ἔσχατον ;

ΘΕΑΙ. Τί γάρ ;

ΣΩ. Ἀλλ᾽ ἐὰν δὴ μὴ μόνον τὸν ἔχοντα ῥῖνα καὶ ὀφθαλμοὺς διανοηθῶ, ἀλλὰ καὶ τὸν σιμόν τε καὶ ἐξόφθαλμον, μή **c** τι σὲ αὖ μᾶλλον δοξάσω ἢ ἐμαυτὸν ἢ ὅσοι τοιοῦτοι ;

ΘΕΑΙ. Οὐδέν.

ΣΩ. Ἀλλ᾽ οὐ πρότερόν γε, οἶμαι, Θεαίτητος ἐν ἐμοὶ δοξασθήσεται, πρὶν ἂν ἡ σιμότης αὕτη τῶν ἄλλων σιμοτήτων ὧν ἐγὼ ἑώρακα διάφορόν τι μνημεῖον παρ᾽ ἐμοὶ ἐνσημηναμένη κατάθηται — καὶ τἆλλα οὕτω ἐξ ὧν εἶ σύ — ἥ με, καὶ ἐὰν αὔριον ἀπαντήσω, ἀναμνήσει καὶ ποιήσει ὀρθὰ δοξάζειν περὶ σοῦ.

ΘΕΑΙ. Ἀληθέστατα.

ΣΩ. Περὶ τὴν διαφορότητα ἄρα καὶ ἡ ὀρθὴ δόξα ἂν εἴη **d** ἑκάστου πέρι.

ΘΕΑΙ. Φαίνεταί γε.

ΣΩ. Τὸ οὖν προσλαβεῖν λόγον τῇ ὀρθῇ δόξῃ τί ἂν ἔτι εἴη ; εἰ μὲν γὰρ προσδοξάσαι λέγει ᾗ διαφέρει τι τῶν ἄλλων, πάνυ γελοία γίγνεται ἡ ἐπίταξις.

ΘΕΑΙ. Πῶς ;

ΣΩ. Ὧν ὀρθὴν δόξαν ἔχομεν ᾗ τῶν ἄλλων διαφέρει, τούτων προσλαβεῖν κελεύει ἡμᾶς ὀρθὴν δόξαν ᾗ τῶν ἄλλων διαφέρει. Καὶ οὕτως ἡ μὲν σκυτάλης ἢ ὑπέρου ἢ ὅτου δὴ

b 5 ἔχῃ : -ει YW || **b** 7 τῶν λεγομένων : τὸ λεγόμενον Cornarius || **c** 1 μή τι : μήτε W || **c** 7 εἶ σύ edd. : εἶ σὺ BW εἴσει T εἴση Y || ἥ με ex ἐμὲ ut uid. W2 : ἢ ἐμὲ Ven. 184 Ven 185 [1] ἐμὲ BTY || **c** 8 ἀναμνήσει... ποιήσει : -εις -εις T || **d** 6 ἐπίταξις : ἀπό- B || **d** 9 ἡμᾶς κελεύει TY || **d** 10 σκυτάλης ἢ : -λη σὴ TY.

e plaisanteries insignifiantes à côté d'une telle prescription. C'est injonction d'aveugle qu'il serait plus juste de l'appeler. Car nous ordonner de nous adjoindre choses que nous avons pour apprendre choses dont nous jugeons, cela ressemble, joliment, à de l'aveuglement.

Théétète. — Alors dis-moi ce que tu te proposais de dire en me posant tes questions tout à l'heure.

Socrate. — Si, mon jeune ami, l'adjonction prescrite de la raison exige que l'on connaisse, et non point qu'on estime par opinion la différence, ce serait chose suave que cette raison et la plus belle qu'on ait donnée de la science. Connaître, 210 a en effet, c'est, j'imagine, s'être approprié la science. N'est-il pas vrai ?

Théétète. — Si.

Socrate. — Cet homme donc, en somme, à qui lui demande ce qu'est la science, répondra que c'est l'opinion droite avec science de la différence. Car l'adjonction de raison serait cela, d'après lui.

Théétète. — En somme, oui.

Socrate. — Or c'est pure sottise de venir nous affirmer, à nous qui cherchons la science, que c'est l'opinion droite avec science de la différence ou de ce qu'on voudra. Ainsi, Théétète, la science ne serait ni la sensation, ni l'opinion b vraie, ni la raison qui viendrait, par surcroît, accompagner cette opinion vraie.

Théétète. — Il semble que non.

Socrate. — Sommes-nous donc encore, cher, en quelque gestation et douleur d'enfantement au sujet de la science, ou sommes-nous totalement délivrés ?

Théétète. — Oui, par Zeus, et, pour moi, tu m'as fait exprimer bien plus de choses que je n'en avais en moi.

Socrate. — Et donc, en toute cette géniture, notre art maïeutique affirme ne trouver que du vent et rien qui vaille qu'on l'élève ?

Théétète. — Absolument.

Le bienfait de la maïeutique.

Socrate. — Si donc, après cela, Théétète, tu cherches à concevoir encore et si, réellement, tu conçois, de meilleures c conceptions sera faite ta plénitude, purifiée par la présente

λέγεται περιτροπὴ πρὸς ταύτην τὴν ἐπίταξιν οὐδὲν ἂν λέγοι, τυφλοῦ δὲ παρακέλευσις ἂν καλοῖτο δικαιότερον· τὸ γάρ, ἃ ἔχομεν, ταῦτα προσλαβεῖν κελεύειν, ἵνα μάθωμεν ἃ δοξάζομεν, πάνυ γενναίως ἔοικεν ἐσκοτωμένῳ. e

ΘΕΑΙ. Εἰπὲ δὴ τί νυνδὴ ὡς ἐρῶν ἐπύθου;

ΣΩ. Εἰ τὸ λόγον, ὦ παῖ, προσλαβεῖν γνῶναι κελεύει, ἀλλὰ μὴ δοξάσαι τὴν διαφορότητα, ἡδὺ χρῆμ' ἂν εἴη τοῦ καλλίστου τῶν περὶ ἐπιστήμης λόγου. Τὸ γὰρ γνῶναι ἐπιστήμην που λαβεῖν ἐστιν· ἦ γάρ; 210 a

ΘΕΑΙ. Ναί.

ΣΩ. Οὐκοῦν ἐρωτηθείς, ὡς ἔοικε, τί ἐστιν ἐπιστήμη, ἀποκρινεῖται ὅτι δόξα ὀρθὴ μετὰ ἐπιστήμης διαφορότητος. Λόγου γὰρ πρόσληψις τοῦτ' ἂν εἴη κατ' ἐκεῖνον.

ΘΕΑΙ. Ἔοικεν.

ΣΩ. Καὶ παντάπασί γε εὔηθες, ζητούντων ἡμῶν ἐπιστήμην, δόξαν φάναι ὀρθὴν εἶναι μετ' ἐπιστήμης εἴτε διαφορότητος εἴτε ὁτουοῦν. Οὔτε ἄρα αἴσθησις, ὦ Θεαίτητε, οὔτε δόξα ἀληθὴς οὔτε μετ' ἀληθοῦς δόξης λόγος προσγιγνόμενος ἐπιστήμη ἂν εἴη. b

ΘΕΑΙ. Οὐκ ἔοικεν.

ΣΩ. Ἦ οὖν ἔτι κυοῦμέν τι καὶ ὠδίνομεν, ὦ φίλε, περὶ ἐπιστήμης, ἢ πάντα ἐκτετόκαμεν;

ΘΕΑΙ. Καὶ ναὶ μὰ Δί' ἔγωγε πλείω ἢ ὅσα εἶχον ἐν ἐμαυτῷ διὰ σὲ εἴρηκα.

ΣΩ. Οὐκοῦν ταῦτα μὲν πάντα ἡ μαιευτικὴ ἡμῖν τέχνη ἀνεμιαῖά φησι γεγενῆσθαι καὶ οὐκ ἄξια τροφῆς;

ΘΕΑΙ. Παντάπασι μὲν οὖν.

ΣΩ. Ἐὰν τοίνυν ἄλλων μετὰ ταῦτα ἐγκύμων ἐπιχειρῇς γίγνεσθαι, ὦ Θεαίτητε, ἐάντε γίγνῃ, βελτιόνων ἔσῃ πλήρης c

e 2 δὲ : δὲ καὶ W || e 4 δοξάζομεν : -ωμεν T || e 5 εἰπὲ δὴ TY et in marg. W : ει γε δη B εἴ γε δὴ B²W || ἐρῶν ἐπύθου : ἕτερον ὑπέθου Badham || e 8 ἐπιστήμης : -ην TW¹ || 210 b 1 μετὰ δόξης ἀληθοῦς W || b 8 πάντα : ἅπαντα TY || b 9 φησι : φασὶ W || καὶ om. TY || b 11 post ἐὰν add. οὖν BW.

épreuve. Si, au contraire, tu demeures vide, tu seras moins lourd à ceux que tu fréquenteras, plus doux aussi, parce que, sagement, tu ne t'imagineras point savoir ce que tu ne sais pas. C'est là toute la puissance de mon art : elle ne va pas plus loin, et je ne sais rien de ce que savent les autres, tous ces grands et merveilleux esprits d'aujourd'hui et d'autrefois. Mais cet art d'accoucher, moi comme ma mère l'avons reçu de Dieu : elle, pour délivrer les femmes; moi, pour
d délivrer ceux des jeunes hommes qui sont nobles ou beaux de quelque beauté que ce soit. Pour l'instant donc, j'ai rendez-vous obligé au Portique du Roi, pour répondre à l'accusation que m'a intentée Mélétos. Mais, pour demain, Théodore, ici encore prenons rendez-vous.

διὰ τὴν νῦν ἐξέτασιν, ἐάντε κενὸς ᾖς, ἧττον ἔσῃ βαρὺς τοῖς συνοῦσι καὶ ἡμερώτερος σωφρόνως οὐκ οἰόμενος εἰδέναι ἃ μὴ οἶσθα. Τοσοῦτον γὰρ μόνον ἡ ἐμὴ τέχνη δύναται, πλέον δὲ οὐδέν, οὐδέ τι οἶδα ὧν οἱ ἄλλοι, ὅσοι μεγάλοι καὶ θαυμάσιοι ἄνδρες εἰσί τε καὶ γεγόνασιν· τὴν δὲ μαιείαν ταύτην ἐγώ τε καὶ ἡ μήτηρ ἐκ θεοῦ ἐλάχομεν, ἡ μὲν τῶν γυναικῶν, ἐγὼ δὲ τῶν νέων τε καὶ γενναίων καὶ ὅσοι καλοί. Νῦν μὲν d οὖν ἀπαντητέον μοι εἰς τὴν τοῦ βασιλέως στοὰν ἐπὶ τὴν Μελήτου γραφὴν ἥν με γέγραπται· ἕωθεν δέ, ὦ Θεόδωρε, δεῦρο πάλιν ἀπαντῶμεν.

c 3 συνοῦσι : οὖσι B || d 3 μελήτου : τοῦ μελίτου Y.

NOTE COMPLÉMENTAIRE A *THÉÉTÈTE*, 148 b.

(*Voir page 165*)

Théétète est un jeune homme. Sa découverte ne pouvait donc pas être exposée par lui, dans cette conversation, avec la précision absolue qu'exigerait un traité de mathématiques. Bien que la langue ici employée concorde assez souvent avec celle d'Euclide, la généralisation qu'elle sert à traduire est un peu large. Pour Théétète, un nombre carré parfait est équilatéral : $4 = 2 \times 2$. Sa puissance ou racine, parce que directement commensurable avec l'unité, est appelée proprement longueur. Tout autre produit de deux facteurs est hétéromèque : $6 = 2 \times 3$. Sa puissance ou racine n'est pas directement commensurable soit avec la puissance ou racine des carrés parfaits, soit avec ces carrés eux-mêmes. Mais elle l'est potentiellement, parce que la surface que peut $\sqrt{6}$, c'est-à-dire la surface obtenue en élevant au carré $\sqrt{6}$, est commensurable, nombre à nombre, avec tout carré parfait et toute racine de carré parfait. Parce que potentiellement commensurables, ces dernières puissances ou racines sont donc appelées strictement puissances. Ainsi, dans une seule classe et sous un seul mot, Théétète a pu rassembler les puissances qui sont longueurs et celles qui ne sont que puissances. Notre vieille langue mathématique permet de traduire littéralement là où nous avons quelque peu paraphrasé : « Toutes lignes dont le carré forme un nombre hétéromèque, nous les avons définies puissances, parce que, non commensurables aux premières en longueur, elles le sont par les surfaces qu'elles peuvent ». Euclide (X) parle lui-même partout de la ligne qui « peut » une surface donnée (δύναται τὸ χωρίον.. ἡ τὸ χωρίον δυναμένη) ; et notre Henrion explique : « Une ligne droite est dite pouvoir une figure, quand le carré décrit sur icelle est égal à cette figure. Ainsi... deux lignes sont commensurables en puissance, lorsque non pas les lignes, mais les carrés d'icelles lignes peuvent être mesurés par une même superficie » (*Les quinze livres des Éléments Géométriques d'Euclide,* Paris, 1532, p. 403/4). Aux lignes commensurables en puissance seulement, Henrion oppose les lignes commensurables en *longitude*. A partir du XVIIe s., on a dit : commensurables en *longueur*.

SOCIÉTÉ D'ÉDITION « LES BELLES LETTRES »

1° *COLLECTION DES UNIVERSITÉS DE FRANCE*

Sous le patronage de l'Association Guillaume BUDÉ

Couronnée par l'Académie Française.

AUTEURS GRECS

		Exempl. numérotés sur papier Lafuma.
Platon. — *Œuvres complètes.* — **Tome I** (Hippias mineur. — Alcibiade. — Apologie de Socrate. — Euthyphron. — Criton). Texte établi et traduit par M. MAURICE CROISET, Membre de l'Institut, Administrateur du Collège de France. .	12 fr.	épuisé.
Le texte seul.	7	15
La traduction seule.	6	épuisé.
Apologie de Socrate, le texte seul.	2	
Euthyphron, *Criton*, le texte seul.	2	
Platon. — **Tome II** (Hippias majeur. — Charmide. — Lachès. — Lysis). Texte établi et traduit par M. ALFRED CROISET, Membre de l'Institut, Doyen honoraire de la Faculté des Lettres de Paris.	12	25
Le texte seul.	7	15
La traduction seule.	6	13
Platon. — **Tome III**, 1re partie (Protagoras). Texte établi et traduit par M. ALFRED CROISET, Membre de l'Institut, Doyen honoraire de la Faculté des Lettres de Paris.	9	19
Le texte seul.	6	13
La traduction seule.	5	11
Platon. — **Tome III**, 2e partie (Gorgias. — Ménon). Texte établi et traduit par M. ALFRED CROISET, Membre de l'Institut, Doyen honoraire de la Faculté des Lettres de Paris.	16	
Le texte seul.	9	19
La traduction seule.	8	17
Platon. — **Tome VIII**, 1re partie (Parménide). Texte établi et traduit par M. A. DIÈS. . .	10	21
Le texte seul.	8	17
La traduction seule.	7	15
Théophraste. — *Caractères.* — Texte établi et traduit par M. NAVARRE, Professeur à la Faculté des Lettres de Toulouse.	5	épuisé.
Le texte seul.	4	10
La traduction seule.	3	7
Eschyle. — **Tome I** (Les Suppliantes. — Les Perses. — Les Sept contre Thèbes. — Pro-		

méthée enchaîné). — Texte établi et traduit par M. P. Mazon, Professeur à la Faculté des Lettres de Paris. . . . . 15 fr. 30 fr.

Le texte seul. 8 17

La traduction seule. 7 15

Le texte de chacune de ces tragédies, avec notice. 2 25

Callimaque. — *Hymnes, Épigrammes et Fragments choisis.* — Texte établi et traduit par M. E. Cahen, Maître de Conférences à la Faculté des Lettres d'Aix-Marseille. 13 27

Le texte seul. 7 50 16

La traduction seule. 6 50 14

Sophocle. — Tome I (Ajax. — Antigone. — Œdipe-Roi. — Électre). — Texte établi et traduit par M. Masqueray, Professeur à la Faculté des Lettres de Bordeaux.. . . . . . 18 36

Le texte seul. 10 20

La traduction seule. 9 18

Le texte de chacune de ces tragédies. 2 75

Pindare. — Tome I. *Olympiques.* — Texte établi et traduit par M. Puech, Professeur à la Faculté des Lettres de Paris.. . . . . . 10 22

Le texte seul. 9 19

La traduction seule. 8 17

Pindare. — Tome II. *Pythiques.* — Texte établi et traduit par M. A. Puech, Professeur à la Faculté des Lettres de Paris. 10 22

Le texte seul. 9 19

La traduction seule. 8 17

Pindare. — Tome III (*Néméennes*). — Texte établi et traduit par M. A. Puech, professeur à la Faculté des Lettres de Paris. 12 25

Le texte seul. 11 23

La traduction seule. 10 21

Pindare. — Tome IV (*Isthmiques et Fragments*). — Texte établi et traduit par M. A. Puech, professeur à la Faculté des Lettres de Paris. 20 41

Le texte seul. 16 32

La traduction seule. 15 30

Isée. — *Discours.* — Texte établi et traduit par M. P. Roussel, Professeur à la Faculté des Lettres de Strasbourg.. . . . . 16 33

Le texte seul. 9 19

La traduction seule. 8 17

Aristote. — *Constitution d'Athènes.* — Texte établi et traduit par MM. B. Haussoullier, Membre de l'Institut, Directeur à l'École des Hautes-Études, et G. Mathieu, chargé de conférences à la Faculté des Lettres de Nancy. 10 22

Le texte seul. 6 13

La traduction seule. 5 11

Antiphon. — *Discours.* — Texte établi et traduit par M. L. Gernet, professeur à la Faculté des Lettres d'Alger. . . . . 15 fr. 31 fr.
Le texte seul. 9 19
La traduction seule. 8 17

Aristophane. — **Tome I** (*Acharniens, Cavaliers, Nuées*). — Texte établi et traduit par M. Coulomb et M. Van Daele, professeur à la Faculté des Lettres de Besançon. 20 41
Le texte seul. 11 23
La traduction seule. 10 21
Le texte de chacune de ces comédies. 4

Euripide. — **Tome III** (*Héraclès — Les Suppliantes — Ion*). Texte traduit et établi par M. Léon Parmentier, professeur à l'Université de Liège, et Henri Grégoire, professeur à l'Université de Bruxelles.. . . . . 20 40
Le texte seul. 11 23
La traduction seule. 10 21
Le texte de chacune de ces tragédies. 4

AUTEURS LATINS

Lucrèce. — *De la Nature.* — **Tome I** (Livres I, II, III). Texte établi et traduit par M. Ernout, Professeur à la Faculté des Lettres de Lille. . Réimp. épuisé.

Lucrèce. — **Tome II** (Livres IV, V, VI), texte et traduction. . . . . 10 épuisé.
Le texte seul (Livres I-VI). 12 25
La traduction seule (Livres I-VI). Réimp. épuisé.

Perse. — *Satires.* — Texte établi et traduit par M. Cartault, Professeur à la Faculté des Lettres de Paris. . . . . Réimp. épuisé.
Le texte seul, avec un index. 7 15
La traduction seule. 3 épuisé.

Juvénal. — *Satires.* — Texte établi et traduit par M. de Labriolle, Professeur à la Faculté des Lettres de Poitiers, et M. Villeneuve, Professeur à la Faculté des Lettres de Aix-Marseille.. . . . . 16 33
Le texte seul. 9 19
La traduction seule. 8 17

Cicéron. — *Discours.* — **Tome I** (Pour Quinctius. Pour S. Roscius d'Amérie. Pour S. Roscius le Comédien). Texte établi et traduit par M. de la Ville de Mirmont, Professeur à la Faculté des Lettres de Bordeaux. 12 25
Le texte seul. 7 15
La traduction seule. 6 13

Cicéron. — *Discours.* — **Tome II** (Pour M. Tullius. Discours contre Q. Cæcilius, dit « La

Divination »). Première action contre C. Verrès. Seconde action contre C. Verrès, livre premier, la préture urbaine). Texte établi et traduit par M. de la Ville de Mirmont, professeur à la Faculté des Lettres de Bordeaux. .	16 fr.	33 fr.
Le texte seul.	8	17
La traduction seule.	7 50	16
Cicéron. — *Discours.* — **Tome III** (Seconde action contre Verrès. Livre second : la préture de Sicile). Texte établit et traduit par M. de la Villede Mirmont, Professeur à la Faculté des Lettres de Bordeaux.	12	épuisé.
Le texte seul.	7	15
La traduction seule.	6	13
Cicéron. — *L'Orateur.* — Texte établi et traduit par M. H. Bornecque, Professeur à la Faculté des Lettres de Lille..	11	23
Le texte seul.	6 50	14
La traduction seule.	5 50	12
Cicéron. — *De l'Orateur.* (Livre I). — Texte établi et traduit par M. Courbaud, professeur à la Faculté des Lettres de Paris.	12	25
Le texte seul.	7	15
La traduction seule.	6	13
Cicéron. — *Brutus.* — Texte établi et traduit par M. Martha, Professeur à la Faculté des Lettres de Paris.	12	25
Le texte seul.	7	15
La traduction seule.	6	13
Sénèque. — *De la Clémence.* — Texte établi et traduit (avec une introduction et un facsimilé) par M. Préchac, Professeur au lycée Henri-IV..	12	25
Le texte seul.	7	15
La traduction seule.	6	13
Sénèque. — *Dialogues.* — **Tome I** (*De la Colère*). — Texte établi et traduit par M. Bourgery, Professeur au Lycée Condorcet.. . . .	14	29
Le texte seul.	7	15
La traduction seule.	6	13
Sénèque. — *Dialogues.* — **Tome II** (De la Vie Heureuse, De la brièveté de la vie). Texte établi et traduit par M. Bourgery, professeur au lycée de Condorcet.	9	19
Le texte seul.	6	13
La traduction seule.	5	11
Sénèque. — *Dialogues.* — **Tome III** (Consolations). Texte établi et traduit par M. R. Waltz. Professeur à la Faculté des Lettres de Lyon. .	14	29
Le texte seul.	8	17
La traduction seule.	7	15

Tacite. — *Histoires.* — **Tome I** (Livres I, II, III). Texte établi et traduit par M. GOELZER, membre de l'Institut, Professeur à la Faculté	16 fr.	33 fr.
des Lettres de Paris.	10	22
Tacite. — **Tome II** (Livres IV et V).	10	22
Le texte seul (Livres I-V).	14	29
La traduction seule (Livres I-V).	13	27
Tacite. — *Dialogue des Orateurs, Vie d'Agricola, la Germanie.* Texte établi et traduit par MM. GOELZER, BORNECQUE et RABAUD. . .	16	33
Le texte seul.	9	19
La traduction seule.	8	17
Tacite. — *Annales.* — **Tome I** (Texte établi et traduit par M. GOELZER, Membre de l'Institut, Professeur à la Faculté des Lettres de Paris.	16	33
Le texte seul.	9	13
La traduction seule.	8	17
Pétrone. — *Satiricon.* — Texte établi et traduit par M. ERNOUT, Professeur à la Faculté des Lettres de Lille.	16	33
Le texte seul.	10	21
La traduction seule.	8	17
Catulle. — *Œuvres.* — Texte établi et traduit par M. LAFAYE, Professeur à la Faculté des Lettres de Paris (avec index).	12	25
Le texte seul.	7	15
La traduction seule.	6	13
Le Poème de l'Etna. — Texte établi et traduit par M. VESSEREAU, professeur au lycée Hoche de Versailles.	9	19
Le texte seule avec index.	7	15
La traduction seule.	5	11
Cornélius Népos. — Texte établi et traduit par Mlle GUILLEMIN, docteur ès lettres.. . . .	16	33
Le texte seul.	9	19
La traduction seule.	8	17
Tibulle. — *Élégies.* — Texte établi et traduit par M. PONCHONT, professeur au Lycée Lakanal.	16	33
Le texte seul	9	19
La traduction seule.	8	17
Ovide. — *L'Art d'aimer.* — Texte établi et traduit par M. H. BORNECQUE, professeur à l'Université de Lille.	9	19
Le texte seul.	6	13
La traduction seule.	5	11

2° COLLECTION D'ÉTUDES ANCIENNES

Sous le patronage de l'Association Guillaume BUDÉ.

Histoire de la littérature latine chrétienne (ouvrage couronné par l'Académie française) par M. PIERRE DE LABRIOLLE, Professeur à la Faculté des Lettres de Poitiers. .	20 fr.

Règles pour éditions critiques, par M. Louis Havet, Membre de l'Institut, Professeur au Collège de France. . . . . 2 fr. 50

Sénèque Prosateur. — Études littéraires et grammaticales sur la prose de Sénèque le Philosophe par M. A. Bourgery, professeur au Lycée de Poitiers. 16

3° NOUVELLE COLLECTION DE TEXTES ET DOCUMENTS

Sous le patronage de l'Association Guillaume BUDÉ.

Iuliani Imperatoris Epistulae Leges Poematia Fragmenta varia, coll., rec. I. Bidez et F. Cumont. . . . . 25 fr.

De re metrica tractatus graeci inediti, cong., rec., commentariis instruxit W. J. W. Koster. . 15

4° COLLECTION DE COMMENTAIRES D'AUTEURS ANCIENS

Sous le patronage de l'Association Guillaume BUDÉ.

Théophraste. — *Caractères.* — Commentaire critique et explicatif par M. O. Navarre, Professeur à l'Université de Toulouse. . . . . 15 fr.

5° COLLECTION DE LITTÉRATURE GÉNÉRALE

Sir Roger de Coverley et **Autres Essais Littéraires,** par Sir James Frazer. Traduction de M. Chouville, avec une préface d'Anatole France. . . . . 7 fr. 50

Sur les Traces de Pausanias par Sir James Frazer. Traduction de M. Roth, préface de M. Maurice Croiset, avec une carte. . . . 10

Les Mémoires de Jean-Chrysostome Pasek, commentés et traduits par M. Paul Cazin. . 10

Les Têtes de Chien par M. Ierasek, traduction et adaptation de MM. Maloubier et Tilsher. 10

Guillaume Budé (1468-1540) et les Origines de l'Humanisme français, par M. J. Plattard, professeur à la Faculté des Lettres de Poitiers. 3 7

Adam Mickiewicz et le Romantisme, par Stanislas Szopanski. 5

Tous ces volumes se vendent éaglement reliés (toile souple, fers spéciaux) avec une augmentation de 5 francs.

CHARTRES. — IMPRIMERIE DURAND, RUE FULBERT.